46/ he stood dead ~~honny~~ at what she said,
on a most ~~tedios~~ thought and may
~~from~~ observing "either Beren were here, she had
no dear use, and knew not what would become of her
indeed had she been well she would have fled. Then
so he cats began her ascend his terraced rocks & her
cloak and one leap less than you make bearing
Tinúviel upward, and then another, and at the third
he stumbled so that Tinúviel ~~that~~ cried out in fear
and Tevildo said "what ~~piece~~ not Úrning on
how clumsy-footed. Nestiron how lost my employ
if age creeps on her so swiftly [* see back the pages
* 15 *]

36/ the harsh voice of Tevildo sounded suddenly within
~~that araukh~~ Nay when hear in Melko's name
her heart made ifs ~~lled~~ and Tinúviel leaning
her ink against the wall, but Tevildo caught sight
of her where she was perched and cried "Then h-
utter and songs not any more; come down
or I must fetch thee, or behold I will not
encourage ~~two~~ clowns with ~~silence~~, no no ~~so~~
Then partly in fear, and put in hope that her clear voice
might carry even to Beren, Tinúviel uplift suddenly
receiving loud and to this tale so that his chambers rang
but ~~Hush my~~ dear maiden" said Tevildo "if the maker
were good without it is not one for bawling within"
Then said Tinúviel "Excuse and Just to me O cats
mighty ~~and~~ kind of Cats ~~for~~ hough how be for in I not
Tinúviel princess, fairies that have hopes out ✝
wander thee a place" — now at these words
and she had shouted them loud louder know as a great
crash was heard in the kitchen as garments ~~cat~~
a vessel and cauldron were let falling all, but Tevildo

A HISTÓRIA
DA TERRA-MÉDIA
I
O LIVRO DOS
CONTOS PERDIDOS 1

J.R.R. TOLKIEN

A HISTÓRIA DA TERRA-MÉDIA

I

O LIVRO DOS CONTOS PERDIDOS 1

Editado por CHRISTOPHER TOLKIEN

Tradução de
EDUARDO BOHEME
REINALDO JOSÉ LOPES
RONALD KYRMSE

Rio de Janeiro, 2023

Título original: *The Book of Lost Tales part one*
Copyright© The Tolkien Estate Limited e C.R. Tolkien, 1983, 1985
Edição original por George Allen & Unwin, 1983
Todos os direitos reservados à HarperCollins Publishers.
Copyright de tradução© Casa dos Livros Editora LTDA., 2022

Esta edição é baseada na edição revisada publicada pela primeira vez em 2015.

Os pontos de vista desta obra são de responsabilidade de seus autores, não refletindo necessariamente a posição da HarperCollins Brasil, da HarperCollins *Publishers* ou de sua equipe editorial.

® e TOLKIEN® são marcas registradas da The Tolkien Estate Limited.

Publisher	*Samuel Coto*
Editora	*Brunna Prado*
Estagiárias editoriais	*Camila Reis, Giovanna Staggmeier e Renata Litz*
Produção gráfica	*Lúcio Nöthlich Pimentel*
Preparação de texto	*Jaqueline Lopes*
Revisão	*Gabriel Oliva Brum*
Diagramação	*Sonia Peticov*
Capa	*Alexandre Azevedo*

Catalogação na Publicação (CIP)
(BENITEZ Catalogação Ass. Editorial, MS, Brasil)

T589q   Tolkien, J.R.R., 1892-1973
1. ed.   O livro dos contos perdidos 1 / J.R.R. Tolkien; tradução Eduardo Kumamoto, Reinaldo José Lopes, Ronald Kyrmse; [edição Christopher Tolkien]. – 1 ed. – São Paulo: HarperCollins Brasil, 2022.
        368 p.; il.; 13,5 x 20,8 cm.

        Título original: *The book of lost tales* – part 1
        ISBN: 978-65-55114-48-5

        1. Ficção inglesa. I. Kumamoto, Eduardo. II. Lopes, Reinaldo José. III. Kyrmse, Ronald. IV. Tolkien, Christopher. V. Série.

09-2022/92   CDD: 823

Índice para catálogo sistemático:
1. Ficção: Literatura inglesa 823

Bibliotecária: Aline Graziele Benitez CRB-1/3129

HarperCollins Brasil é uma marca licenciada à Casa dos Livros Editora LTDA.
Todos os direitos reservados à Casa dos Livros Editora LTDA.
Rua da Quitanda, 86, sala 218 — Centro
Rio de Janeiro — RJ — CEP 20091-005
Tel.: (21) 3175-1030
www.harpercollins.com.br

Sumário

Prefácio   7

1. O Chalé do Brincar Perdido   23
   Notas   32
2. A Música dos Ainur   62
   Notas   80
3. A Vinda dos Valar e a Construção de Valinor   84
   Notas   101
4. O Acorrentamento de Melko   120
   Notas   134
5. A Vinda dos Elfos e a Criação de Kôr   142
   Notas   161
6. O Roubo de Melko e o Obscurecer de Valinor   173
   Notas   190
7. A Fuga dos Noldoli   198
   Notas   206
8. O Conto do Sol e da Lua   211
   Notas   236
9. A Ocultação de Valinor   250
   Notas   264
10. O Conto de Gilfanon: a Labuta dos Noldoli e a Vinda da Gente dos Homens   275
    Notas   295

Apêndice: Nomes em *Os Contos Perdidos 1*   297
Pequeno Glossário de Palavras Obsoletas, Arcaicas e Raras   330
Índice Remissivo   333
Poemas originais   351

Prefácio

O Livro dos Contos Perdidos, escrito entre sessenta e setenta anos atrás, foi a primeira obra substancial de literatura criativa de J.R.R. Tolkien e a primeira aparição, na narrativa, dos Valar, dos Filhos de Ilúvatar — Elfos e Homens —, dos Anãos e Orques, e das terras nas quais sua história se passa — Valinor, para lá do oceano ocidental, e a Terra-média, as "Grandes Terras" entre os mares do leste e oeste. Cerca de cinquenta e sete anos após meu pai interromper seu trabalho nos *Contos Perdidos*, *O Silmarillion** profundamente transformado em relação ao seu antepassado distante, foi publicado; e seis anos se passaram desde então. Este Prefácio parece ser uma oportunidade adequada para falar de alguns aspectos de ambas as obras.

Comumente se diz que *O Silmarillion* é um livro "difícil", que necessita de explicação e orientação sobre como "abordá-lo"; e quanto a isso ele é comparado com *O Senhor dos Anéis*. No Capítulo 7 de seu livro *The Road to Middle-earth* [A Estrada para a Terra-média], o Professor T.A. Shippey reconhece isso ("*O Silmarillion* jamais poderia ser senão difícil de ler", p. 201) e expõe sua visão sobre o motivo. Uma discussão complexa não é tratada de forma justa quando retirada do contexto, mas, no seu modo de ver, as razões são essencialmente duas. Em primeiro lugar, não há em *O Silmarillion* qualquer "mediação" do tipo feito pelos hobbits (assim, em *O Hobbit*, "Bilbo age como a ligação entre os tempos modernos e o mundo arcaico dos anãos e dragões"). Meu pai estava muito ciente de que a ausência de hobbits seria sentida

---

*Quando o título estiver em itálico, refiro-me à obra conforme foi publicada; quando estiver entre aspas, à obra de modo mais geral, em qualquer uma das suas formas, ou todas elas.

— PREFÁCIO —

como uma carência, caso "O Silmarillion" viesse aer publicado — e não apenas por leitores que gostassem particularmente deles. Em uma carta escrita em 1956 (*As Cartas de J.R.R. Tolkien*, carta n. 182), logo após a publicação de *O Senhor dos Anéis*, ele disse:

> Embora eu não creia que ela possua o apelo do S.A. — não há hobbits nela! Repleta de mitologia e de elficidade, e de todo aquele "allto stilo" (como Chaucer poderia dizer), que tão pouco tem agradado o gosto de muitos resenhistas.

Em *O Silmarillion*, o gole é puro, sem mistura; e o leitor está a mundos de distância de tal "mediação", dessa colisão deliberada (muito mais do que uma questão de estilos) como a que é produzida no encontro entre o Rei Théoden e Pippin e Merry nas ruínas de Isengard:

> "Adeus, meus hobbits! Que voltemos a nos encontrar em minha casa! Ali vós sentareis ao meu lado e me contareis tudo o que vossos corações desejarem: os feitos de vossos antepassados até onde os podeis contar [...]"
> Os hobbits fizeram mesuras profundas. "Então esse é o Rei de Rohan!", comentou Pippin a meia voz. "Um velhinho simpático. Muito gentil."

Em segundo lugar,

> *O Silmarillion* difere das obras anteriores de Tolkien na sua recusa em aceitar as convenções do romance. A maioria dos romances (incluindo *O Hobbit* e *O Senhor dos Anéis*) escolhe um personagem para colocar em primeiro plano, como Frodo e Bilbo, e, depois, conta a história que acontece com ele. O romancista, é claro, está inventando a história e, assim, permanece onisciente: ele consegue explicar, ou mostrar, o que está "realmente" acontecendo e contrastar isso com a percepção limitada de seu personagem.

> Além disso, e muito evidentemente, há uma questão de "gosto" literário (ou de "hábito" literário) envolvido; e também uma questão de "decepção" literária — a "(equivocada) decepção daqueles

que queriam um segundo *Senhor dos Anéis*" à qual o Professor Shippey faz menção. Isso produziu até mesmo um sentimento de ultraje — formulado a mim, em um caso, nas seguintes palavras: "É igual ao *Velho Testamento*!"; um funesto veredicto do qual, é claro, não se pode apelar (embora esse leitor certamente não tenha avançado muito na leitura até ser arrebatado pela comparação). Claro, a intenção era que "O Silmarillion" comovesse o coração e a imaginação, de forma direta e sem exigir qualquer esforço peculiar ou a posse de faculdades incomuns; mas o seu modo é intrínseco, e pode-se duvidar de que qualquer "abordagem" a ele possa ser de grande ajuda àqueles que o acham inacessível.

Há uma terceira consideração (que o Professor Shippey, na verdade, não desenvolve no mesmo contexto):

> Uma qualidade que [*O Senhor dos Anéis*] possui em abundância é a "impressão de profundidade" beowulfiana que, assim como no antigo épico, é criada por meio de canções e digressões como a balada de Aragorn sobre Tinúviel, a alusão de Sam Gamgi à Silmaril e à Coroa de Ferro, o relato de Elrond sobre Celebrimbor e dezenas de outras. Isso, contudo, é uma qualidade de *O Senhor dos Anéis* e não das histórias inseridas. Contá-las por si só e esperar que conservem o encanto que adquiriram de sua moldura mais ampla seria um erro terrível, um erro do qual Tolkien teria mais ciência do que qualquer homem vivo. Como ele escreveu em uma carta reveladora, datada de 20 de setembro de 1963:

> > Acredito que parte do atrativo de O S.A. deve-se aos vislumbres de uma grande história ao fundo: um atrativo como aquele de ver ao longe uma ilha que não foi visitada ou de ver as torres de uma cidade distante brilhando em meio a uma névoa iluminada pelo sol. Ir até lá é destruir a magia, a não ser que novas paisagens inatingíveis sejam novamente reveladas. (*Cartas*, carta n. 247)

> *Ir até lá é destruir a magia*. Quanto à revelação de "novas paisagens inatingíveis", o problema aí — como Tolkien deve ter ponderado várias vezes — é que, em *O Senhor dos Anéis*, a Terra-média já era antiga, com um vasto peso histórico atrás de si. *O Silmarillion*, contudo, na sua forma mais longa, deveria

PREFÁCIO

começar do começo. Como se poderia criar "profundidade" quando não havia nada atrás para se alcançar?

A carta citada aqui certamente demonstra que meu pai sentia — ou, poder-se-ia dizer, às vezes sentia — que isso era um problema. E não era um pensamento novo: enquanto escrevia *O Senhor dos Anéis*, em 1945, ele me disse em carta (*Cartas*, carta n. 96):

> Uma história deve ser contada ou não haverá história e, ainda assim, são as histórias não contadas que são mais comoventes. Acho que você ficou comovido com *Celebrimbor* porque ele transmite uma sensação de infinitas histórias *não contadas*: montanhas vistas ao longe, que jamais serão escaladas, árvores distantes (como a de Cisco) das quais jamais se aproximará — ou, caso seja possível, apenas para se tornarem "árvores próximas" [...]

Essa questão é, para mim, perfeitamente ilustrada pela canção de Gimli em Moria, na qual grandes nomes vindos do mundo antigo aparecem de forma completamente remota:

> O mundo era belo, a montanha era alta
> Nos Dias Antigos antes da falta
> Em Nargothrond dos reis e também
> Em Gondolin, que agora além
> Passaram do Mar do Oeste profundo [...][A]

"Eu gosto disso!", disse Sam. "Gostaria de aprender. 'Em Moria, em Khazad-dûm!' Mas faz o escuro parecer mais pesado, pensar em todas essas lâmpadas."

Com seu entusiasmado "Eu gosto disso!", Sam não apenas "medeia" (e envolventemente "gamgifica") o que é "elevado", os poderosos reis de Nargothrond e Gondolin, Durin em seu trono esculpido, mas também os coloca imediatamente a uma distância ainda mais remota, uma distância mágica que bem pode parecer (*naquele momento*) destrutiva de se cruzar.

O professor Shippey diz que "contar [as histórias que são apenas aludidas em *O Senhor dos Anéis*] por si só e esperar que conservem o encanto que adquiriram de sua moldura mais ampla seria um erro terrível". O "erro", presumivelmente, está na manutenção de tal expectativa caso as histórias sejam contadas, e não no contar das histórias em si; e é claro que o Professor Shippey enxerga meu pai se perguntando, em 1963, se deveria ou não começar a escrever, pois ele desenvolve as palavras na carta — "tenho dúvidas sobre a tarefa" — fazendo com que elas signifiquem "a tarefa de escrever *O Silmarillion*". Mas, quando meu pai disse isso, ele não estava — de maneira muito enfática — se referindo à obra em si, que, de todo modo, já estava escrita, e muito dela já reescrita diversas vezes (as alusões em *O Senhor dos Anéis* não são ilusórias): o problema, como ele diz anteriormente na mesma carta, era a *apresentação*, em uma publicação, *após* o surgimento de *O Senhor dos Anéis*, quando, segundo ele, o momento certo de tornar *O Silmarillion* público já havia passado.

Ainda assim, receio que a apresentação necessitará de muito trabalho, e eu trabalho muito lentamente. As lendas precisam ser trabalhadas por completo (foram escritas em épocas diferentes, algumas há muitos anos) e deixadas consistentes; e precisam ser integradas com O S.A.; e precisam receber um formato progressivo. Nenhum artifício simples, como uma viagem e uma busca, está disponível.
Eu mesmo tenho dúvidas sobre a tarefa.

Após a sua morte, quando surgiu a questão de publicar "O Silmarillion" em algum formato, não dei qualquer importância a essa dúvida. O efeito que "os vislumbres de uma grande história ao fundo" dão a *O Senhor dos Anéis* é incontestável e da maior importância, mas não pensei que os "vislumbres" usados ali com tamanha arte deveriam impedir que se conhecesse mais da "grande história".
A "impressão de profundidade [literária] [...] criada por meio de canções e digressões" não pode se tornar um critério pelo qual se mede uma obra cujo modo é completamente distinto: seria tratar a história dos Dias Antigos como se tivessem valor primariamente — ou mesmo somente — pelo uso artístico que se faz dela em *O Senhor dos Anéis*. Igualmente, o artifício que consiste em movimentar-se para trás em um tempo imaginário para apreender indistintamente os acontecimentos, e cuja atração jaz precisamente na falta de nitidez, não deve ser entendido mecanicamente, como se fornecer um relato mais completo sobre os poderosos reis de

PREFÁCIO

Nargothrond e Gondolin pressupusesse uma aproximação perigosa ao fundo do poço, ao passo que um relato da Criação significaria bater no fundo, um esgotamento definitivo da "profundidade" — "sem nada atrás para se alcançar".

Claramente, não é assim que as coisas funcionam, ou, no mínimo, não como elas precisam funcionar. "Profundidade", nesse sentido, implica uma relação entre camadas temporais distintas, ou níveis dentro de um mesmo mundo. Uma vez que o leitor tenha um lugar, um ponto de vista, *no tempo imaginário* a partir do qual se olha para trás, a antiguidade extrema do que é extremamente antigo pode se tornar aparente e fazer-se sentir continuamente. E o próprio fato de que *O Senhor dos Anéis* estabelece essa poderosa sensação de estrutura-temporal real (muito mais poderosa do que poderia ser atingida por meras afirmações cronológicas e tabelas de datas) fornece esse ponto de vista necessário. Para ler *O Silmarillion*, é preciso posicionar-se imaginativamente no final da Terceira Era — dentro da Terra-média, olhando para trás: no instante temporal do "Eu gosto disso!" de Sam Gamgi — e acrescentando, "Gostaria de saber mais sobre isso". Ademais, a forma e a maneira compendiosa ou epitomante de *O Silmarillion*, tendo por trás uma sugestão de eras de poesia e "saber", evoca fortemente um senso de "contos não contados", mesmo enquanto contados; a "distância" nunca se perde. Não há urgência narrativa, nem pressão ou medo do evento imediato e desconhecido. Não vemos as Silmarils da forma que vemos o Anel. O criador de "O Silmarillion", como ele mesmo afirmou sobre o autor de *Beowulf*, "estava falando de coisas já antigas e sobrecarregadas de pesar, e expendeu sua arte afiando esse toque sobre o coração que têm as tristezas a um só tempo pungentes e remotas".

Como já está agora completamente registrado, meu pai desejava muito publicar "O Silmarillion" em conjunto com *O Senhor dos Anéis*. Nada digo sobre a praticidade disso à época, nem faço quaisquer conjecturas sobre o destino subsequente de tal trabalho combinado muito mais longo, quadrilogia ou tetralogia, nem sobre os diferentes caminhos que meu pai poderia ter tomado então — pois o desenvolvimento posterior do próprio "O Silmarillion", a história dos Dias Antigos, estava para ser interrompido. Mas, com a publicação póstuma quase um quarto de século depois, a ordem natural de apresentação completa da "Matéria da Terra-média" foi invertida; e é certamente discutível se foi sábio publicar, em 1977, uma versão autossuficiente do "legendário" primário que se afirma, por assim dizer, autoexplicativa. A obra publicada não tem uma "moldura", nenhuma sugestão do que é e de como (dentro do mundo imaginado) veio a ser. Isso eu penso agora ter sido um equívoco.

A carta de 1963 citada acima mostra meu pai ponderando sobre o modo pelo qual as lendas dos Dias Antigos poderiam ser apresentadas. O modo original, este do *Livro dos Contos Perdidos* — no qual um Homem, Eriol, após uma grande viagem pelo oceano, chega à ilha onde os Elfos moram e ouve a história de suas próprias bocas —, havia (gradualmente) se desmantelado. Quando meu pai faleceu, em 1973, "O Silmarillion" estava em um estado característico de desordem: as partes mais antigas muito revisadas ou amplamente reescritas, as partes conclusivas ainda da maneira em que ele as havia deixado, uns vinte anos antes; mas, no escrito mais tardio, não há vestígio ou indicação de qualquer "mecanismo" ou "moldura" na qual ele deveria ser encaixado. Acredito que, no fim, ele concluiu que nada serviria, e nada mais seria dito além de uma explicação sobre como (dentro do mundo imaginado) "O Silmarillion" veio a ser registrado.

Na edição original de *O Senhor dos Anéis*, Bilbo deu a Frodo em Valfenda, como presente de despedida, "alguns livros de saber que ele preparara em diversas épocas, escritos em sua letra fininha e rotulados nas lombadas vermelhas: *Traduções do Élfico, por B.B.*". Na segunda edição (1966), "alguns livros" foi alterado para "três livros", e na *Nota sobre os Registros do Condado*, acrescentada ao Prólogo nessa edição, meu pai disse que o conteúdo dos "três grandes volumes encadernados em couro vermelho" fora preservado na cópia do Livro Vermelho do Marco Ocidental feita em Gondor pelo Escriba do Rei, Findegil, no ano 172 da Quarta Era; e também que

> Esses três volumes revelaram ser uma obra de grande habilidade e erudição em que [...] [Bilbo] usara todas as fontes disponíveis a ele em Valfenda, tanto vivas quanto escritas. Mas, visto que foram pouco usados por Frodo, já que tratavam quase que inteiramente dos Dias Antigos, nada mais se diz deles aqui.

Em *The Complete Guide to Middle-earth* [O Guia Completo da Terra-média], Robert Foster diz: "O *Quenta Silmarillion* era, sem dúvida, uma das *Traduções do Élfico* preservadas no Livro Vermelho do Marco Ocidental." Isso eu também supus: os "livros de saber" que Bilbo legou a Frodo deram a solução, no fim: eles eram "O Silmarillion". Mas, além da evidência mencionada aqui, não há, até onde sei, qualquer outra afirmação sobre o assunto nos escritos de meu pai; e (erroneamente, penso agora) relutei em entrar nesse assunto e tornar definitivo aquilo que eu apenas supunha.

Eram três as escolhas diante de mim com relação a "O Silmarillion". Eu poderia impedi-lo indefinidamente de ser publicado, visto que o trabalho estava incompleto e incoerente entre as partes. Poderia aceitar a natureza do trabalho como estava e, para citar meu Prefácio ao livro, "tentar apresentar a diversidade dos materiais — mostrar 'O Silmarillion' como, na verdade, uma criação contínua e em evolução que se estendia por mais de meio século"; e isso, como eu disse nos *Contos Inacabados* (p. 11), resultaria em "um complexo de textos divergentes interligados por comentários" — uma empreitada muito maior do que essas palavras sugerem. Na época, eu escolhi o terceiro caminho, "trabalhar em um texto único, selecionando e organizando de tal maneira que me parecesse produzir a narrativa mais coerente e com consistência interna". Afinal, tendo tomado essa decisão, todo o trabalho editorial — meu e de Guy Kay, que me assistiu — direcionou-se para a finalidade que meu pai afirmara na carta de 1963: "As lendas precisam ser trabalhadas por completo [...] e deixadas consistentes; e precisam ser integradas com O S.A." Visto que o objetivo era apresentar "O Silmarillion" como uma "entidade completa e coesa" (embora, devido à natureza do caso, isso não pudesse ser totalmente atingido), sucedeu-se que não haveria, no livro publicado, qualquer exposição sobre as complexidades de sua história.

Seja lá o que se pense sobre o assunto, o resultado — que eu não previ de maneira alguma — foi que uma dimensão extra de obscuridade se acrescentou a "O Silmarillion", porque a incerteza sobre a idade da obra — se deve ser considerada "antiga" ou "tardia" e em que proporção — e sobre o grau de intrusão e manipulação (ou mesmo invenção) editorial, tornou-se uma pedra de tropeço e fonte de muito equívoco. O Professor Randel Helms, em *Tolkien and the Silmarils* [Tolkien e as Silmarils] (p. 93), colocou a questão da seguinte forma:

Qualquer pessoa interessada, como eu, no desenvolvimento de *O Silmarillion*, vai querer estudar os *Contos Inacabados*, não apenas por seu valor intrínseco, mas também porque a sua relação com o primeiro fornece o que há de se tornar um exemplo clássico de um antigo problema da crítica literária: o que realmente *é* uma obra literária? É o que o autor pretendia (ou talvez pretendesse) que fosse, ou é o que um editor posterior faz dela? O problema se torna especialmente intenso para o crítico praticante quando, como aconteceu com *O Silmarillion*, um autor morre antes de terminar sua obra e deixa mais de uma versão de algumas partes, que então são publicadas em outro lugar. Qual versão o crítico abordará como sendo a história "real"?

Mas ele também diz: "Christopher Tolkien nos ajudou nesse caso ao apontar honestamente que *O Silmarillion*, no formato que temos, é a invenção do filho, não do pai"; e isso é um sério equívoco a que minhas palavras deram origem.

Novamente, o Professor Shippey, ainda que aceite minha garantia de que "uma altíssima proporção" do texto do "Silmarillion", de 1937 permaneceu na versão publicada, em outro lugar se mostra claramente relutante em enxergá-lo como algo que não seja um trabalho "tardio", até mesmo o trabalho mais tardio de seu autor. Ademais, em um artigo intitulado "The Text of *The Hobbit*: Putting Tolkien's Notes in Order" [O Texto de *O Hobbit*: Colocando as Notas de Tolkien em Ordem] (*English Studies in Canada*, VII, 2, Verão de 1981), Constance B. Hieatt conclui que "é muito claro, de fato, que nós jamais conseguiremos ver os passos progressivos do pensamento autoral por trás de *O Silmarillion*".

Contudo, para além dos empecilhos e obscuridades, é certo e muito evidente que, para o criador da Terra-média e de Valinor, havia uma coerência profunda e uma interrelação vital entre todos os seus tempos, lugares e seres, sejam quais forem os modos literários e seja lá quão multiformes algumas partes da concepção pareçam ser quando vistas no período de uma vida longa. Ele mesmo compreendia plenamente que muitos daqueles que leem *O Senhor dos Anéis* com prazer jamais desejariam considerar a Terra-média como sendo mais do que o *mise-en-scène* da história, e se deleitariam com a sensação de "profundidade" sem querer explorar os lugares profundos. Mas a "profundidade" não é, evidentemente, uma ilusão, como se fosse uma fileira de imitações de lombadas de livros sem livros dentro; e o quenya e o sindarin são estruturas abrangentes. Há investigações a se conduzir nesse mundo que são perfeitamente justas e bastante independentes de considerações crítico-literárias; e é apropriado tentar compreender sua estrutura na máxima extensão, desde o mito de sua Criação. Qualquer pessoa, qualquer característica do mundo imaginado que parecesse significativa para o autor é, portanto, digna de atenção por si só, Manwë ou Fëanor não menos do que Gandalf ou Galadriel, as Silmarils não menos do que os Anéis; a Grande Música, as hierarquias divinas, as moradas dos Valar, os fados dos Filhos de Ilúvatar são elementos essenciais na percepção do todo. Tais investigações não são, em princípio, ilegítimas de modo algum; elas surgem de uma aceitação do mundo imaginário como objeto de contemplação ou estudo válido, assim como o são muitos outros objetos de contemplação ou estudo no mundo completamente não imaginário. Foi com essa opinião, e sabendo que outros partilhavam dela, que fiz a coletânea chamada *Contos Inacabados*.

Mas a visão do autor sobre sua própria visão passou por modificações, exclusões e ampliações contínuas e lentas: só em *O Hobbit* e em *O Senhor dos Anéis* partes dela emergiram para se tornar fixas em forma impressa, durante o próprio tempo de vida dele. Assim, o estudo da Terra-média e de Valinor é complexo, pois o objeto de estudo não era estável, mas existia, digamos, "longitudinalmente" no tempo (o da vida do autor), e não apenas "transversalmente" no tempo, como um livro impresso que não passa por mais nenhuma mudança essencial. Com a publicação de "O Silmarillion", o "longitudinal" foi cortado "transversalmente", e um certo final foi imposto.

୭

Essa discussão um tanto digressiva é uma tentativa de explicar meus motivos principais ao oferecer *O Livro dos Contos Perdidos* para publicação. É o primeiro passo na apresentação da visão "longitudinal" da Terra-média e Valinor: quando a vasta extensão geográfica, inflando a partir do centro e (por assim dizer) empurrando Beleriand para o oeste, ainda estava num futuro muito distante; quando não havia "Dias Antigos" terminando com a submersão de Beleriand, pois ainda não havia outras Eras do Mundo; quando os

Elfos ainda eram "fadas", e mesmo Rúmil, o erudito Noldo, estava muito apartado dos grandes "mestres-do-saber" dos anos posteriores de meu pai. Em *O Livro dos Contos Perdidos*, os príncipes dos Noldor mal haviam surgido, assim como os Elfos-cinzentos de Beleriand; Beren é um Elfo, não um Homem, e seu captor, o mais antigo precursor de Sauron nesse papel, é um gato monstruoso possuído por um espírito maligno; os Anãos são um povo maligno; e as relações históricas de quenya e sindarin são concebidas de modo muito diferente. Há algumas outras características especialmente notáveis, mas tal lista poderia ser muito ampliada. Por outro lado, já havia uma estrutura firme subjacente que perduraria. Ademais, na narrativa da história da Terra-média, a evolução raramente foi por franca rejeição — muito mais frequentemente foi por sutil transformação em etapas, de modo que o crescimento das lendas (o processo, por exemplo, pelo qual a história de Nargothrond entrou em contato com a de Beren e Lúthien, um contato do qual não existe nem sugestão nos *Contos Perdidos*, apesar de ambos os elementos estarem presentes) pode parecer-se ao crescimento das lendas entre os povos, o produto de muitas mentes e gerações.

O Livro dos Contos Perdidos foi iniciado por meu pai em 1916–17, durante a Primeira Guerra, quando ele tinha 25 anos, e deixado incompleto por muitos anos. É o ponto de partida, ao menos em narrativa completamente formada, da história de Valinor e da Terra-média; mas, antes de os *Contos* estarem completos, ele se voltou para a composição de longos poemas, a *Balada de Leithian* em dísticos rimados (a estória de Beren e Lúthien) e *Os Filhos de Húrin* em verso aliterante. A forma em prosa da "mitologia" recomeçou de um novo ponto de partida* em uma sinopse muito breve, ou "Esboço", como ele o chamou, escrito em 1926 e com a intenção expressa de fornecer o pano de fundo necessário para a compreensão do poema aliterante. O desenvolvimento escrito seguinte da forma em prosa sucedeu-se ao "Esboço" em linha direta para a versão de "O Silmarillion" que se aproximava da conclusão em fins de 1937, quando meu pai o interrompeu para enviá-lo, da forma

---

*Somente no caso de *A Música dos Ainur* houve um desenvolvimento direto, manuscrito após manuscrito, desde *O Livro dos Contos Perdidos* às formas posteriores; pois *A Música dos Ainur* se desprendeu e continuou como um trabalho independente.

PREFÁCIO

que estava, para a Allen & Unwin em novembro daquele ano; mas havia também importantes ramos colaterais e textos subordinados, compostos nos anos de 1930, tais como os *Anais de Valinor* e os *Anais de Beleriand* (fragmentos dos quais também sobrevivem em traduções para o inglês antigo feitas por Ælfwine (Eriol)), o relato cosmogônico chamado *Ambarkanta*, a Forma do Mundo, por Rúmil, e o *Lhammas* ou "Relato de Línguas", por Pengolod de Gondolin. Após isso, a história da Primeira Era foi deixada de lado por muitos anos, até que *O Senhor dos Anéis* estivesse completo, mas, nos anos que precederam sua publicação, meu pai retornou com grande vigor a "O Silmarillion" e escritos associados a ele.

Esta edição dos *Contos Perdidos* em duas partes deve ser, espero, o início de uma série que levará a história adiante por esses escritos posteriores, em verso e prosa; e nessa esperança dei ao presente livro um título "maior", com a intenção de cobrir também os que talvez venham a segui-lo, embora eu receie que "A História da Terra-média" possa se mostrar ambicioso demais. De todo modo, esse título não implica uma "História" no sentido convencional: minha intenção é fornecer textos completos, ou bastante completos, de modo que os livros serão mais como uma série de edições. Não me coloco como objetivo primário desemaranhar muitos fios únicos e separados, mas, antes, disponibilizar textos que podem e devem ser lidos como um todo.

Rastrear essa longa evolução é, para mim, de profundo interesse, e espero que isso se prove verdade também para outros que tenham algum gosto por esse tipo de investigação: seja pelas grandes transformações de enredo ou da teoria cosmológica, ou por detalhes como a aparição premonitória de Legolas Verdefolha, o de olhos agudos, no conto da *Queda de Gondolin*. Mas esses manuscritos antigos não são, absolutamente, de interesse exclusivo ao estudo das origens. Há muita coisa ali que meu pai nunca (até onde se pode dizer) descartou expressamente, e deve-se lembrar que "O Silmarillion", do "Esboço" de 1926 em diante, foi escrito como um resumo ou epítome, expondo a substância de escritos muito mais longos (quer existissem de fato ou não) em tamanho menor. O modo altamente arcaico criado para seu propósito não era afetação: tinha amplitude e grande vigor, peculiarmente apto para comunicar a natureza mágica e misteriosa dos Elfos em seus primórdios, mas com igual rapidez tornava-se sarcástico, zombando de Melko ou dos afazeres de Ulmo e Ossë. Estes últimos se aproximam, às vezes, de uma concepção cômica, e são expressos em uma linguagem rápida e vivaz que não sobreviveu na gravidade da prosa do "Silmarillion" posterior de meu pai (assim, Ossë "percorre num negócio espumoso" ao ancorar as ilhas no leito do mar; as falésias de Tol Eressëa recém-ocupadas por aves marinhas "estão repletas de garrulice e um cheiro de peixe, e grandes conclaves têm lugar nas beiradas" e, quando os Elfos das Terras Costeiras são finalmente levados por sobre o mar até Valinor, Ulmo maravilhosamente "vai na retaguarda em sua carruagem piscosa e trombeteia alto para desconcerto de Ossë").

Os *Contos Perdidos* nunca alcançaram — nem mesmo se aproximaram — uma forma que meu pai pudesse ter considerado para publicação antes de abandoná-los; eles eram experimentais e provisórios, e os cadernos surrados em que estão escritos foram empacotados e deixados de lado conforme os anos se passaram. Apresentá-los em um livro publicado trouxe muitos problemas editoriais espinhosos. Em primeiro lugar, os manuscritos são intrinsecamente muito difíceis: parcialmente porque muito do texto foi escrito rapidamente a lápis e está agora extremamente difícil de ler em alguns lugares, exigindo uma lupa e muita paciência, nem sempre recompensada. Mas, além disso, em alguns dos *Contos* meu pai apagou o texto original a lápis e escreveu por cima uma versão revisada a caneta — e como nesse período usava cadernos brochura em vez de folhas soltas, frequentemente se via com pouco espaço: assim, porções isoladas de contos foram escritas no meio de outros contos e, em alguns lugares, um assustador quebra-cabeças textual se formou.

Em segundo lugar, os *Contos Perdidos* não foram todos escritos progressivamente, um após o outro na sequência da narrativa; e (inevitavelmente) meu pai começava um novo arranjo e revisão dos *Contos* enquanto o trabalho ainda estava em curso. *A Queda de Gondolin* foi o primeiro a ser escrito dentre os contos passados a Eriol, e o segundo foi *O Conto de Tinúviel*, mas os eventos desses contos se passam mais para o fim da história; por outro lado, os textos remanescentes são revisões posteriores. Em alguns casos, não é possível ler nada anterior à versão revisada; em outros casos, ambas as formas sobrevivem em toda a extensão do texto ou parte dela; em outros, há apenas um rascunho preliminar e, em ainda outros casos, não há absolutamente nenhuma narrativa formada, mas apenas notas e projeções. Após muita experimentação, notei que nenhum método de apresentação seria exequível a não ser dispor os *Contos* na sequência da narrativa.

E, finalmente, conforme a escrita dos *Contos* progredia, relações foram alteradas, novas concepções entraram e o desenvolvimento das línguas *pari passu* com a narrativa levou à revisão contínua de nomes.

Uma edição que leve em conta tais complexidades, como esta faz, em vez de tentar suavizá-las artificialmente, está sujeita a se tornar uma coisa intrincada e complicada, na qual o leitor não é deixado em paz por um momento sequer. Tentei fazer os *Contos* em si acessíveis e organizados, fornecendo, ao mesmo tempo, um relato bastante completo, para aqueles que desejarem, das verdadeiras evidências textuais. Para isso, reduzi drasticamente a quantidade de notas aos textos das seguintes formas: as muitas alterações feitas a nomes estão todas registradas, mas foram agrupadas ao final de cada conto, e não assinaladas individualmente em cada ocorrência (os lugares onde os nomes ocorrem podem ser encontrados no Índice Remissivo); quase todas as anotações a respeito do conteúdo estão coligidas, ou resumidas, em um comentário ou pequeno ensaio que segue cada conto; e quase todo comentário linguístico (primariamente a etimologia de nomes) está reunido em um Apêndice de Nomes ao final do livro, onde se encontrará bastante informação sobre os estágios mais antigos das línguas "élficas". Assim, as notas numeradas estão mormente restritas a variantes e divergências encontradas em outros textos, e o leitor que não quiser ser importunado com elas pode ler os *Contos* sabendo que isso é praticamente tudo o que está perdendo.

Os comentários são limitados no escopo, sendo principalmente dedicados a discutir as implicações do que se diz dentro do contexto dos *Contos* em si e a compará-los com o *Silmarillion* publicado. Evitei falar de paralelos, fontes e influências; e, na maior parte das vezes, evitei as complexidades do desenvolvimento entre os *Contos Perdidos* e o trabalho publicado (já que as indicar, mesmo que superficialmente, seria distrativo, penso eu), tratando do assunto de maneira simplificada, como se eles fossem dois pontos fixos. Não suponho nem por um momento que minhas análises se mostrem completamente justas ou completamente precisas, e deve haver pistas para a solução de características enigmáticas dos *Contos* que eu não observei. Também incluso está um pequeno glossário de palavras que ocorrem nos *Contos* e nos poemas que são obsoletas, arcaicas ou raras.

Os textos estão incluídos em uma forma muito próxima à dos manuscritos originais. Apenas os menores e mais óbvios deslizes foram silenciosamente corrigidos; nos lugares em que as frases parecem canhestras, ou em que falta coesão gramatical — como é o caso, às vezes, nas partes dos *Contos* que nunca foram além de um rápido esboço — eu deixei estar. Permiti-me maior liberdade ao colocar a pontuação, pois meu pai, quando escrevia em velocidade, pontuava pouco ou nada; e eu fui além dele no que se refere à consistência no uso de maiúsculas. Adotei, embora com hesitação, um sistema consistente de acentuação para nomes élficos. Meu pai escreveu, por exemplo: *Palûrien, Palúrien, Palurien*; *Ônen, Onen*; *Kôr, Kor*. Usei o acento agudo para representar o mácron e os acentos circunflexo e agudo (e ocasionalmente o grave) que aparecem nos textos originais, mas empreguei o circunflexo em monossílabos — assim, *Palúrien, Ónen, Kôr*: o mesmo sistema, pelo menos visualmente, do sindarin posterior.

Por fim, a divisão desta edição em duas partes deve-se inteiramente ao comprimento dos *Contos*. A edição foi concebida como um todo, e espero que a segunda parte seja publicada menos de um ano após a primeira; mas cada uma tem seu próprio Índice Remissivo e Apêndice de Nomes. A segunda parte contém aqueles que, em muitos sentidos, são os mais interessantes dos *Contos*: *Tinúviel*, *Turambar* (Túrin), *A Queda de Gondolin* e o *Conto do Nauglafring* (o Colar dos Anãos); esboços do *Conto de Eärendel* e a conclusão da obra; e *Ælfwine da Inglaterra*.

1

O CHALÉ DO BRINCAR PERDIDO

Na capa de um dos agora muito surrados "Cadernos de Exercício do Colegial", nos quais alguns dos *Contos Perdidos* foram compostos, meu pai escreveu: *O Chalé do Brincar Perdido, que introduz [o] Livro dos Contos Perdidos*; e na capa também está escrito, com a letra de minha mãe, as iniciais dela, E.M.T., e uma data, 12 fev. 1917. Nesse caderno, o conto foi escrito por minha mãe; e é uma bela cópia de um manuscrito a lápis muito descuidado feito por meu pai em folhas soltas, que foram acondicionados dentro da capa. Portanto, a data real da composição poderia ter sido, mas provavelmente não foi, antes do inverno de 1916–17. A cópia bem-feita segue precisamente o texto original; algumas alterações adicionais, majoritariamente pequenas (exceto em matéria de nomes), foram feitas à cópia limpa depois. O texto aqui segue a forma final.

Ora, aconteceu certa vez que um viajante vindo de terras distantes, um homem de grande curiosidade, por desejo de lugares estranhos e dos modos e moradas de gente forânea, fez-se ao longínquo oeste num navio, chegando mesmo à Ilha Solitária, Tol Eressëa no falar das fadas, mas que os Gnomos[1] chamam Dor Faidwen, a Terra da Libertação, e aí está um grande conto.

Ora, um dia, após muito viandar, chegou, conforme as luzes do anoitecer se acendiam em muitas janelas, ao pé de uma colina em uma ampla planície arvorada. Estava agora próximo do centro dessa grande ilha e por muitos dias vagara pelas estradas, pousando a cada noite em qualquer habitação de gente com que se deparasse, fosse em aldeia ou em cidade, próximo à hora do anoitecer, ao acender de velas. Pois bem, a essa hora o desejo de ver novas coisas é pequeno, mesmo em alguém cujo coração é o de um explorador; e, então, mesmo um filho de Eärendel, como era esse viandante, volta o pensamento à ceia e ao descanso e ao contar de contos antes da hora de se deitar e de o sono chegar.

Ora, enquanto estava ao pé da pequena colina, veio uma leve brisa e, depois, uma revoada de gralhas passou sobre sua cabeça na luz clara e uniforme. O sol há um tempo afundara por trás dos ramos dos olmeiros que se estendiam até onde os olhos podiam alcançar na planície, e havia algum tempo sua última luz dourada se esvanecera através das folhas e passara pelas clareiras para dormir sob as raízes e sonhar até a alvorada.

Ora, essas gralhas crocitaram em sinal de regresso acima dele e, com um volteio rápido, chegaram às suas moradas nas copas duns altos olmos no cimo dessa colina. Então, pensou Eriol (pois assim o povo da ilha o chamou posteriormente, e o significado é "o que sonha só", mas de seus nomes anteriores a estória não fala em nenhum lugar): "A hora do descanso está próxima e, embora não saiba nem mesmo o nome desta bela cidade sobre a pequena colina, aqui buscarei repouso e hospedagem e não prosseguirei até o amanhecer, e nem depois, quiçá, pois o lugar parece belo e suas brisas, de bom olor. A mim parece ter o ar de que guarda muitos segredos de outrora e coisas maravilhosas e belas em seus tesouros e nobres sítios e nos corações dos que habitam dentro de seus muros."

Ora, Eriol vinha desde o sul, e uma estrada reta corria diante dele, margeada num lado por um grande muro de pedra cinzenta encimada com muitas flores ou, aqui e ali, com grandes teixos escuros se projetando. Através deles, conforme seguia a estrada, conseguia ver as primeiras estrelas brilhando, como cantou depois na canção que fez àquela bela cidade.

Agora estava no cimo da colina em meio às casas e, caminhando como que a esmo, virou e desceu por um sendeiro sinuoso até que, um pouco abaixo da encosta ocidental da colina, seus olhos foram capturados por uma pequenina morada cujas muitas janelas estavam cortinadas acolhedoramente, mas somente o bastante para que escapasse uma luz cálida e deliciosa, como de corações contentes lá dentro. Seu coração então ansiou por gentil companhia, e o desejo de viandar morreu dentro dele — e, impelido por grande desejo, voltou-se para a porta desse chalé e, batendo, perguntou a quem veio abrir qual seria o nome desta casa, e quem morava aí. E foi-lhe dito que este era Mar Vanwa Tyaliéva, ou o Chalé do Brincar Perdido, e com aquele nome ele muito se impressionou. Ali moravam, disseram-lhe, Lindo e Vairë, que o construíram havia muitos anos, e com eles estavam não poucos de sua gente, e amigos, e crianças. E com isso impressionou-se ainda mais que antes, vendo o tamanho do chalé; mas aquele que abrira a porta, percebendo o que pensava, falou: "Pequena é a morada, mas ainda menores são os que aqui moram — pois todos os que entram devem ser bem pequenos de fato, ou de boa vontade tornar-se gente pequenina assim que pisam na soleira."

Então disse Eriol que desejaria muito entrar e pedir de Vairë e Lindo a gentileza de hospedar-se à noite, se estivessem dispostos, e se poderia, de boa vontade, tornar-se pequeno o bastante ali na soleira. Então o outro disse "Entra" e Eriol passou para dentro e eis que parecia uma casa de grandes dimensões e grandíssimo deleite, e o senhor dela, Lindo, e sua esposa, Vairë, achegaram-se para saudá-lo; e seu coração estava mais alegre do que estivera até então em todas as suas andanças, ainda que, desde que aportara na Ilha Solitária, sua alegria tivesse sido bastante grande.

E quando Vairë dissera palavras de boas-vindas e Lindo lhe perguntara o nome e de onde viera e para onde acaso estava indo, e depois de chamar-se a si mesmo de Forasteiro e dizer que vinha das Grandes Terras,[2] e que estava indo aonde quer que seu desejo de viajar o levasse, a refeição da noite foi servida no grande salão e a Eriol pediram que entrasse. Ora, nesse salão, apesar de ser estio, havia três grandes fogos — um na extremidade e um em cada lado da mesa e, à exceção dessas luzes, assim que Eriol entrou, tudo estava em cálida penumbra. Mas, naquele momento, muita gente entrou segurando velas de todos os tamanhos e muitas formas, em castiçais de estranhos moldes: muitos eram de madeira talhada e outros, de metal forjado, e estes eram postos fortuitamente pela mesa no centro e sobre aquelas nas laterais.

No mesmo momento, um grande gongo soou à distância, na casa, com um ruído doce, e seguiu-se um som como o do riso de muitas vozes mescladas com grande tropel. Então, Vairë disse a Eriol ao ver seu rosto cheio de feliz surpresa: "Essa é a voz de Tombo, o Gongo das Crianças, que fica do lado de fora do Salão do Brincar Recuperado, e ele soa uma vez para convocá-las a este salão nas horas de comer e beber, e três vezes para convocá-las à Sala da Lareira para o contar de contos", e Lindo acrescentou: "Se quando ele soa uma vez há riso nos corredores e som de pés, então as paredes estremeçam com gargalhadas e passos quando soa três vezes ao anoitecer. E o soar das três batidas é o momento mais feliz no dia de Coração-Pequeno, o Guardião-do-Gongo, como ele mesmo afirma, e ele já há muito tempo é bem feliz; e, de fato, é ancião além da conta, apesar da alegria de sua alma. Navegou em Wingilot com Eärendel naquela última viagem em que buscaram Kôr. Foi o soar de seu Gongo nos Mares Sombrios que despertou o Adormecido na Torre de Pérola que fica ao longínquo oeste das Ilhas do Crepúsculo."

A essas palavras a mente de Eriol se pegou — pois pareceu-lhe que um novo e belíssimo mundo abria-se para ele —, de sorte que nada ouviu até que foi instado por Vairë a sentar-se. Ergueu então os olhos e eis que o salão e todos os seus bancos e cadeiras estavam repletos de crianças de todo aspecto, tipo e tamanho, e dispersa entre elas estava gente de todo modo e idade. Em uma coisa apenas eram todos iguais: que havia em cada rosto um olhar de grande felicidade, iluminado com uma expectativa alegre de ainda mais contentamento e regozijo. A luz suave de velas também se projetava neles; luzia em brilhantes tranças e cintilava em cabelos escuros, ou aqui e ali chamejava pálida em mechas grisalhas. Conforme ele fitava, todos se levantaram e, com uma só voz, cantaram a canção da Entrada dos Repastos. Então a refeição foi trazida e servida diante deles e, depois disso, os que trouxeram e os que serviram e os que aguardavam, anfitrião e anfitriã, crianças e hóspede sentaram-se: mas Lindo primeiramente bendisse o alimento e a companhia. Conforme comiam, Eriol pôs-se a conversar com Lindo e sua esposa, contando-lhes contos de seus dias passados e suas aventuras, especialmente aquelas com que se deparou na jornada que o trouxera para a Ilha Solitária, e perguntando-lhes muitas coisas a respeito da bela terra, e acima de tudo da bela cidade em que agora se encontrava.

Lindo disse a ele: "Sabe, pois, que hoje, ou mais provavelmente ontem, cruzaste as divisas da região chamada Alalmínórë, ou a 'Terra dos Olmos', que os Gnomos chamam Gar Lossion, ou o 'Sítio das Flores'. Ora, essa região é tida como o centro da ilha, e seu mais belo reino; mas acima de todas as cidades e aldeias de Alalmínórë está Koromas ou, como alguns a chamam, Kortirion, e essa é a cidade em que te encontras agora. Tanto por estar no coração da ilha quanto pela altura de sua poderosa torre, aqueles que falam dela com amor chamam-na de Cidadela da Ilha, ou de Mundo propriamente dito. Há mais razão nisso do que apenas grande amor, pois toda a ilha recorre aos habitantes daqui em busca de sabedoria e liderança, de canção e erudição; e aqui, em um grande *korin* de olmeiros, habita Meril-i-Turinqi. (Ora, um *korin* é um grande cercado circular, seja de pedra ou espinheiros ou mesmo de árvores, que contorna um relvado verdejante.) Meril vem do sangue de Inwë, a quem os Gnomos chamam Inwithiel, ele que foi Rei de todos os Eldar quando moravam em Kôr. Isso foi nos dias antes de Inwë, ouvindo o lamento do mundo, levá-los adiante para as terras de Homens: mas dessas coisas grandiosas e tristes e de como os Eldar chegaram a esta bela e solitária ilha eu talvez te conte em outro momento.

"Mas após muitos dias, Ingil, filho de Inwë, vendo que este lugar era bastante belo, assentou-se aqui e em seu redor juntou a maior parte dos mais belos e mais sábios; a maior parte dos mais alegres e mais gentis de todos os Eldar.[3] Entre esses muitos chegou meu pai, Valwë, que foi com Noldorin encontrar os Gnomos, e o pai de minha esposa Vairë, Tulkastor. Ele era da gente de Aulë, mas habitara por muito tempo com os Flautistas das Terras Costeiras, os Solosimpi, e, desse modo, chegou à ilha entre os primeiros.

"Então Ingil erigiu a grande torre[4] e chamou a cidade de Koromas, ou 'o Repouso dos Exilados de Kôr', mas, por razão daquela torre, agora a chamam principalmente de Kortirion."

Ora, por volta desse momento eles se aproximaram do fim da refeição; e então Lindo encheu a taça e, depois dele, Vairë e todos no salão, mas a Eriol ele disse: "Isto que colocamos em nossas taças é *limpë*, a bebida dos Eldar, tanto jovens quanto idosos, e, ao bebê-la, nossos corações conservam a mocidade e nossos lábios se enchem de canção, mas esta bebida não posso administrar: somente Turinqi pode dispensá-la àqueles que não são da raça dos Eldar, e os que bebem devem habitar para sempre com os Eldar da Ilha até aquele tempo em que eles partam afora para achar as famílias perdidas da gente." Ele então encheu a taça de Eriol, mas encheu-a com vinho dourado de antigos tonéis dos Gnomos; e todos então se levantaram e beberam "à Partida Afora e ao Reacender do Sol Mágico". Então soou o Gongo das Crianças por três vezes, e um clamor contente ergueu-se no salão, e escancararam grandes portas de carvalho no extremo do salão — no extremo em que não havia lareira. Então muitos tomaram as tais velas que estavam em altos castiçais de madeira e as seguraram elevadas, enquanto outros gargalhavam e tagarelavam, mas todos abriram um corredor no meio do grupo pelo qual passaram Lindo e Vairë e Eriol, e, assim que atravessaram as portas, a multidão os seguiu.

Eriol viu agora que estavam num corredor curto e largo, cujas paredes estavam tapetadas desde o chão até o meio; e nessas tapeçarias havia muitas estórias retratadas de cujo significado ele nada sabia no momento. Acima das tapeçarias parecia haver pinturas, mas ele não conseguia enxergar devido ao escuro, pois os portadores-das-velas estavam atrás e, à sua frente, a única luz vinha de uma porta aberta, donde derramava-se um brilho rubro como se de um grande fogo. "Aquele," disse Vairë, "é o Fogo-do--Conto ardendo na Sala das Lenhas; lá ele arde durante todo o ano, pois é um fogo mágico, e muito auxilia o contador no seu conto — mas é para lá que vamos agora", e Eriol disse que isso lhe parecia melhor que tudo.

Então, toda a companhia entrou gargalhando e conversando na sala donde vinha o brilho rubro. Uma bela sala era, como se podia perceber mesmo com o tremular do fogo que dançava nas paredes e no teto baixo, enquanto sombras profundas deitavam--se nos cantos e esconsos. Em redor da grande lareira estava uma multidão de macias alfombras e coxins aconchegantes espalhados; e um pouco para o lado havia uma cadeira baixa com braços e pés entalhados. E foi assim que Eriol sentiu — naquele momento e em todos os outros em que lá entrou na hora do contar-de--contos — que não importava o número de pessoas e de crianças, a sala parecia sempre grande o bastante, mas não enorme, pequena o bastante, mas não abarrotada.

Então, todos se sentaram onde desejavam, idosos e jovens, mas Lindo sentou-se na cadeira baixa e Vairë, num coxim aos seus pés, e Eriol, deliciando-se no fulgor rubro apesar de ser verão, esticou--se próximo à lareira.

Então disse Lindo: "Do que hão de ser os contos esta noite? Serão das Grandes Terras, e das moradas de Homens; dos Valar e Valinor; do Oeste e seus mistérios, do Leste e sua glória, do Sul e seus ermos inexplorados, do Norte e seu poder e força; ou desta ilha e seu povo; ou dos dias antigos de Kôr onde nosso povo certa vez morou? Por termos nesta noite um hóspede — um homem de viagens vastas e excelentes, um filho, parece-me, de Eärendel — será de navegações e de explorações num barco, de ventos e do mar?"[5]

Mas a essas perguntas alguns responderam uma coisa, alguns responderam outra, até que Eriol disse: "Rogo, se for do desejo dos outros, que desta vez me conteis sobre esta ilha, e o que mais avidamente gostaria de saber de toda esta ilha é sobre esta boa casa e esta bela companhia de meninas e meninos, pois, de todas as casas, esta me parece a mais amável, e de todos os saraus, este é o mais doce que jamais vi."

Então falou Vairë: "Sabe, pois, que outrora, nos dias de[6] Inwë (e é difícil retroceder ainda além disso na história dos Eldar), havia um lugar de belos jardins em Valinor junto a um mar prateado. Ora, este lugar era próximo aos confins do reino, mas não longe de Kôr, e, ainda assim, por conta de sua distância da árvore-do-sol, Lindelos, havia lá uma luz como a de uma noite estival, exceto apenas quando as lâmpadas prateadas eram acesas na colina ao crepúsculo, e então luzinhas brancas dançavam e fremiam nos senderos, lançando sombras negras sob as árvores. Era um momento de alegria para as crianças, pois era principalmente a essa hora que um novo camarada descia pela vereda chamada Olórë Mallë ou Trilha dos Sonhos. Foi-me dito, embora eu não saiba a verdade, que essa vereda corria por rotas sinuosas aos lares de Homens, mas esse caminho nunca trilhávamos quando íamos nós mesmos até lá. Era uma vereda de escarpas íngremes e grandes sebes proeminentes, além das quais havia muitas árvores altas onde parecia viver um sussurro perpétuo; mas não raro grandes larvas luminosas rastejavam pelas margens relvadas.

"Ora, nesse lugar de jardins, um alto portão treliçado que brilhava dourado no crepúsculo se abria para a trilha dos sonhos e, de lá, corria por caminhos tortuosos com buxos altos até o mais belo de todos os jardins e, no meio do jardim, havia um alvo chalé. Do que fora construído ou quando, ninguém sabia e ninguém sabe ainda, mas foi-me dito que brilhava com uma luz pálida, como se fosse de pérola, e o telhado era de palha, mas uma palha de ouro.

"Ora, num dos lados da casinha havia uma mouta de lilases brancos e, na outra ponta, um teixo imenso, de cujos ramos as crianças faziam arcos ou escalavam pelos galhos até o telhado. Mas, nos lilases, todos os pássaros que algum dia cantaram se ajuntavam e cantavam docemente. Ora, as paredes do chalé se arquearam com os anos, e suas muitas janelinhas treliçadas se contorceram em estranhas formas. Ninguém, conta-se, morava no chalé, o qual era, contudo, secreta e ciosamente guardado pelos Eldar para que nenhum perigo se aprochegasse e para que, ainda assim, as crianças que ali brincavam em liberdade não percebessem qualquer tipo de proteção. Esse era o Chalé das Crianças, ou do Brincar do Sono, e não do Brincar Perdido, como foi erroneamente dito em canção entre os Homens — pois nenhum brincar era então perdido e, infelizmente, só aqui e agora é o Chalé do Brincar Perdido.

"Essas também eram as primeiras crianças — filhos dos pais dos pais dos Homens que foram até lá; e, por pena, os Eldar procuravam guiar todos os que desciam por aquela vereda para o chalé e o jardim, a fim de que não se desviassem para Kôr e se enamorassem da glória de Valinor; pois daí ou ficariam lá para sempre, e grande pesar sobreviria a seus pais, ou vagariam de volta por muito tempo, sempre em vão, e tornar-se-iam estranhos e ariscos entre os filhos de Homens. Não, mesmo aqueles que vagavam até as beiras dos rochedos de Eldamar e lá se desgarravam, fascinados pelas belas conchas e peixes de muitas cores, pelas poças azuis e espuma prateada, eles levavam de volta ao chalé, atraindo-os gentilmente com o aroma de muitas flores. Ainda assim, havia lá uns poucos que ouviram naquela praia o doce flautear dos Solosimpi ao longe, e que não brincavam com as outras crianças, mas subiam até as janelas mais altas e olhavam para fora, esforçando-se para captar vislumbres distantes do mar e das praias mágicas além das sombras e das árvores.

"Ora, na maior parte das vezes as crianças não entravam na casa, mas dançavam e brincavam no jardim, ajuntando flores ou correndo atrás das abelhas douradas e borboletas de asas bordadas que os Eldar soltavam pelo jardim para seu contentamento. E muitas crianças lá se amigaram, e depois se encontraram e se enamoraram nas terras de Homens, mas de tais coisas talvez os Homens saibam mais do que te posso contar. E, no entanto, alguns havia que, como disse, ouviram os Solosimpi flauteando ao longe, e outros que, desgarrando-se novamente para além do jardim, ouviram o som do cantar dos Telelli na colina, e mesmo alguns que, alcançando Kôr, depois voltavam para casa e suas mentes e corações ficavam repletos de maravilhamento. De suas enevoadas memórias posteriores, de seus contos fragmentários e pedaços de canções vieram muitas lendas estranhas que deleitaram Homens por muito tempo e ainda o fazem, talvez; pois dessa gente eram os poetas das Grandes Terras.[7]

"Ora, quando as fadas deixaram Kôr, aquela vereda foi bloqueada para sempre com grandes rochas intransponíveis, e lá continua até hoje, decerto, o chalé desabitado e o jardim vazio, e assim ficarão até muito tempo depois da Partida Afora, quando, se tudo correr bem, as estradas de Arvalin até Valinor encher-se-ão de filhos e filhas de Homens. Mas, vendo que nenhuma criança ia até lá para descanso ou deleite, o pesar e o embotamento se espalharam entre eles, e os Homens quase deixaram de acreditar, ou de pensar, na beleza dos Eldar e na glória dos Valar, até que chegou um das Grandes Terras e nos procurou para aplacar a escuridão.

"Ora, não há, infelizmente, caminho seguro para as crianças das Grandes Terras até aqui, mas Meril-i-Turinqi deu ouvidos ao seu pedido e escolheu Lindo, meu marido, para que elaborasse um plano benfazejo. Ora, Lindo e eu, Vairë, tomamos sob nossos cuidados as crianças — as remanescentes daquelas que encontraram Kôr e permaneceram com os Eldar para sempre: e dessarte aqui construímos com boa magia este Chalé do Brincar Perdido: e aqui contos antigos, canções antigas e música élfica são preservados e narrados. Vez ou outra, nossas crianças partem afora novamente para encontrar as Grandes Terras, e caminham entre as crianças solitárias, sussurrando a elas no crepúsculo logo na hora de dormir, à luz noturna e de velas, ou confortam os que choram. Algumas, ouvi dizer, escutam as lamúrias dos que são punidos ou repreendidos, e ouvem seus contos e fingem tomar partido delas, o que me parece uma tarefa sábia e prazenteira.

"No entanto, nem todos os que enviamos retornam, e isso nos é um grande pesar, pois não é, absolutamente, por amá-las pouco que os Eldar mantinham as crianças longe de Kôr, mas, antes, por pensarem nos lares dos Homens; e, ainda assim, nas Grandes Terras, como bem sabes, há belos lugares e regiões de grande encanto, e por isso é apenas por grande necessidade que aventuramos quaisquer das crianças que estão conosco. Mas a maioria volta até aqui e nos relata muitas estórias e muitas coisas tristes de suas jornadas — e agora contei quase tudo o que há para se contar do Chalé do Brincar Perdido."

Então disse Eriol: "Ora, essas novas são tristes e, no entanto, boas de se ouvir, e lembro-me de certas palavras que meu pai dizia em minha meninice. Dizia ele que era uma tradição de há muito em nossa gente que um dos pais de nossos pais costumava falar duma bela casa e de jardins mágicos, duma cidade maravilhosa, e duma música cheia de toda a beleza e anseio — e essas coisas ele dizia ter visto e ouvido quando criança, embora não dissesse como e nem onde. Ora, durante toda a vida foi inquieto, como se morasse nele um anseio apenas meio expresso por coisas desconhecidas; e conta-se que morreu nos rochedos numa costa solitária, numa noite de tormenta — e, ademais, que a maioria de seus filhos, e dos filhos deles desde então, eram de mente inquieta — e parece-me que sei agora a verdade sobre o assunto."

E Vairë disse que era provável que um da sua gente encontrara os rochedos de Eldamar naqueles dias antigos.

NOTAS

[1] *Gnomos*: o Segundo Clã, os *Noldoli* (posteriormente *Noldor*). Para o uso da palavra *Gnomos*, ver pp. 59–61; e para a distinção linguística feita aqui, ver pp. 68–9.

[2] As "Grandes Terras" são as terras a Leste do Grande Mar. O termo "Terra-média" jamais é usado nos *Contos Perdidos* e, de fato, não aparece até escritos dos anos de 1930.

[3] Em ambos os manuscritos, as palavras "de todos os Eldar" são seguidas de: "pois dos mais nobres não havia nenhum, visto que ser do sangue dos Eldar dá igual e é o bastante"; mas isso foi riscado no segundo manuscrito.

[4] O texto original dizia "a grande Tirion", alterado para "a grande torre".

[5] Essa frase, a partir de "um filho, parece-me…" substituiu, no manuscrito original, uma frase anterior: "será de Eärendel, o errante, único dos filhos de Homens que teve grandes tratos com Valar e Elfos, o único de sua gente a ver além de Taniquetil, aquele que navega para sempre no firmamento?"

[6] A frase original era "antes dos dias de", alterado para "nos primeiros dias de" e, por fim, para a frase incluída no texto.

[7] Essa última frase foi um acréscimo ao segundo manuscrito.

Alterações feitas a nomes em
O Chalé do Brincar Perdido

Os nomes estavam, nesse momento, em um estado muito fluido, refletindo, em parte, o rápido desenvolvimento das línguas que estava acontecendo na época. Alterações foram feitas ao texto original, e mudanças posteriores, em momentos diferentes, ao segundo texto, mas parece desnecessário, nas notas a seguir, entrar em detalhes sobre quando e onde as alterações foram feitas. Os nomes estão incluídos na ordem em que aparecem no conto. Os sinais > e < são usados com o sentido de "alterado para" e "alterado de".

Dor Faidwen O nome gnômico de Tol Eressëa foi alterado muitas vezes: *Gar Eglos* > *Dor Edloth* > *Dor Usgwen* > *Dor Uswen* > *Dor Faidwen*.

Mar Vanwa Tyaliéva No texto original, um espaço foi deixado para o nome élfico, subsequentemente preenchido com *Mar Vanwa Taliéva*.

Grandes Terras Ao longo do conto, *Grandes Terras* é uma emenda de *Terras de Fora*, quando este último nome recebeu um significado diferente (terras a Oeste do Grande Mar).

Wingilot < *Wingelot*.

Gar Lossion < *Losgar*.

Koromas < *Kormas*.

Meril-i-Turinqi O primeiro texto traz apenas *Turinqi*, com um espaço deixado, em determinado lugar, para um nome próprio.

Inwë < *Ing* em cada uma das ocorrências.

Inwithiel < *Gim Githil*, que foi, por sua vez, < *Githil*.

Ingil < *Ingilmo*.

Valwë < *Manwë*. Parece possível que *Manwë* como sendo nome do pai de Lindo foi um mero deslize.

Noldorin O texto original era *Noldorin, a quem os Gnomos chamam Goldriel*; *Goldriel* foi alterado para *Golthadriel*, e então a referência ao nome gnômico foi excluída, deixando apenas *Noldorin*.

Tulkastor < *Tulkassë* < *Turenbor*.

Solosimpi < *Solosimpë* em cada uma das ocorrências.

Lindelos < *Lindeloksë* < *Lindeloktë Racimo Cantante* (*Glingol*).

Telelli < *Telellë*.

Arvalin < *Harmalin* < *Harwalin*.

Comentário a
O Chalé do Brincar Perdido

A história de Eriol, o marinheiro, era fundamental para a concepção original de meu pai acerca da mitologia. Naqueles dias, como ele relatou muito depois em uma carta a seu amigo Milton Waldman* a intenção primária do seu trabalho era satisfazer seu desejo por uma literatura específica e reconhecivelmente *inglesa* da "feéria":

---

* *The Letters of J.R.R. Tolkien* [As Cartas de J.R.R. Tolkien], ed. Humphrey Carpenter, 1981, p. 144. A carta foi quase certamente escrita em 1951. [Um excerto considerável da carta encontra-se publicado também em *O Silmarillion*, pp. 17–36. (N. T.)]

desde cedo eu era afligido pela pobreza de meu próprio amado país: ele não possuía histórias próprias (relacionadas à sua língua e solo), não da qualidade que eu buscava e encontrei (como um ingrediente) nas lendas de outras terras. Havia gregas, celtas e românicas, germânicas, escandinavas e finlandesas (que muito me influenciaram), mas não inglesas, salvo materiais de livros de contos populares empobrecidos.

> Em seus escritos mais antigos, a mitologia estava ancorada na antiga história lendária da Inglaterra; e, mais do que isso, estava peculiarmente associada a certos lugares na Inglaterra.
>
> Eriol, ele mesmo aparentado de figuras famosas nas lendas do Noroeste da Europa, navegando para o oeste pelo oceano, chegou afinal a Tol Eressëa, a Ilha Solitária, onde moravam Elfos; e com eles aprendeu "Os Contos Perdidos de Elfinesse". Mas o seu papel seria, a princípio, mais importante na estrutura do trabalho do que (como se tornou depois) simplesmente o de um homem de dias posteriores que chegou à "terra das Fadas" e lá adquiriu saber perdido ou oculto que depois relatou em seu próprio idioma: inicialmente, era para Eriol ser um elemento importante na própria história das fadas — a testemunha da ruína da élfica Tol Eressëa. O elemento da antiga história inglesa, ou "lenda histórica", não era, no início, uma mera estrutura, isolada dos grandes contos que posteriormente constituíram "O Silmarillion", mas uma parte integral do fim deles. A elucidação de tudo isso (na medida em que é possível elucidar) deve necessariamente ser adiada para o final dos *Contos*; mas alguma coisa pelo menos deve ser dita aqui acerca da história de Eriol até o momento de sua chegada em Tol Eressëa, e da importância original da Ilha Solitária.
>
> A "estória de Eriol" está, de fato, entre os assuntos mais emaranhados e obscuros em toda a história da Terra-média e Aman. Meu pai abandonou a escrita dos *Contos Perdidos* antes de alcançar o final e, quando os abandonou, também havia abandonado suas ideias originais para a conclusão. Essas ideias podem ser depreendidas de suas notas, é verdade; mas as notas foram majoritariamente escritas a lápis numa velocidade furiosa, e a escrita está agora borrada e esmaecida e, em alguns locais, mal decifráveis após longo exame, em pequenos retalhos de papel, desordenados e sem data, ou em um caderninho no qual, durante os anos em que compunha os

Contos Perdidos, ele anotava pensamentos e sugestões (ver p. 208). Essas notas acerca do elemento "Eriol" ou "inglês" tomam comumente a forma de esboços curtos, nos quais características proeminentes da narrativa, amiúde sem clara conexão entre si, são escritas à maneira de uma lista; e variam constantemente entre si.

No que deve estar, de toda forma, entre os mais antigos dos esboços, encontrado nesse caderninho de bolso e intitulado "Estória da Vida de Eriol", o marinheiro que foi a Tol Eressëa passa a ser ligado à tradição da invasão da Grã-Bretanha por Hengest e Horsa no século V d.C. Esse era um assunto ao qual meu pai dispensou muito tempo e reflexão; ele palestrava sobre isso em Oxford e desenvolveu certas teorias originais, especialmente em relação à aparição de Hengest em *Beowulf*.*

A partir desses rabiscos, descobrimos que o nome original de Eriol era *Ottor*, mas que chamava a si mesmo de *Wǽfre* (uma palavra em inglês antigo que significa "irrequieto, vagante") e passava a vida nas águas. Seu pai se chamava *Eoh* (uma palavra do vocabulário poético do inglês antigo que significa "cavalo"); e Eoh foi morto por seu irmão *Beorn* ("guerreiro" em inglês antigo, mas que originalmente significava "urso", assim como a palavra cognata *björn* em nórdico antigo; cf. Beorn, o troca-peles em *O Hobbit*). Eoh e Beorn eram filhos de *Heden*, "indumentado de couro e peles", e Heden (como muitos heróis das lendas setentrionais) traçava sua ascendência ao deus Wóden. Em outras notas, há outras conexões e combinações e, visto que nada dessa história foi escrito como uma narrativa coerente, esses nomes só são importantes porque mostram a direção do pensamento do meu pai àquela época.

Ottor Wǽfre assentou-se na ilha de Heligolândia, no Mar do Norte, e casou-se com uma mulher chamada *Cwén* (inglês antigo: "mulher", "esposa"); tiveram dois filhos, nomeados "em homenagem ao seu pai" *Hengest* e *Horsa* "para vingar Eoh" (*hengest* é outra palavra em inglês antigo para "cavalo")

O anseio pelo mar então se abateu sobre Ottor Wǽfre: ele era um filho de *Eärendel*, nascido sob sua luz. Se a luz de Eärendel recai sobre um bebê recém-nascido, ele se torna "um filho de Eärendel" e um viandante. (Assim também, em *O Chalé do Brincar Perdido*,

---

* J.R.R. Tolkien, *Finn and Hengest* [Finn e Hengest], editado por Alan Bliss, 1982.

Eriol é chamado tanto pelo autor quanto por Lindo de "filho de Eärendel".) Após a morte de Cwén, Ottor deixou seus jovens filhos. Hengest e Horsa vingaram Eoh e tornaram-se grandes chefes; mas Ottor Wǽfre partiu para buscar e encontrar Tol Eressëa, aqui chamada em inglês antigo de *se uncúpa holm*, "a ilha desconhecida".

Várias coisas são ditas nessas notas acerca da estada de Eriol em Tol Eressëa que não aparecem em *O Livro dos Contos Perdidos*, mas delas eu preciso aqui apenas fazer menção às afirmações de que "Eriol adotou o nome *Angol*" e que foi chamado pelos Gnomos (os posteriores Noldor, ver pp. 59–60) de *Angol* "por conta das regiões de seu lar". Isso certamente se refere ao antigo lar dos "ingleses" antes de atravessarem o Mar do Norte para a Grã-Bretanha: inglês antigo *Angel, Angul*, alemão moderno *Angeln*, a região da península dinamarquesa entre o fiorde de Flensburg e o rio Schlei, ao sul da moderna fronteira dinamarquesa. Partindo da costa oeste da península, a distância não é muita até a ilha de Heligolândia.

Em outro lugar, *Angol* é dado como o equivalente gnômico de *Eriollo*, nomes que, conta-se, são os "da região da porção setentrional das Grandes Terras, 'entre os mares', de onde veio Eriol". (Ver mais sobre esses nomes no verbete *Eriol* no Apêndice de Nomes.)

Não se deve pensar que essas notas representam em todos os aspectos a história de Eriol conforme meu pai a concebeu quando escreveu *O Chalé do Brincar Perdido* — de todo modo, diz-se explicitamente ali que *Eriol* significa "O que sonha só", e que "de seus nomes anteriores a estória não fala em nenhum lugar" (p. 24). Mas o importante é que (de acordo com a visão que formei acerca das concepções mais antigas, aparentemente a melhor explicação para as evidências muito complicadas) essa ainda era a ideia principal quando foi escrito: *Eriol chegou a Tol Eressëa desde as terras ao Leste do Mar do Norte*. Ele pertence ao período que precedeu as invasões anglo-saxônicas à Grã-Bretanha (conforme meu pai desejava representar, para seus propósitos).

Posteriormente, seu nome mudou para *Ælfwine* ("Amigo-dos--Elfos"), o marinheiro tornou-se um inglês do "período anglo--saxão" da história inglesa, que cruzou o mar rumo a oeste até Tol Eressëa — ele navegou desde a Inglaterra pelo Oceano Atlântico; e dessa última concepção deriva a muito notável história *Ælfwine da Inglaterra*, que será incluída ao final dos *Contos Perdidos*. Mas, na concepção mais antiga, ele não era um inglês da Inglaterra: a

Inglaterra no sentido de terra dos ingleses não existia ainda; pois o fato primordial (muito explícito em notas que restaram) dessa conceção é que *a ilha élfica na qual Eriol chegou era a Inglaterra* — ou seja, Tol Eressëa se tornaria a Inglaterra, a terra dos ingleses, ao final da história. Koromas, ou Kortirion, a cidade no centro de Tol Eressëa à qual Eriol chega em *O Chalé do Brincar Perdido*, tornar-se-ia Warwick em dias posteriores (e os elementos *Kor-* e *War-* eram etimologicamente ligados);* Alalminórë, a Terra dos Olmos, seria Warwickshire; e Tavrobel, onde Eriol ficou por um tempo em Tol Eressëa, seria posteriormente a vila de Great Haywood em Staffordshire.

Nada disso está explícito nos *Contos* escritos, e só se encontra em notas independentes; mas parece certo que ainda estava presente quando *O Chalé do Brincar Perdido* foi escrito (e, de fato, como tentarei demonstrar mais tarde, subjaz a todos os *Contos*). A cópia limpa que minha mãe fez foi datada de fevereiro de 1917. Desde 1913 até seu casamento, em março de 1916, ela morou em Warwick e meu pai a visitava lá, vindo de Oxford. Após o casamento, ela viveu por um tempo em Great Haywood (a leste de Stafford), já que era mais próximo do acampamento onde meu pai estava estacionado, e, após voltar da França, ele ficou em Great Haywood no inverno de 1916–17. Assim, a identificação da Tavrobel de Tol Eressëa com Great Haywood não pode ser anterior a 1916, e a cópia limpa de *O Chalé do Brincar Perdido* (e, muito possivelmente, a composição original do texto) foi, na verdade, feita lá.

Em novembro de 1915, meu pai escreveu um poema intitulado *Kortirion entre as Árvores*, que foi dedicado a Warwick.† A introdução em prosa a seguir está anexada à primeira cópia limpa do poema:

Ora, certa vez as fadas habitaram na Ilha Solitária após as grandes guerras com Melko e a ruína de Gondolin; e erigiram uma

---

*A grande torre, ou *tirion*, que Ingil, filho de Inwë, construiu (p. 27) e a grande torre do Castelo de Warwick não estão associadas, mas é certo, no mínimo, que Koromas tinha uma grande torre porque Warwick tem uma.

†Esse poema está incluído, em três textos diferentes, nas pp. 41–6. — Um poema escrito em Étaples, Pas-de-Calais, em junho de 1916 e intitulado "A Ilha Solitária" é explicitamente dirigido à Inglaterra. Ver *Cartas*, p. 437, nota 4 à carta 43.

bela cidade no centro daquela ilha, e era cingida de árvores. Ora, essa cidade eles chamaram de Kortirion, tanto em memória de sua antiga morada de Kôr, em Valinor, quanto porque a cidade ficava também sobre uma colina e tinha uma grande torre, alta e cinzenta, que Ingil, filho de Inwë, seu senhor, fez erguerem.

Muito bela era Kortirion e as fadas a amavam, e tornou-se rica em canção e poesia e em luz de risos; mas certa vez a grande Partida Afora foi realizada, e as fadas teriam reflagrado o Sol Mágico de Valinor, não fosse a traição e os corações fracos dos Homens. Mas acontece que o Sol Mágico está morto e a Ilha Solitária, retirada para os confins das Grandes Terras, e as fadas estão espalhadas por todos os largos sendeiros hostis do mundo; e agora os Homens vivem até mesmo nessa ilha desvanecente, e não se importam ou não sabem de seus dias antigos. Ainda assim, há alguns dos Eldar e dos Noldoli[‡] de outrora que permanecem na ilha, e suas canções são ouvidas junto às praias dessa terra que certa vez foi a morada mais bela do povo imortal.

E parece às fadas, e parece-me a mim que conheço aquela cidade e amiúde trilhei seus caminhos desfigurados, que o outono e o cair das folhas é a estação do ano quando, talvez aqui ou ali, algum coração entre os Homens possa estar aberto, e algum olho possa perceber como o estado do mundo decaiu do riso e do encanto de outrora. Pensai em Kortirion e entristecei-vos — mas, ainda assim, não haveria esperança?

> Tanto aqui quanto em *O Chalé do Brincar Perdido* há alusões a eventos futuros em relação ao momento em que Eriol chegou a Tol Eressëa e, ainda que a exposição e discussão completa deles precisem esperar até o final dos *Contos*, há que se explicar aqui que "a Partida Afora" foi uma grande expedição desde Tol Eressëa para resgatar os Elfos que ainda vagavam nas Grandes Terras — ver as palavras de Lindo (p. 27): "até aquele tempo em que eles partam afora para achar as famílias perdidas da gente". Naquela época, Tol Eressëa foi desarraigada, com a ajuda de Ulmo, do fundo do mar e arrastada até próximo das costas ocidentais das Grandes Terras. Na batalha que se seguiu, os Elfos foram derrotados e

---

[‡] Para a distinção entre *Eldar* e *Noldoli*, ver pp. 60–1.

fugiram, escondendo-se em Tol Eressëa; os Homens entraram na ilha, e o esvanecer dos Elfos começou. A história subsequente de Tol Eressëa é a história da Inglaterra; e Warwick é a "Kortirion desfigurada", ela mesma uma memória da antiga Kôr (a posterior Tirion sobre Túna, cidade dos Elfos em Aman; nos *Contos Perdidos*, o nome Kôr é usado tanto para a cidade quanto para a colina).

Inwë, mencionado em *O Chalé do Brincar Perdido* como "Rei de todos os Eldar quando moravam em Kôr", é o precursor de Ingwë, Rei dos Elfos Vanyar em *O Silmarillion*. Em uma história posteriormente contada a Eriol em Tol Eressëa, Inwë reaparece como um dos três Elfos que foi primeiro a Valinor após o Despertar, assim como Ingwë em *O Silmarillion*. Seu clã e descendentes eram os *Inwir*, dos quais veio Meril-i-Turinqi, a Senhora de Tol Eressëa (ver p. 68). As referências de Lindo a Inwë "ouvindo o lamento do mundo" (isto é, das Grandes Terras) e liderando os Eldar para as terras de Homens (p. 27) são o gérmen da história da vinda das Hostes do Oeste para o assalto a Thangorodrim: "A hoste dos Valar se preparou para a batalha; e debaixo de suas bandeiras brancas marchavam os Vanyar, o povo de Ingwë [...]" (*O Silmarillion*, p. 333). Mais tarde, nos *Contos*, Meril-i-Turinqi diz a Eriol que "Inwë era o mais velho dos Elfos, e viveria ainda em majestade, não tivesse ele perecido naquela marcha para o mundo; mas Ingil, seu filho, há muito voltou para Valinor e está com Manwë". Em *O Silmarillion*, por outro lado, está dito que Ingwë "adentrou Valinor [no início dos dias dos Elfos] e se sentou aos pés dos Poderes, e todos os Elfos reverenciaram seu nome; mas nunca mais voltou, nem viu de novo a Terra-média" (p. 85).

As palavras de Lindo acerca da permanência de Ingil em Tol Eressëa "após muitos dias", e a interpretação do nome de sua cidade, Koromas, como "o Repouso dos Exilados de Kôr", refere-se ao retorno dos Eldar das Grandes Terras após a guerra com Melko (Melkor, Morgoth) para libertar os Noldoli escravizados. As suas palavras acerca de seu pai, Valwë, "que foi com Noldorin encontrar os Gnomos", refere-se a um elemento nessa história da expedição desde Kôr.*

---

* Alguns esclarecimentos sobre as referências de Lindo ao soar do Gongo nos Mares Sombrios e ao Adormecido na Torre de Pérola serão dados quando alcançarmos a história de Eärendel no final dos *Contos*.

É importante perceber, portanto (caso minha interpretação geral esteja correta), que, em *O Chalé do Brincar Perdido*, Eriol chega a Tol Eressëa *no período após* a Queda de Gondolin e a marcha dos Elfos de Kôr rumo às Grandes Terras para derrotar Melko, quando os Elfos que tomaram parte nela voltaram pelo mar para habitar Tol Eressëa; mas *antes do período* da "Partida Afora" e o deslocamento de Tol Eressëa para a posição geográfica da Inglaterra. Este último elemento logo se perdeu completamente no desenvolvimento da mitologia.

☙

Acerca do "Chalé" propriamente dito é necessário estabelecer de pronto que muito pouca luz se pode jogar nele a partir de outros escritos de meu pai; pois toda a concepção das Crianças que foram para Valinor seria abandonada quase sem vestígio posterior. Mais tarde nos *Contos Perdidos*, porém, há novas referências à Olórë Mallë. Após a descrição da Ocultação de Valinor, está dito que, a pedido de Manwë (que via o acontecimento com pesar), os Valar Oromë e Lórien criaram estranhos caminhos desde as Grandes Terras até Valinor, e o caminho criado por Lórien foi a Olórë Mallë, a Trilha dos Sonhos; por essa vereda, quando os "Homens ainda eram recém-chegados à Terra", "os filhos dos pais dos pais dos Homens" vinham a Valinor durante o sono (pp. 211, 213). Há ainda duas outras menções nos contos que virão na Parte II: a narradora do *Conto de Tinúviel* (uma criança de Mar Vanwa Tyaliéva) diz que viu Tinúviel e a mãe dela com seus próprios olhos "quando seguia pelo Caminho dos Sonhos em dias há muito passados", e o narrador do *Conto de Turambar* diz que andou "pela Olórë Mallë nos dias anteriores à queda de Gondolin".

Há também um poema tratando do Chalé do Brincar Perdido que traz muitos dos detalhes da descrição em prosa. Esse poema, de acordo com as anotações de meu pai, foi escrito na St. John's Street n. 59, em Oxford, sua acomodação durante a graduação, em 27-28 de abril de 1915 (quando tinha 23 anos). Ele existe em várias versões (como é constantemente o caso dos poemas), cada uma modificada em detalhes em relação à anterior, e o final do poema foi inteiramente reescrito duas vezes. Incluo aqui, primeiro, a versão mais antiga, com as alterações feitas a ela indicadas no pé da página; depois, a versão final, cuja data não pode ser determinada com precisão. Suspeito que seja muito posterior — e, de fato, pode ter sido uma das revisões feitas a antigos poemas quando a coletânea *As Aventuras de Tom Bombadil* (1962) estava sendo preparada, embora não seja mencionada na correspondência de meu pai sobre o assunto.

O título original era *Tu e Eu / e o Chalé do Brincar Perdido* (com uma versão em inglês antigo *Þæt húsincel ǣrran gamenes*), que foi alterado para *Mar Vanwa Tyaliéva, O Chalé do Brincar Perdido*; na versão final, o título é *A Casinha do Brincar Perdido: Mar Vanwa Tyaliéva*. Os recuos nas estrofes estão conforme os textos originais.

Tu e Eu
e o Chalé do Brincar Perdido

    Tu e eu já vimos essa terra
        E muito ali a gente andava
    Há tanto tempo, em nossa infância,
        Tua mecha negra, a minha flava.
5   Seria em sonhadoras sendas
        Na brancura do inverno frio,
    Ou no crepúsculo azulado
    De caminhas bem aninhadas
        No torpor das noites de estio,
10 Que em Sono tu e eu nos perdíamos
        E ali a gente se encontrava —
    No penhoar tua mecha negra,
        E a minha, emaranhada e flava?

    Andamos juntos, de mãos dadas,
15   Vagando na areia das fadas,
    Juntando em baldes concha e perla.
      Na mata, e em tudo à volta dela,
        Havia rouxinóis cantantes.
    Buscando prata, revolvemos
20   Mares internos cintilantes,
    Na terra, por clarões serenos,
      Em trilha sinuosa andamos,
      Mas nunca mais a encontramos
        Nos bosques altos, sussurrantes.

25 De noite e dia era o ar despido,
      Mas penumbroso à luz macia,

Quando primeiro se entrevia
   O Chalé do Brincar Perdido.
Foi feito branco e muito antigo,
30   Com palha d'ouro por abrigo
   E gelosias p'ra espiar
      Voltadas sempre para o mar;
Os nossos jardins infantis
Lá estavam — com os miosótis
35   Boninas rubras e mostardas,
   A nemofila e o agrião.
Arbustos vão fronteira afora,
Ornados de seleta flora,
De flox, cravo, malva e espora
40   Sob espinheiro carmesim:
E formas enchem os sendeiros
De roupa branca e olhar faceiro,
   Com elas tu e eu indo, assim.
E regadores uns levavam
45   E ao fim molhavam a roupagem;
Mas inda outros planejavam
   Casas no chão e na ramagem,
      Feéricas povoações;
Alguns subiam nos telhados;
50   Uns solfejavam, isolados;
Alguns dançavam como fadas
   Com margaridas enlaçadas,
      Ou perseguiam abelhões;
Um par havia aqui e ali,
55   Fios enrediços, tez corada,
      Falando coisas pueris —*
      E desses éramos nós dois.

---

*Isso parece ecoar os versos do poema *Daisy* [Margarida], de Francis Thompson:
   Two children did we stray and talk
   Wise, idle, childish things.
   [Duas crianças, vagávamos e falávamos
   De coisas sábias, indolentes, infantis.]
Meu pai adquiriu as Obras de Francis Thompson em 1913 e 1914.

>   Ao cabo, o Amanhã chegou,
>   P'ra nos levar, com mão cinzenta;
> 60   E nunca mais a gente achou
>   Chalé e a encantadora senda
>   Que junto ao mar nós percorremos,
>   Por velhas praias, por jardim,
>   Mas onde estão, qual foi seu fim —
> 65   Tu e Eu jamais descobriremos.[A]

1 You and I [isto é, em vez de "You and me", no poema em inglês. (N. T.)]
3 Há tanto tempo, em dias claros
15 em areias douradas
23 Que agora já não encontramos
25 De noite ou dia
29 Novo era, mas também antigo
37 E arbustos vão
43 Com elas Tu e Eu rindo.
47 Minúsculas povoações
56 Dizendo coisas pueris

Os versos 58–65 (acima) foram reescritos, depois, da seguinte maneira:

>   Mas teve um dia que chegar:
>   Nós longamente a procuramos,
>   Nas praias que olham para o mar,
>   Subimos alto, vigiamos:
> 70   A trilha desapareceu,
>   A que por jardins nos levava.
>   E o que hoje aquela terra é,
>   Se há jardins ou se há chalé,
>   Crianças com roupagem alva —
> 75   Nós não sabemos, Tu e Eu.[B]

62 Que em céu e mar nós percorremos,
63 Em velhas praias
65 We know not, You and I. [Isto é, em vez de "We know not, You and Me." no poema em inglês. (N. T.)]

Esta é a versão final do poema:

> *A Casinha do Brincar Perdido*
> *Mar Vanwa Tyaliéva*
>
> Tal terra vimos, Tu e Eu,
>   e muito ali a gente andava.
> Há tempos tudo se perdeu,
>   tua mecha negra, a minha flava.
> 5   Seria em pensadoras sendas,
>   na brancura do inverno frio,
>   ou no crepúsculo azulado
>   de caminhas bem aninhadas,
>   no torpor das noites de estio,
> 10 que o Sono era nossa aventura,
>   e ali a gente se encontrava,
>   no penhoar tua mecha escura
>   e a minha, emaranhada e flava?
>
>   Andamos juntos, de mãos dadas,
> 15 pegadas na areia dourada,
>   juntando em baldes concha e perla,
>   na mata, e em tudo à volta dela,
>   havia rouxinóis cantantes.
>   De prata havia suficiente,
> 20 no mar, faíscas cintilantes,
>   na terra, por clarão virente,
>   a trilha sinuosa achamos,
>   e agora não mais a encontramos,
>   nos bosques altos, sussurrantes.
>
> 25 Não tinha noite ou dia o ar,
>   tudo era envolto na penumbra,
>   quando primeiro se vislumbra
>   a alva Casinha do Brincar.
>   De feitio novo, e muito antigo,
> 30 com palha d'ouro por abrigo
>   e gelosias p'ra espiar
>   voltadas sempre para o mar;
>   e os nossos jardins infantis
>   estavam lá: os miosótis,

35 boninas, agrião, mostarda,
       e rabanetes para o chá.
    Arbustos vão fronteira afora,
    ornados de seleta flora,
    lupino, flox, malva e espora
40   sob um espinheiro grená;
    as pessoas pelo pomar
    falavam com seu linguajar,
       mas não contigo, e nem comigo.

       Pois regadores uns levavam
45   e ao fim molhavam a roupagem,
    mas inda outros planejavam
    casas no chão e na ramagem,
       e até pequenos povoados.
    Alguns subiam nos telhados;
50 uns solfejavam, isolados,
    uns dançam feéricas cirandas
    com margaridas nas guirlandas,
       enquanto uns, ajoelhados,
    cantavam a um rei pequenino,
55 vestido em traje alabastrino,
       as melodias do passado.
    E um par havia, de mãos dadas,
    com as madeixas enlaçadas,
       que andava sempre lado a lado,
60 mas o que cada um falou,
    quando o Acordar os separou,
       somente em nós está guardado.^C

É notável que o poema tenha sido intitulado *O Chalé*, ou *A Casinha do Brincar Perdido*, mas que a descrição seja do Chalé das Crianças em Valinor, perto da cidade de Kôr; no entanto, de acordo com Vairë (pp. 29–30), esse era o "Chalé do Brincar do Sono", e não "do Brincar Perdido, como foi erroneamente dito em canção entre os Homens".

Não tentarei fazer qualquer análise ou fornecer qualquer elucidação sobre as ideias incorporadas nos "Chalés das Crianças". De todo modo, os leitores, seja lá como os interpretem, não precisarão de assistência quanto à sua percepção das emoções pessoais e particulares nas quais tudo isso ainda estava ancorado.

Como eu disse, a ideia da vinda de crianças mortais em sono aos jardins de Valinor logo foi abandonada por completo e, na mitologia desenvolvida, não haveria lugar para ela — menos ainda para a ideia de que, num possível dia vindouro "as estradas de Arvalin até Valinor encher-se-ão de filhos e filhas de Homens".

Do mesmo modo, toda essa pequenez "élfica" logo desapareceu. A ideia do Chalé das Crianças já existia em 1915, como demonstra o poema *Tu e Eu*; e foi no mesmo ano, de fato nos mesmo dias de abril, que *Pés de Gobelim* (ou *Cumaþ Pá Nihtielfas*) foi escrito, poema acerca do qual meu pai disse em 1971: "desejo que a pequena coisa infeliz, representando tudo que vim (quase de imediato) a desgostar com fervor, possa ser enterrada para sempre."* Ainda assim, há que se observar que, em notas antigas, diz-se que Elfos e Homens eram "de igual estatura" em dias passados, e que a pequenez (e o caráter diáfano e transparente) das "fadas" é um aspecto de seu "esvanecer", e diretamente relacionado ao domínio dos Homens nas Grandes Terras. Voltarei a isso mais tarde. A esse respeito, a pequenez do Chalé é muito estranha, já que parece ser-lhe peculiar: Eriol, que viajara por muitos dias por Tol Eressëa, impressiona-se com o fato de que a morada consegue abrigar tantos, e dizem a ele que todos os que lá entram devem ser, ou se tornar, muito pequenos. Mas Tol Eressëa é uma ilha habitada por Elfos.

Incluo agora três textos do poema *Kortirion entre as Árvores* (mais tarde chamado *As Árvores de Kortirion*). Os primeiríssimos trabalhos (novembro de 1915) desse poema sobrevivem,** e há muitos textos subsequentes. A introdução em prosa à versão inicial foi citada nas pp. 37–8. Uma grande revisão foi feita em 1937, e

---

*Haviam-no pedido permissão para incluir o poema em uma antologia, como fora feito várias vezes antes. Ver a *Biografia* escrita por Humphrey Carpenter, pp. 106–07, na qual (apenas uma parte) do poema foi publicado, e também a bibliografia dele (*ibid*.) (ano 1915). [Ver também *O Hobbit Anotado*, pp. 114–15, para o poema completo (N. T.).]

**De acordo com as notas de meu pai, a composição original data de 21–28 de novembro de 1915, e foi escrito em Warwick, durante uma "dispensa de uma semana do acampamento". Isso não é muito preciso, já que sobrevivem cartas para minha mãe que foram escritas do acampamento em 25 e 26 de novembro, na segunda das quais ele diz que "fez uma cópia a lápis de 'Kortirion'".

ainda outra foi feita muito mais tarde; a essa altura, era quase um poema diferente. Visto que meu pai o enviou para Rayner Unwin em fevereiro de 1962 como possível candidato para inclusão em *As Aventuras de Tom Bombadil*, parece praticamente certo que a versão final data dessa época.*

Incluo o poema inicialmente em sua versão pré-1937, quando apenas poucas alterações tinham sido feitas. Em uma das cópias mais antigas, ele tem um título em inglês antigo: *Cor Tirion þǽra béama on middes*, e foi "dedicado a Warwick"; mas, em outra, o segundo título está em élfico (a segunda palavra não é perfeitamente legível): *Narquelion la . . tu y aldalin Kortirionwen* (ou seja, "Outono (entre) as árvores de Kortirion").

Kortirion entre as Árvores

As Primeiras Estrofes

   Ó urbe morta sobre uma colina,
    Velha memória desbotando em seu portão,
   Com roupa gris, seu coração declina;
    E só o castelo aguarda em posição,
5 Pensando como, entre os grandes olmeiros,
    A Deslizante Água sai dos reinos,
   Vara os prados, rumo ao ocidental oceano —
   E ainda desce por quedas ruidosas
    Chegando sempre ao mar, ano após ano;
10 Depois que Kortirion Fadas criaram
  Incontáveis anos ao mar rumaram.

   Cidade alta em colina ventosa
    De becos tortos com muros umbrosos,
   (Ainda hoje vão pavões em marcha pomposa,
15 Azul-safira e verdes, majestosos),
   Olha a campanha de dimensão vasta,
    Com sol, regada com chuva de prata,
    Ricos bosques, de mil árvores sussurrantes
   Lançando sombras longas no meio do dia,

---

*Em sua carta, meu pai disse: "*As Árvores* é longo demais e ambicioso demais, e, mesmo se for considerado bom o suficiente, provavelmente iria desandar a coisa toda".

20   E as brisas centenárias, rumorantes.
     Urbe tu és da Terra dos Olmeiros,
     Alalminórë, em Feéricos Reinos.

          Velha Kortirion, canta das florestas!
          Bordo e roble de borlas manifestas,
25   Choupos cantantes e teixos augustos
          Nos cimos dos muros vetustos
               Pensando em grandeza sombria —
          Até que as luzes das primas estrelas
          Pálidas os ramos escuros vêm retê-las;
30   Quando da Ursa de Argento as sete centelhas
          Oscilam nas suas guedelhas
               Naquele fatídico dia.
          Ó cidade do mundo, ó torreão!
          Se hasteado do estio o pendão,
35   Teus olmos se enchem de harmonia —
          Numa algazarra que encobria
               De toda a floresta o cantar.
          Amada Kortirion, canta de olmeiros,
          E do estio que os torna veleiros,
40   Os panos nos mastros de naus virentes
          Passando em frota, galés imponentes,
               No ensolarado mar.

As Segundas Estrofes
          Província no centro de ilhota passageira,
               Lá ainda se avistam Sós Companhias
45   Serenas, às vezes, caminham em fileiras
               Por sendas, com chorosas harmonias:
          Imortais Elfos e benditas Fadas
          Dançando em bosques, cantando toadas,
               Triste canção do que foi e inda pode ser.
50   E passam, sumindo na ventania,
               A relva undosa nos faz esquecer
          As doces vozes, qual sinos na aragem
          E os seus cabelos, como dourada ramagem.

          Tua primavera é bela e contente
55   Entre as árvores; mas o verão sopitado

Ouve o tocador junto ao rio corrente
  Flautando nas teias dum sonho florestado
Os sons que ainda cantam, claros,
Campânulas élficas em cerúleos aros
60   Nos muros do castelo;
Reclina-se e ouve o feitiço claro e frio
  Subindo corredores, salões belos:
Uma triste e mágica nota,
  Linha vítrea, argêntea, remota.

65 Então as árvores, ó urbe no escampado,
Soltam lamento triste e sussurrado;
Pois vão-se as horas ricas e as noites de encanto,
Quando dançam mariposas, voejando
  Pelas velas, no ar sem tremor,
70 E as auroras já encontram sua sina,
A luz do sol pingando em relva fina;
O odor e o som indolente dos prados,
Quando morrem flor e trevos plumados
  Pela foice do ceifador.
75 O triste outubro o tojo aformoseia
Com lustre fulvo de enredada teia,
E o olmo sombrio, então, começa a morrer;
Funestas folhas a empalidecer
  Co'as lâminas geladas
80   Do Inverno, e lanças azuladas
Cobrindo o sol e todos os recantos
Justo no Dia de Todos os Santos.
Em asas d'âmbar chega sua hora
Por vale baço elas vão embora
85   Qual aves cruzam lagoa enevoada.

As Terceiras Estrofes
Ao coração me agrada esta estação
  Que adorna esta cidade a esvanecer,
Cortejos suntuosos que se vão
  Com doces, tristes sons, a percorrer
90 Brumosas vias. Ó! tempo gentil,
Quando no bosque a sombra faz-se anil

E o final das manhãs se enfeita de sincelo.
As Fadas usam teu cristal de ocaso
Para enfeitar os seus sombrios capelos
95 Com fino e baço roxo, e longas bandas
Urdidas com luz fria por mãos brandas.

Já viram da estação as noites claras,
Quando olmos prendem com opacos laços
O sete-estrelo; e as luas, com faces tão áureas,
100 Os choupos cobrem com seus longos braços.
Elfos solitários, Fadas morrentes,
Cantai canções com tuas gentes
Canção d'estrelas e ramos luzidos,
Espiralando com ventos safíricos;
105 Flautai com vossos corações doridos:
"Lembrai Kortirion, ó homens sombrios,
E o Sol Mágico que um dia existiu!"

Velha Kortirion, as florestas tuas
Erguem-se acima de lívidas brumas,
110 Qual naus vagando errantes na lonjura
Por mar de opala, além da barra escura
De sós atracadouros:
Deixando atrás de si lotados cais
Nos quais nautas faziam festivais,
115 E agora, fantasmas na ventania,
São levados até praias vazias;
Partindo, brilhantes qual ouro,
Pelos mares das coisas esquecidas.
Kortirion, tuas árvores despidas,
120 As glórias do verão estão perdidas.
Da Ursa Argêntea as sete lamparinas
Refulgem claras, repentinas,
Nesse ano que encontra o seu fim.
Por mais que frias as ruas e praças,
125 Que os Elfos já não dancem nas clausuras baças,
(Salvo em rara noite enluarada,
De luz fugaz e exalviçada),
Daqui não partirei, ainda assim.

A Última Estrofe

          Não quero o deserto ou o rubro paço onde mora
130   O sol, nem grandes mares, nem mágicas ilhas,
          Ou pinheirais que vão montanha afora;
            E o chamado vindo em ventosas milhas
          De longes sinos, não me toca mais,
          Nas cheias cidades de Reis Terreais.
135   Aqui por perto encontro o meu contentamento
          Na Terra de ressequidos Olmeiros
          (Alalminórë em Feéricos Reinos);
            Aqui, adejando num doce lamento,
          Estão imortais Elfos e Fadas sagradas
140   Cantando p'ra si suas ânsias definhadas.[D]

                          ☙

Incluo a seguir o texto do poema conforme meu pai o reescreveu em 1937, sendo a versão mais recente de variantes levemente distintas.

Kortirion entre as Árvores

I

          Ó urbe morta sobre uma colina,
            Velhas sombras em seus velhos portões,
          Com roupa gris, seu coração declina;
            Na névoa esperam os seus torreões
5   Pelo fim; mas entre os grandes olmeiros,
          A Deslizante Água sai dos reinos,
            Varando extensos prados rumo ao Mar,
          E ainda desce por quedas ruidosas
            E cada dia chega, sempre, ao Mar;
10   Depois que Kortirion Elfos criaram
          Inúmeros anos ao Mar rumaram.

          Cidade alta em colina ventosa,
            Com ruas tortas e muros umbrosos,
          Pavões ariscos em marcha pomposa,
15   Azul-safira e verdes, majestosos;
          No meio dessa terra sonolenta,
          Onde a chuva cai cintilante e argêntea,

As árvores profundas sussurravam,
Lançavam sombras no meio do dia,
20   E às brisas, por centúrias, murmuraram.
Urbe tu és da Terra dos Olmeiros,
Alalminórë, em Feéricos Reinos.

Canta, Kortirion, dos bosques da terra:
Salgueiro no brejo e faia na serra,
25   O choupo molhado, o teixo a cismar
Nos velhos pátios que soem pensar
     Em glória escura, todo o dia;
Até que as luzes dos primeiros astros
Nos ramos escuros deixam seus rastros.
30   Rondando no alto, a lua alvescente
Olha os fantasmas dos bosques morrentes
     Silente e morosa, dia após dia.
Ilha sozinha, a cidade era aqui,
Antes de o estio apendoado cair.
35   Teus olmos eram de música pura:
Verde era o elmo, e verde era a armadura,
     De árvores eram soberanos.
Famosa Kortirion, canta de olmeiros,
Que no verão partem como veleiros,
40   Mortalhas nos mastros de naus virentes
Passando em frotas, galés imponentes,
     No ensolarado oceano.

II
Província no centro de ilhota passageira,
     Lá ainda se avistam Sós Companhias
45   Lentas e calmas andando em fileiras
     Por sendas, com solenes harmonias:
Imortais Elfos, a gente sagrada
D'outrora, cantando bela toada
     Daquilo que foi e inda pode ser,
50   E somem nos bosques, qual ventania,
     A relva undosa nos faz esquecer
As doces vozes, qual sinos na aragem
E os seus cabelos, como dourada ramagem.

A primavera era bela e contente
55   Entre as árvores; mas o Verão sopitado
Ouviu o tocador junto ao rio corrente
    Flautando nas teias dum sonho florestado
Canção de vozes d'Elfos, melodiosas,
Prevendo o Inverno em clareira frondosa;
60   Serôdias flores em muro acabado
Reclinam-se e ouvem a flauta triste
    Além dos salões em troncos firmados;
É rala e clara e fria a nota,
Linha vítrea, argêntea e remota.

65   Kortirion, tuas árvores curvadas
Tremem às queixas tristes, sussurradas:
Os dias se vão em noites funestas,
Mariposas voejando é só o que resta
    Pelas velas, no ar sem tremor,
70   E as auroras já encontram sua sina,
A luz do sol correndo em relva fina;
O odor e o som indolente dos prados,
Quando morrem flor e trevos plumados
    Pela foice do ceifador.
75   Gélido outubro o tojo aformoseia
Com lustre fulvo de enredada teia,
E o olmo sombrio começa a morrer;
Lúgubres folhas a empalidecer
    Vendo as lanças geladas
80   Do Inverno, marchando em todos os cantos
Justo no Dia de Todos os Santos.
Em asas d'âmbar chega sua hora,
Por vale baço elas vão embora,
Qual aves cruzam lagoa enevoada.

III

85   Ao coração agrada esta estação
    Que adorna esta cidade a envelhecer,
Com doces canções que, lentas, se vão,
    Ecoando tristemente, a percorrer
Brumosas vias. Ó! tempo gentil,

90 Quando o bosque com sombra se encobriu,
  E o fim das manhãs se adornou de gelo!
  Passam os Elfos de mechas luzentes
   Cobertos no ocaso com seus capelos
  De fino e baço roxo, e longas bandas
95 Urdidas com luz fria por mãos brandas.

  E muitos dançam sob o firmamento,
   Quando olmos prendem na ramagem nua
  O Sete-Estrelo, e o olhar sempre atento
   E áureo na face redonda da lua.
100 Ó Povo imortal, ó Elfos sagrados,
  Cantai velhos cânticos despertados
   Sob astros primevos antes da Aurora;
  Dançando nos ventos em remoinho
   Como dançastes no relvado, outrora,
105 Em Casadelfos, muito tempo atrás,
  Antes de virdes às praias mortais.

  Velha Kortirion, as florestas tuas,
  Erguem-se acima das lívidas brumas,
  Qual naus vagando errantes na lonjura
110 Por mar de opala, além da barra escura
   De sós atracadouros;
  Deixando atrás de si ruidosos cais
  Nos quais nautas faziam festivais,
  E agora, como fantasmas no ar,
  Por ventos levados à beira-mar,
115 Correndo as marés, brilhantes qual ouro.
  Kortirion, tuas árvores despidas,
  As vestes rotas dos ossos, perdidas.
  E as sete candeias do Grande Arado,
  Qual velas num templo todo ensombrado,
120 Luzem nesse ano a terminar.
  Por mais que vazios seus pátios abertos,
  Que os Elfos não dancem nos céus desertos,
  Inda assim, sob a lua esbranquiçada
  Ouço acordes de música enterrada,
125 E aqui quero ver o inverno chegar.

Não quero desertos ou rubros paços
   Onde o sol reina, nem mágicas ilhas,
Nem ver dos montes rochosos terraços;
   E o chamado vindo em ventosas milhas
130 De longes sinos, não escuto mais,
Nas cheias cidades dos Reis Terreais.
   Aqui o coração encontra contento,
Por mais que triste a Terra dos Olmeiros
(Alalminórë em Feéricos Reinos);
135   Aqui, musicando em doce lamento,
Habitam Elfos, sem-morte, sagrados,
Nas rochas, nos bosques enfeitiçados.[E]

☙

E, por fim, incluo o último poema na segunda de duas variantes levemente distintas; compostas (acredito) quase meio século após a primeira.

As Árvores de Kortirion
I
Alalminórë

Ó urbe antiga em colina cercada!
   Com velhas sombras no portão quebrado,
Rochedo gris, salas abandonadas,
   Na bruma esperam torreões calados
5 Pelo fim; mas entre os grandes olmeiros
O Rio Deslizante vai pelos reinos,
   Varando extensos prados rumo ao Mar,
Descendo açudes e quedas ruidosas,
   E cada dia chega, sempre, ao Mar;
10 Depois que Kortirion Edain criaram
Inúmeros anos ao Mar rumaram.

Kortirion! Sobre a colina rochosa,
   Com ruas tortas e muros umbrosos,
Pavões passeiam em marcha pomposa,
15   Azul-safira e verdes, majestosos.
Certa vez, nesta terra sonolenta,
Todas as árvores na chuva argêntea,

Com raízes profundas sussurravam,
Lançando sombras no meio do dia,
20   Nas brisas que velozmente passavam
Por ti, Rainha da Terra de Olmeiros,
Alta cidade em Entranhados Reinos.

Lembras ainda dos bosques no estio:
Faia no monte, salgueiro no rio;
25   O choupo molhado, o teixo a cismar
Nos velhos pátios que soem pensar
   Em glória escura, todo o dia,
Até que as primas estrelas brilhavam
E quietos morcegos ali passavam;
30   Até que a lua enxergava, ao se alçar,
As árvores no campo a descansar:
   O bosque, num manto, dormia.
Alalminor! A cidade era aqui,
Antes de o estio apendoado cair;
35   Hoste de olmeiros cruzava a lonjura,
Verde era o elmo e verde era armadura,
   De árvores eram potentados.
Mas vê, Kortirion, o estio vai sumir!
Os olmos se aprestam para partir
40   Pelos vales, com velas enfunadas,
Rumo a outros dias, grandes fragatas
   Cruzando os mares com o sol banhados.

II
*Narquelion**

Alalminórë! Coração da Ilha,
   Lá ainda se veem Fiéis Companhias
45   Caminhando calmas por erma trilha
   Em filas, com solenes harmonias:
Os Belos, mais-velhos de eras passadas,

---

*Compare o nome *Narquelion* (que também aparece no título em élfico do poema original, ver p. 47) com *Narquelië*, "Esvanecer-do-Sol", nome do décimo mês em quenya (*O Senhor dos Anéis*, Apêndice D).

Elfos sem-morte, cantando na estrada
De gozo e pesar — mas homens se esquecem —
50 E somem nos bosques, qual ventania,
Tal qual relva undosa, e os homens se esquecem
Das vozes que vêm de um tempo acabado,
E dos seus cabelos iluminados.

A brisa na relva! O ano declina.
55 Tremores se espalham pelo juncal,
Sussurro nos bosques, um som se atina
Que atravessa o cor dum sonho estival,
O arauto flauteia uma canção fria,
Prevendo o inverno, desfolhado dia.
60 Serôdias flores em muro acabado
Reclinam-se e ouvem a flauta d'Elfos.
Por bosques de luz, salões arvorados,
Meandra no verde uma clara nota
Qual linha vítrea, de prata e remota.

65 A maré abaixa e o ano nos deixa
Dos bosques, Kortirion, se ouvem as queixas.
A manhã encontra a foice afiada
E à tarde se deixam flores douradas
Nos campos desertos secar.
70 A aurora tardia já chega escura
Na relva, o sol quase não mais fulgura.
Os dias se vão. As noites voando
Com brancas asas vão mariposando
À volta das velas, no ar.
75 Agosto passou, a Lua minguou,
E morre o verão que breve reinou.
O olmeiro altivo começa a faltar,
Um sem-fim de folhas a palejar,
Vendo ao longe as lanças geladas
80 Da marcha invernal, com sol batalhando.
No fim do Dia de Todos os Santos,
Uma asa ambarina alvas folhas leva,
Por ventos debaixo dum céu de treva,
Caindo n'água qual aves finadas.

III
*Hrívion**

85 Ai, Kortirion, dos Olmeiros Monarca!
    Nesta estação, tristes vozes ecoam
Passando por tua antiga comarca,
    As canções desvanecentes escoam
Por brumosas vias. Ó! tempo breve,
90 A manhã acorda cheia de neve,
    E os bosques distantes já não têm luz!
Os Elfos se vão, com mechas luzentes,
    Num manto de ocaso e arcano capuz
Gris, e capas azuis com longas bandas
95 Urdidas com luz fria por mãos brandas.

    À noite dançam sob o firmamento,
        Quando olmos prendem na ramagem nua
    O Sete-Estrelo, e o olhar sempre atento
        É gélido na face alta da lua.
100 Ó Gente Mais Velha, os que não perecem!
    Cantai velhos cânticos que aparecem
        Sob astros primevos antes da Aurora;
    Dançando qual sombras na ventania,
        Como dançastes no relvado, outrora,
105 Em Casadelfos, muito tempo atrás,
Antes de virdes às praias mortais.

    Velha Kortirion, as florestas tuas,
Erguem-se acima das lívidas brumas,
Qual naus vagando na lenta lonjura
110 Por mar vazio, além da barra escura
    De sós atracadouros;
Deixando atrás de si ruidosos cais
Nos quais nautas faziam festivais,
E agora, como fantasmas no ar,
115 São levados a uma hostil beira-mar,
    Na maré luzindo como ouro.

---

*Cf. *hrívë*, "inverno", *O Senhor dos Anéis*, Apêndice D.

> Kortirion, o teu reino está deserto,
> Despido; o resplendor se foi, decerto.
> Qual velas num templo todo ensombrado,
> 120 As funéreas velas do Grande Arado
>   Luzem nesse ano a terminar.
> O inverno chega. Sob o céu sem nada
> A imortal gente élfica ainda aguarda,
> Suportando em silêncio o fero gelo.
> 125 O inverno, é aqui que quero recebê-lo;
>   Kortirion, é aqui que eu quero morar.

IV
*Mettanyë**

> Domos e areias não quero encontrar
>   Onde o sol reina; nem gelos cortantes,
> Os montes sombrios não vou procurar
> 130 Nas terras ocultas de homens errantes.
> O clamor dos sinos não ouço mais
>   Férreos nas torres de reis terreais.
>   Há aqui um feitiço em bosques e pedras
> De perda lembrada e feliz memória
> 135 Mais que ouro mortal. Aqui inda medra
> Povo Sem-morte entre secos olmeiros,
> Alalminórë, nos antigos reinos.[F]

☙

Concluo este comentário com uma nota acerca do uso que meu pai fez de *Gnomos* para os *Noldor*, que são chamados de *Noldoli* nos *Contos Perdidos*. Ele continuou a usar a palavra por muitos anos, e ela ainda aparecia em edições antigas de *O Hobbit*.**

Em um rascunho do parágrafo final do Apêndice F de *O Senhor dos Anéis*, ele escreveu:

---

* *Mettanyë* contém a palavra *metta*, "fim", como em *Ambar-metta*, o fim do mundo (*O Retorno do Rei*, VI. 5).
** No Capítulo 3, *Um Pouco de Descanso*, "espadas dos Altos Elfos do Oeste" substituiu "espadas dos elfos que agora são chamados Gnomos"; e no Capítulo 8, *Moscas e Aranhas*, a frase "Para lá os Elfos-da-luz e os Elfos-profundos e os Elfos-do-mar foram e ali viveram por eras" substituiu "os Elfos-profundos (ou Gnomos) e os Elfos-do-mar foram e ali viveram por eras".

Às vezes (não neste livro) tenho usado "Gnomos" por *Noldor* e "gnômico" por *noldorin*. Fiz isso porque, seja lá o que Paracelso tenha pensado (se é que ele realmente inventou o nome), para alguns, "Gnomo" ainda sugerirá conhecimento.* Ora, o nome alto-élfico desse povo, Noldor, significa Aqueles que Sabem; pois dentre os três clãs dos Eldar, desde seu começo, os Noldor sempre se distinguiram, tanto por seu conhecimento das coisas que são e foram neste mundo, quanto por seu desejo de conhecer mais. Porém, não se assemelhavam de nenhum modo aos Gnomos da teoria erudita, nem da imaginação popular; e agora abandonei essa representação por demasiado enganosa. Pois os Noldor pertenciam a uma raça elevada e bela, os Filhos mais velhos do mundo, que agora se foram. Eram altos, de pele clara e olhos cinzentos, e suas madeixas eram escuras, exceto na casa dourada de Finrod [...]

> No último parágrafo do Apêndice F, *conforme publicado*, a referência aos "Gnomos" foi removida, e substituída por um trecho explicando o uso da palavra *Elves* [Elfos] como tradução de *Quendi* e *Eldar*, apesar do rebaixamento a que a palavra inglesa foi sujeitada. Esse trecho — referindo-se aos Quendi como um todo — continua, contudo, com as mesmas palavras do rascunho: "Eram uma raça elevada e bela, e entre eles os Eldar eram como reis, os que agora se foram; o Povo da Grande Jornada, o Povo das Estrelas. Eram altos, de pele clara e olhos cinzentos, apesar de terem as madeixas escuras, exceto na casa dourada de Finrod [...]". Portanto, essas palavras que descrevem características do rosto e dos cabelos foram escritas, na verdade, apenas sobre os Noldor, e *não*

---

* Duas palavras estão em questão: (1) grego *gnōmē*, "pensamento, inteligência" (e no plural "máximas, ditados", daí a palavra inglesa *gnome* [gnoma], uma máxima ou aforismo, e o adjetivo *gnomic* [gnômico]) — e (2) a palavra *gnomo* usada pelo escritor do século XVI Paracelso como um sinônimo de *pygmaeus* [pigmeu]. Paracelso "diz que os seres assim chamados têm a terra como seu elemento .... através da qual movimentam-se sem obstrução como peixes o fazem na água, ou pássaros e animais terrestres pelo ar" (*Oxford English Dictionary*, s.v. *Gnome*[2]). O O.E.D. sugere que, quer Paracelso tenha inventado a palavra ou não, a intenção era que significasse "habitante da terra" e desfaz qualquer ligação com a outra palavra *Gnomo*. (Essa nota está reproduzida a partir de *As Cartas de J.R.R. Tolkien*; ver a carta n. 239 à qual ela se refere).

sobre todos os Eldar: de fato, os Vanyar tinham cabelos dourados, e foi da mãe vanyarin de Finarfin, Indis, que ele e seus filhos Finrod Felagund e Galadriel herdaram os cabelos dourados que os distinguiam entre os príncipes dos Noldor. Mas sou incapaz de determinar como essa extraordinária corrupção do sentido surgiu.*

---

*O nome *Finrod* no trecho ao final do Apêndice F está incorreto: Finarfin era Finrod e Finrod era Inglor até a segunda edição de *O Senhor dos Anéis*, e, na ocasião, a alteração não foi feita. [A correção, contudo, foi feita posteriormente, na edição de 2004 a partir da qual a tradução brasileira foi realizada. Cf. *O Retorno do Rei*, p. 1621. (N. T.)]

~ 2 ~

A MÚSICA DOS AINUR

Em outro caderno, idêntico àquele no qual *O Chalé do Brincar Perdido* foi escrito por minha mãe, há um texto a tinta com a letra de meu pai (e todos os outros textos dos *Contos Perdidos* estão com a letra dele, exceto por uma bela cópia de *A Queda de Gondolin**) intitulado: *Ligação entre o Chalé do Brincar Perdido e (Conto 2) a Música dos Ainur*. Este sucede imediatamente as últimas palavras de Vairë a Eriol na p. 32 e, por sua vez, conecta-se diretamente à *Música dos Ainur* (em um terceiro caderno idêntico aos outros dois). A única indicação de data para a *Ligação* e para a *Música* (que foram, penso eu, escritos na mesma época) é uma carta de meu pai de julho de 1964 (*Cartas*, carta nº 257), na qual ele diz que, enquanto estava em Oxford, "empregado na equipe do então ainda incompleto grande Dicionário", escreveu "um mito cosmogônico, 'A Música dos Ainur'". Ele assumiu o posto no Oxford Dictionary em novembro de 1918, e o deixou na primavera de 1920 (*Biografia*, pp. 140, 144). Caso sua memória esteja correta, e não há evidência para contradizê-la, uns dois anos ou mais se passaram entre *O Chalé do Brincar Perdido* e *A Música dos Ainur*.

A *Ligação* entre os dois existe em apenas uma versão, pois o texto a tinta foi escrito por cima de um rascunho a lápis que foi completamente apagado. Nesse caso, coloco um breve comentário após a *Ligação* antes de incluir *A Música dos Ainur*.

"Mas", disse Eriol, "ainda há muitas coisas que permanecem obscuras a mim. De fato, aprazer-me-ia saber quem são esses Valar; são eles os Deuses?"

---

* O título real desse conto é *Tuor e os Exilados de Gondolin*, mas meu pai se referia a ele como *A Queda de Gondolin*, e eu faço o mesmo.

"Isso são," disse Lindo, "porém a seu respeito os Homens contam muitas histórias estranhas e deturpadas que estão longe da verdade, e por muitos estranhos nomes os chamam que não ouvirás aqui"; mas Vairë disse: "Não, Lindo, não te ponhas a contar mais contos nesta noite, pois a hora do descanso se aproxima e, apesar de toda sua avidez, nosso hóspede está exausto da viagem. Manda buscar agora as velas do sono, e mais contos para encher a mente e satisfazer o coração o viandante ouvirá amanhã." Mas a Eriol ela disse: "Não penses que deves, por necessidade, partir de nossa casa amanhã; pois ninguém precisa fazê-lo — não, todos podem permanecer enquanto ainda houver por contar algum conto que desejem ouvir."

Então Eriol disse que todo o desejo de partir para longe deixara seu coração, e que ser hóspede ali por um tempo lhe parecia a melhor de todas as coisas. Nesse momento entraram os que carregavam as velas do sono, e cada um daquela companhia apanhou uma, e dois dentre a gente da casa pediram a Eriol que os seguisse. Um deles era o Guardião-das-Portas que atendera à sua batida anteriormente. Era idoso em aparência e de cabelos grisalhos, e poucos daquele povo os tinham; mas o outro tinha um rosto vincado e olhos azuis de grande divertimento, e era muito esguio e pequeno, e nem se podia dizer se tinha cinquenta anos ou dez mil. Ora, aquele era Ilverin ou Coração-Pequeno. Esses dois o guiaram por um corredor de estórias bordadas até uma grande escada de carvalho, e ele os acompanhou escada acima. Ela subia sinuosa e curvilínea, conduzindo-os a uma passagem iluminada por pequenas luminárias pendentes de vidro colorido, cujo balouçar lançava nesgas de tons brilhantes no soalho e nas tapeçarias.

Nessa passagem, os guias viraram subitamente num canto e então, descendo uns degraus escuros, abriram uma porta diante dele. Agora curvando-se, desejaram-lhe bom sono e Pequeno-Coração falou: "sonha com bons ventos e boas viagens em grandes mares", e então deixaram-no; e ele se viu num aposento que era diminuto e tinha uma cama do mais belo linho e grandes travesseiros colocados perto da janela — e aqui a noite parecia cálida e fragrante, embora ele houvesse acabado de se regozijar no fulgor das lenhas do Fogo-do-Conto. Toda a mobília aí era de madeira escura e, conforme a alta vela tremeluzia, seus suaves raios operavam magia no quarto, até que lhe pareceu que o sono era o melhor de todos os deleites, e que aquele belo aposento era o melhor para qualquer sono. Antes de se deitar, contudo, Eriol abriu a janela e um perfume de flores invadiu, e um vislumbre captou dum jardim nas sombras que era cheio de árvores, mas seus espaços estavam riscados por luzes prateadas e sombras negras em virtude da lua; e, no entanto, sua janela parecia estar, de fato, muito acima daquele relvado, e um rouxinol cantou de repente numa árvore próxima.

Então Eriol adormeceu, e em seus sonhos chegou-lhe uma música mais tênue e mais pura do que qualquer outra que tivesse ouvido antes, e era repleta de anseio. De fato, era como se flautins de prata ou flautas do mais delicado feitio soassem notas de cristal e harmonias filiformes sob a lua e sobre os relvados; e Eriol ansiou em seu sono por algo que não sabia dizer o que era.

Quando despertou, o sol estava se erguendo e não havia música, salvo aquela duma miríade de pássaros à sua janela. A luz atravessou as vidraças e cintilou em alegres bruxuleios, e aquele quarto, com sua fragrância e cortinados aprazíveis, pareceu ainda mais doce do que antes; mas Eriol se levantou e, vestindo-se com belos trajes aprontados para ele, de modo que pudesse se despir de suas vestes manchadas da viagem, vagueou pelas passagens da casa, até que se deparou com uma pequena escadaria e, descendo, alcançou um terraço e um pátio ensolarado. Havia lá um portão treliçado que se abriu ao seu toque, conduzindo-o ao jardim cujos relvados se estendiam debaixo da janela de seu quarto. Lá andou inspirando os ares e olhando o sol se erguer acima dos estranhos telhados daquela cidade, e eis que o idoso Guardião-das-Portas estava diante dele, vindo por uma trilha de aveleiras. Ele não viu Eriol, pois estava com o rosto todo voltado para o chão, e murmurava veloz para si mesmo; mas Eriol lhe falou, desejando-lhe bom dia, e ali mesmo ele parou de súbito.

Disse, então: "Perdão, senhor! Não te havia notado, pois estava ouvindo os pássaros. De fato, senhor, tu me encontras de mau humor; pois eis que tenho aqui um desgarrado de asas negras, gorducho de tanto atrevimento, cantando canções que eu não conhecia antes, e em uma língua estranha! Irrita-me, senhor, irrita-me, pois pensava conhecer pelo menos todos os falares simples de todos os pássaros. Tenho vontade de lançá-lo para Mandos por seu atrevimento!" Ouvindo isso, Eriol gargalhou com gosto, mas o Guardião-das-Portas disse: "Não, senhor, que Tevildo, Príncipe dos Gatos, o atormente por ousar empoleirar-se num jardim aos cuidados de Rúmil. Sabe que os Noldoli envelhecem impressionantemente devagar e, no entanto, tenho cabelos grisalhos pelo estudo de todos os idiomas de Valar e de Eldar. Muito antes da queda de Gondolin, bom senhor, eu aplacava minha escravidão a Melko aprendendo a fala de todos os monstros e gobelins — não cultivei até mesmo as falas dos animais, sem desdenhar das vozes esganiçadas de arganazes e camundongos? — não mendiguei dos besouros sem fala uma ou duas estúpidas toadas para murmurar? Ora, preocupei-me às vezes até mesmo com as línguas de Homens, mas que Melko as carregue! Elas mudam e se alteram, alteram-se e mudam, e quando se as domina não são senão coisa difícil para se elaborar canções ou contos. Por isso é que esta manhã me senti como Ómar, o Vala que conhece todos os idiomas, conforme ouvia o mesclar das vozes dos pássaros, compreendendo cada uma, reconhecendo cada toada benquista, quando *tirípti lirilla* eis que vem um pássaro, um demoniozinho de Melko — mas eu te enfastio, senhor, tagarelando sobre canções e palavras."

"Não, não é assim," falou Eriol, "mas peço-vos que não vos abaleis por conta de um melro gordo e travesso. Se meus olhos não me enganam, por muitos anos cuidastes deste jardim. Assim, deveis conhecer canções e idiomas o bastante para confortar o coração do maior de todos os sábios, se esta é mesmo a primeira voz que ouvistes e não compreendestes. Não se diz que os pássaros de cada distrito, ou melhor, quase que de cada ninho, falam diferente?"

"Isso se diz, e com razão," disse Rúmil, "e todas as canções de Tol Eressëa são ouvidas às vezes neste jardim."

"Estou mais do que contente", disse Eriol, "por ter aprendido este belo idioma que os Eldar falam por esta ilha de Tol Eressëa — mas impressionei-me ao ouvir-vos falar como se houvesse muitos falares dos Eldar: é assim mesmo?"

"Sim," disse Rúmil, "pois há aquele idioma ao qual os Noldoli ainda se agarram — e antigamente os Teleri, os Solosimpi e os Inwir todos tinham suas diferenças. Ainda assim, elas eram menores e agora estão mescladas no idioma dos Elfos ilhéus que tu aprendeste. Contudo, há também os bandos perdidos que vivem vagando tristemente nas Grandes Terras, e talvez eles falem agora muito estranhamente, pois eras se passaram desde a marcha a partir de Kôr, e eu mantenho que não foi senão o longo vagar dos Noldoli pela Terra e as eras sombrias de sua escravidão enquanto sua gente morava ainda em Valinor que causaram a profunda separação de sua fala. Seguramente aparentadas, contudo, são a fala-dos-Gnomos e o élfico dos Eldar, conforme meu saber me ensina — mas vê! Enfastio-te novamente. Ainda não encontrei outro ouvido no mundo que não se cansasse logo de tal palavrório. 'Idiomas e falares', dizem, 'apenas um me basta' — e assim falou Coração-Pequeno, o Guardião-do-Gongo, certa vez: 'A fala-dos--Gnomos', disse ele, 'já me basta — não era essa, e nenhuma outra, que Eärendel e Tuor e Bronweg, meu pai (a quem vós outros, afetada e erroneamente, chamam de Voronwë), falavam?' E, ainda assim, teve de aprender élfico no fim, ou estaria fadado ao silêncio ou a deixar Mar Vanwa Tyaliéva — e nenhum dos dois fados seu coração poderia suportar. E eis que agora está chilreando em eldar como uma senhora dos Inwir, mesmo a própria Meril-i-Turinqi, nossa rainha — Manwë se importa com ela. Mas mesmo isso não é tudo — há, ademais, o idioma secreto no qual os Eldar escreveram muita poesia e livros de sabedoria e histórias de coisas antigas e primitivas, mas o qual não falam. Esse idioma apenas os Valar usam em seus altos conselhos, e não muitos dos Eldar destes dias o conseguem ler ou decifrar suas letras. Muito dele eu aprendi em Kôr, uma vida atrás, por bondade de Aulë, e, portanto, sei de muitos assuntos: muitos, muitos assuntos."

"Então," disse Eriol, "talvez possais contar-me de coisas que muito desejo saber desde as palavras junto ao Fogo-do-Conto na noite passada. Quem são os Valar — Manwë, Aulë e esses que vós outros nomeais — e por que vós, os Eldar, saíram daquela adorável morada em Valinor?"

Agora os dois haviam chegado a um pergolado verdejante, e o sol estava a pino e quente, e os pássaros cantavam vigorosamente, mas os relvados estavam cobertos de ouro. Então Rúmil sentou--se ali num assento de pedra talhada coberto de musgo, e disse: "Deveras grandiosas são as coisas que tu perguntas, e a verdadeira resposta para elas alcança além dos confins das vastidões do tempo, onde até mesmo o olhar de Rúmil, o ancião dos Noldoli, não pode ver; e todos os contos dos Valar e dos Elfos estão entrelaçados de tal forma que mal se pode expor qualquer um deles sem que se precise narrar tudo de sua grande história."

"Ainda assim", disse Eriol, "contai-me, Rúmil, imploro, algo do que sabeis do início mesmo, para que eu possa começar a compreender essas coisas que me são contadas nesta ilha."

Mas Rúmil disse: "Ilúvatar foi o início, e para além disso nenhum saber dos Valar, ou dos Eldar, ou dos Homens consegue ir."

"Quem era Ilúvatar?", disse Eriol. "Era um dos Deuses?"

"Não," disse Rúmil, "isso não era, pois ele os fez. Ilúvatar é o Senhor para Sempre que habita além do mundo; que o fez, e não é dele, nem está nele, mas que o ama."

"Isso eu jamais ouvi alhures", disse Eriol.

"Pode ser," disse Rúmil, "pois ainda é o começo dos dias no mundo dos Homens, e nem se fala muito da Música dos Ainur."

"Dizei-me," falou Eriol, "pois desejo saber, o que era a Música dos Ainur?"

Comentário à Ligação entre O Chalé do Brincar Perdido e A Música dos Ainur

Foi assim que o *Ainulindalë* seria ouvido pela primeira vez por ouvidos mortais, quando Eriol se sentou num jardim ensolarado em Tol Eressëa. Mesmo após Eriol (ou Ælfwine) ter desaparecido, Rúmil permaneceu, o grande sábio noldorin de Tirion "que primeiro conseguiu fazer sinais adequados para registrar fala e canção" (*O Silmarillion*, p. 98), e *A Música dos Ainur* continuou a ser atribuída a ele, ainda que, investido com a gravidade de um tempo remoto, ele tenha se afastado muito do filólogo tagarela e excêntrico de Kortirion. Deve-se notar que, neste relato, Rúmil fora escravo de Melko.

Aqui aparece o Exílio dos Noldor de Valinor, pois é a isso que, sem dúvida, se referem as palavras de Rúmil sobre a marcha a partir de Kôr, e não à "marcha para o mundo" de Inwë (pp. 27, 39); e algo se diz também das línguas e dos que as falavam.

Nesse trecho de ligação, Rúmil afirma:

1. que os *Teleri*, *Solosimpi* e *Inwir* tinham diferenças linguísticas no passado;
2. mas que esses dialetos agora estão mesclados "no idioma dos Elfos ilhéus";
3. que o idioma dos *Noldoli* (Gnomos) foi profundamente separado devido à sua partida para as Grandes Terras e seu cativeiro por Melko;

4. que os Noldoli que agora habitam em Tol Eressëa aprenderam o idioma dos Elfos ilhéus; mas outros permanecem nas Grandes Terras. (Quando Rúmil falou dos "bandos perdidos que vivem vagando tristemente nas Grandes Terras" que "talvez falem agora muito estranhamente", ele parece estar se referindo aos remanescentes dos exilados noldorin de Kôr que não haviam ido para Tol Eressëa [como ele mesmo fizera], e não aos Elfos que nunca foram a Valinor.)*

Nos *Contos Perdidos*, o nome dado aos Elfos-do-mar, posteriormente chamados de *Teleri* — a terceira das três "tribos" — é *Solosimpi* ("Flautistas das Terras Costeiras"). Deve-se explicar agora que, de maneira muito confusa, a primeira das tribos, liderada pelo Rei Inwë, era chamada de *Teleri* (equivalente aos *Vanyar* de *O Silmarillion*). Quem, então, seriam os *Inwir*? Meril-i-Turinqi disse a Eriol posteriormente (p. 145) que os Teleri eram aqueles que seguiram Inwë, "mas seu clã e seus descendentes são aquele povo real, os Inwir de cujo sangue eu sou". Os Inwir, portanto, eram um clã "real" *dentro dos Teleri*; e a relação entre a antiga concepção e a do *Silmarillion* pode ser exposta da seguinte maneira:

	Contos Perdidos		O Silmarillion
I	Teleri (incluindo os Inwir)	…………	Vanyar
II	Noldoli (Gnomos)	…………	Noldor
III	Solosimpi	…………	Teleri

Nesse trecho de ligação, Rúmil parece dizer que os "Eldar" são diferentes dos "Gnomos" — "Seguramente aparentadas, contudo, são a fala-dos-Gnomos e o élfico dos Eldar" — e "Eldar" e "Noldoli" são contrastados no preâmbulo em prosa a *Kortirion entre as Árvores* (pp. 37–8). Em outro lugar, "élfico", como uma

---

* Por outro lado, é possível que, com "bandos perdidos", ele de fato estivesse se referindo aos Elfos que se perderam na jornada a partir das Águas do Despertar (ver p. 278); ou seja, a implicação é: "se a divisão entre a fala dos Noldoli e a dos Eldar que permaneceram em Valinor é muito grande, quão maior não deve ser a divisão da fala daqueles que nunca cruzaram o mar".

língua, é usado em oposição a "gnômico", e "eldar" é usado para se fazer uma distinção de "gnômico". Na verdade, fica bastante explícito nos *Contos Perdidos* que os Gnomos eram eles mesmos Eldar — por exemplo, "os Noldoli, que eram os sábios dos Eldar" (p. 78); mas, por outro lado, lemos que, após a Fuga dos Noldoli de Valinor, Aulë "apesar de ainda estender seu amor àqueles poucos Gnomos fiéis que permaneceram em seus salões, ele os nomeou a partir de então de 'Eldar'" (p. 213). Isso não é tão puramente contraditório como parece ser à primeira vista. Aparentemente (por um lado), a oposição entre "eldar" ou "élfico" e "gnômico" surgiu porque o gnômico tinha se tornado uma língua separada; e, enquanto os Gnomos eram certamente Eldar, sua língua não era. Mas (por outro lado) os Gnomos há muito tinham deixado Kôr e, assim, passaram a não ser vistos como "Koreldar" e, portanto, nem como "Eldar". A palavra *Eldar* diminuiu em abrangência, mas poderia a qualquer momento se expandir novamente para o sentido anterior, segundo o qual os Noldoli eram "Eldar".

Se for esse o caso, o sentido restrito de *Eldar* reflete a situação em dias posteriores em Tol Eressëa; e, de fato, nos contos que se seguem, que se ocupam do tempo anterior à rebelião dos Noldoli e de sua partida de Valinor, eles são seguramente "Eldar". *Depois* da rebelião, no trecho citado acima, Aulë não se dispunha a chamar os Noldoli que permaneceram em Valinor por esse nome — e, subentende-se, não se dispunha a chamar de "Eldar" os que haviam partido.

A mesma ambiguidade se dá com as palavras *Elfos* e *élfico*. Aqui, Rúmil chama a língua dos Eldar de "élfico" em oposição a "gnômico"; a narradora do *Conto de Tinúviel* diz: "Este é meu conto, e é um conto dos Gnomos, pelo que te imploro que não enchas os ouvidos de Eriol com teus nomes élficos", e, na mesma passagem, é feita uma distinção específica entre "Elfos" e "Gnomos". Mas, novamente, nos contos que se seguem neste livro, *Elfos*, *Eldar* e *Eldalië* são usados de forma intercambiável para os Três Clãs (ver, por exemplo, o relato do debate dos Valar a respeito da convocação dos Elfos a Valinor, pp. 145–47). E, por fim, uma variação aparentemente similar é vista na palavra "fada"; assim, Tol Eressëa é o nome "no falar das fadas", enquanto "os Gnomos [a] chamam Dor Faidwen" (p. 23), e, por outro lado, Gilfanon, um Gnomo, é chamado de "um dos mais velhos das fadas" (p. 212).

Notar-se-á, pelas observações de Rúmil, que a "profunda separação" da fala dos Elfos em dois ramos recebeu, na época, uma base histórica completamente diferente daquela que, mais tarde, causou a divisão. Aqui, Rúmil a atribui ao "longo vagar dos Noldoli pela Terra e as eras sombrias de sua escravidão enquanto sua gente morava ainda em Valinor" — posteriormente chamado de "o Exílio dos Noldor". Em *O Silmarillion* (ver especialmente pp. 156, 185), os Noldor trouxeram o idioma valinóreano para a Terra-média, mas o abandonaram (exceto entre si mesmos), adotando, no lugar, a língua de Beleriand, o *sindarin* dos Elfos-cinzentos, os quais jamais estiveram em Valinor: o quenya e o sindarin tinham uma origem comum, mas sua "profunda separação" se deu pelas vastas eras em que estiveram apartadas. Nos *Contos Perdidos*, por outro lado, os Noldor ainda trouxeram a fala élfica de Valinor para as Grandes Terras, mas eles a mantiveram, e foi lá que ela mudou e se tornou completamente distinta. Em outras palavras, na concepção original, o "segundo idioma" só se separou de sua língua-mãe devido à partida dos Gnomos de Valinor para as Grandes Terras, ao passo que, posteriormente, o "segundo idioma" se separou do "primeiro idioma" bem no começo da existência élfica no mundo. Ainda assim, o gnômico *é* o sindarin, no sentido de que o gnômico é a *verdadeira língua* que, em última análise, conforme toda a concepção evoluiu, tornou-se aquela dos Elfos-cinzentos de Beleriand.

Compare as observações de Rúmil sobre o idioma secreto usado pelos Valar e com o qual os Eldar outrora escreviam poesia e livros de saber, mas que agora poucos o conhecem, com a seguinte nota encontrada no caderninho de bolso dos *Contos Perdidos* mencionado na pp. 34–5:

Os Deuses compreendiam a língua dos Elfos, mas não a usavam entre si. Os mais sábios dos Elfos aprenderam muito da fala dos Deuses e por muito tempo entesouraram esse conhecimento tanto entre os Teleri quanto entre os Noldoli, mas, à época da chegada em Tol Eressëa, ninguém a conhecia, salvo os Inwir, e agora esse saber está morto, exceto na casa de Meril.

Algumas pessoas novas aparecem nesse trecho. Ómar, o Vala "que conhece todos os idiomas", não sobreviveu aos *Contos Perdidos*; um pouco mais se fala dele subsequentemente, mas ele é uma divindade sem muita substância. Tuor e Bronweg aparecem no conto da *Queda de Gondolin*, que já estava escrito; *Bronweg* é a forma gnômica de *Voronwë*, o mesmo Voronwë que acompanhou Tuor de Vinyamar até Gondolin na lenda posterior. Tevildo, Príncipe dos Gatos, era um serviçal demoníaco de Melko e o remoto precursor de Sauron; ele é um agente principal na história original de Beren e Tinúviel, que também já estava escrita (o *Conto de Tinúviel*).

Coração-Pequeno, o Guardião-do-Gongo, filho de Bronweg, agora recebe um nome élfico, *Ilverin* (uma emenda a partir de *Elwenildo*).

A Música dos Ainur

O rascunho original de *A Música dos Ainur*, feito apressadamente a lápis e muito corrigido, sobrevive em folhas soltas acondicionadas dentro da capa do caderno que contém um texto mais completo e muito mais acabado, escrito a tinta. A segunda versão foi, contudo, muito baseada na primeira, e alterada principalmente por acréscimos. O texto incluído aqui é o segundo, mas algumas passagens nas quais os dois diferem de forma marcante estão assinaladas (poucas das diferenças entre os dois textos são, na minha opinião, muito significativas). Ver-se-á pelas passagens do primeiro rascunho, nas notas, que o plural era originalmente *Ainu*, e não *Ainur*, e que *Ilúvatar* era originalmente *Ilu* (embora *Ilúvatar* também ocorra no rascunho).

Disse então Rúmil:

"Ouve agora coisas que entre os Homens jamais se ouviu, e das quais os Elfos de raro falam; e, no entanto, Manwë Súlimo, Senhor de Elfos e Homens, as sussurrou para os pais de meu pai nas profundezas do tempo.[1] Vê, Ilúvatar habitava sozinho. Antes de todas as coisas ele cantou o ser primeiro dos Ainur, e maiores são o poder e a glória deles entre todas as criaturas dentro do mundo e fora. Depois, fez-lhes moradas no vazio, e habitou em meio a eles, ensinando-lhes toda maneira de coisas, e a maior delas era a música.

Ora, ele lhes falava propondo temas de música e jubiloso hino, revelando muitas das coisas grandiosas e maravilhosas que algum dia criou em sua mente e coração, e agora eles lhe faziam música, e as vozes de seus instrumentos se alçam em esplendor junto ao seu trono.

Certa vez, Ilúvatar propôs um poderoso desígnio de seu coração aos Ainur, desenrolando uma história cuja vastidão e majestade jamais foram igualadas por qualquer coisa que ele relatara antes, e a glória de seu começo e o esplendor de seu fim deslumbraram os Ainur, de modo que se curvaram diante de Ilúvatar e emudeceram.

Então disse Ilúvatar: 'A estória que dispus diante de vós, e essa grande região de beleza que vos descrevi como o lugar onde toda essa história há de se desenrolar e ser encenada, foi relatada apenas, por assim dizer, como esboço. Não preenchi todos os espaços vazios, nem vos narrei todos os adornos e coisas de encanto e delicadeza das quais minha mente está repleta. É meu desejo agora que façais uma música e um cantar grandioso e glorioso desse tema; e (visto que vos ensinei muito e ardentemente coloquei dentro de vós o Fogo Secreto)² que exerciteis vossas mentes e poderes adornando o tema de acordo com vossos próprios pensamentos e desígnios. Mas sentar-me-ei e escutarei e contentar-me-ei que através de vós fiz grande beleza advir em Canção.'

Então os harpistas, e os alaudistas, os flautistas e gaitistas, os órgãos e os incontáveis corais dos Ainur começaram a moldar o tema de Ilúvatar em grande música; e um som se ergueu de poderosas melodias cambiantes e intercambiantes, mesclando-se e dissolvendo-se em meio ao estrondear de harmonias maiores que o rugir dos grandes mares, até que os lugares da habitação de Ilúvatar e as regiões dos Ainur se encheram até transbordar com música, e com o eco da música, e com o eco dos ecos da música que fluíram mesmo aos longínquos espaços escuros e vazios. Nunca antes, nem desde então, houve tal música de imensurável vastidão de esplendor; embora se diga que outra muito mais poderosa há de ser tecida diante do assento de Ilúvatar pelos corais tanto de Ainur quanto dos filhos dos Homens após o Grande Fim. Então os temas mais poderosos de Ilúvatar hão de ser tocados com acerto; pois aí os Ainur e Homens hão de conhecer sua mente e coração tão bem quanto possível, e todo o seu intento.

Mas, agora, Ilúvatar se sentou e escutou, e durante muito tempo pareceu-lhe muito bom, pois as falhas naquela música eram poucas, e pareceu-lhe que os Ainur haviam aprendido muito e bem. Mas, conforme o grande tema progredia, entrou no coração de Melko o entretecer de matérias de seu próprio imaginar vaidoso, as quais não estavam acordes com o grande tema de Ilúvatar. Ora, a

Melko, entre os Ainur, foram dados alguns dos maiores dons de poder e sabedoria e conhecimento por Ilúvatar; e ele fora amiúde sozinho aos lugares escuros e aos vazios buscando o Fogo Secreto que dá Vida e Realidade (pois tinha um desejo muito ardente de trazer ao ser coisas só suas); contudo, não o achou, pois este permanece com Ilúvatar, e isso ele não soube até depois.[3]

Lá, contudo, pôs-se a conceber seus próprios pensamentos, profundos e ardilosos, os quais não mostrava nem mesmo a Ilúvatar. Algumas dessas concepções e imaginações ele então entreteceu em sua música, e de imediato surgiu a aspereza e o desacordo à volta dele, e muitos dos que tocavam a seu lado perderam o ânimo e sua música tornou-se débil, e seus pensamentos, inacabados e obscuros, enquanto muitos outros se puseram a afinar sua música à dele em vez de ao grande tema no qual tiveram início.

Assim o malfeito de Melko se espalhou, ensombrecendo a música, pois esses pensamentos dele vinham das trevas exteriores às quais Ilúvatar ainda não voltara a luz de seu semblante; e porque seus pensamentos secretos não tinham afinidade com a beleza do desígnio de Ilúvatar, suas harmonias eram quebradas e destruídas. No entanto, Ilúvatar se sentou e escutou, até que a música alcançou profundezas de trevas e inimaginável fealdade; então ele sorriu tristemente e ergueu sua mão esquerda, e imediatamente, embora ninguém soubesse claramente como, um novo tema começou em meio ao conflito, semelhante e, contudo, dessemelhante ao primeiro, e reuniu poder e doçura. Mas o desacordo e o ruído que Melko originara passou a contrapô-lo com alarido, e houve uma guerra de sons, e ergueu-se um clangor no qual pouco se podia distinguir.

Então, Ilúvatar ergueu sua mão direita, e ele não mais sorria, mas chorava; e eis que um terceiro tema — e esse não se assemelhava em nada aos outros — cresceu em meio ao tumulto, até que pareceu, enfim, que havia duas músicas progredindo de uma vez só aos pés de Ilúvatar, e elas estavam em completa oposição. Uma era grandiosa e profunda e bela, mas infundida duma tristeza implacável, enquanto a outra alcançara unidade e um sistema próprio, mas era alta e vã e arrogante, zurrando triunfantemente contra a outra ao tentar afogá-la, mas sempre, conforme tentava colidir assustadoramente, achava-se de alguma forma suplementando ou harmonizando-se com a rival.

Em meio a essa contenda ecoante, na qual os salões de Ilúvatar sacudiam e um tremor corria pelos lugares escuros, Ilúvatar ergueu ambas as mãos e, num só acorde impenetrável, mais profundo do que o firmamento, mais glorioso do que o sol, e penetrante como a luz do olhar de Ilúvatar, a música colapsou e cessou.

Então Ilúvatar disse: 'Poderosos são os Ainur, e gloriosos, e entre eles é Melko o mais poderoso em conhecimento; mas para que ele saiba, assim como todos os Ainur, que eu sou Ilúvatar, essas coisas que cantastes e tocastes, eis que as fiz ser — não nas músicas que fazeis nas regiões celestiais, como contentamento para mim e desenfado para vós, sozinhos, mas, antes, para que tenham forma e realidade como as tendes vós, Ainur, a quem eu fiz para tomar parte na realidade de mim mesmo, Ilúvatar. Talvez eu haja de amar essas coisas que vêm de minha canção como amo os Ainur que são de meu pensamento,[4] e talvez mais. Tu, Melko, hás de ver que nenhum tema pode ser tocado que não venha, afinal, de Ilúvatar, nem se pode alterar a música à revelia de Ilúvatar. Aquele que o tentar ver-se-á, no fim, apenas auxiliando-me na criação de esplendor ainda maior e maravilha mais complexa: — pois vede! Através de Melko, o terror como fogo, e o pesar como águas escuras, a ira como o trovão, e o mal, longe de minha luz como as maiores profundezas dos lugares sombrios, entraram no desígnio que dispus diante de vós. Por meio dele, a dor e o tormento foram criados no conflito de músicas esmagadoras; e com a confusão de sons nasceram a crueldade, a voracidade, e a escuridão, lodaçais repugnantes e toda a putrescência de pensamento e coisa, névoa imunda e chama violenta, o frio inclemente, e a morte sem esperança. Mas isso é através dele, e não por ele; e ele verá, e vós todos também, e mesmo esses seres que devem agora morar em meio ao seu mal e, por causa de Melko, tolerar tormento e pesar, terror e perversidade, que isso redunda, no fim, apenas para minha grande glória, e não faz senão tornar o tema mais digno de ser ouvido, a Vida mais digna de ser vivida, e o Mundo tão mais formidável e maravilhoso que, de todos os feitos de Ilúvatar, este será julgado seu mais poderoso e mais belo.'

Então os Ainur ficaram com medo e não compreenderam tudo o que lhes era dito, e Melko estava cheio de vergonha e com a raiva que vem da vergonha; mas Ilúvatar, vendo o espanto deles, levantou-se em esplendor e partiu de suas moradas, passando pelas belas regiões que fizera para os Ainur, rumo aos lugares escuros; e pediu que os Ainur o seguissem.

Ora, quando alcançaram o meio do vazio, tiveram uma visão de excepcional beleza e encanto onde antes havia vacância; mas Ilúvatar disse: 'Contemplai vosso coro e vossa música! Conforme tocáveis, assim por minha vontade vossa música tomou forma, e eis que mesmo agora o mundo se desenrola e sua história começa, tal qual meu tema em vossas mãos. Cada um lá dentro encontrará contidos, dentro do desígnio que é meu, os adornos e ornatos que ele próprio planejou; até mesmo Melko descobrirá as coisas que pensava conceber com seu próprio coração, em desarmonia com minha mente, e perceberá que elas são apenas uma parte do todo e tributárias de sua glória. Uma coisa apenas acrescentei, o fogo que dá Vida e Realidade' — e eis que o Fogo Secreto ardia no coração do mundo.

Então os Ainur se maravilharam ao ver como o mundo estava englobado em meio ao vazio e, ainda assim, apartado dele; e regozijaram-se ao ver luz, percebendo-a alva e áurea, e riram-se de prazer com as cores e pelo rugir do oceano encheram-se de anseio. Seus corações estavam contentes em virtude do ar e dos ventos, e das matérias das quais a Terra fora feita — ferro e pedra e prata e ouro e muitas substâncias: mas, de todas elas, a água foi tida como a mais bela, e mais abundante, e mais grandemente louvada. De fato, na água vive ainda um eco da Música dos Ainur mais profundo do que em qualquer outra substância que há no mundo, e até este último dia muitos dos Filhos dos Homens escutam insaciados a voz do Mar e anseiam não sabem pelo quê.

Sabe, pois, que a água foi mormente o sonho e a invenção de Ulmo, um Ainu a quem Ilúvatar instruíra mais penetrantemente do que todos os outros nas profundezas da música; enquanto o ar e os ventos e os éteres do firmamento Manwë planejara, o maior e mais nobre dos Ainur. A terra e a maior parte de suas abundantes substâncias Aulë concebeu, a quem Ilúvatar ensinara muitas coisas de sabedoria pouco menos do que a Melko, e, no entanto, havia muito ali que não era dele.[5]

Então Ilúvatar falou a Ulmo, e disse: 'Não vês como Melko pensou o frio mordaz e imoderado e, contudo, não destruiu a beleza de tuas águas cristalinas, nem a de todas as tuas límpidas lagoas.

Mesmo onde ele quis dominar completamente, vê que a neve foi feita, e a geada fez suas finas obras; o gelo ergueu seus castelos em magnificência.'

Então disse Ilúvatar novamente: 'Melko planejou calores excessivos e fogos sem controle e, contudo, não secou teu desejo, nem de todo abateu a música dos teus mares. Contempla, antes, a altura e a glória das nuvens e a magia que habita nas brumas e vapores; ouve o sussurrar das chuvas sobre a terra.'

Então, Ulmo disse: 'Sim, em verdade a água é mais bela agora do que minha melhor concepção anterior. A neve é de tal beleza que ultrapassa meus mais secretos pensamentos e, se há pouca música nela, a chuva, por outro lado, é realmente bela e tem uma música que enche meu coração, e alegro-me que meus ouvidos a encontraram, ainda que sua tristeza esteja entre as mais tristes de todas as coisas. Buscarei Súlimo, dos ares e ventos, para que ele e eu possamos tocar melodias para sempre e sempre para tua glória e regozijo.'

Ora, Ulmo e Manwë têm sido grandes amigos e aliados em quase todos os assuntos desde então.[6]

E, enquanto Ilúvatar falava a Ulmo, os Ainur contemplaram como o mundo se desenrolava, e aquela história que Ilúvatar lhes propusera como uma grande música já estava sendo executada. É a partir de suas memórias coligidas acerca da fala de Ilúvatar e o conhecimento, conquanto incompleto, que cada um tem de sua música, que os Ainur sabem tanto do futuro e que poucas coisas lhes são imprevistas — e, contudo, há algumas que são ocultas até mesmo a eles.[7] Assim os Ainur observaram; até muito antes da chegada dos Homens — não, quem sabe não foi até incontáveis eras antes mesmo de os Eldar surgirem e cantarem sua primeira canção, e fazerem a primeira de todas as gemas, e serem vistos tanto por Ilúvatar e os Ainur como de extrema beleza — e cresceu uma discórdia entre eles, enamorados que ficaram da glória do mundo conforme o fitavam, e tão absortos pela história encenada ali, à qual a beleza do mundo era apenas o pano de fundo e o cenário.

Ora, foi este o fim: que alguns residiram ainda com Ilúvatar para além do mundo — e esses foram mormente aqueles que ficaram absortos no tocar com os pensamentos do plano e desígnio de Ilúvatar, e queriam apenas apresentá-los, sem nada mais de sua própria invenção para adorná-los; mas alguns outros, e entre estes muitos dos mais belos e mais sábios dos Ainur, pediram permissão a Ilúvatar para habitar dentro do mundo. Pois disseram: 'Gostaríamos de deter a guarda dessas belas coisas de nossos sonhos, que adquiriram realidade e extraordinária beleza por teu poder; e gostaríamos de instruir Eldar e Homens em suas dúvidas e em seus hábitos quando chegar a hora de eles aparecerem sobre a Terra por tua vontade, primeiro os Eldar e, por fim, os pais dos pais de Homens.' E Melko fingiu que desejava controlar a violência dos calores e os tumultos que tinha causado na Terra, mas, na verdade, queria, no fundo de seu coração, usurpar o poder dos outros Ainur e fazer guerra a Eldar e Homens, pois estava irado com os grandes dons que Ilúvatar tencionava dar a essas raças.[8]

Ora, Eldar e Homens foram concebidos por Ilúvatar apenas, e nenhum dos Ainur ousou, em sua música, acrescentar qualquer coisa aos seus modos, pois não compreenderam plenamente quando Ilúvatar propôs o seu ser; e, por essa razão, essas raças são corretamente chamadas de Filhos de Ilúvatar. Talvez essa seja a causa pela qual muitos outros dos Ainur, além de Melko, sempre se dispuseram a imiscuir-se com Elfos e Homens, com bom ou mau propósito; e, contudo, vendo que Ilúvatar fez os Eldar mais semelhantes aos Ainur em natureza, ainda que não em poder e estatura, enquanto aos Homens ele deu estranhos dons, seus tratos têm sido mormente com os Elfos.[9]

Conhecendo todos os seus corações, ainda assim Ilúvatar concedeu o desejo dos Ainur, nem se diz que lamentou por isso. Assim entraram esses grandes no mundo, e são eles a quem chamamos agora de Valar (ou Vali, não importa).[10] Eles habitavam em Valinor ou no firmamento; e alguns na terra, ou nas profundas do Mar. Ali, Melko governava os fogos e a mais cruel geada, os frios mais intensos e as mais profundas fornalhas sob as colinas de chama; e tudo o que é violento, ou excessivo, repentino ou cruel no mundo é atribuído a ele, e com justiça, na maior parte das vezes. Mas Ulmo habita no oceano de fora e controla o fluir de todas as águas e o curso dos rios, o provimento de fontes e o destilar das chuvas e orvalhos por todo o mundo. No fundo do mar, ele se põe a pensar em música profunda e estranha, mas sempre cheia dum pesar: e nisso tem o auxílio de Manwë Súlimo.

Os Solosimpi, quando os Elfos vieram habitar em Kôr, aprenderam muito com ele, donde vem o fascínio melancólico de seu flautear e seu amor por sempre habitar junto à praia. Salmar estava com ele, e Ossë e Ónen, a quem deu o controle das ondas e dos mares menores, e muitos outros.

Mas Aulë habitava em Valinor e moldou muitas coisas; ferramentas e instrumentos engendrou, e se ocupou tanto da feitura de tecidos quanto do bater de metais; a lavoura também e a pecuária eram seu deleite tanto quanto os idiomas e alfabetos, ou bordados e pintura. Com ele, os Noldoli, que eram os sábios dos Eldar e sempre sedentos por novo saber e conhecimento fresco, aprenderam incontável riqueza de ofícios e magias e ciências impenetráveis. Por seu ensino, ao qual os Eldar sempre traziam sua própria beleza de mente e coração e imaginação, eles chegaram à invenção e feitura de gemas; e estas não estavam no mundo antes dos Eldar, e as mais belas de todas as gemas eram as Silmarilli, e elas estão perdidas.

Mas o maior e chefe de todos esses quatro grandes era Manwë Súlimo; e ele habitava em Valinor e assentava-se numa gloriosa morada, sobre um trono maravilhoso no mais alto pináculo de Taniquetil, que se ergue acima da borda do mundo. Falcões voavam sempre de lá para cá por aquela morada, cujos olhos viam até as profundezas dos mares, ou penetravam as mais ocultas cavernas e a mais profunda escuridão do mundo. Eles lhe traziam novas de tudo e de todo lugar, e pouco lhe escapava — porém, alguns assuntos estavam ocultos até mesmo ao Senhor dos Deuses. Com ele estava Varda, a Bela, e ela se tornou sua esposa e é Rainha das Estrelas, e seus filhos eram Fionwë-Úrion e Erinti, a mais graciosa. E à sua volta habitava uma formidável hoste de belos espíritos, e sua felicidade é grande; e os homens amam Manwë até mais do que o poderoso Ulmo, pois nunca lhes causou mal de propósito, nem é tão satisfeito por sua honra, ou cioso de seu poder quanto aquele ancião de Vai. Os Teleri, a quem Inwë governava, eram especialmente amados por ele, e dele receberam poesia e canção; pois, se Ulmo tem poder de melodias e de vozes de instrumentos, Manwë tem um esplendor de poesia e canções sem par.

Eis que Manwë Súlimo, trajado de safiras, governante dos ares e ventos, é tido como senhor de Deuses e Elfos e Homens, e o maior baluarte contra o mal de Melko."[11]

Então Rúmil disse novamente:

"Vê! Após a partida desses Ainur e de seus vassalos, tudo ficou quieto por uma grande era enquanto Ilúvatar observava. Então, de súbito, ele falou: 'Eis que eu amo o mundo, que é um salão de desenfado para Eldar e Homens, a quem eu amo. Mas, quando os Eldar chegarem, eles serão de longe as coisas mais belas e mais amáveis; e mais profundos no conhecimento da beleza, e mais felizes que os Homens. Mas aos Homens eu darei um novo dom, e maior.' Portanto, planejou que os Homens deveriam ter uma virtude livre pela qual, dentro dos limites dos poderes e substâncias e acasos do mundo, eles pudessem moldar e delinear suas vidas além mesmo da Música original dos Ainur, que é como sina para todas as coisas outras. Assim decidiu que, das operações deles, tudo deveria ser, em forma e fato, completado, e o mundo, cumprido até a última e menor das coisas.[12] Eis que mesmo nós, Eldar, percebemos, para nosso pesar, que os Homens têm um estranho poder para o bem ou para o mal e para dobrar as coisas no mundo conforme sua disposição, à revelia dos Deuses e Fadas; de modo que dizemos: 'O fado não pode sobrepujar os Filhos dos Homens e, contudo, eles são estranhamente cegos, embora seu júbilo devesse ser grande.'

Ora, Ilúvatar sabia que os Homens, postos em meio aos tumultos dos Ainur, nem sempre estariam inclinados a usar esse dom em harmonia com o propósito dele, mas, quanto a isso, falou: 'Esses também, a seu tempo, hão de descobrir que tudo o que fizeram, mesmo o mais repugnante dos feitos e obras, redunda, no fim, apenas para a minha glória, e é tributário da beleza de meu mundo.' E, contudo, os Ainur dizem que pensar nos Homens é, por vezes, um pesar até para Ilúvatar; assim, se esse dom de liberdade causou-lhes inveja e espanto, a paciência de Ilúvatar perante o seu mau uso é matéria do maior assombro tanto dos Deuses quanto das Fadas. No entanto, é parte desse dom de poder que os Filhos dos Homens habitem vivos apenas por um intervalo curto no mundo e, contudo, não pereçam completamente para sempre, enquanto os Eldar habitam até o Grande Fim,[13] a menos que sejam assassinados ou feneçam de pesar (pois a essas duas mortes eles estão sujeitos), nem a idade subjuga a força deles, a menos que seja após dez mil séculos; e, morrendo, eles renascem em seus filhos, de modo que seu número não diminui, nem cresce. Contudo, enquanto os Filhos dos Homens, após a passagem das coisas, certamente hão de se unir à Segunda Música dos Ainur, o que Ilúvatar planejou para os Eldar depois do fim do mundo, ele não revelou nem mesmo aos Valar, e Melko não o descobriu."

NOTAS

1. Essa frase de abertura está ausente no rascunho.
2. A referência ao Fogo Secreto colocado dentro dos Ainur está ausente no rascunho.
3. Essa passagem, começando com "Ora, a Melko, entre os Ainur [...]", desenvolveu-se a partir de outra muito mais curta no rascunho: "Melko, entre os Ainur, fora mormente sozinho aos lugares escuros e aos vazios [*acrescentado posteriormente*: buscando os fogos secretos]."
4. As palavras "minha canção" e "meu pensamento" estavam invertidas no texto, e foram posteriormente alteradas a lápis para a posição em que estão. No começo do texto aparece a frase: "Antes de todas as coisas ele cantou o ser primeiro dos Ainur". Compare com a abertura do *Ainulindalë* em *O Silmarillion*: "Os Ainur [...] que eram os rebentos de seu pensamento".
5. Não há, no rascunho, referência a Manwë ou Aulë.
6. Essa frase a respeito da amizade e aliança de Manwë e Ulmo está ausente no rascunho.
7. Esse trecho era bastante diferente no texto rascunhado:

   E conforme Ilu falava a Ulmo, os Ainu contemplaram como a grande história que Ilu lhes havia proposto, para seu espanto, e para a qual toda a glória dele era apenas o salão de sua encenação — como ela se desenrolava numa miríade de complexidades, assim como fora a música que tocaram aos pés de Ilu, como a beleza foi soterrada em alvoroço e tumulto e nova beleza se ergueu dali uma vez mais, como a terra mudou e estrelas se apagaram, e estrelas foram inflamadas, e o ar varria o firmamento, e sol e lua foram dispostos em seus cursos e ganharam vida.

8. Essa frase a respeito de Melko está ausente no rascunho.
9. No rascunho, esse parágrafo diz:

   Ora, Eldar e Homens foram concebidos por Ilu apenas, e nenhum dos Ainu, nem mesmo Melko, teve qualquer relação com sua feitura, ainda que, em verdade, sua antiga música e seus feitos no mundo afetaram fortemente a história posterior deles. Por essa razão, talvez, Melko e muitos dos Ainu, com boa ou má intenção, sempre se dispuseram a imiscuir-se com eles, mas, vendo que Ilu fizera os Eldar demasiado semelhantes em natureza, ainda que não em estatura, aos Ainu, seus tratos têm sido mormente com os Homens.

   A conclusão dessa passagem parece ser o único lugar no qual o segundo texto está em contradição direta com o rascunho.
10. O rascunho diz: "e são eles a quem vós e nós chamamos agora de Valur e Valir".
11. Toda a passagem que segue a menção aos Solosimpi e ao seu "amor por sempre morar junto à praia" está ausente no rascunho.
12. No lugar desse trecho, o rascunho diz:

"[...] mas aos Homens designarei uma tarefa e darei um grande dom." E ele planejou que eles deveriam ter livre-arbítrio e o poder de moldar e delinear além da música original dos Ainu, e que, por razão das operações deles, todas as coisas deveriam ser, em forma e fato, completadas, e o mundo que vem da música dos Ainu deve ser cumprido até a última e menor das coisas.

[13] "enquanto os Eldar habitam para sempre", no rascunho.

Alterações feitas a nomes em
A Música dos Ainur

Ainur Sempre *Ainu* no rascunho.
Ilúvatar Geralmente *Ilu* no rascunho, mas também *Ilúvatar*.
Ulmo No rascunho, Ulmo é assim chamado, mas também *Linqil* (corrigido para *Ulmo*).
Solosimpi < *Solosimpë*.
Valar ou Vali No rascunho, *Valur e Valir* (essas parecem ser as formas masculina e feminina).
Ónen < *Ówen*.
Vai < *Ulmonan*.

Comentário a
A Música dos Ainur

Um trecho de ligação continua o texto de *A Música dos Ainur*, levando-o para *A Construção de Valinor* sem qualquer quebra na narrativa; contudo, adiarei esse trecho até o capítulo seguinte. O texto escrito, na realidade, também é contínuo entre os dois contos, e não há sugestão ou indicação de que a escrita de *A Construção de Valinor* não tenha se seguido à de *A Música dos Ainur*.

Em anos posteriores, o mito da Criação foi revisado e reescrito repetidas vezes; mas é notável que, neste caso apenas, e em contraste com o desenvolvimento do restante da mitologia, há uma tradição direta, de manuscrito a manuscrito, desde o primeiro rascunho até a versão final: cada texto é diretamente baseado no que o precede.* Ademais, e muito notavelmente, a versão mais antiga, escrita quando meu pai tinha 27 ou 28 anos, ainda entranhada no contexto do Chalé do Brincar Perdido, estava tão desenvolvida em

---

* Para se comparar com o texto publicado em *O Silmarillion*, deve-se notar que parte do conteúdo da versão inicial não aparece no *Ainulindalë* propriamente dito, mas no final do Capítulo 1, *Do Princípio dos Dias* (pp. 63–72).

sua concepção que passou por pouca mudança essencial. Houve, é verdade, muitas alterações, que podem ser rastreadas estágio por estágio através dos sucessivos textos, e muito conteúdo novo surgiu; mas o desaparecimento das frases originais pode ser continuamente percebido na última versão do *Ainulindalë*, escrita mais de trinta anos depois, e muitas frases sobreviveram.

Ver-se-á que o grande tema que Ilúvatar propôs aos Ainur foi feito, originalmente, um tanto mais explícito ("A estória que dispus diante de vós", p. 72), e que as palavras de Ilúvatar aos Ainur no final da Música continham uma longa declaração daquilo que Melko causara, do que ele introduzira na história do mundo (p. 74). Mas, de longe, a diferença mais importante é que, na forma inicial, a primeira visão que os Ainur tiveram do Mundo foi na sua concretude ("mesmo agora o mundo se desenrola e sua história começa", p. 75), e não como uma Visão que lhes foi retirada e que ganhou existência apenas às palavras de Ilúvatar: *Eä!* Que essas coisas Sejam! (*O Silmarillion*, p. 45).

Contudo, quando todas as diferenças são observadas, elas são muito menos impressionantes do que a solidez e a completude com a qual o mito da Criação emergiu de início.

Ademais, neste "Conto", muitas características específicas de menor importância geral surgem pela primeira vez; e muitas delas permaneceriam. Manwë, chamado de "senhor de Deuses e Elfos e Homens", recebe a alcunha *Súlimo*, "governante dos ares e ventos"; é trajado de safiras, e falcões de visão penetrante voam desde sua morada em Taniquetil (*O Silmarillion*, p. 69); ele ama particularmente os Teleri (os posteriores Vanyar), que receberam dele os dons da poesia e da canção; e sua esposa é Varda, Rainha das Estrelas.

Manwë, Melko, Ulmo e Aulë são destacados como os "quatro grandes"; no fim, os grandes Valar, os *Aratar*, vieram a ser nove, mas houve muita alteração na composição da hierarquia até que esse número fosse atingido. As preocupações características de Aulë, e sua particular associação com os Noldoli, surgiram aqui e haveriam de permanecer, embora aqui se atribua a ele um deleite em "idiomas e alfabetos", ao passo que, em *O Silmarillion* (p. 69), ainda que isso não seja negado, parece implícito que era um dom e uma habilidade peculiar aos Elfos noldorin; mais adiante, nos *Contos Perdidos* (p. 141), diz-se que foi o próprio Aulë que, "auxiliado pelos Gnomos, inventou alfabetos e escritas". Ulmo, especialmente associado com os Solosimpi (que se tornaram os Teleri), é aqui apresentado como sendo mais "satisfeito por sua honra e cioso de seu poder" do que Manwë; e ele habita em Vai. Vai é uma emenda de Ulmonan; mas isso não é simplesmente a substituição de um nome por outro: Ulmonan era o nome dos salões de Ulmo, que ficavam em Vai, o Oceano de Fora. A importância de Vai, um elemento relevante na cosmologia original, aparecerá no capítulo seguinte.

Outros seres divinos surgem agora. Manwë e Varda têm rebentos, Fionwë-Úrion e Erinti. Posteriormente, Erinti se tornou Ilmarë, "aia de Varda" (*O Silmarillion*, p. 57), mas nada jamais se disse dela (ver pp. 243–44). Fionwë, cujo nome muito tempo depois foi alterado para Eönwë, permaneceu, tornando-se Arauto de Manwë, quando a ideia dos "Filhos dos Valar" foi abandonada. Seres subordinados a Ulmo — Salmar, Ossë e Ónen (posteriormente Uinen) — aparecem; ainda que todos eles tenham sobrevivido no panteão, a concepção de Maiar não surgiria por vários anos, e Ossë foi por muito tempo contado entre os Valar. Os Valar são aqui chamados de "Deuses" (de fato, quando Eriol pergunta "são eles os Deuses?", Lindo responde que sim, pp. 62–3), e esse uso sobreviveu por muito tempo no desenvolvimento da mitologia.

A ideia do renascimento élfico em suas próprias crianças é aqui formalmente declarada, assim como os destinos diferentes de Elfos e Homens. A esse respeito, um assunto curioso pode ser mencionado. Anteriormente, no texto recém-incluído (p. 72), aparece a seguinte frase: "embora se diga que outra [música] muito mais poderosa há de ser tecida diante do assento de Ilúvatar pelos corais tanto de Ainur *quanto dos filhos dos Homens* após o Grande Fim"; e, na frase que conclui o texto: "Contudo, enquanto os *Filhos dos Homens*, após a passagem das coisas, certamente hão de se unir à Segunda Música dos Ainur, o que Ilúvatar planejou para os Eldar depois do fim do mundo, ele não revelou nem mesmo aos Valar, e Melko não o descobriu." Ora, na primeira revisão do *Ainulindalë* (que data dos anos de 1930), a primeira dessas frases foi alterada para: "[...] pelos corais dos Ainur *e dos Filhos de Ilúvatar* depois do fim dos dias"; ao passo que a segunda permaneceu essencialmente inalterada. Isso continuou até a versão final. É possível que a alteração na primeira passagem tenha sido involuntária, apenas a substituição por uma frase comum, e que isso jamais tenha sido notado depois. Contudo, no trabalho publicado (*O Silmarillion*, pp. 40, 72), deixei ambas as frases como estão.

3

A VINDA DOS VALAR E A CONSTRUÇÃO DE VALINOR

Conforme eu já assinalei, o conto seguinte está ligado à *Música dos Ainur* sem qualquer quebra narrativa; e não há título no texto. Ele está contido em três cadernos separados (os *Contos Perdidos* foram escritos de maneira extremamente confusa, com seções de contos diferentes intercaladas); e, na capa do caderno que traz a abertura do trecho, seguindo *A Música dos Ainur*, está escrito: "contém também a Vinda dos Valar e principia a Construção de Valinor". O texto foi escrito a tinta sobre um manuscrito a lápis apagado.

Então, quando Rúmil terminou e ficou em silêncio, Eriol disse, após uma pausa: "Grandiosas são essas notícias, e muito novas e estranhas aos meus ouvidos, e, entretanto, parece que a maior parte do que contastes até o momento aconteceu fora deste mundo, mas, se agora sei donde vem sua vida e seu motor e a origem última de sua história, ainda gostaria de ouvir muitas coisas das façanhas mais antigas dentro de suas fronteiras; dos labores dos Valar eu gostaria de saber, e dos grandes seres de dias antiquíssimos. Donde vêm, dizei-me, Sol e Lua e Estrelas, e como vieram a ser seus cursos e suas estações? E mais — donde vieram os continentes da terra, as Terras de Fora, os grandes mares e as Ilhas Mágicas? E mesmo dos Eldar e de sua ascensão e da vinda dos Homens eu gostaria de ouvir vossos contos de sabedoria e prodígio."

Então respondeu Rúmil: "Ora, mas tuas perguntas são quase tão longas e verbosas quanto meus contos — e a sede de tua curiosidade secaria um poço mais profundo que meu saber, se te deixasse beber e voltar irrefreado a seu bel-prazer. De fato, não sabes o que pedes, nem a extensão e complexidade das estórias que queres ouvir. Vê, o sol já está muito acima dos telhados e esta não é a hora do dia para o contar de contos. Antes, já é hora — e passou da hora — do desjejum." Com essas palavras, Rúmil desceu por aquela trilha de aveleiras e, passando por um trecho ensolarado, entrou na casa em grande velocidade apesar de estar sempre olhando os pés conforme andava.

Mas Eriol ficou sentado, pensativo, sob o pergolado, ponderando sobre o que ouvira, e muitas questões lhe chegaram à mente que desejava perguntar, e esqueceu-se de que ainda estava em jejum. Mas, então, achegou-se Pequeno-Coração e um outro, trazendo utensílios e belas toalhas, e disseram-lhe: "São palavras de Rúmil, o Sábio, que tu estás a derrear-te na Pérgula dos Tordos de fome e exaustão pela língua tagarela dele — e, como achamos isso muito provável, viemos em teu auxílio."

Então, Eriol os agradeceu e, desjejuando, passou o restante daquele belo dia escondido em alamedas quietas daquele jardim, perdido em pensamento; mas não faltavam arboretos, pois, ainda que parecesse fechado por grandes muros de pedra, cobertos de árvores frutíferas ou trepadeiras cujas flores, douradas e rubras, rebrilhavam sob o sol, eram incontáveis os cantos e esconsos do jardim, árvores talhadas e relvados, veredas ensombradas e campos floridos, e, ao se explorar, descobria-se sempre algo novo. E, no entanto, maior ainda foi sua alegria quando novamente um brinde foi feito àquela noite ao "Reacender do Sol Mágico", e as velas foram erguidas, e a multidão foi uma vez mais ao aposento onde o Fogo-do-Conto ardia.

Lá, disse Lindo: "Serão contos novamente, como de costume, nesta noite, ou serão músicas e o cantar de canções?" E a maioria disse canções e músicas, e nisso alguns hábeis se levantaram e cantaram velhas melodias, ou então trouxeram à vida obras mortas de menestréis de Valinor em meio ao chamejar daquela sala iluminada. Alguns também recitaram poesia a respeito de Kôr e Eldamar, fragmentos da riqueza de outrora; mas, logo, canção e música cessaram, e houve um silêncio enquanto os que ali estavam refletiam sobre a beleza extinta e ansiavam com avidez pelo Reacender do Sol Mágico.

Afinal, Eriol falou a Lindo, dizendo: "Um certo Rúmil, o Guardião-das-Portas, e, penso, um grande sábio, relatou-me esta manhã, no jardim, o princípio do mundo e a vinda dos Valar. Agora muito gostaria de ouvir sobre Valinor!"

Então disse Rúmil, sentado numa banqueta num canto ensombrado: "Então, com permissão de Lindo e Vairë, começarei o conto, doutro modo seguirás perguntando para sempre; e que perdoe a companhia por ouvir novamente velhos contos." Mas Vairë disse que tais palavras a respeito das coisas mais antigas ainda estavam longe de perder o frescor nos ouvidos dos Eldar.

Então, Rúmil falou:

"Vede, Manwë Súlimo e Varda, a Bela, ergueram-se. Foi Varda quem, no tocar da Música, pensara muito sobre luz branca e argêntea, e sobre estrelas. Esses dois tomaram para si asas de poder e partiram velozes pelos três ares. Vaitya é aquele que circunda, escuro e vagaroso, o lado de fora do mundo, mas Ilwë é azul e claro, e flui em meio às estrelas, e, por fim, chegaram a Vilna, que é cinzento e as aves podem voar por ele em segurança.

Com eles vieram muitos dos Vali menores que os amavam e tocaram perto deles e afinaram sua música à deles, e esses são os Mánir e os Súruli, os silfos dos ares e dos ventos.

Ora, por rápido que tenham partido, Melko estava lá antes deles, apressando-se à frente e flamejando pelos ares na impetuosidade de sua ligeireza, e houve um tumulto no mar onde ele mergulhara, e as montanhas acima dele jorraram chamas, e a terra fendeu-se e tremeu; mas Manwë, olhando tudo isso, irou-se.

Depois disso vieram Ulmo e Aulë, e com Ulmo não veio ninguém além de Salmar, que depois foi conhecido como Noldorin, pois, por bondoso que fosse o coração daquele ser poderoso, ele sempre pensava profundamente sozinho, e era quieto e indiferente e altivo até mesmo para os Ainur; mas com Aulë estava aquela grande senhora, Palúrien, cujos deleites eram a riqueza e os frutos da terra, razão pela qual ela há muito é chamada de Yavanna entre os Eldar. Em torno deles vinha uma grande hoste, que são os espíritos das árvores e dos bosques, do vale e da floresta e da encosta da montanha, ou aqueles que cantam em meio à grama pela manhã e entoam canções em meio ao trigo em pé à tardinha. Esses são os Nermir e os Tavari, Nandini e Orossi, fatas, trasgos, duendes e o que mais forem chamados, pois seu número é muito grande, porém não devem ser confundidos com os Eldar, pois nasceram antes do mundo e são mais velhos que os mais velhos deste e não são dele, mas riem-se muito dele, pois nada tiveram a ver com sua feitura, de sorte que ele lhes é, na maior parte das vezes, um divertimento; mas os Eldar são do mundo e o amam com amor grande e ardente, e são melancólicos em meio a toda sua alegria por essa razão.

Ora, atrás desses maiores chefes vieram Falman-Ossë, das ondas do mar, e Ónen, sua consorte, e, com eles, as tropas dos Oarni e Falmaríni, e as Wingildi de longas melenas, e esses são os espíritos da espuma e do marulho do oceano. Ora, Ossë era vassalo e subordinado de Ulmo, e o era por medo e reverência, e não por amor. Atrás dele vieram Tulkas Poldórëa, regozijando-se em sua força, e os irmãos, os Fánturi, o Fantur dos Sonhos, que é Lórien Olofántur, e o Fantur da Morte, que é Vefántur Mandos, e também as duas que são chamadas Tári pois são senhoras de grande veneração, rainhas dos Valar. Uma era esposa de Mandos, e é conhecida por todos como Fui Nienna, por razão de suas tristezas, e ela é inclinada ao luto e às lágrimas. Muitos outros nomes ela tem que de raro são ditos, e são todos lúgubres, pois ela é Núri, a que suspira, e Heskil, a que gera o inverno, e todos devem se curvar diante dela como Qalmë-Tári, a senhora da morte. Mas vede, a outra era a esposa de Oromë, o caçador que é chamado Aldaron, rei das florestas, que ruge de júbilo desde os topos das montanhas e é quase tão enérgico quanto Tulkas, perpetuamente jovem. Oromë é filho de Aulë e Palúrien, e a Tári que é sua esposa é conhecida por todos como Vána, a formosa, e ela ama a alegria e a mocidade e a beleza, e é a mais feliz de todos os seres, pois ela é Tuilérë ou, como diziam os Valar, Vána Tuivána, a que traz a primavera, e todos lhe cantam louvores como Tári-Laisi, senhora da vida.

E, no entanto, quando todos esses haviam cruzado os confins do mundo, e Vilna estava em tumulto com sua passagem, apressaram-se ainda, atrasados, Makar e sua bravia irmã, Meássë; e teria sido melhor se eles não tivessem encontrado o mundo, mas permanecido para sempre com os Ainur para além de Vaitya e das estrelas, pois ambos eram espíritos de temperamento brigalhão e, juntamente com outros espíritos menores que chegaram então com eles, tinham sido os primeiros e principais a se juntarem nos desacordos de Melko e a ajudarem a espalhar sua música.

Por último chegou Ómar, que é chamado de Amillo, o mais jovem dos grandes Valar, e ele cantava canções conforme chegava.

Então, quando todos esses grandes espíritos estavam reunidos dentro dos confins do Mundo, Manwë lhes falou, dizendo: 'Vede agora! Como poderão os Valar habitar este belo lugar, ou ser felizes e regozijar-se com sua benevolência, se permitirmos que Melko o destrua, e cause fogo e tumulto, sem que tenhamos onde nos sentar em paz, sem que a terra possa florescer e sem que os desígnios de Ilúvatar possam se realizar?'

Então todos os Valar enraiveceram-se com Melko, e somente Makar falou contra Manwë; mas o restante escolheu entre si alguns para buscar o malfeitor, e esses foram Mandos e Tulkas; Mandos porque Melko tinha mais medo de seu aspecto aterrorizante do que de qualquer outra coisa, a não ser que fosse a força do braço de Tulkas, e Tulkas era o outro.

Ora, esses dois buscaram-no e o obrigaram a vir diante de Manwë, e Tulkas, cujo coração desgostava da astúcia torpe de Melko, deu-lhe um golpe com o punho, e ele o tolerou na hora, mas não esqueceu. E, no entanto, chamou os Deuses de formosos, e declarou quão pouco prejuízo causou, divertindo-se por pouco tempo no frescor do mundo; e, disse ele, jamais procuraria fazer qualquer coisa contra o senhorio de Manwë ou a dignidade daqueles chefes, Aulë e Ulmo, ou para injuriar qualquer um além deles. Antes, seu conselho foi de que cada um dos Valar deveria agora partir e morar em meio às coisas que amava na Terra, e nenhum deveria tentar estender seu poderio para além dos justos limites. Nisso havia alguma censura velada a Manwë e Ulmo, mas, dentre os Deuses, alguns tomaram suas palavras como sendo de boa-fé, e se dispuseram a seguir seu conselho, mas outros desconfiaram; e, no meio do debate, Ulmo se levantou e partiu para os Mares Extremos que ficavam além das Terras de Fora. Não amava palavras altissonantes, nem multidões, e naquelas águas profundas, imóveis e vazias, pretendia habitar, deixando o governo dos Grandes Mares e dos menores a Ossë e Ónen, seus vassalos. E, no entanto, por sua magia, das profundezas dos extremos salões-marinhos de Ulmonan, ele controlava o débil marulhar dos Mares Sombrios, e governava os lagos e fontes e rios do mundo.

Ora, essa era a maneira da Terra naqueles dias, e desde então ela não mudou, salvo pelos labores de outrora dos Valar. As mais vastas das regiões são as Grandes Terras, onde os Homens habitam e vagam agora, e os Elfos Perdidos cantam e dançam nas colinas; mas para além de seus limites mais ocidentais estão os Grandes Mares, e nesse vasto corpo d'água do Oeste estão muitas terras e ilhas menores, antes de se chegar aos mares solitários, cujas ondas sussurram à volta das Ilhas Mágicas. E, ainda mais longe que isso, e poucos são os barcos de homens mortais que se aventuraram tão longe, estão os Mares Sombrios, onde flutuam as Ilhas do Crepúsculo e a Torre de Pérola se ergue pálida no cabo mais ocidental; mas, até então, ela não fora construída, e os Mares Sombrios se estendiam escuros até sua praia mais remota em Eruman.

Ora, as Ilhas do Crepúsculo são tidas como as primeiras das Terras de Fora, que compreendem estas, e Eruman, e Valinor. Eruman, ou Arvalin, está para o sul, mas os Mares Sombrios percorrem até mesmo as beiras de Eldamar, ao norte; e, no entanto, os navios precisam navegar mais longe para alcançar essas praias argênteas, pois para além de Eruman estão as Montanhas de Valinor num grande anel que se curva para o oeste, e os Mares Sombrios a norte de Eruman formam uma vasta baía, de modo que as ondas se quebram mesmo aos pés das grandes falésias, e as Montanhas ficam ao lado do mar. Ali está Taniquetil, gloriosa de se contemplar, a mais imponente de todas as montanhas, trajada da mais pura neve, e ela olha desde a ponta da baía para o sul, atravessando Eruman, e para o norte, através da Baía de Feéria; de fato, todos os Mares Sombrios, até mesmo as velas dos navios sobre as águas ensolaradas do grande oceano e as multidões nos portos a oeste, nas terras dos Homens, podiam, mais tarde, ser vistas dali, apesar de a distância ser contada em léguas inimagináveis. Mas, até o momento, o Sol não havia se erguido, e as Montanhas de Valinor não haviam sido erigidas, e o vale de Valinor jazia vasto e frio. Para além de Valinor nunca vi nada nem ouvi, salvo que por certo há lá as águas escuras dos Mares de Fora, que não têm marés, e elas são muito frescas e ralas, pois que nenhum barco consegue navegar em seu seio nem peixe nadar em suas profundezas, salvo os peixes encantados de Ulmo e sua carruagem mágica.

Para lá ele então foi, mas os Deuses reúnem-se em concílio a respeito das palavras de Melko. Foi o conselho de Aulë e sua esposa, Palúrien — pois estavam muitíssimo aflitos com o malfeito dos tumultos de Melko e não confiavam nada em suas promessas —, que os Deuses não deveriam se separar, como ele propunha, para que não colimasse, talvez, atacá-los isoladamente, ou causar dano a suas posses. 'Não é ele', disseram, 'mais poderoso do que qualquer um de nós, salvo apenas Manwë? Antes, que construamos uma morada onde possamos habitar juntos, em júbilo, saindo apenas por necessidade de cuidar e supervisionar nossos bens e feudos. Lá, mesmo os que pensam diferente poderão morar, por vezes, e encontrar repouso e deleite após os labores do mundo'. Ora, a mente e os dedos de Aulë já comichavam por fazer coisas, e ainda mais por isso queria urgência no assunto; e para a maior parte dos Deuses pareceu bom conselho, e eles saíram pelo mundo buscando um lugar para morar. Aqueles foram os dias de Ocaso (Lomendánar), pois luz havia, prateada e dourada, mas ela não estava ajuntada, fluindo e fremindo em correntes irregulares pelos ares ou, às vezes, caindo gentilmente na terra como chuva cintilante e correndo como água pelo solo; e Varda, àquela época, em seu desenfado, colocara apenas umas poucas estrelas no céu.

Nessa penumbra, os Deuses espreitaram Norte e Sul, e conseguiram ver pouco; de fato, nas profundezas dessas regiões, encontraram grande frio e solidão, e o mando de Melko já fortalecido; mas Melko e seus serviçais estavam escavando no Norte, construindo os salões sinistros de Utumna, pois ele não tinha qualquer intenção de morar em meio aos outros, ainda que fingisse paz e amizade, por enquanto.

Ora, devido à escuridão, Aulë suadiu Melko a erigir duas torres ao Norte e ao Sul, pois tencionava colocar-lhes no topo poderosas lamparinas, uma sobre cada. Estas o próprio Aulë construiu, de ouro e prata, e os pilares foram erguidos por Melko, e eram altíssimos, e brilhavam como pálido cristal azulado; e, quando Aulë lhes deu uma pancada com a mão, ressoaram como metal. Eles se erguiam atravessando o ar mais baixo e chegavam mesmo até Ilwë e as estrelas, e Melko disse que eram duma substância imperecível e de grande força que ele criara; mas mentia, pois sabia que eram de gelo. A do Norte chamou de Ringil, e a do Sul, de Helkar, e as lamparinas foram aprontadas e postas sobre elas, estando repletas de luz acumulada, prateada no Norte, dourada no Sul. Manwë e Varda haviam recolhido essa luz em abundância desde o céu, de modo que os Deuses pudessem explorar melhor as regiões do mundo, e escolher a mais bela para ser o seu lar.

Ora, naquela luz flamejante eles foram para o Leste e o Oeste, e o Leste era uma vastidão de terras revolvidas, e o Oeste, grandes mares de escuridão, pois, na verdade, eles estavam reunidos sobre as Ilhas do Crepúsculo e olhavam para o oeste, quando eis que as lamparinas no Norte e no Sul tremeluziram e desabaram e, ao desabarem, as águas se ergueram em redor das ilhas. Ora, essas coisas eles não compreenderam no momento, mas aconteceu que as labaredas daquelas luzes haviam derretido o gelo traiçoeiro dos pilares de Melko, Ringil e Helkar, e grandes inundações escorreram para dentro dos Mares Sombrios. Tamanho foi seu derretimento que, se de início aqueles mares não tinham grandes dimensões, e eram cristalinos e quentes, agora estavam negros e vastos, e vapores havia sobre eles, e sombras profundas, devido aos imensos rios gelados que se derramaram neles. Assim as grandes lamparinas foram derrubadas do alto, e o clangor de sua queda sacudiu as estrelas, e algo de sua luz se derramou novamente no ar, mas muito fluiu pela terra e, por seu grande volume, criou fogos e desertos antes de se acumular em lagos e poças.

Foi, então, o tempo da primeira noite, e ela foi muito longa; mas os Valar estavam muitíssimo irados pela perfídia de Melko, e com risco de serem engolfados nos mares sombrios que agora se erguiam e sorviam tudo aos seus pés, cobrindo muitas das ilhas em suas ondas.

Então Ossë, pois Ulmo não estava ali, reuniu consigo os Oarni e, aplicando sua força, arrastaram pelas águas a ilha onde estavam os Valar rumo ao oeste, até chegarem a Eruman, cujas praias altas contiveram a inundação colérica — e essa foi a primeira maré.

Então Manwë falou: 'Faremos agora uma morada com celeridade, um baluarte contra o mal.' Assim, passaram por Arvalin e viram um vasto descampado mais adiante, atravessando incontáveis léguas e chegando mesmo aos Mares de Fora. Ali, disse Aulë, seria um lugar apropriado para grande construção e para levantar reinos de deleite; ao que os Valar, e todo o seu povo, primeiro ajuntaram as maiores rochas e pedras de Arvalin, e erigiram com elas imensas montanhas entre aquele lugar e a planície que agora chamam de Valinor, ou a terra dos Deuses. De fato, foi o próprio Aulë quem labutou por sete eras, a pedido de Manwë, no empilhamento de Taniquetil, e o mundo estrondeava na sombra, e Melko ouvia os barulhos do labor deles. Em razão de sua grande obra de alvanéis, Erumáni é hoje muito ampla e desnuda, e impressionantemente plana, pois eles removeram toda pedra e rocha que lá havia; mas as Montanhas de Valinor são denteadas e de altura inexpugnável. Vendo, por fim, que elas torreavam poderosamente entre Valinor e o mundo, os Deuses tomaram fôlego; mas Aulë e Tulkas partiram para longe, com muitos de seu povo, e trouxeram de volta tudo o que puderam de mármores e boas pedras, de ferro e ouro e prata e bronze e toda maneira de substâncias. Estes eles amontoaram no meio da planície e Aulë se pôs a labutar com vigor prontamente.

Por fim, disse: 'É ruim trabalhar neste escuro, e foi um malfeito de Melko que trouxe a ruína àquelas belas lamparinas.' Mas Varda disse, em resposta: 'Há ainda muita luz remanescente, tanto nos ares quanto a que flui, derramada na terra', e ela desejou ajuntá-la novamente e postar um farol sobre Taniquetil. Mas Manwë não permitiu que mais radiância fosse tirada do firmamento, pois a escuridão já era como a da noite, mas, a seu pedido, Ulmo se ergueu de suas profundezas e foi até os lagos flamejantes e poças de grande brilho. Deles retirou rios de luz, colocando-os em imensas vasilhas e despejando águas no lugar, e com estas voltou a Valinor. Lá, toda a luz foi derramada em dois grandes caldeirões que Aulë fizera no escuro, preparando-se para o retorno de Ulmo, e eles são chamados de Kulullin e Silindrin.

Ora, no vale mais central eles cavaram dois grandes fossos, e eles estão separados por léguas e, no entanto, bem próximos, se comparados com a vastidão daquela planície. Num deles, Ulmo depositou sete rochas d'ouro trazidas das profundas mais silentes do mar, e depois foi jogado ali um fragmento da lamparina que ardera por um tempo sobre Helkar, no Sul. Então, o fosso foi coberto com terras ricas de feitura de Palúrien, e chegou Vána, que ama a vida e a luz solar, e a cuja canção as flores nascem e se abrem, e o murmurar das donzelas à sua volta era como o ruído alegre da gente que sai pela primeira vez numa manhã luminosa. Sobre o monte ela cantou a canção de primavera, e dançou em redor, e regou-o com grandes rios daquela luz dourada que Ulmo trouxera dos lagos derramados — e, no entanto, Kulullin estava quase transbordando no fim.

Mas no outro fosso eles jogaram três pérolas imensas que Ossë encontrou no Grande Mar, e uma pequena estrela Varda jogou depois delas, e eles o cobriram com espumas e névoas brancas e, depois, salpicaram terra de leve sobre ele, mas Lórien, que ama crepúsculos e sombras tremeluzentes, e doces fragrâncias levadas por ventos noturnos, ele que é senhor dos sonhos e imaginações, sentou-se ali perto e sussurrou palavras rápidas e sem ruído, enquanto seus espíritos tocavam melodias semiouvidas ao seu lado, como música que se derrama na escuridão vinda de moradas distantes; e os Deuses despejaram naquele lugar rios da branca radiância e da luz prateada que Silindrin levava até a borda — e, após o derramamento, Silindrin ainda estava quase cheia.

Então chegou Palúrien, Kémi, a Senhora-da-terra, esposa de Aulë, mãe do senhor das florestas, e ela teceu feitiços sobre os dois lugares, encantamentos profundos de vida e crescimento, e do brotar de folhas, florescer e frutificar — mas não colocou palavra alguma sobre fenecer em sua canção. Ali, tendo cantado, pôs-se a meditar por longo tempo, e os Valar sentaram-se em círculo à volta, e a planície de Valinor estava escura. Então, após um tempo, veio por fim um brilho intenso de ouro em meio à escuridão, e os Valar e todas as suas companhias ergueram um clamor de júbilo e louvor. Eis que, daquele lugar que fora regado com o conteúdo de Kulullin, brotou uma muda esguia e sua casca emanava um pálido brilho dourado; e aquela planta cresceu célere, de modo que, em sete horas, havia uma árvore de grande estatura, e todos os Valar e seu povo conseguiam sentar-se sob seus galhos. De grande formosura e tamanho era o tronco, e nada havia ali que fendesse sua casca lisa, a qual brilhava tênue com uma luz amarela por imensa altura sobre a terra. Então, belos ramos brotaram por cima, em todas as direções, e botões dourados cresceram de todos os rebentos e galhos menores e deles irromperam folhas dum verde rico cujas bordas brilhavam. A luz que aquela árvore emanava já era considerável e bela, mas, conforme os Valar fitavam, ela produziu flores em grande profusão, de sorte que todos os ramos ficaram ocultos por longos cachos balouçantes de flores douradas como uma miríade de lâmpadas de fogo pendentes, e a luz extravasava de suas pontas e respingava na terra com doce ruído.

Então os Deuses louvaram Vána e Palúrien, e regozijaram-se na luz, dizendo-lhes: 'Vede, é uma formosa árvore, em verdade, e deve ter um nome para si', e Kémi disse: 'Que seja chamada Laurelin, pelo brilho de sua florada e a música de seu orvalho', mas Vána a chamava de Lindeloksë, e ambos os nomes permanecem.

Passaram-se, então, doze horas desde que Lindeloksë brotara e, naquele momento, um clarão de prata penetrou o flamejar amarelo, e eis que os Valar viram uma muda nascer naquele lugar onde as poças de Silindrin haviam sido despejadas. Tinha uma casca de alvor delicado que cintilava como pérola, e crescia tão célere quanto Laurelin e, conforme crescia, a glória de Laurelin diminuía e sua florada brilhava menos, até que passou a brilhar gentilmente, como se dormisse: mas eis que a outra ergueu-se agora a uma estatura tão imponente quanto a de Laurelin, e seu tronco era ainda mais formoso e esguio, e sua casca, como seda, mas os galhos acima eram mais robustos, e mais intrincados, e seus ramos, mais densos, e eles irromperam em copiosas folhas verde-azuladas como pontas de lanças.

 Então os Valar fitaram atônitos, mas Palúrien disse: 'Esta árvore ainda não parou de crescer', e eis que, conforme ela falava, a árvore floriu, e suas flores não pendiam em cachos, mas eram como flores sozinhas, cada uma em finas hastes que penduleavam juntas, e eram como prata e pérolas e estrelas cintilantes, e ardiam com uma luz branca; e era como se o coração da árvore pulsasse, e seu brilho, assim, aumentava e diminuía. Luz tal qual prata líquida destilava do tronco e pingava na terra, e lançava grande brilho pela planície, mas não chegava tão longe quanto a luz da árvore de ouro, e por razão também de suas grandes folhas e do pulsar de sua vida interior, projetava um contínuo tremular de sombras entre as poças de seu brilho, muito nítidas e negras; ao que Lórien não conseguiu conter seu júbilo, e até mesmo Mandos sorriu. Mas Lórien disse: 'Vede! Darei um nome a esta árvore, e chamá-la-ei de Silpion', e esse foi seu nome desde então. Então, Palúrien se ergueu e disse aos Deuses: 'Ajuntai agora toda a luz que respinga em forma líquida desta bela árvore e depositai-a dentro de Silindrin, e fazei uso dela, mas com muita parcimônia. Vede, esta árvore, quando as doze horas de sua luz plena se houverem passado, há de minguar novamente, e Laurelin inflamar-se-á uma vez mais; mas, para que ela não fique exaurida, regai-a sempre gentilmente do caldeirão de Kulullin à hora em que Silpion escurecer, e fazei do mesmo modo a Silpion, vertendo novamente a luz que foi juntada dentro do profundo Silindrin sempre que a árvore de ouro minguar. A luz é a seiva dessas árvores e sua seiva é luz!'

 E com essas palavras ela queria dizer que, embora essas árvores precisassem ser regadas com luz para que tivessem seiva e vida, por seu crescimento e natureza elas sempre faziam luz em grande abundância, mais e além até do que suas raízes absorviam; mas os Deuses deram ouvidos ao seu pedido, e Vána fez com que uma de suas próprias donzelas, Urwen, cuidasse sempre da tarefa de regar Laurelin, ao passo que Lórien ordenou a Silmo, um jovem a quem amava, que estivesse sempre atento ao revigorar de Silpion. Porquanto se diz que, em cada regar das árvores, havia maravilhoso crepúsculo de ouro e prata e luzes mescladas, grande beleza antes de uma árvore esmaecer ou de a outra chegar à plena glória.

Ora, devido às árvores luminosas, Aulë obteve luz em abundância para seus trabalhos, e ele se entregou a muitas tarefas, e Tulkas o ajudou muito, e Palúrien, mãe da magia, estava a seu lado. Primeiro, sobre Taniquetil uma grandiosa morada foi erguida para Manwë e uma torre de vigia foi instalada. Desde lá ele enviava seus falcões dardejantes e os recebia de volta, e de lá partiu amiúde, em dias posteriores, Sorontur, Rei das Águias, a quem Manwë deu muita força e sabedoria.

Essa casa foi construída de mármore branco e azul, e ficava em meio aos campos nevados, e seus telhados eram feitos de uma trama daquele ar azul chamado *ilwë*, que fica acima do branco e cinzento. Aulë e sua esposa fizeram essa trama, mas Varda a salpicou de estrelas, e Manwë morava sob ela; mas, na planície, ao pleno esplendor das árvores, havia um aglomerado de moradias construídas à maneira de uma cidade bela e sorridente, e essa cidade era chamada de Valmar. Nem metal, nem pedra, nem madeira de grandes árvores foram poupados para erigi-las. Seus telhados eram de ouro e seus pisos, de prata, e suas portas, de bronze polido; foram erguidas com feitiços, e suas pedras foram unidas com magia. À parte delas, e fazendo fronteira com o vale aberto, havia um grande pátio, e ali era a morada de Aulë, e era repleta de tramas mágicas tecidas com a luz de Laurelin e o brilho de Silpion e o cintilar de estrelas; mas havia outras feitas de fios de ouro e prata e ferro e bronze batidos até a finura de uma teia de aranha, e todos foram tecidos com beleza na forma de estórias das músicas dos Ainur, retratando as coisas que foram e hão de ser, ou tais coisas que existiram apenas na glória da mente de Ilúvatar.

Nesse pátio estavam algumas de todas as árvores que posteriormente cresceram na terra, e uma lagoa de água azul jazia entre elas. Ali caíam frutas durante todo o dia, tombando ricamente na terra sobre o relvado às suas margens, e eram ajuntadas pelas aias de Palúrien para regalo dela e de seu senhor.

Ossë também tinha uma grande morada, e lá ficava sempre que os Valar se reuniam em conclave ou quando se cansava do marulhar das ondas nos seus mares. Ónen e os Oarni trouxeram milhares de pérolas para construí-la, e seus pisos eram de água do mar, e suas tapeçarias, como o rebrilhar das escamas prateadas dos peixes e era telhado com espuma. Ulmo não habitava em Valmar e, logo após sua construção, voltou para os Mares de Fora, e, caso precisasse permanecer em Valinor, era hóspede nos salões de Manwë; — mas isso era raro. Lórien também habitava longe, e seu salão era amplo e pouco iluminado, e tinha vastos jardins. O lugar de sua morada ele chamou Murmuran, o qual Aulë construiu a partir das névoas ajuntadas para além de Arvalin sobre os Mares Sombrios. Foi posta no Sul, nos sopés das Montanhas de Valinor nos confins do reino, mas os jardins circundavam-na maravilhosamente, serpeando até próximo dos pés de Silpion, cujo brilho os iluminava estranhamente. Eram cheios de labirintos e maranhas, pois Palúrien dera a Lórien grande quantidade de teixos e cedros, e de pinheiros que exsudavam olores soporíferos no ocaso; e essas árvores olhavam sobre lagos profundos. Larvas luminosas rastejavam pelas orlas, e Varda colocara estrelas em suas profundezas para deleite de Lórien, mas seus espíritos cantavam maravilhosamente nesses jardins, e o aroma das flores noturnas, e as canções dos sonolentos rouxinóis os enchiam de grande encanto. Lá também cresciam as papoulas, brilhando rubras no crepúsculo, e elas eram chamadas pelos Deuses de *fumellar*, as flores do sono — e Lórien muito as usava em seus encantamentos. No meio desses jardins, num círculo de ciprestes sombrios muito altos, ficava aquele fundo tonel, Silindrin. Ali jazia num leito de pérolas, e sua superfície intacta era salpicada de cintilações prateadas, e as sombras das árvores se projetavam nele, e as Montanhas de Valinor podiam ver suas faces refletidas ali. Lórien, fitando-o, via muitas visões de mistério cruzando a superfície, a qual ele jamais permitia que fosse agitada, exceto quando Silmo vinha, sem ruído, com um jarrão de prata para colher um sorvo de seu gélido líquido reluzente, e ia mansamente regar as raízes de Silpion antes que a árvore de ouro esquentasse.

    Distinta era a mente de Tulkas, e ele habitava no centro de Valmar. É o mais jovial, de membros fortes, e enérgico, e, por isso, é chamado de Poldórëa, o que aprecia jogos e o tanger de arcos, e o pugilismo, a luta, a corrida e o salto, e as canções que acompanham os golpes e o virar dum copo bem cheio. E, no entanto, não é brigalhão e não distribui golpes sem provocação como Makar, embora não haja entre Valar e Úvanimor (que são os monstros, gigantes e ogros) quem não tema a força de seu braço e o soco de seu punho férreo, quando tem motivo para se irar. Sua casa era de alegria e festividade; e erguia-se alta no ar, com muitos andares, e tinha uma torre de bronze e pilares de cobre formando uma ampla arcada. Nesse pátio, os homens disputavam e rivalizavam entre si em façanhas destemidas, e ali às vezes a formosa donzela Nessa, esposa de Tulkas, servia cálices do melhor vinho e beberagens refrescantes entre os combatentes. Mas, acima de tudo, ela amava se retirar para um local de belos relvados cuja turfa Oromë, seu irmão, escolhera dentre as mais ricas de todas as suas clareiras florestais, e Palúrien a plantara com feitiços para que fosse sempre virente e macia. Ali ela dançava em meio às suas aias enquanto Laurelin estivesse em flor; afinal, não é ela superior na dança à própria Vána?

Em Valmar também habitava Noldorin, conhecido há muito como Salmar, ora tangendo suas harpas e liras, ora sentando-se sob Laurelin e tirando doce música dum instrumento de arco. Ali cantava Amillo jubiloso ao seu tocar, Amillo que é chamado de Ómar, cuja voz é a melhor de todas as vozes, que conhece todas as canções em todos os falares; mas, quando não cantava ao som da harpa do seu irmão, gorjeava nos jardins de Oromë quando, depois de um tempo, Nielíqui, pequena donzela, dançava pelos bosques.

Oromë tinha um vasto domínio que era amado por ele não menos do que por Palúrien, sua mãe. Vede, os arvoredos que plantaram na planície de Valinor e mesmo nos sopés das montanhas não têm par na Terra. Feras se deleitavam ali, cervos entre as árvores, e rebanhos de vacas entre os espaços e vastas pradarias; havia bisões, e cavalos vagando sem arreios, mas estes jamais entravam inadvertidamente nos jardins dos Deuses, e, no entanto, estavam em paz e não tinham medo, pois predadores não havia entre eles, e Oromë não saía à caça em Valinor. Por muito que ele de fato ame esses reinos, amiúde encontra-se mundo afora; com mais frequência até do que Ossë, e tanto quanto Palúrien, quando então se torna o maior de todos os caçadores. Mas, em Valmar, seus salões são amplos e baixos, e um sem-fim de peles e velos de grande riqueza e valor estão espalhados ali sobre o piso, ou pendendo das paredes, além de lanças e arcos e facas. No centro de cada aposento e salão uma árvore viva sustenta o telhado, e no tronco penduram-se troféus e galhadas. Aqui, todo o povo de Oromë se traja de verde e castanho e há um ruído de agitada alegria, e o senhor das florestas promove vistosos banquetes; mas Vána, sua esposa, sempre que pode, retira-se furtivamente dali. Longe dos pátios ecoantes daquela casa estão seus jardins, bem cercados das terras mais silvestres com grandes espinheiros brancos que florescem como neve perpétua. Sua solidão mais interior está murada com roseiras, e este é o local mais amado por essa formosa senhora da Primavera. Bem no centro desse local de ar fragrante, Aulë muito tempo atrás colocou aquele caldeirão, o dourado Kulullin, sempre repleto da radiância de Laurelin como água brilhante, e dela ele criou uma fonte, de sorte que todo o jardim era cheio da salubridade e da felicidade de sua luz pura. Pássaros cantavam ali o ano todo com a voz mais potente da primavera, e as plantas desabrochavam numa balbúrdia de flores e de vida gloriosa. E, no entanto, nada daquele esplendor jamais se derramava do tonel d'ouro, salvo quando as aias de Vána, lideradas por Urwen, deixavam aquele jardim no minguar de Silpion para regar as raízes da árvore de flama; mas, próximo à fonte, era sempre claro com a luz ambarina do dia, conforme as abelhas se ocupavam nos roseirais; e por lá caminhava Vána agilmente enquanto cotovias cantavam acima de sua cabeça dourada.

Tamanha era a beleza dessas moradas, e tamanho o brilho das árvores de Valinor que Vefántur e Fui, sua esposa chorosa, não suportavam ficar lá muito tempo, e foram para longe, a norte daquelas regiões, onde — sob as raízes das mais frias e setentrionais Montanhas de Valinor, que novamente se erguem ali, perto de Arvalin, quase à sua altura máxima — pediram a Aulë que lhes escavasse um salão. Assim ele o fez, para que todos os Deuses pudessem ter um abrigo ao seu gosto, e eles e todo o seu povo sombrio o ajudaram. Muito vastas eram aquelas cavernas que fizeram, estendendo-se mesmo abaixo dos Mares Sombrios, e eram cheias de escuridão e repletas de ecos, e toda aquela morada profunda é conhecida por Deuses e Elfos como Mandos. Ali, num salão de zibelina, sentava-se Vefántur, e ele chamava o salão com seu próprio nome, Vê. Era iluminado com uma única vasilha posta no centro, na qual havia algumas gotas brilhantes do pálido orvalho de Silpion: era drapeado de vapores negros, e seus pisos e colunas eram de azeviche. Para ali em dias posteriores iam os Elfos de todos os clãs que por má sina eram mortos com armas ou morriam de pesar pelos que foram mortos — e somente assim podiam os Eldar morrer, e mesmo assim era apenas por pouco tempo. Ali Mandos pronunciava sua sina, e ali esperavam na treva, sonhando de seus feitos passados, até o momento por ele determinado quando podiam renascer em seus filhos, e partir para rirem e cantarem outra vez. Raramente Fui ia até Vê, pois laborava, antes, no destilar dos humores salinos donde vêm as lágrimas, e nuvens negras tecia e fazia flutuar para que fossem pegas nos ventos e percorressem o mundo, e suas tramas sem luz amiúde assentavam-se sobre os que ali moravam. Ora, esses tecidos eram desesperos e pesares sem esperança, tristezas e cegas aflições. O salão que mais amava era um ainda maior e mais escuro do que Vê, e ela também lhe deu seu próprio nome, Fui. Ali, diante de seu trono negro ardia um braseiro com um único carvão cintilante, e o telhado era de asas de morcegos, e os pilares que o sustentavam e as paredes em volta eram feitas de basalto. Até lá iam os filhos dos Homens para ouvir sua sina, levados pela multidão de males que a música perversa de Melko fez entrar no mundo. Assassínios e incêndios, fomes e reveses, doenças e golpes dados no escuro, crueldade e o frio mordente e angústia e sua própria tolice os levam para lá; e Fui perscruta seus corações. Alguns, então, ela mantém em Mandos sob as montanhas, e alguns ela manda para além dos montes, e Melko os agarra e os leva para Angamandi, ou os Infernos de Ferro, onde enfrentam dias malignos. Alguns também, e esses são a maioria, ela embarca no negro navio, Mornië, que jaz amiúde num porto sombrio do Norte, esperando os momentos em que a triste procissão desce à praia lentamente pelos caminhos ásperos desde Mandos.

Então, quando está cheio, espontaneamente iça suas velas de zibelina e, com um vento moroso, desce por aquelas costas. Aí, todos os que estão a bordo, conforme chegam no Sul, lançam olhares de extremo anseio e pesar para a baixada entre as colinas, onde Valinor pode ser vislumbrada sobre a planície distante; e essa abertura é perto de Taniquetil, onde está a praia de Eldamar. Nada mais veem daquele brilhante lugar e, levados para longe, habitam nas vastas planícies de Arvalin. Ali, vagueiam no ocaso, acampando como podem, mas não estão completamente destituídos de canção, e podem ver as estrelas, e aguardam pacientemente até que chegue o Grande Fim.

São poucos e, de fato, felizes aqueles a quem, de tempos em tempos, Nornorë, o arauto dos Deuses, vai buscar. Eles então o acompanham em carruagens ou em bons cavalos até o vale de Valinor, e banqueteiam-se nos salões de Valmar, morando nas casas dos Deuses até que chegue o Grande Fim. Estão longe das montanhas negras do Norte, ou das planícies brumosas de Arvalin, e têm música e luz bela, assim como júbilo.

E eis que agora relatei a maneira das moradas de todos os grandes Deuses, as quais Aulë ergueu com sua perícia em Valinor, mas Makar e sua bravia irmã, Meássë, construíram eles mesmos uma morada para si, auxiliados apenas por seu próprio povo, e era um salão sinistro.

Ficava no confim das Terras de Fora, e não era muito longe de Mandos. De ferro era feito, e sem adornos. Ali lutavam os vassalos de Makar com armaduras, e havia conflito e gritaria e o zurrar de trombetas, mas Meássë andava entre os guerreiros e os incitava a golpear mais, ou revigorava os vacilantes com vinho forte, para que continuassem a batalhar; e os braços dela enrubesciam até os cotovelos mexendo naquela confusão. Nenhum dos Deuses jamais ia até lá, salvo Tulkas, e, se quisessem visitar Mandos, seguiam veredas tortuosas, evitando passar perto daquele salão clamoroso; mas Tulkas, às vezes, lutava com Makar ali, ou distribuía golpes como os de um malho entre os lutadores, e isso ele fazia para que não se ameigasse em sua bela propriedade, pois não amava aquela companhia, nem realmente eles o amavam ou à sua grande força desprovida de raiva. Ora, a batalha dos pátios de Makar acontecia incessantemente, exceto quando os homens se reuniam nos salões para se banquetear, ou nas vezes em que Makar e Meássë estavam longe, juntos caçando lobos e ursos nas montanhas negras. Mas aquela casa era repleta de armas de batalha bem arranjadas, e escudos imensos de brilhante polimento ficavam nas paredes. Era iluminada com tochas, e lá se cantavam ferozes canções de vitória, de saques e incursões, e a luz vermelha das tochas se refletia nas lâminas de espadas desembainhadas. Ali sentavam-se amiúde Makar e sua irmã para ouvir as canções, e Makar tem sobre os joelhos uma espada imensa, e Meássë segura uma lança. Mas, naqueles dias, antes da ocultação de Valinor, esses dois percorriam muito a Terra e com frequência estavam longe da terra, pois amavam os tumultos desenfreados que Melko causava pelo mundo.

Assim, Valinor está agora construída, e ali há grande paz, e os Deuses estão em júbilo, pois esses espíritos brigalhões não vivem muito entre eles, e Melko não se aproxima."

Então, uma criança da companhia falou, muito ávida por contos e poesia: "E queria que ele jamais tivesse ido até lá desde então, e queria ter visto aquela terra brilhando novinha como Aulë a deixou." Ora, ela ouvira Rúmil contar este conto antes, e muito pensara nele, mas para a maior parte da companhia era novidade, como era para Eriol, e eles ficaram espantados. Então, Eriol falou: "Poderosíssimos e gloriosos são os Valar, e gostaria de ouvir ainda mais desses primeiros dias se já não tivesse visto o chamejar das Velas do Sono que se encaminham para cá"; mas outra criança falou desde um coxim perto da cadeira de Lindo: "Não, é nos salões de Makar que eu gostaria de estar, e conseguir, talvez, uma espada ou faca para usar; mas em Valmar penso que seria bom ser hóspede de Oromë", e Lindo disse, rindo-se: "Seria bom, de fato", e levantou-se, e o contar de contos estava encerrado àquela noite.

NOTAS
Alterações feitas a nomes em
A Vinda dos Valar e a Construção de Valinor

Ónen < *Ówen* (apenas na primeira ocorrência; subsequentemente, *Ónen* é o termo original).

Eruman e *Arvalin* Os nomes dessa região foram originalmente escritos *Habbanan* e *Harmalin*, mas foram emendados no conto inteiro (exceto em dois casos, nos quais *Habbanan* foi deixado inadvertidamente) para *Eruman* (*Erumáni* em uma ocorrência, p. 91) e *Arvalin*. (Nas três últimas ocorrências, *Habbanan* > *Arvalin*, enquanto nas ocorrências anteriores *Habbanan* > *Eruman*; mas a diferença é, presumivelmente, insignificante, já que os nomes *Habbanan* / *Harmalin* e, posteriormente, *Eruman* / *Arvalin*, eram intercambiáveis.) Em *O Chalé do Brincar Perdido*, as alterações foram *Harwalin* > *Harmalin* > *Arvalin* (p. 33).

Lomendánar < *Lome Danar*.

Silindrin < *Telimpë* (*Silindrin*) (apenas na primeira ocorrência; subsequentemente, *Silindrin* é o termo original).

Lindeloksë < *Lindelótë* (ver p. 33).

Comentário a
A Vinda dos Valar e a Construção de Valinor

Os abundantes ensinamentos fornecidos por Rúmil nessa ocasião serão mais bem discutidos em seções, e eu começo com:

(i) A Vinda dos Valar e seu encontro com Melko (pp. 85–8)

A descrição da entrada dos Valar no mundo não foi mantida, embora o relato deles nesse trecho tenha sido a origem última do

Valaquenta (*O Silmarillion*, pp. 49–59), sem haver, contudo, evolução contínua entre os manuscritos. O trecho é de muito interesse, pois aqui aparecem, de uma vez só, muitos personagens da mitologia que perdurariam, além de outros que desapareceram. É notável a quantidade de nomes dos Valar nos escritos mais antigos que jamais foram substituídos ou modificados: *Yavanna*, *Tulkas*, *Lórien*, *Nienna*, *Oromë*, *Aldaron*, *Vána* e *Nessa*, que aparecem pela primeira vez neste conto, e *Manwë*, *Súlimo*, *Varda*, *Ulmo*, *Aulë*, *Mandos*, *Ossë* e *Salmar*, que haviam aparecido antes. Alguns sobreviveram, mas de forma modificada: *Mélkor* no lugar de *Melko*, *Uinen* (que surge mais tarde nos próprios *Contos Perdidos*) em vez de *Ónen*, *Fëanturi* no lugar de *Fánturi*; e outros ainda, como Yavanna *Palúrien* e Tulkas *Poldórëa*, sobreviveram por muito tempo na tradição do "Silmarillion" até serem substituídos por *Kementári* (mas repare em *Kémi*, "Senhora-da-terra", neste conto) e *Astaldo*. Mas alguns desses Valar primitivos haviam desaparecido no estágio, ou fase, que sucedeu os *Contos Perdidos*: Ómar-Amillo e os bárbaros deuses-da-guerra, Makar e Meássë.

Aparecem aqui, ademais, certas relações que sobreviveram até a forma mais tardia. Assim, Lórien e Mandos foram desde o início "irmãos", cada um com sua especial associação, os "sonhos" e a "morte"; e Nienna teve, desde o começo, relação próxima com eles, aqui como "esposa de Mandos", embora, mais tarde, como irmã dos Fëanturi. A concepção original de Nienna era, de fato, mais sombria e amedrontadora — uma deusa da morte associada intimamente a Mandos — do que se tornou depois. Percebe-se que as relações incertas de Ossë e Ulmo remontam ao início; mas a altivez e indiferença de Ulmo desapareceram subsequentemente, pelo menos como característica explicitamente descrita de seu "caráter" divino. Vána já era esposa de Oromë, mas Oromë era filho de Aulë e (Yavanna) Palúrien; na evolução posterior dos mitos, Vána desceu na hierarquia em relação a Nienna, ao passo que Oromë foi alçado, tornando-se, por fim, um dos grandes Valar, os *Aratar*.

De particular interesse é o trecho a respeito da hoste de espíritos menores que acompanhou Aulë e Palúrien, donde se vê quão antiga é a noção de que os Eldar são muito dessemelhantes em natureza a "fatas, trasgos, duendes", visto que os Eldar são "do mundo" e presos a ele, enquanto os outros são seres anteriores à feitura do mundo. No trabalho posterior, não há qualquer vestígio de tal explicação sobre o elemento "trasgo" na população do mundo: os Maiar mal são mencionados, e certamente não se diz que incluem esses seres que "cantam em meio à grama pela manhã e entoam canções em meio ao trigo em pé à tardinha".*

Salmar, companheiro de Ulmo, que apareceu em *A Música dos Ainur* (p. 78), é agora identificado como *Noldorin*, o qual fora mencionado por Vairë em *O Chalé do Brincar Perdido* (p. 27); tanto quanto é possível se discernir de sua história será relatado depois. Escritos subsequentes nada dizem dele, exceto que veio com Ulmo e que fez suas trompas (*O Silmarillion*, p. 70).

No desenvolvimento posterior dessa narrativa, não há menção a Tulkas (ou Mandos!) saindo à procura de Melkor bem no começo da história dos Valar em Arda. Em *O Silmarillion* (p. 63), descobrimos, antes, sobre a grande guerra entre os Valar e Melkor "antes que Arda estivesse de todo moldada", e que foi a chegada de Tulkas do "firmamento distante" que o afugentou, de modo que ele abandonou Arda, mas "conspirava na escuridão de fora".

(ii) A concepção inicial das Terras Ocidentais e dos Oceanos

Em *O Chalé do Brincar Perdido*, a expressão "Terras de Fora" foi usada para as terras a leste do Grande Mar, a posterior Terra-média; isso foi, então, alterado para "Grandes Terras" (p. 32, nota 2). As "Terras de Fora" são definidas, agora, como as Ilhas do Crepúsculo, Eruman (ou Arvalin) e Valinor (p. 89). Um uso curioso, que frequentemente aparece nos *Contos Perdidos*, é a identificação do "mundo" com as Grandes Terras, ou com a superfície inteira da terra a leste das Terras de Fora; assim, as montanhas "torreavam poderosamente entre Valinor e o mundo" (p. 91), e o Rei Inwë ouviu "o lamento do mundo" (p. 27).

---

*Ver *O Silmarillion*, p. 57: "Com os Valar vieram outros espíritos, cujo ser também começou antes do Mundo, da mesma ordem que os Valar, mas de menor grau. Esses são os Maiar, o povo dos Valar, e seus serviçais e ajudantes. Seu número não é conhecido dos Elfos, e poucos têm nomes em qualquer das línguas dos Filhos de Ilúvatar." Uma versão anterior dessa passagem diz: "Muitos espíritos menores trouxeram eles [os Valar] em seu séquito, tanto grandes como pequenos, e alguns desses os Homens confundiram com os Eldar, ou Elfos; mas em erro, pois existiam antes do mundo, mas os Elfos e os Homens despertaram primeiro no mundo após a vinda dos Valar."

É conveniente reproduzir aqui um mapa (p. 105), o qual, na verdade, aparece no texto de um conto posterior (*O Roubo de Melko e o Obscurecer de Valinor*). Esse mapa, desenhado em uma página manuscrita com o texto escrito em torno dele, não passa de um rabisco apressado com lápis macio, agora apagado e esmaecido e, em diversos pontos, difícil ou impossível de interpretar. Eu o redesenhei tão precisamente quanto pude, sendo que os únicos elementos perdidos são algumas letras indecifráveis (começando com M) precedendo a palavra *Gelo*. Acrescentei as letras *a*, *b*, *c* etc. para tornar a discussão mais fácil de acompanhar.

Utumna (posteriormente Utumno) está localizada no extremo Norte, a norte de Ringil, o pilar da lamparina; parece, por este mapa, que a localização do pilar meridional ainda não fora decidida. O quadrado marcado com *a* é, obviamente, Valmar, e eu entendo que os dois pontos marcados com *b* são as Duas Árvores, das quais se diz, mais tarde, que ficavam a norte da cidade dos Deuses. O ponto marcado com *c* é, claramente, o domínio de Mandos (ver p. 98, onde se diz que Vefántur Mandos e Fui Nienna imploraram a Aulë que lhes escavasse um salão "sob as raízes das mais frias e setentrionais Montanhas de Valinor");* é difícil que o ponto ao sul deste represente o salão de Makar e Meássë, visto que se diz (p. 100) que, embora não fosse muito longe de Mandos, ficava "no confim das Terras de Fora".

A área que marquei com *h* é Eruman / Arvalin (que, no fim, acabou sendo chamada de Avatar), anteriormente *Habbanan* / *Harmalin* (*Harwalin*), que são simples alternativas (ver p. 101).

---

*Em *O Silmarillion* (p. 54), os salões de Mandos ficavam "a oeste de Valinor". O texto final do *Valaquenta* dizia, na verdade, "a norte", mas eu alterei isso para "a oeste" na obra publicada (e, de modo semelhante, "norte" para "oeste" na p. 84 de *O Silmarillion*), com base na afirmação, na mesma passagem, de que os salões de Nienna estão "a oeste do Oeste, sobre as fronteiras do mundo", mas que estão mais perto dos de Mandos. Em outros trechos, fica claro que os salões de Mandos foram concebidos como estando nas costas do Mar de Fora; ver *O Silmarillion*, p. 254: "Pois o espírito de Beren, a pedido dela, demorou-se nos salões de Mandos […] até que Lúthien viesse dizer seu último adeus, nas costas escuras do Mar de Fora, de onde os Homens que morrem partem para nunca mais retornar". As noções de "a norte de Valinor" e "nas costas do Mar de Fora" não são, contudo, contraditórias, e eu me arrependo desse fragmento de intervenção editorial injustificada.

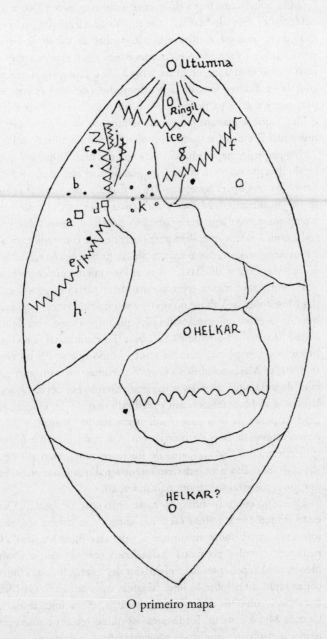

O primeiro mapa

Mais tarde, num mapa do mundo feito nos anos 1930, a costa ocidental do Grande Mar faz uma curva suave e regular para oeste, indo de norte a sul, enquanto as Montanhas de Valinor se curvam praticamente no sentido oposto, para o leste,)(; no ponto em que as duas curvas se juntam, no meio, estão Túna e Taniquetil. Duas porções de terra com o formato de Vs alongados, portanto, estendem-se para norte e sul a partir do ponto mediano, entre as Montanhas e o Mar, e que se afastam progressivamente uma da outra; e estas são nomeadas Eruman (na direção norte) e Arvalin (na direção sul).

No pequeno mapa primitivo, a linha das montanhas já é assim, sendo descrita no texto como "um grande anel que se curva para o oeste" (a curva é para oeste se as extremidades, e não a porção central, forem consideradas). Mas a curva da costa é diferente. Infelizmente, o pequeno mapa é aqui muito obscuro, pois há diversas linhas (marcadas com *j*) que se estendem para norte de Kôr (marcada com *d*), e é impossível discernir se as marcas ali são indicações de exclusão ou se representam cordilheiras paralelas. Mas eu penso que, na verdade, essas linhas meramente representam ideias variantes para a curva das Montanhas de Valinor no norte; e restam-me poucas dúvidas de que, nessa época, meu pai não tinha qualquer ideia acerca de uma região "deserta" a norte de Kôr e a leste das montanhas. Essa interpretação do mapa está bem de acordo como que se diz no conto (p. 89): "os Mares Sombrios a norte de Eruman formam uma vasta baía, de modo que as ondas se quebram mesmo aos pés das grandes falésias, e as Montanhas ficam ao lado do mar", e Taniquetil "olha desde a ponta da baía para o sul, atravessando Eruman, e para o norte, através da Baía de Feéria". Por essa visão, o nome *Eruman* (posteriormente *Araman*), que de início era uma alternativa para *Arvalin*, foi usado para o deserto setentrional quando o plano para as regiões costeiras se tornou mais simétrico.

Diz-se no conto (p. 88) que "nesse vasto corpo d'água do Oeste estão muitas terras e ilhas menores, antes de se chegar aos mares solitários, cujas ondas sussurram à volta das Ilhas Mágicas". Os pequenos círculos no mapa (assinalados com *k*) são, evidentemente, uma representação esquemática desses arquipélagos (outras coisas serão ditas sobre as Ilhas Mágicas mais adiante). Os Mares Sombrios, como se esclarecerá mais tarde, eram uma região do Grande Mar a oeste de Tol Eressëa. As outras letras no mapa referem-se a elementos que ainda não entraram na narrativa.

Neste conto, deparamo-nos com a importante ideia cosmológica dos Três Ares, Vaitya, Ilwë e Vilna, e do Oceano de Fora, sem marés, de águas frescas e "ralas". Foi dito em *A Música dos Ainur* (p. 78) que Ulmo habita no Oceano de Fora, e que deu a Ossë e Ónen "o controle das ondas e dos mares menores"; ali, ele é chamado de "o ancião de Vai" (uma emenda a partir de Ulmonan). Vê-se agora que *Ulmonan* é o nome dos seus salões no Oceano de Fora, e também que os "mares menores" controlados por Ossë e Ónen incluem o Grande Mar (p. 88).

Existe um desenho muito antigo e muito notável, no qual o mundo é visto em corte, apresentado como um imenso navio "viking" com o mastro se erguendo desde o ponto mais alto das Grandes Terras, uma única vela no que são o Sol e a Lua, cordas amarradas a Taniquetil e a uma grande montanha no extremo Leste, e uma proa curvada (as marcas pretas no navio são um borrão de tinta). Esse desenho foi feito muito rapidamente com lápis macio em uma folha pequena, e está intimamente relacionado à cosmologia dos *Contos Perdidos*.

Incluo aqui uma lista dos nomes e palavras escritas nesse desenho com seus significados, até onde é possível determiná-los (mas sem quaisquer detalhes etimológicos, para os quais consulte o Apêndice de Nomes, no qual nomes e palavras que ocorrem somente neste desenho são fornecidos em verbetes separados).

I Vene Kemen Este é claramente o título do desenho; talvez signifique "A Forma da Terra" ou "O Navio da Terra" (ver o Apêndice de Nomes, verbete *Glorvent*).
Nūme "Oeste".
Valinor; Taniquetil (A altura prodigiosa de Taniquetil, mesmo considerando-se a forma desse desenho, é notável: ela é descrita no texto (p. 89) como sendo tão alta que "as multidões nos portos a oeste, nas terras dos Homens, podiam ser vistas dali". Sua altura fantástica pode ser percebida na aquarela de meu pai, datada de 1927-8 (*Pictures of J.R.R. Tolkien*, n. 31).)*

---

* Cf. a p. 493 da edição brasileira de *O Silmarillion*, com a explicação sobre essa aquarela, *Halls of Manwë on the Mountains of the World above Faerie (Taniquetil)*, que figura na capa do livro. [N. T.].

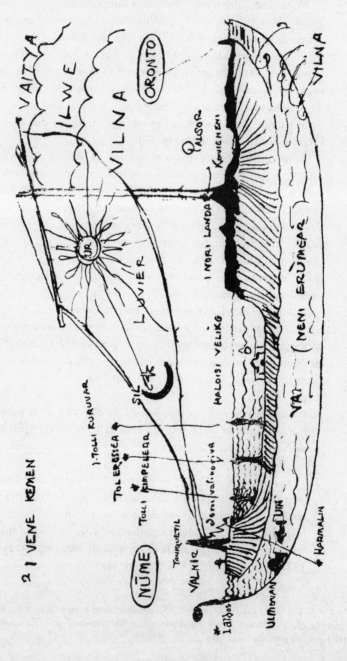

Harmalin Nome anterior de *Arvalin* (ver p. 101).
i aldas "As Árvores" (a oeste de Taniquetil).
Toros valinoriva Toros é obscuro, mas, de todo modo, a primeira letra da primeira palavra, se é que é um T, é pouquíssimo característica. A referência parece ser às Montanhas de Valinor.
Tolli Kimpelear Devem ser as Ilhas do Crepúsculo, mas não encontrei outra ocorrência de *Kimpelear* ou qualquer coisa parecida.
Tol Eressëa "A Ilha Solitária".
I Tolli Kuruvar "As Ilhas Mágicas".
Haloisi Velike "O Grande Mar".
Ô "O Mar". (O que é a estrutura no fundo do mar, abaixo do nome *Ô*? Certamente é a morada de Ossë sob o Grande Mar mencionada no conto seguinte [p. 134].)
I Nori Landar Provavelmente significa "As Grandes Terras".
Koivienéni Precursor de *Cuiviénen*, as Águas do Despertar.
Palisor A terra onde os Elfos despertaram.
Sil "Lua".
Ûr "Sol".
Luvier "Nuvens".
Oronto "Leste".
Vaitya, Ilwë e *Vilna* aparecem nas três camadas descritas no conto (p. 86), e Vilna reaparece no canto inferior direito do desenho. Nada se diz, nos *Contos Perdidos*, para explicar esse último elemento, e nem está muito evidente o que as linhas encaracoladas no mesmo lugar representam (ver p. 110).
Ulmonan Os salões de Ulmo.
Uin A Grande Baleia, que aparece mais adiante nos *Contos*.
Vai O Oceano de Fora.
Neni Erùmear "Águas Extremas" = *Vai*.

É possível ver pelo desenho que o mundo flutua *dentro de* e *sobre* Vai. É assim que, de fato, Ulmo descreve aos Valar em um conto posterior (p. 258):

Vede, há apenas um Oceano, e este é Vai, pois aqueles que Ossë toma por oceanos não são senão mares, águas que repousam nas fossas da rocha [...] Neste vasto corpo d'água flutua a ampla Terra, sustentada pelo verbo de Ilúvatar [...]

No mesmo trecho, Ulmo fala das ilhas nos mares, e diz que ("salvo umas poucas que nadam ainda livres") elas "repousam agora como pináculos desde suas algosas profundezas", como também se vê no desenho.

Parece ser uma ideia plausível que haja alguma conexão (tanto física quanto etimológica) entre *Vai* e *Vaitya*, o mais exterior dos Três Ares, "que circunda, escuro e vagaroso, o lado de fora do mundo" (mais adiante nos *Contos*, p. 219, há uma referência ao "escuro e tênue reino de Vaitya, que está fora de tudo"). Na "fase" seguinte da cosmologia mítica (datando dos anos 1930, clara e completamente documentada e ilustrada em um trabalho chamado *Ambarkanta*, A Forma do Mundo), o mundo inteiro está contido dentro de *Vaiya*, uma palavra que significa "embrulho, envoltório"; Vaiya é "mais como mar debaixo da Terra e mais como ar acima da Terra" (o que combina com a descrição das águas de Vai (p. 89) como sendo muito "ralas", de modo que nenhum barco pode velejar e nenhum peixe pode nadar nelas, salvo os peixes encantados de Ulmo e sua carruagem); e em Vaiya, abaixo da Terra, habita Ulmo. Assim, Vaiya é, em partes, um desenvolvimento de Vaitya e, em partes, de Vai.

Ora, visto que na mais antiga lista de palavras do idioma qenya (ver o Apêndice de Nomes) tanto *Vaitya* ("o ar mais exterior além do mundo") quanto *Vai* ("o oceano de fora") derivam do radical *vaya-* "envolver", e como se diz, no presente conto, que Vaitya "circunda o lado de fora do mundo", pode-se pensar que Vaitya-Vai, já na cosmologia inicial, era uma substância envolvente contínua, e que a cosmologia posterior, neste ponto, apenas torna explícito o que já estava presente de maneira não expressa nos *Contos Perdidos*. Mas certamente não há indício real dessa ideia em qualquer escrito primitivo; e, quando olhamos novamente o desenho, ela parece insustentável. Pois Vai, obviamente, *não* é uma continuação de Vaitya; e se a aparição de Vilna na parte de baixo do desenho significar que a Terra *e* o oceano Vai dentro do qual e sobre o qual ela flutua estavam contidos nos Três Ares — dos quais vemos o mais interior (Vilna) reaparecer embaixo da terra e de Vai —, então a ideia de que Vaitya-Vai eram contínuos fica ainda mais enfaticamente confusa.

Permanece o desconcertante questionamento acerca da representação do mundo como um navio. Em apenas um lugar há uma sugestão de que meu pai concebia o mundo dessa maneira: no trecho que citei acima, em que Ulmo fala aos Valar sobre Vai, ele conclui:

Ó Valar, vós não conheceis todas as maravilhas, e muitas cousas secretas há por *debaixo da quilha escura da Terra*, lá onde estão meus grandes salões de Ulmonan, das quais nunca sonhastes.

Mas, no desenho, Ulmonan não está sob a quilha do navio: está dentro do casco; e inclino-me a pensar que as palavra de Ulmo, "debaixo da quilha escura da Terra", se referem à forma da própria Terra, que certamente se assemelha a um navio. Ademais, um exame atento do desenho original sugere-me fortemente que o mastro e a vela, e ainda mais claramente a proa curvada, *foram acrescentados depois*. Será possível que o formato da Terra e de Vai, conforme ele havia desenhado — parecido com o casco de um navio —, fez com que meu pai acrescentasse mastro, vela e proa como um *jeu d'esprit*, sem qualquer significado mais profundo? Não me parece característico dele, e nem provável, mas não tenho outra explicação para dar.*

(iii) As Lamparinas (pp. 90–1)

Nesta parte da narrativa, o conto difere notavelmente das versões posteriores. Aqui não há qualquer menção à morada dos Valar na Ilha de Almaren após a feitura das Lamparinas (*O Silmarillion*, p. 64), e nem, é claro, do retorno de Melko do "exterior" — porque aqui Melko não apenas não deixou o mundo após entrá-lo, mas, na verdade, foi justamente ele quem fez os pilares das Lamparinas. Nesta história, embora Melko tivesse a desconfiança de alguns, sua cooperação insidiosa (até mesmo a ponto de dar os nomes para os pilares) foi aceita, enquanto na história posterior, sua hostilidade e malícia eram conhecidas e evidentes aos Valar, mesmo que eles não soubessem de seu retorno a Arda e da construção de Utumno até ser tarde demais. No presente conto, há uma trapaça, uma astúcia baixa, no comportamento de Melko que não poderia sobreviver (e, no entanto, a história de seu engodo ao fazer os pilares de gelo sobreviveu nas versões dos anos 30).

---

* Se for esse o caso, e se *I Vene Kemen* significar "O Navio da Terra", então esse título deve ter sido acrescentado ao desenho ao mesmo tempo que o mastro, a vela e a proa. — No caderninho que mencionei na pp. 34–5, há uma nota isolada: "Mapa do Navio do Mundo".

Mais tarde, foram as próprias Lamparinas que receberam nomes (no fim, depois que outras formas foram criadas e descartadas, *Illuin* foi o nome da Lamparina setentrional e *Ormal*, da meridional). Em *O Silmarillion* (p. 80), Ringil (contendo *ring*, "frio") sobreviveu apenas como o nome da espada de Fingolfin, mas Helcar é o nome do Mar Interior que "ficava onde outrora as raízes da montanha de Illuin estiveram". No presente conto, Helcar era o nome do pilar do sul, e não do norte. Ora, *helkar* significava "frio extremo" (ver o Apêndice de Nomes), o que mostra que Helcar ficava, originalmente, no extremo sul (como mostrado em uma das duas posições atribuídas a ele no pequeno mapa da p. 105), assim como Ringil ficava no extremo norte. No conto, não há referência à formação de Mares Interiores quando da queda das Lamparinas; essa ideia apareceu mais tarde, mas parece virtualmente certo que ela surgiu a partir da história do derretimento dos pilares de gelo.

Não há referência posterior à construção das Montanhas de Valinor a partir de grandes rochas ajuntadas em Eruman / Arvalin, de modo que aquela região ficou aplainada e sem pedras.

(iv) As Duas Árvores (pp. 92–4)

Este primeiro relato do nascer das Duas Árvores joga luz sobre alguns elementos de versões posteriores, mais concisas em expressão. Nota-se que o elemento permanente de que a terra debaixo de Silpion (Telperion) era "salpicada com a sombra de suas folhas farfalhantes" (*O Silmarillion,* p. 67) teve sua origem no "pulsar do coração da árvore". A noção de luz como substância líquida que "respingava na terra", que corria em rios e foi derramada em caldeirões, ainda que não tenha sido perdida na obra publicada, está expressa aqui de maneira muito mais forte e física (p. 91). Alguns elementos nunca foram alterados, como as flores em cachos de Laurelin e as bordas refulgentes de suas folhas.

Por outro lado, há diferenças notáveis entre este relato e os posteriores: o mais importante, talvez, é que Laurelin foi, na origem, a Árvore Mais Velha. As Duas Árvores tinham, aqui, períodos de doze horas, e não sete, como posteriormente;* e os preparativos dos Valar

---

* As palavras de Palúrien (p. 94) — "esta árvore, *quando as doze horas de sua luz plena se houverem passado*, há de minguar novamente" — parece implicar uma duração maior do que doze horas; mas, provavelmente, o período de desvanecimento

para o nascimento das Árvores, com todos os detalhes de "magia" física, foram abandonados mais tarde. Os dois grandes "caldeirões", Kulullin e Silindrin, sobreviveram nos "grandes tonéis feito lagos brilhantes" nos quais Varda guardava "os orvalhos de Telperion e a chuva que caía de Laurelin" (*O Silmarillion*, p. 68), embora os nomes tenham desaparecido, assim como a necessidade de "regar" as Árvores com a luz acumulada nos tonéis, ou caldeirões — ou, pelo menos, não se a menciona posteriormente. Urwen ("Donzela-do--Sol") foi precursora de Arien, a Maia do Sol; e Tilion, timoneiro da Lua em *O Silmarillion*, que "jazia sonhando à beira das lagoas de Estë [esposa de Lórien], sob as luzes bruxuleantes de Telperion", talvez deva algo à figura de Silmo, amado por Lórien.

Como eu notei anteriormente, "na evolução posterior dos mitos, Vána desceu na hierarquia em relação a Nienna" e, aqui, é Vána e (Yavanna) Palúrien que agem como doulas no nascimento das Árvores e não, como posteriormente, Yavanna e Nienna.

No que diz respeito aos nomes das Árvores, *Silpion* foi por muito tempo o nome da Árvore Branca; *Telperion* não apareceu até muito tempo depois e, mesmo assim, *Silpion* foi mantido e é mencionado em *O Silmarillion* (p. 67) como um de seus nomes. *Laurelin* remonta ao início e nunca foi alterado, mas seu outro nome nos *Contos Perdidos*, *Lindeloksë* e outras formas semelhantes, não foi mantido.

(v) As Moradas dos Valar (pp. 95 ss.)

Esse relato acerca das mansões dos Valar perdeu-se, em larga medida, nas versões subsequentes. No trabalho publicado, nada se diz da morada de Manwë, exceto que seus salões estão "acima da neve sempiterna, sobre Oiolossë, a última torre de Taniquetil" (*O Silmarillion*, p. 52). Aqui aparece, nesse momento, Sorontur, Rei das Águias, visitante nos salões de Manwë (*ibid.*, p. 159: "Pois Manwë, a quem todas as aves são caras e a quem elas trazem notícias, sobre Taniquetil, da Terra-média, enviara a raça das Águias"); ele, na verdade, já havia aparecido no conto *A Queda de Gondolin* como "Thorndor [um nome gnômico], Rei das Águias, a quem

---

não foi contado. Em uma lista anotada de nomes do conto *A Queda de Gondolin*, diz-se que Silpion iluminava toda Valinor com luz prateada, por "metade das vinte e quatro horas".

os Eldar chamam de Ramandur", sendo que Ramandur foi subsequentemente corrigido para Sorontur.

Acerca de Valmar e as moradas dos Valar na cidade, quase nada sobreviveu nos escritos posteriores, e apenas algumas frases aqui e ali permanecem (as "ruas doiradas" e "domos prateados" de Valmar, "Valmar de muitos sinos"), indicando a solidez da descrição original, na qual a casa de Tulkas, com muitos andares, tinha uma torre de bronze, e os salões de Oromë eram sustentados por árvores vivas com troféus e galhadas penduradas nos troncos. Isso não significa que toda essa inventividade fora abandonada definitivamente: como eu disse no Prefácio, os *Contos Perdidos* foram seguidos por uma versão tão comprimida que mal passava de um resumo (e essa era a intenção), e o desenvolvimento posterior partiu daí — um processo de re-expansão. Muitas coisas jamais mencionadas novamente após os *Contos Perdidos* talvez tenham continuado a existir em estado de suspensão, por assim dizer. Valmar certamente continuou sendo uma cidade, com portões, ruas e moradias. Mas, no contexto do trabalho posterior, é difícil imaginar que o tempestuoso Ossë tivesse uma casa em Valmar, ainda que seus pisos fossem de água do mar e o telhado, de espuma; e, é claro, o salão de Makar e Meássë (onde o cotidiano descrito deve algo aos mitos da Batalha Eterna na antiga Escandinávia) desapareceu assim que as divindades também desapareceram — uma "facção de Melko" dentro de Valinor certamente se provaria um embaraço.

Vários elementos das descrições originais permanecem: a raridade das visitas de Ulmo a Valmar (ver *O Silmarillion*, p. 70), a frequência com que Oromë e Palúrien se encontram "mundo afora" (*ibid.*, pp. 56, 71, 78), a associação dos jardins de Lórien com Silpion e dos jardins de Vána com Laurelin (*ibid.*, p. 145); e percebe-se que muito do que é dito aqui sobre os "caracteres" divinos permaneceu, ainda que expresso de maneira diferente. Nessa, já como esposa de Tulkas e irmã de Oromë, aparece aqui como superior na dança; e Ómar-Amillo é agora identificado como irmão de Noldorin-Salmar. Em outro lugar (ver p. 119), Nielíqui aparece como filha de Oromë e Vána.

(vi) Os Deuses da Morte e a Sina de Elfos e Homens (pp. 98–9)
Essa parte do conto traz os elementos mais surpreendentes e difíceis. Mandos e sua esposa, Nienna, aparecem no relato da chegada dos Valar ao mundo no início do conto (p. 87), onde são chamados

de "Fantur da Morte, Vefántur Mandos" e "Fui Nienna", "senhora da morte". No presente trecho, diz-se que Vefántur deu seu próprio nome, Vê, à sua morada, ao passo que mais tarde (*O Silmarillion*, p. 54) ele é chamado pelo nome de sua habitação; mas, no escrito inicial, há uma distinção entre a região (Mandos) e os salões (Vê e Fui) dentro dela. Não há vestígio de Mandos como "Sentenciador dos Valar", que "pronuncia suas sentenças e seus julgamentos apenas a pedido de Manwë", um dos mais notáveis aspectos da concepção posterior desse Vala; e, como Nienna é esposa de Mandos, Vairë, a Tecelã — sua esposa na história posterior — não apareceu, com suas tapeçarias que retratam "todas as coisas que já existiram no Tempo" e que revestem os salões de Mandos "que sempre se alargam conforme as eras passam" — nos *Contos Perdidos*, o nome Vairë é dado a uma Elfa de Tol Eressëa. Aqui, as tapeçarias "retratando as coisas que foram e hão de ser" encontram-se nos salões de Aulë (p. 95).

O mais importante nesse trecho sobre Mandos é a afirmação clara sobre a sina dos Elfos quando morrem: que eles esperam nos salões de Mandos até que Vefántur os libere para que renascessem em seus próprios filhos. Essa última ideia já aparecera no conto da *Música dos Ainur* (p. 79), e permaneceu inalterada por muitos anos na concepção de meu pai sobre a "imortalidade" élfica; de fato, a ideia de que os Elfos poderiam morrer apenas por ferimentos de armas ou por pesar nunca foi alterada — ela apareceu também em *A Música dos Ainur* (*ibid.*): "os Eldar habitam até o Grande Fim, a menos que sejam assassinados ou feneçam de pesar", um trecho que sobreviveu com pouca alteração em *O Silmarillion* (p. 72).

No relato acerca de Fui Nienna, contudo, deparamo-nos com ideias em profunda contradição com o pensamento central da mitologia posterior (e, nesse trecho, há também um traço de outro tipo de concepção mítica, nas "imagens" do "destilar dos humores salinos donde vêm as lágrimas" e as nuvens negras tecidas por Nienna, que se assentam sobre o mundo como "desesperos e pesares sem esperança, tristezas e cegas aflições"). Aqui, descobrimos que Nienna é a juíza dos Homens em seus salões, os quais são chamados de *Fui* devido ao seu próprio nome; e alguns ela mantém na região de Mandos (onde fica seu salão), ao passo que a maior parte ela embarca no navio negro Mornië — que nada mais faz do que levar esses mortos pela costa até Arvalin, onde eles ficam a vagar no ocaso até o fim do mundo. Mas outros ainda são enviados e agarrados por Melko, enfrentando "dias malignos" em Angamandi (em que sentido eles são mortos, ou mortais?); e (o mais extraordinário) há uns poucos que vão viver entre os Deuses em Valinor. Estamos, neste ponto, muito longe da Dádiva de Ilúvatar, pela qual os Homens não estão presos ao mundo, mas o deixam sem que ninguém saiba para onde vão;* e esse é o verdadeiro significado de Morte (pois a morte dos Elfos é uma "morte aparente", *O Silmarillion*, p. 72): a saída derradeira e inescapável.

Mas um pouco de luz, mesmo que uma luz muito nebulosa, pode ser jogada sobre a ideia de Homens que, após a morte, ficam vagando no ocaso de Arvalin, onde acampam como podem e "aguardam pacientemente até que chegue o Grande Fim". Preciso fazer referência aqui a detalhes dos nomes alterados dessa região, fornecidos na p. 81. Depreende-se claramente das primeiras listas de palavras, ou dicionários, das duas línguas (ver Apêndice de Nomes) que o significado de *Harwalin* e *Arvalin* (e, provavelmente, também de *Habbanan*) era "próxima a Valinor" ou "próxima aos Valar". Do dicionário gnômico, surge a informação de que o significado de *Eruman* era "além das moradas dos Mánir" (ou seja, ao sul de Taniquetil, onde moravam os espíritos do ar de Manwë), e esse dicionário também deixa claro que a palavra *Mánir* era relacionada ao gnômico *manos*, definido como "um espírito que partiu para os Valar ou para Erumáni", e *mani*, "bom, sagrado". A importância dessas conexões etimológicas é muito obscura.

Mas também há um poema muito antigo que trata dessa região. De acordo com as anotações de meu pai, ele foi escrito no Acampamento Brocton, Staffordshire, em dezembro de 1915, ou em Étaples, em junho de 1916; e seu título é *Habbanan sob as Estrelas*. Em um dos três textos (entre os quais não há variantes), há um título em inglês antigo: *pā gebletsode* ["abençoado"] *felda under pām*

---

*Ver *O Silmarillion*, p. 152: "Alguns dizem que eles [os Homens] também vão para os salões de Mandos; mas seu lugar de espera ali não é aquele dos Elfos, e somente Mandos, sob Ilúvatar, salvo Manwë, sabe para onde vão depois do tempo de recolhimento naqueles salões silenciosos à beira do Mar de Fora." E também *ibid.*, p. 254: "Pois o espírito de Beren, a pedido dela, demorou-se nos salões de Mandos, não querendo deixar o mundo até que Lúthien viesse dizer seu último adeus, nas costas escuras do Mar de Fora, de onde os Homens que morrem partem para nunca mais retornar."

steorrum, e em dois deles, *Habbanan* no título foi corrigido para *Eruman*; no terceiro, *Eruman* foi originalmente escrito. O poema é precedido por um pequeno preâmbulo em prosa.

Habbanan sob as Estrelas

Ora, Habbanan é aquela região onde se aproxima dos locais que não são dos Homens. Ali o ar é dulcíssimo e o céu, grandioso, por conta da amplidão da Terra.

    Em Habbanan, sob astros mil,
    Lá onde acabam-se as estradas,
    Plangente violão se ouviu,
    E os ecos de longes toadas,
    Pois homens lá fazem ciranda
    Ao fogo rubro, e há alguém que canta —
    E tudo em volta é noite.

            ☙

    Não noite como a nossa, triste:
    Nos baixios turvos junto à Terra
    A luz das estrelas a bruma encerra,
    E um fumo serpeante existe
    Cobrindo com seu fino véu
    O abismal Sereno do céu.

            ☙

    No orbe fusco e vítreo com luz sem fim
    Voam ventos de ocaso até o confim;
    Espaços virgens na planície olente
    Que olha a lua há tanto tempo dormente
    E cata a chuva de estrelas cadentes —
    Lá a noite é assim.

            ☙

    De súbito, notou meu coração
    Que quem cantava essa canção
    Quem falava às estrelas claras
    Com a música de violas raras,
    Eram Seus felizes rebentos

> Vagando em prado venturoso,
> Onde Seus puros indumentos
> Cobrem regaço glorioso.ᴬ

☙

Uma evidência final vem da antiga lista de palavras em qenya. A primeira leva de verbetes nesta lista data, acredito (ver Apêndice de Nomes), de 1915 e, entre esses verbetes originais, em uma raiz *mana* (da qual o nome *Manwë* é derivado), há a palavra *manimo*, que significa uma alma que está no *manimuine*, "Purgatório".

Esse poema, e esse verbete na lista, fornecem um vislumbre raro e muito sugestivo da concepção mítica na sua fase inicial; pois estão explícitas aqui ideias retiradas da teologia cristã. É desconcertante perceber que elas ainda estão presentes no conto. Pois nele há um relato das sinas dos Homens mortos após o julgamento no salão negro de Fui Nienna. Alguns ("e esses são a maioria") são levados pelo navio-da-morte até (Habbanan) Eruman, onde ficam vagando no ocaso e aguardando pacientemente até o Grande Fim; outros são agarrados por Melko e atormentados em Angamandi, "os Infernos de Ferro"; e uns poucos vão morar com os Deuses em Valinor. Considerados o poema e a evidência dos antigos "dicionários", poderia isso ser outra coisa além de um reflexo do Purgatório, Inferno e Paraíso?

Isso se torna ainda mais extraordinário se fizermos alusão ao trecho que conclui o conto *A Música dos Ainur* (p. 79), no qual Ilúvatar diz: "aos Homens eu darei um novo dom, e maior", o dom de que eles poderiam "moldar e delinear suas vidas além mesmo da Música original dos Ainur, que é como sina para todas as coisas outras", e onde se diz que "é parte desse dom de poder que os Filhos dos Homens habitem vivos apenas por um intervalo curto no mundo e, contudo, não pereçam completamente para sempre [...]". Na forma final, publicada em *O Silmarillion*, pp. 71–2, esse trecho não foi extremamente modificado. A versão inicial não tem, é verdade, as frases:

> Mas os filhos dos Homens morrem de fato e deixam o mundo; por isso, são chamados os Hóspedes, ou os Forasteiros. A morte é sua sina, o dom de Ilúvatar, o qual, conforme se desgasta o Tempo, até os Poderes hão de invejar.

Ainda assim, parece claro que essa ideia central, o Dom da Morte, já estava presente.

Devo deixar esse assunto de lado, como um enigma que não consigo resolver. A explicação mais óbvia para o conflito de ideias dentro desses contos seria supor que *A Música dos Ainur* é posterior ao conto *A Vinda dos Valar e a Construção de Valinor*; mas, como eu disse (p. 81), todos os indícios sugerem o contrário.

Por fim, pode-se notar a característica ironia linguística pela qual *Eruman* se tornou, afinal, *Araman*. Pois *Arvalin* significava, simplesmente, "próxima de Valinor", e era o outro nome, *Eruman*, que trazia associações com os espíritos dos mortos; mas *Araman* quase com certeza significa tão somente "ao lado de Aman". E, contudo, o mesmo elemento, *man-* ("bom"), permanece, pois *Aman* deriva dele ("o Estado Imaculado").*

Resta notar dois assuntos menores na conclusão do conto. Aqui, Nornorë é o Arauto dos Deuses; Fionwë (que se tornou Eönwë) desempenhou esse papel posteriormente (ver p. 83). E, em relação àquela "baixada entre as colinas, onde Valinor pode ser vislumbrada", próximo a Taniquetil, temos a primeira menção à fenda nas Montanhas de Valinor, onde ficava a colina da cidade dos Elfos.

Em páginas em branco, perto do fim do texto deste conto, meu pai escreveu uma lista de nomes secundários dos Valar (como Manwë *Súlimo* etc.). Alguns desses nomes aparecem no texto dos *Contos*; os que não aparecem estão incluídos no Apêndice de Nomes, sob os nomes primários. Surge dessa lista a informação de que Ómar-Amillo é irmão gêmeo de Salmar-Noldorin (eles são chamados de irmãos no conto, p. 97); de que Nielíqui (p. 97) é filha de Oromë e Vána; e de que Melko tem um filho ("de Ulbandi") chamado Kosomot: este, conforme se tornou mais tarde, era Gothmog, Senhor de Balrogs, que Ecthelion matou em Gondolin.

---

*A esse respeito, ver *A Natureza da Terra-média*, pp. 203–04. [N. T.].

4

O ACORRENTAMENTO DE MELKO

Após o final do conto de Rúmil sobre *A Vinda dos Valar e a Construção de Valinor*, há um longo interlúdio antes do conto seguinte, embora o manuscrito continue sem que haja sequer uma quebra de parágrafo. Mas, na capa do caderno, *O Acorrentamento de Melko* está assinalado como um título separado, e assim o adotei. O texto continua a tinta sobre um manuscrito a lápis apagado.

Naquela noite, Eriol ouviu novamente, em seu sono, a música que tanto o havia comovido na primeira noite; e, na manhã seguinte, voltou cedo para os jardins. Lá encontrou Vairë, e ela o chamou de *Eriol*: "foi a criação e a primeira vez que pronunciaram aquele nome". Eriol contou a Vairë sobre as "músicas oníricas" que tinha ouvido, e ela lhe disse que não era música onírica, mas, antes, a flauta de Timpinen, "a quem os Gnomos Rúmil e Pequeno--Coração, e outros de minha casa, chamam de Tinfang". Ela lhe disse que as crianças o chamavam de Tinfang Trinado; e que ele tocava e dançava nos crepúsculos de verão por júbilo das primeiras estrelas: "a cada nota, faísca e brilha uma nova. Os Noldoli dizem que elas aparecem cedo demais se Tinfang Trinado toca, e eles o amam, e as crianças olham amiúde pelas janelas para que ele não caminhe despercebido pelos relvados ensombrados". Ela disse a Eriol que ele era "mais esquivo do que um cervo — rápido como um arganaz para se esconder e fugir: uma passada num galho e ele vai embora, e seu flautear chega zombeteiro de longe".

"E uma maravilha de feitiçaria vive naquele flautear," disse Eriol, "se for isso mesmo que ouvi nessas duas noites aqui."

"Não há feitiçaria alguma," disse Vairë, "nem mesmo dos Solosimpi, que conseguem rivalizar com ele nisso, se bem que esses flautistas dizem que ele é de sua gente; e, no entanto, diz-se em todo lugar que esse espírito excêntrico não é nem todo dos Valar nem dos Eldar, mas metade fata dos bosques e vales, um dos grandes companheiros dos filhos de Palúrien, e metade Gnomo, ou um Flautista das Terras Costeiras.[1] Seja lá o que for, é uma criatura maravilhosa, sábia e estranha, e veio para cá com os Eldar há muito tempo, sem marchar nem repousar entre eles, mas vindo sempre à frente, flauteando estranhamente ou, às vezes, sentando-se indiferente. Agora ele toca pelos jardins desta terra; mas Alalminórë é onde mais ama, e a este jardim, mais do que todos. Vez ou outra não ouvimos o seu flautear por longos meses, e dizemos: 'Tinfang Trinado foi partir corações nas Grandes Terras, e muitos naquelas longínquas regiões ouvirão seu flautear no ocaso esta noite.' Mas, de súbito, sua flauta é novamente ouvida numa hora de gentil crepúsculo, ou ele toca sob uma bela lua e as estrelas ficam brilhantes e azuis."

"Sim," disse Eriol, "e os corações daqueles que o escutam passam a bater com um vigoroso anseio. A mim pareceu que era meu desejo abrir a janela e saltar, tão doce estava o ar que me chegou de fora, e não conseguia inspirar fundo o bastante, mas, conforme ouvia, desejava seguir não sei quem, não sei para onde, rumo à magia do mundo sob as estrelas."

"Então decerto era Timpinen que tocava para ti," disse Vairë, "e que honrado tu és, pois este jardim estava há muitas noites sem sua melodia. Agora, contudo — pois tal é o mistério desse espírito —, tu vais amar para sempre as tardes d'estio e as noites d'estrelas, e a magia delas fará teu coração doer implacavelmente."

"Mas vós que aqui habitais o ouviram muito e amiúde," disse Eriol, "e, no entanto, não me pareceis estar como os que vivem com um anseio meio compreendido e que não pode ser satisfeito."

"Não ficamos assim, pois temos *limpë*," disse ela, "e só o *limpë* consegue curar, e um sorvo dá um coração capaz de compreender toda música e canção."

"Então," disse Eriol, "gostaria de tomar um cálice dessa boa beberagem"; mas Vairë lhe disse que isso só poderia ser se ele procurasse Meril, a rainha.

Dessa conversa de Eriol e Vairë no relvado naquele dia bonito passou que Eriol não partiu por muitos dias depois — e Tinfang Trinado tocou para ele muitas vezes no ocaso, à luz das estrelas e no luar; até que seu coração ficou pleno. Tendo Pequeno-Coração como guia, buscou as moradas de Meril-i-Turinqi em seu *korin* de olmos.

Ora, a casa dessa bela senhora ficava naquela mesma cidade, pois ao pé da grande torre que Ingil erigira havia um amplo bosque dos mais antigos e belos olmeiros que a Terra dos Olmos possuía. Erguiam-se alto ao firmamento em três dosséis de brilhante folhagem que iam diminuindo, e a luz do sol que atravessava era muito fresca, dum verde dourado. No meio deles havia um grande gramado verdejante, de relva macia como uma trama lanosa, e, à volta dele, as árvores estavam dispostas em círculo, de sorte que as sombras eram profundas nas beiradas, mas o olhar do sol recaía o dia todo no centro. Lá ficava uma bela casa, e era feita toda de branco, dum branco que brilhava, mas o telhado era tão coberto de musgos e sempre-vivas, e muitas curiosas plantas pendentes, que não se podia ver do que ele fora outrora construído em virtude do glorioso emaranhado de cores, douradas e castanho-avermelhadas, escarlates e verdes.

Incontáveis pássaros chilreavam nos beirais; e uns cantavam nos telhados, enquanto pombos e rolinhas voejavam, circulando os limites do *korin*, ou pousavam rápidas, assentando-se para se banhar ao sol no relvado. Ora, toda aquela morada tinha flores na base. Aglomerados floridos havia no entorno, cordas e emaranhados, espigões e borlas floridas, flores em panículas e umbelas, ou de rostos largos olhando para o sol. Nos ares que se agitavam debilmente, emanavam seus odores mesclados a uma grande fragrância de encantamento mais que maravilhoso, mas seus matizes e cores estavam espalhados e reunidos, ao que parecia, conforme impelidos pelo acaso e pela alegria de seu crescer. Durante todo o dia havia um zumbido de abelhas em meio a essas flores: abelhas voavam pelo telhado e por todos os canteiros e veredas perfumosas; até mesmo pelos alpendres frescos da casa. Coração-Pequeno e Eriol subiram a colina, e era fim de tarde, e o sol brilhava com cor de latão no lado ocidental da torre de Ingil. Logo chegaram a um grande muro de blocos de pedra talhada que se inclinava para fora, mas cresciam relvas no cimo e campânulas e margaridas amarelas.

No muro havia um postigo e, depois, uma clareira sob os olmos, e lá corria uma vereda flanqueada por arbustos, num dos lados, e do outro corria um regato sussurrando sobre um leito castanho de lodo folhoso. Essa vereda levava mesmo à beira do relvado e, indo até lá, Coração-Pequeno disse, apontando para a casa branca: "Contempla a morada de Meril-i-Turinqui e, como não tenho assuntos com tão magnífica senhora, tratarei de voltar." Então Eriol passou sozinho pelo gramado ensolarado, até que estava quase na altura do ombro com as flores que cresciam em frente ao alpendre da porta; e, conforme aproximou-se, um som de música sobreveio, e uma bela senhora entre muitas donzelas apareceu, como que para encontrá-lo. Ela disse, então, sorrindo: "Bem-vindo, ó marinheiro de muitos mares — por que procuras o prazer de meus quietos jardins e seus murmúrios gentis, quando as brisas salgadas do mar e o resmungar dos ventos e o balouçar dum barco seriam mais da tua alegria?"

Por um momento, Eriol não conseguiu responder, emudecido pela beleza daquela senhora e pelo encanto daquele lugar de flores; mas, afinal, ele balbuciou que já conhecera o bastante do mar, mas dessa graciosíssima terra ele jamais estaria satisfeito. "Não," disse ela, "num dia de outono chegarão os ventos, e uma gaivota impelida, talvez, lamentará no alto, e eis que te encherás de desejo, lembrando das costas escuras de teu lar."[2] "Não, senhora", disse Eriol, e agora falava com voz enérgica. "Não, não é assim, pois o espírito que flauteia pelos gramados no crepúsculo encheu meu coração de música, e anseio por um sorvo de *limpë*."

E imediatamente o semblante sorridente de Meril ficou sério e, ordenando que suas damas se retirassem, pediu que Eriol a acompanhasse até um espaço ao lado da casa, e era de grama fresca, mas não muito curta. Árvores frutíferas cresciam ali e, próximo às raízes de uma delas, uma macieira de grande circunferência e idade, a terra estava amontoada de tal forma que havia, agora, um assento largo em torno do tronco, macio e coberto de grama. Lá sentou-se Meril, e ela fitou Eriol, dizendo: "Sabes, então, o que estás pedindo?", e ele disse: "Nada sei, salvo que desejo conhecer a alma de toda canção e de toda música, e habitar para sempre em amizade e parentesco com esse povo maravilhoso dos Eldar da Ilha, e livrar-me do anseio implacável mesmo até a Partida Afora e mesmo até o Grande Fim!"

Mas Meril falou: "Amizade é possível, talvez, mas parentesco não, pois Homem é Homem, e Elda, Elda, e o que Ilúvatar fez desigual não se pode tornar igual enquanto o mundo durar. Mesmo que tu habitasses aqui até o Grande Fim e, pela salubridade do *limpë* não encontrasses morte, no fim terias de morrer e nos deixar, pois um Homem há de morrer algum dia. E ouve, ó

Eriol, não penses em fugir do anseio implacável com um sorvo de *limpë* — pois, assim, estarias apenas trocando desejos, substituindo os teus antigos por outros, mais profundos e agudos. O desejo insatisfeito habita nos corações de ambas essas raças que chamam de Filhos de Ilúvatar, mas ainda mais nos Eldar, pois seus corações são repletos duma visão de beleza em grande glória."
"E, no entanto, ó Rainha," disse Eriol, "deixai-me apenas provar dessa beberagem e tornar-me um companheiro perpétuo de vosso povo: ó, rainha dos Eldalië, que eu possa ser como as crianças felizes de Mar Vanwa Tyaliéva." "Não, ainda não posso fazê-lo," disse Meril, "pois é assunto muito mais sério dar dessa beberagem a alguém que já conheceu a vida e os dias nas terras de Homens do que dar de beber para uma criança que ainda conhece pouca coisa; e, no entanto, mesmo a elas esperamos muito tempo antes de dar desse vinho de canção, ensinando-lhes primeiro muito saber e testando seus corações e almas. Portanto, peço-te que esperes ainda um tempo e que aprendas tudo o que puder nesta nossa ilha. Vê, o que sabes do mundo, ou dos dias antigos dos Homens, ou das raízes que tinham muito antes no tempo as coisas que agora são, para que reivindiques nosso cálice de juventude e poesia?"

"O idioma de Tol Eressëa eu conheço, e dos Valar eu ouvi, e do grande início do mundo e da construção de Valinor; músicas ouvi, e poesia e o riso dos Elfos, e tudo isso achei verdadeiro e bom, e meu coração sabe e me diz que essas coisas hei de amar doravante, e amar sozinho" — assim respondeu Eriol, e seu coração doía pela recusa da Rainha.

"E, ainda assim, nada sabes da vinda dos Elfos, dos fados em que se movem, nem da natureza e do lugar que Ilúvatar lhos deu. Tens pouca noção do grande esplendor de seu lar em Eldamar sobre a colina de Kôr, e de todo o pesar de nossa separação. O que tu sabes de nossa labuta por todos os sendeiros escuros do mundo, e da angústia que conhecemos por causa de Melko; das tristezas que sofremos, antes e agora, por causa dos Homens, de todos os medos que obscurecem nossas esperanças por causa dos Homens? Conheces as vastidões de lágrimas que jazem entre nossa vida em Tol Eressëa e aquele tempo de riso que conhecemos em Valinor? Ó, filho d'Homens, que deseja partilhar dos fados dos Eldalië, e nossos elevados desejos e todas as coisas a que buscamos que ainda hão de ser — pois vê! se tu beberes essa bebida, tudo isso tu deves conhecer e amar, partilhando conosco um mesmo coração — e mais, mesmo na Partida Afora, se Eldar e Homens travarem guerra no fim, ainda assim deves lutar ao nosso lado, contra os filhos de tua terra e gente, mas, até lá, jamais poderias voltar ao teu lar por mais que a saudade te corroesse — e os desejos que, por vezes, consomem um homem adulto que bebe do *limpë* são um fogo de inimaginável tortura — sabias dessas coisas, ó Eriol, quando vieste até aqui com teu pedido?"

"Não, não sabia," disse Eriol tristemente, "ainda que amiúde tenha questionado a gente sobre isso."

"Então vê!", disse Meril. "Começarei um conto, e contar-te-ei algo disso tudo antes que a longa tarde escureça — mas, depois, deves partir novamente, com paciência"; e Eriol curvou a cabeça.

"Então," disse Meril, "agora contar-te-ei dum tempo de paz que o mundo experimentou certa vez, e ele é conhecido como 'As Correntes de Melko'.[3] Da Terra, contar-te-ei como os Eldar a encontraram, e da maneira de seu despertar dentro dela.

Eis que Valinor está construída, e os Deuses habitam em paz, pois Melko está longe no mundo, cavando profundamente e fortificando-se em ferro e frio, mas Makar e Meássë cavalgam nos vendavais e deleitam-se nos terremotos e nas fúrias dominantes dos mares anciões. Clara e bela é Valinor, mas há um profundo crepúsculo sobre o mundo, pois os Deuses ajuntaram muito daquela luz que dantes flutuava pelos ares. Agora, de raro cai a chuva cintilante que costumava cair, e reina lá uma treva iluminada com pálidos feixes de luz ou salpicada de vermelho, onde Melko lança aos céus desde uma colina rasgada pelo fogo.

Então, Palúrien Yavanna saiu de seus jardins frutuosos para observar as vastas terras de seu domínio, e vagou pelos continentes escuros plantando sementes e meditando sobre colina e vale. Sozinha no ocaso perpétuo, cantou canções de grande encantamento, e eram de tão profunda magia que flutuavam pelos lugares rochosos, e seus ecos permaneciam por anos em colina e planície vazia, e todas aquelas boas magias de todos os dias posteriores são sussurros da memória de sua canção ecoante.

E coisas começaram a crescer ali, fungos e estranhas culturas surgiam em lugares úmidos, e líquens e musgos cresciam furtivos pelas rochas, comendo-lhes a superfície, e elas se esfacelavam, deixando poeira, e as plantas rasteiras morriam na poeira, e havia mofo, e nele cresciam silenciosas avencas e plantas verrugosas, e criaturas estranhas metiam as cabeças para fora das gretas e rastejavam pelas pedras. Mas Yavanna chorou, pois este não era o belo vigor sobre o qual pensara — ao que Oromë lhe chegou saltando no crepúsculo, mas Tuivána não se dispôs a deixar a radiância de Kulullin, nem Nessa os verdes relvados de seu dançar.

Então, Oromë e Palúrien empenharam todo seu poder, e Oromë soprou forte sua trompa, como se quisesse despertar as rochas para vida e viço. Eis que, a esses sopros, a grande floresta agitou-se e gemeu pelas colinas, e todas as árvores de folha escura vieram a ser, e o mundo estava desgadelhado com o crescer de pinheiros e perfumado pelas árvores resinosas, e abetos e cedros dependuravam seus cortinados azuis e verde-oliva pelas encostas, e os teixos iniciaram os séculos de seu crescimento. Agora Oromë estava menos melancólico, e Palúrien, reconfortada, vendo a beleza das primeiras estrelas de Varda cintilando no pálido firmamento através das sombras dos primeiros ramos d'árvores, e ouvindo o murmúrio das florestas penumbrosas, e o ranger dos galhos quando Manwë agitava os ares.

Àquela época, muitos espíritos estranhos vieram ao mundo, pois havia lugares aprazíveis, escuros e silenciosos para habitarem. Uns vieram de Mandos, espíritos antigos que viajaram desde Ilúvatar com ele que são mais velhos que o mundo e muito sombrios e recônditos, e alguns das fortalezas do Norte, onde Melko habitava então, nas profundas masmorras de Utumna. Repletos de maldade e insalubridade estes eram; trouxeram ardis e inquietude e horror, transformando o escuro numa coisa doentia e amedrontadora, o que não era antes. Mas uns poucos dançaram até lá com pés delicados, exsudando olores noturnos, e estes vieram dos jardins de Lórien.

O mundo ainda é repleto deles, nos dias de luz, vivendo sozinhos nos corações sombrios das florestas primevas, conclamando cousas secretas por uma vastidão estrelada, e ocupando cavernas nas colinas que poucos encontraram: — mas os pinheirais ainda estão demasiado cheios desses espíritos antigos, inélficos e inumanos, para a tranquilidade de Eldar ou de Homens.

Quando essa grande façanha foi realizada, então Palúrien desejou descansar de seus longos labores, e retornar para provar os doces frutos de Valinor, e refrescar-se sob a árvore Laurelin, cujo orvalho é luz, e Oromë partiu para os faiais nas planícies dos grandes Deuses; mas Melko, que por longo tempo cavara com medo da ira dos Valar devido à traiçoeira avença com as lamparinas, irrompeu agora em grande violência, pois pensava que o mundo lhe fora abandonado pelos Deuses e que era seu. Sob os pisos de Ossë, fez a Terra tremer e fender-se, e seus fogos ínferos fez com que se misturassem ao mar. Procelas vaporosas e um grande rugido de movimentos marinhos descontrolados invadiram o mundo, e as florestas resmungavam e estalavam. O mar lançou-se à terra e a dilacerou, e vastas regiões se afogaram sob sua fúria ou foram talhadas em ilhotas dispersas, e grotões foram escavados nas costas. As montanhas sacudiram e seus corações derreteram, e pedra jorrou como fogo líquido por suas encostas cinerícias e correu até o mar, e o ruído das grandes batalhas das praias fogosas varou rugindo até mesmo as Montanhas de Valinor e afogou a cantoria dos Deuses. Então, Kémi Palúrien levantou-se, Yavanna, que provê frutos, e Aulë, que ama todos os trabalhos dela e as substâncias da terra, e eles subiram aos salões de Manwë e lhe falaram, dizendo que toda a bondade estava sendo completamente destruída pelo mal ardente do coração destemperado de Melko, e Yavanna implorou para que todo o seu labor de anos no crepúsculo não fosse afogado e enterrado. Conforme falavam, chegou ali Ossë, furioso como a maré em meio às falésias, pois estava irado com o tumulto de seu reino e temia a cólera de Ulmo seu soberano. Então ergueu-se Manwë Súlimo, Senhor de Deuses e Elfos, e Varda Tinwetári estava ao seu lado, e ele falou com uma voz de trovão desde Taniquetil, e os Deuses em Valmar a ouviram, e Véfantur reconheceu a voz em Mandos, e Lórien agitou-se em Murmuran.

Então foi reunido um grande concílio entre as Duas Árvores, no mesclar das luzes, e Ulmo veio das profundezas de fora; e dos conselhos lá proferidos, os Deuses devisaram um plano de saber, e o pensamento de Ulmo estava nele, e muito do engenho de Aulë e do grande conhecimento de Manwë.

Eis que Aulë agora reuniu seis metais, cobre, prata, estanho, chumbo, ferro e ouro, e, tomando uma porção de cada, fez com sua magia um sétimo metal, o qual chamou, portanto, de *tilkal*,* e ele tinha todas as propriedades dos outros seis e muitas ímpares.

---

* Nota de rodapé no manuscrito: "*T(ambë) I(lsa) L(atúken) K(anu) A(nga) L(aurë).* *ilsa* e *laurë* são os nomes 'mágicos' dos mais usuais *telpë* e *kulu*."

Sua cor era verde ou vermelha brilhante em variadas luzes, e não podia ser quebrado, e somente Aulë o conseguia forjar. Assim, forjou uma poderosa corrente, confeccionando-a de todos os sete metais fundidos com feitiços até alcançar uma substância de dureza, brilho e lisura supremas, mas de *tilkal* ele tinha o bastante apenas para acrescentar um pouco a cada elo. Ainda assim, fez duas manilhas inteiras de *tilkal*, e quatro grilhetas do mesmo modo. Ora, a corrente foi nomeada *Angaino*, a opressora, e as manilhas, *Vorotemnar*, que prendem para sempre, mas as grilhetas foram chamadas de *Ilterendi*, pois não se as podia limar ou fender.

Mas o desejo dos Deuses era buscar Melko com grande ímpeto — e convencê-lo, se pudessem, a melhores feitos; e, no entanto, pretendiam, se nada mais servisse, dominá-lo por força ou artimanhas, e colocá-lo num cativeiro do qual não haveria fuga.

Ora, enquanto Aulë forjava, os Deuses se arranjaram em armaduras, as quais conseguiram de Makar, e ele se alegrou ao vê-los armando-se e partindo como se para guerra, ainda que sua ira fosse dirigida a Melko. Mas, quando os grandes Deuses e todo o seu povo estavam armados, então Manwë subiu em sua carruagem azul, cujos três cavalos eram os mais alvos que andavam pelos domínios de Oromë, e nas mãos portava um grande arco branco que atirava flechas como uma rajada de vento atravessando os mares mais extensos. Fionwë, seu filho, estava ao lado dele, e Nornorë, seu arauto, corria à frente; mas Oromë cavalgava sozinho num alazão, e portava uma lança, e Tulkas andava a passos largos e vigorosos ao lado dos estribos, trajando uma túnica de couro e um cinto de latão, e nenhuma arma salvo uma manopla na mão direita, feita de ferro. Telimektar, seu filho, que recém atingira a altura para guerrear, estava aos seus ombros com uma espada longa presa num cinto de prata. Os Fánturi partiram numa carruagem negra, e havia um cavalo preto no lado de Mandos, e um cinza malhado no lado de Lórien, e Salmar e Ómar vinham na retaguarda, correndo velozes, mas Aulë, que se atrasara, demorando-se demais nas forjas, veio no final, e não estava armado, mas agarrou seu martelo de cabo longo assim que saiu da forja e apressou-se para as beiras do Mar Sombrio, e toda a sua corrente era levada, lá atrás, por quatro dentre o seu povo-forjador.

Naquelas praias, Falman-Ossë os encontrou, e os atravessou numa grande balsa onde ele mesmo se sentava com luzente cota de malha; mas Ulmo Vailimo estava muito à frente, vociferando em sua carruagem de mar-profundo e trombeteando em ira numa trompa de conchas. Assim foi que os Deuses atravessaram o mar e cruzaram as ilhas, e puseram os pés nas terras amplas, e marcharam em grande poder e fúria sempre para o Norte. Assim, passaram as Montanhas de Ferro e Hisilómë que jaz indistinta ao longe, e chegaram aos rios e colinas de gelo. Ali, Melko estremeceu a terra abaixo deles, e fez com que os cumes cobertos de neve expelissem chamas, e, no entanto, pela magnificência de suas armaduras, os vassalos que infestavam todos os caminhos de nada serviram para barrá-los em sua jornada. Lá, no mais profundo Norte, além mesmo do pilar destroçado de Ringil, chegaram aos imensos portões da funda Utumna, e Melko os fechou com grande clangor diante deles.

Então, Tulkas, com raiva, golpeou-os estrondosamente com seu punho imenso, e elas ressoaram, mas não se moveram, mas Oromë, descendo do cavalo, tomou sua trompa e soprou tamanha rajada que elas se abriram de pronto, e Manwë ergueu sua incomensurável voz e ordenou que Melko aparecesse.

Embora nas profundezas daqueles salões Melko o ouvisse e estivesse cheio de dúvidas, ele não apareceu, mas mandou Langon, seu serviçal, e disse por seu intermédio 'Vede, ele se regozijou e maravilhou-se ao ver os Deuses diante de seus portões. Ora, ele com prazer os receberia, mas, pela pobreza de sua morada, não mais que dois deles poderia acolher adequadamente; e suplicou que nem Manwë e nem Tulkas estejam entre os dois, pois um merece e o outro demanda hospitalidade de grande custo e riqueza. E, caso isso não seja do agrado deles, então ele com prazer daria ouvidos ao arauto de Manwë para saber o que é que os Deuses tanto desejam para trocarem seus assentos macios e a indolência de Valinor pelos lugares desolados onde Melko laborou humildemente e fez seu trabalho árduo.'

Então Manwë e Ulmo e todos os Deuses ficaram extremamente irados com a sutileza e a insolência afetada de suas palavras, e Tulkas teria imediatamente partido furioso pela escadaria estreita que descia além dos portões até se perder de vista, não o tivessem refreado os outros, e Aulë aconselhou que ficara claro, pelas palavras de Melko, que ele estava atento e cauteloso, e que se podia ver perfeitamente quais dos Deuses ele mais temia e menos desejava ver postados em seus salões — 'Portanto,' disse, 'planejemos como esses dois podem assaltá-lo de surpresa, e como o medo pode, porventura, levá-lo a emendar seus modos'. A isso Manwë assentiu, dizendo que toda a força deles mal poderia obrigar Melko a sair de sua fortaleza, ao passo que o engodo precisaria ser tramado habilmente para iludir o mestre da trapaça. 'Somente por seu orgulho é possível atingir Melko,' falou Manwë, 'ou por tamanha força que fenderia a terra e traria o mal sobre todos nós', e Manwë buscava evitar toda contenda de Ainur contra Ainur. Quando, afinal, os Deuses haviam orquestrado um plano para capturar Melko em seu excessivo orgulho, teceram palavras ardilosas como se viessem do próprio Manwë, e estas eles puseram na boca de Nornorë, que desceu e as falou diante do assento de Melko. 'Vede,' falou, 'os Deuses vieram pedir o perdão de Melko, pois, ao ver sua grande ira e o fender do mundo sob sua cólera, disseram uns aos outros: "Ora! Por que Melko está descontente?", e uns aos outros responderam, contemplando os tumultos de seu poder: "Se ele é o maior dentre nós, por que o mais poderoso dos Valar não habita em Valinor? Decerto ele tem motivo para se indignar. Vamos a Utumna suplicar que venha morar em Valinor, para que Valmar não seja destituída de sua presença." A isso', falou ele, 'apenas Tulkas não consentiu, mas Manwë se dobrou à voz da maioria (isso os Deuses disseram sabendo do rancor que Melko nutria por Poldórëa) e agora vieram, forçando Tulkas com violência, para suplicar que perdoeis a cada um, e que vades com eles ao lar e completeis sua glória, habitando, se for de vossa vontade, nos salões de Makar até que Aulë vos possa construir uma grande casa; e suas torres hão de ultrapassar Taniquetil.' A isso Melko respondeu com avidez, pois seu orgulho sem limites já inchara e afogara sua malícia.

'Enfim os Deuses dizem belas palavras, e justas, mas antes que eu lhes conceda essa mercê, meu coração precisa ser apaziguado por velhas afrontas. Portanto, devem vir, deixando todas as armas no portão, e fazer reverência a mim nestes meus fundos salões de Utumna: — mas vê! Tulkas não receberei e, se eu for a Valinor, expulsá-lo-ei.' Essas coisas Nornorë reportou, e Tulkas bateu as mãos encolerizado, mas Manwë deu resposta que os Deuses fariam como desejava o coração de Melko e, no entanto, que Tulkas iria, mas acorrentado, e seria entregue ao poder e prazer de Melko; e isso Melko permitiu com sofreguidão, para humilhar os Valar, e o acorrentamento de Tulkas lhe deu grande alegria.

Então, os Valar deixaram suas armas nos portões, deixando, contudo, gente para guardá-las, e passaram a corrente Angaino pelo pescoço e braços de Tulkas, e mesmo ele mal podia suportar sozinho o grande peso; e, então, seguiram Manwë e seu arauto para dentro das cavernas do Norte. Lá estava Melko em seu assento, e aquela câmara era iluminada com braseiros flamejantes e repletos de magia maligna, e formas estranhas moviam-se febrilmente para dentro e para fora, mas cobras de grande tamanho enrolavam-se e desenrolavam-se sem descanso pelos pilares que sustentavam aquele teto elevado. Então disse Manwë: 'Eis que vos viemos saudar aqui em vossos próprios salões; vinde agora e habitai Valinor.'

Mas Melko não iria largar sua zombaria tão facilmente. 'Não. Primeiro', disse ele, 'vem tu, Manwë, e ajoelha-te diante de mim e, depois de ti, todos os Valar; mas, por último, virá Tulkas beijar meus pés, pois tenho na memória algo que não me faz guardar grande amor por Poldórëa.' Ora, ele pretendia dar um pontapé na boca de Tulkas, como revide pelo soco de há muito, mas os Valar haviam previsto algo do tipo, e apenas fingiram humilhação, para que Melko pudesse, com isso, ser atraído para fora de sua fortaleza de Utumna. Em verdade, Manwë tinha esperança, no fim, de paz e amizade, e os Deuses, a seu pedido, teriam realmente recebido Melko em Valinor com trégua e acenos amigáveis, se seu orgulho não fosse insaciável e sua persistência no mal, indomável. Agora, contudo, havia pouca clemência por ele em seus corações, vendo que ele permanecia irredutível na exigência de que Manwë lhe fizesse reverência e de que Tulkas se curvasse àqueles pés cruéis; ainda assim, o Senhor de Deuses e Elfos aproximou-se então do assento de Melko e começou a se ajoelhar, pois tal era o plano para enredar ainda mais aquele pérfido; mas eis que tão feroz ardeu a ira nos corações de Tulkas e Aulë que, vendo aquilo, Tulkas atravessou o salão num salto, apesar de Angaino, e Aulë estava atrás dele, e Oromë seguiu o pai, e o salão se encheu de tumulto. Melko então pôs-se de pé, vociferando, e seu povo veio em seu auxílio de todas as funestas passagens. Ele então golpeou contra Manwë com um mangual de ferro que trazia, mas Manwë soprou gentilmente sobre ele, e os férreos pírtigos voaram para trás, ao que Tulkas golpeou Melko em cheio nos dentes com seu punho de ferro, e ele mais Aulë se atracaram com Melko, e logo ele estava acorrentado com trinta voltas em Angaino.

Então disse Oromë: 'Queria que pudesse ser morto' — e teria sido bom, de fato, mas os grandes Deuses ainda não podiam ser mortos.[4] Agora, Melko está preso em terrível cativeiro, e posto de joelhos, e compelido a dar ordem a toda a vassalagem para que não importunem os Valar — e, de fato, a maioria deles, amedrontados com a apreensão de seu senhor, fugiu para os recônditos mais escuros.

Tulkas, de fato, arrastou Melko para fora, diante dos portões, e ali Aulë colocou em cada pulso uma das Vorotemnar e, nos tornozelos, as duas Ilterendi, e o *tilkal* ficou rubro ao toque de Melko, e essas adobas nunca foram retiradas de suas mãos e pés. Então, a corrente foi martelada a cada uma destas e Melko, levado embora desamparado, enquanto Tulkas e Ulmo rompem os portões de Utumna e empilham montes de pedra sobre eles. E as trincheiras e lugares cavernosos sob a superfície da terra ainda estão repletos dos espíritos sombrios que foram aprisionados naquele dia em que Melko foi levado, e muitos ainda são os caminhos pelos quais encontram o mundo exterior de tempos em tempos — por fissuras pelas quais guincham com as vozes da maré nas costas rochosas, descendo arroios escuros que meandram despercebidos por muitas léguas, ou saindo pelos arcos azuis onde os glaciares de Melko encontram seu fim.

Depois dessas coisas, os Deuses retornaram a Valmar por longos caminhos e escuros, guardando Melko a todo momento, e ele remoía sua fúria ardente. Seu lábio estava fendido e em seu rosto havia uma estranha malícia desde o bofete dado por Tulkas, o qual nem por estratagema suportaria ver a majestade de Manwë se curvar diante do maldito.

Agora uma corte foi montada nas encostas de Taniquetil, e Melko, acusado diante de todos os Vali,[5] maiores e menores, amarrado diante do trono de prata de Manwë. Contra ele falam Ossë, e Oromë, e Ulmo em profunda ira, e Vána com repugnância, declarando seus feitos de crueldade e violência; mas Makar ainda falou em seu favor, se bem que não calorosamente, pois disse: 'Seria mau se houvesse paz para sempre: já nenhum golpe ecoa na quietude eterna de Valinor, e se não se pudesse ver feitos belicosos ou a alegria dos tumultos nem mesmo no mundo lá fora, seria mesmo aborrecido e, de minha parte, não quero ver tais tempos!' A isso, Palúrien se ergueu, em tristeza e lágrimas, e falou dos percalços da Terra, e da grande beleza de seus desígnios, e daquelas coisas que desejava muito criar; de toda riqueza de flor e erva, de árvore e fruto e grão que o mundo poderia gerar se apenas tivesse paz. 'Atentai-vos, ó Valar, para que nem Elfos e nem Homens sejam destituídos de todo conforto, seja lá quando chegar o momento de eles encontrarem a Terra'; mas Melko contorceu-se de raiva aos nomes de Eldar e Homens, e à sua própria impotência.

Ora, Aulë a apoiou com firmeza nisso e, após ele, muitos outros dos Deuses, e, no entanto, Mandos e Lórien permaneceram em silêncio, e eles jamais falam muito nos concílios dos Valar, ou mesmo em outras ocasiões, mas Tulkas levantou-se colérico no meio da assembleia e saiu, pois não suportava ficar de parola quando achava que a culpa estava clara. Antes, preferiria desacorrentar Melko e lutar com ele ali e naquela hora, sozinho na planície de Valinor, dando-lhe muitos murros dolorosos em retaliação por seus malfeitos, do que fazer deles grande debate. No entanto, Manwë sentou-se e ouviu, e comoveu-se com a fala de Palúrien, mas era da opinião que Melko era um Ainu, e poderoso além da conta para o bem ou o mal vindouro do mundo; portanto, deixou de lado a severidade, e sua sentença foi esta. Por três eras, enquanto durasse o descontentamento dos Deuses, Melko ficaria preso com aquela corrente, Angaino, numa masmorra de Mandos, donde haveria, depois, de ir até a luz das Duas Árvores, mas apenas para que pudesse, por ainda outras quatro eras, habitar como serviçal na casa de Tulkas, obedecendo-o como paga por sua malícia de outrora. 'Dessa forma,' disse Manwë, 'e mesmo assim por pouco, poderás ganhar novamente favor suficiente para que os Deuses permitam que habites numa casa só tua, e que tenhas alguma pequena propriedade entre eles, tanto quanto for adequado a um Vala e um senhor dos Ainur.'

Essa foi a sentença de Manwë, e mesmo a Makar e Meássë ela pareceu boa, mas Tulkas e Palúrien acharam-na arriscadamente piedosa. Agora, Valinor, e toda a terra, entra em seu maior tempo de paz, enquanto Melko aguarda nas masmorras mais fundas de Mandos e seu coração escurece dentro dele.

Eis que os tumultos do mar lentamente diminuem, e os fogos sob as montanhas cessam; a terra não mais sacode, e a violência do frio e a renitência das colinas e rios de gelo se derrete no extremo Norte e no Sul profundo, próximo às regiões de Ringil e Helkar. Então, Palúrien mais uma vez sai pela Terra, e as florestas se multiplicam e se alastram, e amiúde se ouve a trompa de Oromë atrás dela na escuridão: agora as beladonas e as briônias começam a crescer no mato, e o azevinho e o ílex são vistos sobre a terra. Mesmo os paredões dos despenhadeiros se cobrem de hera e trepadeiras para calmaria dos ventos e a quietude do mar, e todas as cavernas e as praias engrinaldam-se de algas, e grandes plantas-marinhas vêm à vida balançando gentilmente quando Ossë move as águas.

Ora, chegou esse Vala e sentou-se num promontório das Grandes Terras, desfrutando da tranquilidade de seu reino, e viu como Palúrien estava enchendo o crepúsculo silencioso da Terra com formas esvoaçantes. Morcegos e corujas que Vefántur libertou de Mandos planavam no céu, e rouxinóis enviados de Valinor por Lórien trinavam junto a águas plácidas. Lá longe, um noitibó pipilou e, em lugares escuros, serpentes que saíram de Utumna quando Melko foi preso moviam-se sem ruído; uma rã coaxou na beirada desnuda de uma poça.

Ele então mandou mensagem a Ulmo das novas coisas que eram feitas, e Ulmo não desejava que as águas dos mares internos continuassem despovoadas, mas achegou-se a Palúrien e ela lhe deu feitiços, e os mares começaram a brilhar com peixes, e estranhas criaturas rastejavam no fundo; mas os mariscos e as ostras nenhum dos Valar ou dos Elfos sabe de onde vieram, pois eles já bocejavam nas águas silenciosas antes mesmo de Melko mergulhar nelas, vindo do alto, e havia pérolas antes mesmo de os Eldar pensarem ou sonharem com gemas.

Três grandes peixes luminosos na escuridão dos dias sem sol estavam sempre com Ulmo, e o teto da morada de Ossë sob o Grande Mar brilhava com escamas fosforescentes. Eis que esse foi um tempo de grande paz e calmaria, e a vida lançou raízes fundas nos solos recém-feitos da Terra, e sementes foram plantadas que esperavam apenas que chegasse a luz, e esse tempo é conhecido e louvado como a era das 'Correntes de Melko'."

NOTAS

[1] O seguinte trecho foi acrescentado aqui aparentemente logo após a escrita do texto, mas, posteriormente, foi enfaticamente riscado:

> A verdade é que ele é filho de Linwë Tinto, Rei dos Flautistas, que se perdeu há muito na grande marcha desde Palisor e, vagando em Hisilómë, encontrou o solitário espírito do crepúsculo (Tindriel) Wendelin dançando numa clareira de faias. Amando-a, contentou-se em deixar sua gente e dançar para

sempre nas sombras, mas seus filhos, Timpinen e Tinúviel, muito tempo depois juntaram-se aos Eldar novamente, e há contos que falam de ambos, embora de raro sejam contados.

O nome *Tindriel* estava isolado no manuscrito conforme foi originalmente escrito, mas foi então colocado entre parênteses e *Wendelin* foi acrescentado na margem. Essas são as primeiras referências na narrativa consecutiva a Thingol (Linwë Tinto), Hithlum (Hisilómë), Melian (Tindriel, Wendelin), e Lúthien Tinúviel; mas deixo a discussão dessas referências para depois.

2 Ver a explicação dos nomes *Eriol* e *Angol* como significando "falésias de ferro" no Apêndice de Nomes (verbete *Eriol*).

3 Associados à história da estadia de Eriol (Ælfwine) em Tol Eressëa, e os "Contos Perdidos" que ouviu lá, há dois esquemas, ou sinopses, descrevendo o plano da obra. Um deles é, em grande parte, um resumo dos *Contos* da maneira em que sobreviveram; o outro, sem dúvida posterior, é divergente. Nesse segundo esquema, no qual o viajante é chamado Ælfwine, o conto da segunda noite junto ao Fogo-do-Conto é atribuído a "Evromord, o Guardião-das-Portas", embora o plano para o conteúdo da narrativa fosse o mesmo (A Vinda dos Deuses; a Criação do Mundo e a Construção de Valinor; o Plantio das Duas Árvores). Após isso, está escrito (um acréscimo tardio): "Ælfwine vai a Meril implorar *limpë*; ela o manda de volta." A terceira noite junto ao Fogo-do--Conto é assim descrita:

> O Guardião-das-Portas continua a partir do Crepúsculo Primevo. As Fúrias de Melko. As Correntes de Melko e o despertar dos Elfos. (Como Fankil e muitas outras formas sombrias escaparam para o mundo.) [Atribuído a Meril, mas para ser disposto como aqui, e muito abreviado.]

Parece certo que essa era uma revisão apenas na intenção, e nunca alcançada. É notável que, no texto em si, assim como no primeiro dos dois "esquemas", a função de Rúmil naquela casa é de Guardião-das-Portas — e Rúmil, não Evromord, foi o nome que ficou, após muito tempo, como o do narrador de A Música dos Ainur.

4 O texto como escrito originalmente dizia: "mas os grandes Deuses não podem ser mortos, embora seus filhos possam, e toda a gente menor dos Vali, ainda que apenas pelas mãos de um dos Valar".

5 *Vali* é uma emenda de *Valar*. Ver as palavras de Rúmil (p. 77): "eles a quem chamamos agora de Valar (ou Vali, não importa)".

Comentário a
O Acorrentamento de Melko

No interlúdio entre este conto e o anterior, encontramos a figura de Timpinen ou Tinfang. Esse ser existia havia alguns anos na mente de meu pai, e há dois poemas sobre ele. O primeiro é intitulado *Tinfang Trinado*; é muito curto, mas existe em três versões. De acordo com uma nota de meu pai, o original foi escrito em Oxford em 1914, e reescrito em Leeds em "1920–23". Foi finalmente publicado em 1927, em ainda outra forma, a qual incluo aqui.*

Tinfang Trinado
Ó o chirrio! Ó o chirrio!
Sua flauta assim se ouviu!
O chirrio de Tinfang Trinado!

Sozinho a dançar,
Na pedra a pular,
Qual cervo corria
Na grama sombria,
Seu nome é Tinfang Trinado!

A estrela chegou,
Sua luz se toldou
E agora treme e azuleia.
Não toca p'ra mim,
Não toca p'ra ti,
Nem p'ra ninguém flauteia.
Faz música p'ra si,
Os sons de Tinfang Trinado![A]

Na versão mais antiga, Tinfang é chamado de "leprawn" [duende] e, no antigo glossário da fala gnômica, ele é um "fay" [fata].

O segundo poema é chamado *Over Old Hills and Far Away* [Por Montes Antigos, Varando a Distância]. Ele existe em cinco textos, o mais antigo dos quais tem também um título em inglês antigo (de mesmo significado): *ʒeond fyrne beorgas 7 heonan feor*. Notas de meu pai afirmam que ele foi escrito no Acampamento Brocton, em Staffordshire, entre dezembro de 1915 e fevereiro de 1916, e reescrito em Oxford, em 1927. A versão final incluída aqui difere em muitos detalhes de palavras e, em alguns lugares, versos inteiros são diferentes, dentre os quais eu assinalo, ao final, alguns interessantes.

---

*A publicação foi num periódico chamado, no recorte em que está preservado, "I.U.M[agazine]".

Por Montes Antigos, Varando a Distância

Em junho, era cedo, a noite era calada,
Com lua distante, e pouco estrelada,
As árvores dormem, as sombras, de rastos,
Despertam debaixo dos ramos bastos.

5   Silentes passos e à janela me ajeito
Deixando meu branco, amassado leito;
E algo atraente, algo estranho, à distância,
Como das flores do lago a fragrância
De Casadelfos, e que em chuva estelar,
10 Cintila, faísca e vem repousar
Na minha janela. Ou seria toada?
Atônito ouvi, olhando a calçada.
Pois vinha de longe uma filtrada nota
Doce, envolvente, era clara e remota,
15 Clara como astro nos juncos do alagado,
Débil qual brilho do mato orvalhado.

Ouvindo o chamado, desci pela escada,
Pelo corredor segui em disparada,
Depois de cruzar um cinéreo batente,
20 P'ra longe passei, na relva virente!

Era Tinfang Trinado que ali dançava,
Flautava, agitando a madeixa alva
E ela brilhava qual gelo ao luar;
Astros piscavam ouvindo-o tocar,
25 Faíscas na bruma, os azuis bruxuleios
Soem tremer e fulgir aos chilreios.

Mal dá para ouvir o ruído que deixo
No chão que o circunda, de branco seixo.
Seus pés chispeavam num piso de areia,
30 E alva é a mão que ligeira flauteia.
Um estelar lampejo, e salta no ar,
O barrete tremendo, o cabelo a brilhar;
Nas costas coloca o seu longo flautim
Preso em argênteo e preto cetim.

35 Esbelto, passava qual sombra faceira
Por juncos e brumas numa clareira;
Fremia no escuro uma sombrosa cota,
E o riso de prata ornava sua nota.
Os dedos dos pés eram tortos, curvados,
40 Dançava, porém, qual vento nos prados.

O vale se aquieta, pois Tinfang partiu,
Deixou-me sozinho, fitando o vazio.
Então, de repente, a pastagem cruzando,
Perto dos juncos, no lago brilhando,
45 E longe, num bosque de musgo enredado,
Chegam-me notas no ar agitado.

Corri por clareira, saltei por corrente:
Tinfang estava a tocar novamente;
Preciso seguir os sonidos da flauta
50 Por junco, raiz, por árvore alta,
Por sobre a campina, na relva do chão
Que treme ao passar desse Elfo ancião;
Por montes antigos, varando a distância
E ouvir harpas d'Elfos, de doce sonância.[B]

Versos mais antigos:

1–2 Em junho, uma vez, numa noite calada —
A luz das estrelas chegou apressada —
Ver o trecho em prosa na p. 120: "Os Noldoli dizem que elas [as estrelas] aparecem cedo demais se Tinfang Trinado toca".

8 do lago a fragrância] no lago das fadas fragrância

9 Casadelfos] correção feita no texto final, substituindo "Terra-das-Fadas".

24 Cedo demais veio o lume estelar
Ver nota ao verso 2.

25–6 E os astros que surgem ouvindo os trinados,
Se ele está lá, brilham azulados.
Ver o trecho na p. 121: "ou ele toca sob uma bela lua e as estrelas ficam brilhantes e azuis."

54 Elfos] correção feita no texto final, substituindo "fadas".

☙

A primeira parte da história do *Acorrentamento de Melko* tornou-se muito diferente em versões posteriores, em que (*O Silmarillion*, pp. 64–5) foi durante a permanência dos Valar na Ilha de Almaren, sob a luz das Duas Lamparinas, que "as sementes que Yavanna semeara principiaram rapidamente a brotar e medrar, e assim surgiu uma multidão de coisas que cresciam, grandes e pequenas, musgos e relva e grandes avencas e árvores cujos dosséis estavam coroados com nuvem"; e que "feras vieram e habitaram nas planícies gramadas, ou nos rios e lagos, ou caminharam nas sombras dos bosques". Essa foi a Primavera de Arda; mas, após a vinda de Melkor e a escavação de Utumno, "o que era verde adoeceu e apodreceu, e os rios foram sufocados com mato e limo, e se fizeram pântanos, cheios de fedor e veneno, lugares onde moscas procriavam; e as florestas se tornaram escuras e perigosas, locais de medo; e as feras se tornaram monstros de chifre e marfim e tingiram a terra com sangue". Depois veio a queda das Lamparinas, e "assim terminou a Primavera de Arda" (*ibid.*, p. 66). Após a construção de Valinor e o surgimento das Duas Árvores, "a Terra-média jazia num crepúsculo sob as estrelas" (*ibid.*, p. 68), e somente Yavanna e Oromë dentre os Valar retornavam ali ocasionalmente: "Yavanna ia caminhar lá nas sombras, triste porque o crescimento e a promessa da Primavera de Arda tinham parado. E ela lançou um sono sobre muitas coisas que tinham surgido na Primavera para que não envelhecessem, mas esperassem por um tempo de despertar que ainda poderia chegar" (*ibid.*, p. 78). "Mas as coisas vivas mais antigas já tinham surgido: nos mares as grandes algas e na terra a sombra de grandes árvores; e nos vales dos montes trajados de noite havia criaturas escuras, antigas e fortes."

Na narrativa mais antiga, por outro lado, não há menção ao início do crescimento durante o tempo em que as Lamparinas brilharam (ver p. 90), e as primeiras árvores e plantas baixas apareceram sob os feitiços de Yavanna no crepúsculo após sua derrubada. Ademais, na última frase deste conto, "sementes foram plantadas" naquele tempo de "crepúsculo silencioso" em que Melko esteve acorrentado e que "esperavam apenas que chegasse a luz". Assim, na história inicial, Yavanna semeia no escuro visando (ao que parece) ao crescimento e florescimento em dias posteriores de luz solar, ao passo que, em todas as versões subsequentes, a deusa não mais semeia no período de escuridão, lançando, antes, um sono sobre muitas coisas que haviam crescido sob a luz das Lamparinas na Primavera de Arda. Mas, tanto no conto inicial quanto em *O Silmarillion*, há uma sugestão de que Yavanna prevê que chegará luz, no fim, às Grandes Terras, à Terra-média.

A concepção de uma luz líquida e fluente nos ares da Terra está, novamente, muito marcada, e parece que, na ideia original, as eras de crepúsculo do mundo a leste do mar ainda eram iluminadas por vestígios dessa luz ("Agora, de raro cai a chuva cintilante que costumava cair, e reina lá uma treva iluminada com pálidos feixes de luz", p. 125), assim como pelas estrelas de Varda, ainda que "os Deuses [tenham ajuntado] muito daquela luz que dantes flutuava pelos ares" (*ibid.*).

A violência cósmica renovada é, concebivelmente, precursora da grande Batalha dos Poderes na mitologia posterior (*O Silmarillion*, p. 83); mas, nesse primeiro conto, são os tumultos de Melko que causam a visita dos Valar, ao passo que a Batalha dos Poderes, pela qual a forma da Terra-média foi alterada, resultou dela. Em *O Silmarillion*, foi o achamento dos Elfos recém-despertados por Oromë que levou os Valar ao assalto a Utumno.

No rico detalhe narrativo, assim como no seu ar "primitivo", o conto de Meril-i-Turinqi acerca da captura de Melko tem pouca relação com a narrativa posterior, e o tom do encontro em Utumna, bem como os expedientes maliciosos dos Valar para enganá-lo, também são estranhos a ela. Mas alguns elementos sobreviveram: a corrente Angainor, forjada por Aulë (ainda que não o maravilhoso metal, *tilkal*, com seu nome cunhado de maneira pouquíssimo característica), a contenda de Tulkas e Melko, seu aprisionamento em Mandos por "três eras", e a ideia de que sua fortaleza não foi destruída até as fundações. Nota-se também que o caráter clemente e confiado de Manwë foi definido muito cedo; e a referência à taciturnidade de Mandos possivelmente antecipa o fato de que pronuncia suas sentenças apenas a pedido de Manwë (ver p. 115). A origem dos rouxinóis no domínio de Lórien, em Valinor, já está presente.

Por fim, é possível ver a partir do relato da jornada dos Valar, nesse conto, que Hisilómë (que permaneceu sem qualquer alteração posterior como o nome em quenya de Hithlum) era aqui uma região bastante distinta da Hithlum posterior, já que ela está localizada *depois* das Montanhas de Ferro: em *O Silmarillion* (p. 169), diz-se que as Montanhas de Ferro foram erguidas por Melkor "como uma cerca para sua cidadela de Utumno": "elas ficavam nas fronteiras das regiões de frio sempiterno, em uma grande curva que ia de leste a oeste". Mas, na verdade, as "Montanhas de Ferro" correspondem aqui às posteriores "Montanhas de Sombra" (*Ered Wethrin*). Em uma lista anotada de nomes que acompanha o conto *A Queda de Gondolin*, o nome *Dor Lómin* está definido assim:

Dor Lómin ou "Terra da Sombra" era a região chamada pelos Eldar *Hisilómë* (e isto significa "Crepúsculos Sombreados") [...] e chama-se assim em virtude do escasso sol que espia sobre as Montanhas de Ferro a leste e ao sul.

No pequeno mapa incluído na p. 105, a linha de picos que marquei com a letra *f* certamente representa essas montanhas, e a região a norte delas, marcada com a letra *g*, é, portanto, Hisilómë.

O manuscrito prossegue sem interrupção do ponto em que eu encerrei o texto neste capítulo; mas esse ponto é o final de uma seção na narrativa mitológica (com uma breve interrupção de Eriol), e o restante do conto de Meril-i-Turinqi está reservado para o segundo capítulo. Portanto, faço de um conto, dois.

5

A Vinda dos Elfos e a Criação de Kôr

Retirei esse título da capa do caderno (que traz, além disso, "Como os Elfos fizeram as Gemas"), pois, como já observei, a narrativa continua sem um novo cabeçalho.

Então disse Eriol: "Triste foi o desacorrentamento de Melko, penso, ainda que parecesse clemente e justo — mas como chegaram os Deuses a tanto?"

Então Meril[1] prosseguiu, dizendo:

"Em dado momento, o terceiro período do aprisionamento de Melko sob os salões de Mandos aproximou-se do fim. Manwë sentava-se no topo da montanha e fitava, com seus olhos penetrantes, as sombras para lá de Valinor, e falcões voavam de lá e até lá trazendo muitas grandes novas, mas Varda estava a cantar uma canção e a olhar pela planície de Valinor. Àquela hora, Silpion reluzia, e os telhados de Valmar lá embaixo estavam negros e prateados sob seus raios; e Varda estava contente, mas, de súbito, Manwë falou, dizendo: 'Vê, há um lampejo d'ouro sob os pinheiros, e o ocaso mais profundo do mundo se enche com o som de passos. Os Eldar chegaram, ó Taniquetil!' Então Varda levantou-se depressa e estendeu os braços a Norte e Sul, e desentrançou seus longos cabelos, e ergueu a Canção dos Valar, e Ilwë se encheu do encanto de sua voz.

Ela então desceu até Valmar e até a morada de Aulë; e ele estava fazendo vasilhas de prata para Lórien. Uma bacia repleta da radiância de Telimpë[2] estava ao seu lado, a qual ele usava habilmente em seu ofício, mas agora Varda estava diante dele, e falou: 'Os Eldar chegaram!' e Aulë largou o martelo, dizendo: 'Então Ilúvatar os enviou, finalmente', e o martelo, caindo sobre uns lingotes de prata no chão, por sua magia fez com que centelhas de prata viessem à vida, e elas chisparam pelas janelas rumo aos céus.

Varda, vendo isso, tomou da radiância na bacia e misturou-a com prata fundida para torná-la mais estável, e partiu em suas asas de celeridade, e pôs estrelas pelo firmamento em grande profusão, de modo que os céus se tornaram maravilhosamente belos, e sua glória foi dobrada; e essas estrelas que ela criou então têm um poder soporífero, pois a prata de seus corpos veio do tesouro de Lórien, e sua radiância repousara em Telimpë por muito tempo em seu jardim.

Uns disseram que as Sete Estrelas foram dispostas por Varda naquele momento, para comemorar a vinda dos Eldar, e que Morwinyon, que arde sobre a borda do mundo a oeste, ela deixou cair enquanto voltava com grande pressa para Valinor. Ora, esse foi, de fato, o início verdadeiro de Morwinyon e sua beleza, mas, no entanto, as Sete Estrelas não foram dispostas por Varda, sendo, antes, as centelhas da forja de Aulë cujo brilho nos céus ancestrais urgiram Varda a fazer-lhes rivais; mas isso ela jamais conseguiu.

Mas agora, mesmo enquanto Varda se ocupava dessa grande obra, eis que Oromë esporeia o cavalo pela planície e, puxando os arreios, brada para que todos os ouvidos em Valmar possam ouvi-lo: '*Tulielto! Tulielto!* Eles vieram — eles vieram!' Detém-se, então, entre as Duas Árvores e soa a trompa, e os portões de Valmar se abrem, e os Vali adentram a planície, pois imaginam que notícias prodigiosas chegaram ao mundo. Então, falou Oromë: 'Vede, os bosques das Grandes Terras, mesmo em Palisor, a região mais central onde os pinheiros murmuram incessantemente, estão repletos dum estranho ruído. Lá perambulei, e eis que era como se gente estivesse se levantando cedo sob as estrelas mais jovens. Havia um alarido entre as árvores longínquas e, de súbito, palavras eram ditas, e pés iam de lá para cá. Então, perguntei-me que façanha é essa que Palúrien, minha mãe, concebeu em segredo, e a procurei, e a questionei, e ela respondeu: "Isto não é obra minha, a mão de alguém muito maior a fez. Ilúvatar despertou seus filhos, afinal — cavalga de volta para Valinor e diz aos Deuses que os Eldar, em verdade, chegaram!"'

Então bradou toda a gente de Valinor: '*I·Eldar tulier* — os Eldar chegaram' — e somente àquela hora os Deuses perceberam que em seu júbilo havia uma falta, ou que haviam aguardado ansiosos para sua conclusão, mas agora sabiam que o mundo fora um lugar coberto de solidão sem seus próprios filhos.

Ora, mais uma vez um concílio é convocado, e Manwë se assenta diante dos Deuses ali em meio às Duas Árvores — e elas tinham provido luz por quatro eras. Cada um dos Vali se achega, até mesmo Ulmo Vailimo chega apressado dos Mares de Fora, e seu semblante está ansioso e alegre.

Naquele dia, Manwë libertou Melko de Angaino, antes de cumprido todo o período de sua pena, mas as manilhas e as grilhetas de *tilkal* não foram soltas, e ele as continuou levando em punho e tornozelo. Grande júbilo cega até mesmo a presciência dos Deuses. Por último chegou Palúrien desabalada desde Palisor, e os Valar debateram a respeito dos Eldar; mas Melko sentou-se aos pés de Tulkas, e fingiu contentamento e humilde deleite. Ao fim, é a decisão dos Deuses que alguns dos Eldar recém-chegados fossem convocados a Valinor, para lá falar a Manwë e seu povo, falando-lhes de sua chegada no mundo e dos desejos que ela despertara dentro deles.

Então Nornorë, cujos pés lampejam invisíveis por sua grandiosa velocidade, parte de Valinor portando a mensagem de Manwë e, sem se deter, cruza terra e mar até Palisor. Lá, encontra um local fundo num vale cercado de encostas cobertas de pinheirais; por piso tem uma lagoa de amplas águas e, por teto, o crepúsculo engastado com as estrelas de Varda. Ali, Oromë ouvira o despertar dos Eldar, e todas as canções chamam aquele lugar de Koivië-néni, ou as Águas do Despertar.

Ora, todas as encostas daquele vale e a margem nua do lago, até mesmo as orlas denteadas das colinas adiante, estão repletas duma multidão de gente olhando maravilhada para as estrelas, e alguns já cantam com vozes que são belíssimas. Mas Nornorë postou-se sobre um teso e espantou-se com a beleza daquela gente e, por ser um Vala, pareceram-lhe maravilhosamente diminutos e delicados, e seus rostos, desejosos e ternos. Então falou com a grande voz dos Valar, e todos aqueles rostos brilhantes se voltaram para sua voz.

'Vede, ó Eldalië, fostes desejados por todas as eras de crepúsculo, e procurados durante as eras de paz, e eu venho desde Manwë Súlimo, Senhor dos Deuses que habita sobre Taniquetil em paz e sabedoria, até vós que sois os Filhos de Ilúvatar, e são estas as palavras que ele pôs em minha boca para vos falar: Que venham agora comigo alguns poucos de vós — pois não sou eu Nornorë, arauto dos Valar —, e que entrem em Valinor e lhe falem, para que ele possa saber sobre vossa vinda e todos os vossos desejos.'

Grande foi a comoção e o espanto em torno das águas de Koivië e, no fim, aconteceu que três dos Eldar se adiantaram, e ousaram acompanhar Nornorë, e estes ele levou de volta para Valinor, e seus nomes, conforme os Elfos de Kôr relataram, eram Isil Inwë, e Finwë Nólemë, que era pai de Turondo, e Tinwë Lintö, pai de Tinúviel — mas os Noldoli os chamavam de Inwithiel, Golfinweg e Tinwelint. Tornaram-se grandes, depois, entre os Eldar, e os Teleri eram os que se seguiram Isil, mas seu clã e seus descendentes são aquele povo real, os Inwir de cujo sangue eu sou. Nólemë era senhor dos Noldoli, e de seu filho, Turondo (ou Turgon, como eles o chamavam), contam-se grandes contos, mas Tinwë[3] não morou muito com seu povo e, no entanto, diz-se que segue sendo senhor dos Elfos desgarrados de Hisilómë, dançando em seus locais penumbrosos com Wendelin, sua esposa, um espírito vindo há muito, muito tempo dos jardins silentes de Lórien; mas Isil Inwë tornou-se o maior dentre todos os Elfos, e o povo reverencia seu poderoso nome até estes dias.

Eis que agora, trazidos por Nornorë, os três Elfos postaram-se diante dos Deuses, e era a hora da troca das luzes, e Silpion estava declinando, mas Laurelin, despertando para sua grande glória, enquanto Silmo esvaziava o tonel de prata pelas raízes da outra Árvore. Então aqueles Elfos quedaram-se completamente atordoados e atônitos pelo esplendor da luz, eles cujos olhos só conheciam o crepúsculo e não tinham visto nada mais brilhante do que as estrelas de Varda, mas a beleza e força majestosa dos Deuses em conclave os encheram de temor, e os telhados de Valmar, flamejando ao longe sobre a planície, fizeram-nos tremer, e eles se curvaram em reverência — mas Manwë lhes disse: 'Erguei-vos, ó Filhos de Ilúvatar, pois jubilosos estão os Deuses de vossa vinda! Contai-nos a maneira de vossa vinda; como encontrastes o mundo; que tal vos parece, vós outros que sois os seus primeiros rebentos, ou com que desejos ele vos preenche.'

Mas Nólemë respondeu, dizendo: 'Vede, ó poderosíssimo, donde, em verdade, viemos? Pois parece-me que despertei agora mesmo dum sono eternamente profundo, cujos vastos sonhos estão já esquecidos.' E Tinwë disse, então, que seu coração lhe dizia que recém chegara de regiões sem fronteiras e, no entanto, não conseguia se lembrar por quais caminhos escuros e estranhos fora trazido; e, por fim, falou Inwë, que estivera fitando Laurelin enquanto os outros falavam, e ele disse: 'Sem saber donde venho, nem por quais caminhos, e nem, ainda, para onde vou, o mundo em que estamos é para mim apenas uma grande maravilha, e penso que o amo por completo e, contudo, ele me preenche duma vontade de luz.'

Então Manwë viu que Ilúvatar apagara das mentes dos Eldar todo o conhecimento sobre a maneira de sua vinda, e que os Deuses não poderiam descobri-la; e ele se encheu de profundo assombro; mas Yavanna, que também escutara, perdeu o fôlego com o golpe das palavras de Inwë, dizendo que desejava luz. Ela então olhou para Laurelin, e seu coração pensou nos vergéis frutuosos em Valmar, e sussurrou para Tuivána, que se sentava ao seu lado, fitando a graça terna daqueles Eldar; então essas duas disseram a Manwë: 'Vê, a Terra e suas sombras não são lugar para tão formosas criaturas, a quem só o coração e a mente de Ilúvatar concebeu. Belos são os pinheirais e os arbustos, mas estão repletos de espíritos inélficos, e as crianças de Mandos andam à solta, e os vassalos de Melko espreitam em lugares estranhos — e nós mesmos não quereríamos viver sem olhar para este doce povo. Seu riso distante chegou até nossos ouvidos desde Palisor, e gostaríamos que ecoasse para sempre próximo a nós em nossos salões e jardins em Valmar. Que os Eldar habitem entre nós, e que o poço de nosso júbilo se encha de novas fontes que não podem secar.'

Ergueu-se então um clamor entre os Deuses, e a maioria falou em favor de Palúrien e Vána, mas Makar disse que Valinor foi construída para os Valar — 'e ela já é um roseiral de belas senhoras em vez de uma morada de homens. Por que desejais ocupá-la com os filhos do mundo?', e nisso Meássë o apoiou, e Mandos e Fui estavam frígidos aos Eldar como a tudo o mais; mas Varda foi veemente em seu apoio a Yavanna e Tuivána e, de fato, seu amor pelos Eldar sempre foi o maior dentre todo o povo de Valinor; e Aulë e Lórien, Oromë e Nessa e Ulmo proclamaram com ardor seu desejo de convidar os Eldar a habitarem entre os Deuses. Assim, por mais que Ossë, com cautela, falasse contrariamente — quiçá por conta dos sempre latentes ciúmes e rebeldia que nutria contra Ulmo — foi a voz do concílio de que os Eldar deveriam ser convidados, e os Deuses aguardaram apenas a sentença de Manwë. Eis que mesmo Melko, vendo onde estava a maioria, juntou sua ardilosa voz à petição, e, no entanto, desde aqueles dias caluniou os Valar, dizendo que não fizeram senão convocar os Eldar a uma prisão por cobiça e inveja de sua beleza. Assim mentiu amiúde aos Noldoli posteriormente, ao incitar sua inquietude, acrescentando, longe de qualquer verdade, que somente ele se opusera à voz geral e falara em favor da liberdade dos Elfos.

Talvez, de fato, se os Deuses tivessem decidido diferente, o mundo seria agora um lugar mais bonito, e os Eldar, um povo mais feliz, mas jamais teriam atingido tamanha glória, conhecimento e beleza como fizeram outrora, e menos ainda os teria beneficiado qualquer conselho de Melko.

Ora, tendo ouvido tudo o que foi dito, Manwë deu sua sentença e alegrou-se, pois, de fato, seu coração se inclinava para a condução dos Eldar desde o mundo crepuscular até a luz de Valinor. Voltando-se aos três Eldar, falou: 'Ide agora de volta aos seus clãs, e Nornorë vos levará com celeridade até lá, a Koivië-néni em Palisor. Vede, esta é a palavra de Manwë Súlimo, e a voz do desejo dos Valar, que o povo dos Eldalië, os Filhos de Ilúvatar, venha a Valinor e aqui habite no esplendor de Laurelin e na radiância de Silpion, e conheça a ventura dos Deuses. Uma morada de beleza ímpar eles terão, e os Deuses os ajudarão a construir.'

A isso respondeu Inwë: 'Contentes estamos, de fato, com vosso convite, e quem dentre os Eldalië que já desejou a beleza das estrelas ficaria para trás ou descansaria até que seus olhos se regalassem na luz abençoada de Valinor?' Depois, Nornorë guiou esses Elfos de volta às margens desnudas de Koivië-néni e, postando-se numa pedreira, Inwë comunicou a mensagem a todas aquelas hostes dos Eldalië que Ilúvatar despertou primeiro sobre a Terra, e todos os que ouviram suas palavras se encheram de desejo de ver os rostos dos Deuses.

Quando Nornorë, ao retornar, disse aos Valar que os Elfos realmente viriam, e que Ilúvatar já pusera uma grande multidão sobre a Terra, os Deuses fizeram grandes preparativos. Eis que Aulë ajunta suas ferramentas e aprestos e Yavanna e Tuivána perambulam pela planície até os sopés das montanhas e as costas nuas dos Mares Sombrios, buscando um lar e local de morada para eles; mas Oromë vai logo de Valinor até as florestas, das quais conhecia todas as clareiras sombrias e cujos caminhos obscuros atravessara todos, pois pretendia guiar as tropas dos Eldar desde Palisor, rumo ao oeste, por todas as terras amplas, até que chegassem aos confins do Grande Mar.

A essas praias escuras dirigiu-se Ulmo, e estranho era o rugir do mar sem luz naqueles dias antiquíssimos sobre a costa rochosa que ainda carregava as cicatrizes da ira tumultuosa de Melko. Falman--Ossë estava pouco satisfeito de ver Ulmo nos Grandes Mares, pois Ulmo tomara aquela ilha na qual o próprio Ossë transportara os Deuses até Arvalin, salvando-os das águas que se erguiam conforme Ringil e Helkar derretiam sob suas ardentes lamparinas. Isso fora há muitas eras, nos dias em que os Deuses eram estranhos recém--chegados no mundo, e, por todo aquele tempo, a ilha flutuara escura nos Mares Sombrios, desolada, salvo quando Ossë subia suas praias em suas jornadas pelas profundezas; mas agora Ulmo se achegara à sua ilha secreta, atrelando-lhe uma hoste dos maiores peixes e, no meio, estava Uin, a mais poderosa e mais antiga das baleias; e ele fez com que usassem toda sua força, e eles arrastaram a ilha vigorosamente às praias das Grandes Terras, mesmo à costa de Hisilómë a norte das Montanhas de Ferro, para onde todas as sombras mais profundas se retiraram quando o Sol primeiro se ergueu.

Agora, Ulmo está postado ali, e dos bosques chega um cintilar que descia até mesmo à espuma do mar naqueles dias calados, e eis que ele ouve os passos dos Teleri crepitando na floresta, e Inwë os está encabeçando ao lado do estribo de Oromë. Penosa fora a sua marcha, e escuro e difícil o caminho através de Hisilómë, a terra de sombras, a despeito do engenho e poder de Oromë. De fato, muito depois de o júbilo de Valinor ter tornado essa lembrança esmaecida, os Elfos ainda cantavam dela tristemente, e contavam contos de muitos de sua gente que diziam, e dizem, terem se perdido naquelas antigas florestas e que vagavam sempre pesarosos por elas. E ainda estavam lá muito depois, quando os Homens foram presos em Hisilómë por Melko, e ainda hoje dançam lá, tendo os Homens vagado para longe, por lugares mais iluminados da Terra. Hisilómë foi chamada pelos Homens de Aryador, e os Elfos Perdidos eles chamaram de Povo da Sombra, e os temiam.

Ainda assim, a maioria das grandes companhias dos Teleri chegou então às praias, e subiu dali para a ilha que Ulmo trouxera. Ulmo os aconselhou a não esperar pelos outros clãs e embora, a princípio, eles não concordem, chorando ao pensar nisso, afinal são persuadidos, e logo levados com máxima celeridade através dos Mares Sombrios e a ampla baía de Arvalin até as praias de Valinor. Lá, a beleza distante das árvores reluzindo pela fenda nas colinas encanta seus corações e, no entanto, ficam a olhar para trás, pelas águas que cruzaram, pois não sabem onde podem estar os outros clãs de seu povo e, sem estes, nem mesmo o encanto de Valinor eles desejam.

Então, deixando-os em silêncio e dúvida à costa, Ulmo arrasta de volta aquela grande ilha-carruagem até os rochedos de Hisilómë, e eis que, aquecida pelo brilho distante de Laurelin que iluminou sua borda ocidental enquanto estava na Baía de Feéria, novas e mais delicadas árvores começam a crescer sobre ela, e o verde do relvado é visto em suas encostas.

Ora, Ossë ergue a cabeça furioso acima das ondas, sentindo-se insultado porque seu auxílio não foi requisitado na travessia dos Elfos e sua própria ilha, tomada sem permissão. Segue veloz na esteira de Ulmo e, no entanto, fica muito para trás, pois Ulmo colocou a força dos Valar em Uin e nas baleias. Sobre as falésias, os Noldoli já estão angustiados, pensando que foram abandonados no escuro, e Nólemë Finwë, que os guiara até lá bem próximo à retaguarda dos Teleri, andava por eles, encorajando-os. Também cheia de labor fora a sua jornada, pois o mundo é vasto e haviam atravessado quase metade, vindo da longinquíssima Palisor e, naqueles dias, nem sol brilhava e nem lua cintilava, e trilhas não havia, quer feitas por Elfos, quer por Homens. Oromë também estava muito à frente, cavalgando diante dos Teleri na marcha, e agora voltara para as terras. Ali os Solosimpi estavam desgarrados, nas florestas que se estendiam muito para trás, e sua trompa soava indistinta nos ouvidos daqueles na praia, donde aquele Vala saiu para procurá-los por toda parte nos vales escuros de Hisilómë.

Portanto, ao chegar, Ulmo pensa em levar os Noldoli rapidamente para a praia de Valinor, retornando ainda outra vez para buscar aqueles outros, quando Oromë os tiver guiado para a costa. Isso ele faz, e Falman contempla aquela segunda travessia de longe, e espuma de raiva, mas grande é o júbilo dos Teleri e Noldoli naquela praia, onde as luzes são como as dos fins de tarde no estio, devido ao brilho distante de Lindeloksë. Deixá-los-ei ali por um momento e contarei dos estranhos acontecimentos que se passaram com os Solosimpi por razão da ira de Ossë, e da primeira morada sobre Tol Eressëa.

O medo lhes sobrevém naquela escuridão antiga e, seduzido pela bela música da fata Wendelin, como outros contos relatam mais completamente alhures, seu líder Tinwë Linto se perdeu, e por muito tempo buscaram-no, mas foi em vão, e ele jamais voltou ao seu meio.[4] Quando, portanto, ouviram a trompa de Oromë soando na floresta, grande foi seu júbilo e, reunindo-se ao seu som, logo são levados para as falésias e ouvem o murmúrio do mar sem sol. Muito tempo esperaram ali, pois Ossë lançou procelas e sombras ao retorno de Ulmo, de modo que ele se moveu por desvios, e seus grandes peixes esmoreceram na viagem; ainda assim, afinal, eles também sobem naquela ilha e são levados para Valinor; e um certo Ellu foi escolhido no lugar de Tinwë, e desde então ele foi chamado de Senhor dos Solosimpi.[5]

Eis que haviam cruzado menos da metade da distância, e as Ilhas do Crepúsculo ainda estavam longe, quando Ossë e Ónen os emboscam nas águas ocidentais do Grande Mar, antes ainda de se alcançar as brumas dos Mares Sombrios. Ossë, então, agarra a ilha em sua imensa mão, e toda a grande força de Uin mal consegue levá-la adiante, pois no nado e em façanhas de força corporal na água, nenhum dos Valar, nem mesmo o próprio Ulmo, é páreo para Ossë e, de fato, Ulmo não estava nas redondezas, mas muito à frente, conduzindo a grande embarcação nas sombras que Ossë ajuntara, levando-a adiante com a música de suas conchas. Ora, antes que ele conseguisse retornar, Ossë, com auxílio de Ónen, havia feito a ilha parar, e a estava ancorando ao fundo do mar com cordas gigantes daquelas algas encouraçadas e pólipos que, naqueles dias escuros, já haviam crescido durante lentos séculos a uma circunferência inimaginável em redor dos pilares de sua casa nas profundezas marinhas. Ademais, conforme Ulmo urge as baleias a empenharem toda sua força, e ele mesmo ajuda com todo o seu poder divino, Ossë empilha rochas e pedregulhos de tamanho imenso que a ira anciã de Melko havia espalhado pelo leito marinho, e as constrói à maneira duma coluna sob a ilha.

Em vão Ulmo soa sua trompa, e Uin, com as pontas de sua imensurável cauda, açoita os mares em fúria, pois para lá Ossë agora traz toda sorte de criatura do mar profundo que constrói para si uma casa e morada de concha pétrea; e estas ele colocou ao redor da base da ilha: corais havia de todo tipo, e cracas e esponjas feito pedra. Ainda assim, por muito tempo aquela contenda durou, até que, afinal, Ulmo retornou a Valmar irado e desalentado. Ali avisou os outros Valar que os Solosimpi não poderiam ser ainda levados até lá, pois a ilha tornara-se imóvel nas mais solitárias águas do mundo.

Lá aquela ilha ainda se encontra — em verdade, tu a conheces, pois ela é chamada de 'a Ilha Solitária' — e terra alguma pode ser vista navegando-se por muitas léguas desde suas falésias, pois as Ilhas do Crepúsculo, no seio dos Mares Sombrios, estão longe, no Oeste escuro, e as Ilhas Mágicas ficam para trás, no Leste.

Ora, assim os Deuses pedem aos Elfos que construam uma morada, e Aulë os auxiliou nisso, mas Ulmo volta à Ilha Solitária e eis que ela está agora sobre um pilar de rocha no leito dos mares, e Ossë o percorre num negócio espumoso, ancorando todas as ilhas dispersas de seu domínio no fundo oceânico. Daí veio a ser a primeira morada dos Solosimpi na Ilha Solitária, e a mais profunda separação desse povo dos demais, tanto na fala como nos costumes; pois, sabe, todas essas grandes façanhas do passado que perfazem agora apenas um pequeno conto não foram conquistadas facilmente e em apenas um momento, mas, ao contrário, muitíssimos homens teriam crescido e morrido entre o ancorar das Ilhas e a feitura dos Navios.

Por duas vezes agora a ilha de sua morada capturara o brilho das gloriosas Árvores de Valinor e, assim, já era mais bela e mais fértil e mais cheia de doces plantas e relvas do que os outros lugares de todo o mundo que não tinham visto grande luz; de fato, os Solosimpi dizem que bétulas já cresciam lá, e muitos juncos, e turfa havia nas encostas ocidentais. Havia também muitas cavernas, e havia uma extensa terra costeira de areia branca aos pés de falésias negras e púrpuras, e aí era a morada, mesmo naqueles dias mais profundos, dos Solosimpi.

Lá sentou-se Ulmo num promontório e lhes falou palavras de conforto e de profundíssima sabedoria; e todo o saber do mar lhes comunicou, e eles deram ouvidos; e música lhes ensinou, e eles fizeram delicadas flautas de conchas. Por razão do labor de Ossë, não há praias tão salpicadas de maravilhosas conchas quanto as praias brancas e angras cobertas de Tol Eressëa, e os Solosimpi soíam habitar em cavernas, e as adornavam com esses tesouros marinhos, e o som de seu melancólico flautear podia ser ouvido por muitos longos dias descendo tênue pelos ventos.

Então o coração de Falman-Ossë derreteu-se por eles, e os teria liberado, não fosse o novo júbilo e orgulho que tinha porque a beleza deles habitava em meio ao seu reino, de modo que suas flautas davam aos seus ouvidos perpétuo prazer, e Uinen[6] e os Oarni e todos os espíritos das ondas se enamoraram deles.

Assim, dançavam os Solosimpi na orla das ondas, e o amor pelo mar e costas rochosas penetrou-lhes o coração, ainda que fitassem com anseio as praias felizes para onde os Teleri e os Noldoli haviam sido levados há muito tempo.

Ora, estes, após um tempo, ganharam esperança, e seu pesar tornou-se menos amargo ao descobrirem que seu povo morava em terras gentis, e que Ulmo os tinha sob seu cuidado e guarda. Por isso, deram então ouvidos ao desejo dos Deuses e se voltaram à construção de seu lar; e Aulë os ensinou muito saber e engenho, e Manwë também. Ora, Manwë amava mais os Teleri, e dele e de Ómar aprenderam mais profundamente do ofício da canção e poesia do que todos os outros Elfos; mas os Noldoli eram mais amados por Aulë, e eles aprenderam muito de sua ciência, até que seus corações se tornaram inquietos com o desejo de mais conhecimento, e eles alcançaram grande sabedoria e grande sutileza de engenho.

Eis que havia um local baixo naquele anel de montanhas que guarda Valinor, e lá o brilho das Árvores passa furtivo pela planície adiante e vai adornar as águas escuras da baía de Arvalin,[7] mas uma grande praia da mais fina areia, dourada sob o resplandecer de Laurelin, branca à luz de Silpion, adentra a terra ali onde, no tumulto dos mares anciões, um sombrio braço d'água espalhara-se na direção de Valinor, mas há lá agora apenas uma estreita água franjada de branco. Na ponta dessa angra longa, há uma colina solitária olhando para as montanhas mais altas. Ora, todas as muralhas dessa reentrância dos mares são luxuriantes pelo maravilhoso vigor de belas árvores, mas a colina é coberta apenas com uma turfa funda, e campânulas crescem no cimo, badalando suavemente no alento gentil de Súlimo.

Foi esse o lugar que aqueles belos Elfos pensaram em habitar, e os Deuses chamavam aquela colina de Kôr em virtude de sua rotundidade e lisura. Aulë levou para lá toda a poeira de metais mágicos que produzira e ajuntara de suas grandes obras, e empilhou-a nos sopés daquela colina, e a maior parte dessa poeira era de ouro, e uma areia dourada se estendia para longe das bases de Kôr até a distância onde floresciam as Duas Árvores. No teso, os Elfos construíram belas moradas de branco brilhante — de mármores e pedras extraídas das Montanhas de Valinor e que resplandeciam maravilhosamente,[8] de prata e ouro, e de uma substância de grande dureza e alva luminosidade que haviam criado a partir de conchas fundidas no orvalho de Silpion, e ruas brancas havia, ladeadas de escuras árvores que meandravam em curvas graciosas, ou que subiam em lances de escadarias delicadas, desde a planície de Valinor até o topo de Kôr; e cada uma dessas reluzentes casas subia mais alta que a outra, até que se alcançava a casa de Inwë, a mais alta de todas, e ela tinha uma delgada torre argêntea lançando-se ao céu como uma agulha, e uma lamparina branca de raios penetrantes foi posta ali para brilhar sobre as sombras da baía, e todas as janelas da cidade na colina de Kôr miravam na direção do mar.

Fontes havia lá de grande beleza e fragilidade, e telhados e pináculos de vidro brilhante e âmbar que fora feito por Palúrien e Ulmo, e árvores robustas junto aos muros brancos e terraços, e suas frutas douradas brilhavam ricas.

Ora, quando da construção de Kôr, os Deuses deram a Inwë e Nólemë uma muda para cada um das duas árvores gloriosas, e elas cresceram e se tornaram árvores élficas bem pequenas e delgadas, mas ambas floriam eternamente sem esmorecer, e aquelas nos pátios de Inwë eram as mais belas, e acerca delas os Teleri cantavam canções de felicidade, mas outros, também cantando, subiam e desciam as escadarias marmóreas e as vozes melancólicas dos Noldoli eram ouvidas pelos pátios e aposentos; e, no entanto, os Solosimpi moravam longe, no meio do mar, e faziam música ventosa em suas flautas de conchas.

Ossë está agora muito encantado com os Solosimpi, os flautistas das terras costeiras, e, se Ulmo não está perto, ele se senta num coral no mar, e muitos dos Oarni estão junto, e ouve as vozes deles, e observa suas danças adejantes nesta praia, mas a Valmar ele não ousa retornar, pelo poder de Ulmo nos concílios dos Valar e .... a ira daquele poderoso ao ancorar das ilhas.

De fato, a guerra foi contida por um fio pelos Deuses, que desejavam paz e não permitiriam a Ulmo juntar o povo dos Valar e assaltar Ossë e desatar as ilhas de suas novas raízes. Por isso, Ossë às vezes galga as ondas adentrando a baía de Arvalin[9] e observa a glória nas colinas, e anseia pela luz e alegria sobre a planície, mas, principalmente, pelo canto dos pássaros e o movimento rápido de suas asas no ar límpido, estando farto de seus peixes prateados e escuros, silentes e estranhos em meio a águas profundas.

Mas, um dia, alguns pássaros chegaram voando alto desde os jardins de Yavanna, e alguns eram brancos e uns, pretos, e uns pretos e brancos; e, atordoados pelas sombras, não tinham onde se ajeitar, e Ossë os atraiu, e eles se aninharam em seus poderosos ombros, e ele os ensinou a nadar, e deu-lhes grande força de asas, pois força de ombro ele tinha mais do que qualquer [?outro] ser, e era o maior dentre os nadadores; e derramou óleos de peixes sobre suas penas para que eles pudessem suportar as águas, e os alimentou com peixinhos.

Então, voltou-se para seus próprios mares, e eles nadavam junto a ele ou voavam acima dele, com asas baixas, grasnando e chilreando; e ele lhes mostrou habitações nas Ilhas do Crepúsculo, e também pelas falésias de Tol Eressëa, e lá aprenderam a maneira de mergulhar e lancear peixes, e suas vozes ficaram ásperas pelos lugares acidentados de suas vidas longe das regiões amenas de Valinor, ou lamuriando pela música dos Solosimpi e pelo suspiro do mar. E, assim, chegaram ao reino deles todo o grande povo das gaivotas e gaivotas-pardas e petréis; e há lá papagaios-do-mar, e êideres, e cormorões, e gansos-patola, e airos, e as falésias estão repletas de garrulice e um cheiro de peixe, e grandes conclaves têm lugar nas beiradas, ou nos bancos de areia e corais em meio às águas. Mas a mais soberba de todas essas aves eram os cisnes, e estes Ossë permitiu habitar em Tol Eressëa, [?voando] pelas costas, ou chapinhando por canais rumo à terra; e ele os colocou lá como dádiva e júbilo aos Solosimpi. Mas, quando Ulmo ouviu dessas novas façanhas, não ficou nada satisfeito com a devastação causada entre os peixes com os quais havia enchido as águas, tendo a ajuda de Palúrien.

Os Solosimpi agora alegram-se muito com [?seus] pássaros, criaturas novas para eles, e com os cisnes, e eis que eles já singram os lagos de Tol Eressëa em balsas de madeira caída, e alguns atrelam-lhes cisnes e aceleram pelas águas; mas os mais intrépidos vão ao mar, e as gaivotas os arrastam e, quando Ulmo viu aquilo, alegrou-se muito. Pois vê! os Teleri e os Noldoli queixam-se muito com Manwë pela separação dos Solosimpi, e os Deuses desejam que se os traga para Valinor; mas Ulmo não consegue ainda pensar em qualquer artifício sem a ajuda de Ossë e os Oarni, e não se humilhará a tanto. Mas agora volta presto à casa e vai ter com Aulë, e esses dois partiram rapidamente para Tol Eressëa, e Oromë estava com eles, e lá se dá o primeiro corte de árvores feito no mundo fora de Valinor. Ora, Aulë, da madeira serrada do pinheiro e do carvalho, faz grandes embarcações semelhantes aos corpos de cisnes, e estas ele recobre com a casca de bétulas prateadas, ou . . . . . com penas coletadas da plumagem oleosa das aves de Ossë, e elas são pregadas e [?energicamente] cravadas e firmadas com prata, e ele lhes esculpe proas como os pescoços elevados de cisnes, mas elas são ocas e não têm pés; e, com cordas de grande força e delgadeza são-lhes atreladas gaivotas e petréis, pois eram mansos às mãos dos Solosimpi, visto que seus corações foram assim feitos por Ossë.

Agora estão as praias nas costas ocidentais de Tol Eressëa, até mesmo em Falassë Númëa (Espuma Ocidental), repletas daquela gente dos Elfos, e para lá é levada uma grande hoste, de fato, daqueles navios-cisne, e o grito das gaivotas acima deles é incessante. Mas os Solosimpi se erguem em grandes números e entram nos corpos ocos dessas coisas novas do engenho de Aulë, e ainda mais de sua gente encaminha-se sempre às costas, marchando ao som de incontáveis flautas e flautins.

Todos estão agora embarcados e as gaivotas adentram poderosas o céu crepuscular, mas Aulë e Oromë estão na galé dianteira e mais potente, e setecentas gaivotas estão-lhe atreladas, e ela rebrilha com prata e plumas brancas, e tem um bico d'ouro, e olhos d'azeviche e âmbar. Mas Ulmo vai na retaguarda em sua carruagem piscosa e trombeteia alto para desconcerto de Ossë e para o resgate dos Elfos das Terras Costeiras.

Mas Ossë, vendo como esses pássaros foram usados para seu prejuízo, fica muito abatido e, no entanto, pela presença daqueles três Deuses e, de fato, por seu amor pelos Solosimpi, que agora crescera muito, não perturbou sua branca frota, e eles cruzaram, assim, as léguas cinzentas do oceano, pelos sons indistintos e brumas dos Mares Sombrios, chegando mesmo às primeiras águas escuras da baía de Arvalin.

Sabe que, então, a Ilha Solitária está nos confins do Grande Mar. Ora, esse Grande Mar, ou a Água Ocidental, está além dos limites mais ocidentais das Grandes Terras, e nele estão muitas terras e ilhas além de cujo ancoradouro tu alcanças as Ilhas

Mágicas e, ainda além delas, está Tol Eressëa. Mas, além de Tol Eressëa, está a muralha brumosa e as grandes trevas marítimas sob as quais jazem os Mares Sombrios, e lá flutuam as Ilhas do Crepúsculo, onde só penetrava nos tempos mais claros a centelha mais esmaecida do brilho distante de Silpion. Mas, na mais ocidental destas, erguia-se a Torre de Pérola, construída em dias posteriores e muito cantada em canções; mas as Ilhas do Crepúsculo são tidas como as primeiras das Terras de Fora, que compreendem estas e Arvalin e Valinor, mas Tol Eressëa não é contada nem entre as Terras de Fora, nem entre as Grandes Terras por onde Homens vagaram depois. Mas a costa mais distante desses Mares Sombrios é Arvalin ou Erumáni, no extremo sul, mas no norte eles envolvem até mesmo as costas de Eldamar, e aqui são mais largos para quem viaja a oeste. Além de Arvalin erguem-se as imensas Montanhas de Valinor, que estão num grande anel que se curva lentamente para o oeste, mas os Mares Sombrios formam uma vasta baía a norte de Arvalin, correndo até os negros sopés das montanhas, de sorte que, nesse ponto, elas margeiam as águas e não as terras, e nos recônditos da baía está Taniquetil, gloriosa de se contemplar, a mais imponente de todas as montanhas, trajada da mais pura neve, olhando através de Arvalin metade para o sul e metade para o norte cruzando a fabulosa Baía de Feéria e, do mesmo modo, além dos próprios Mares Sombrios, mesmo a ponto de todas as velas sobre águas ensolaradas do Grande Mar, em dias posteriores (quando os Deuses haviam confeccionado tal lamparina), e todas as multidões nos portos ocidentais das Terras de Homens poderem ser vistas de seu topo; e, no entanto, essa distância é contada apenas em léguas inimagináveis.

Mas agora chega aquela estranha frota perto dessas regiões, e olhos ansiosos espiam. Lá está Taniquetil, púrpura e escura dum lado com a treva de Arvalin e dos Mares Sombrios, e luminosa em glória doutro lado em virtude da luz das Árvores de Valinor. Ora, onde os mares abraçavam essas costas outrora, suas ondas, muito antes mesmo de se quebrarem, eram de súbito iluminadas por Laurelin, se fosse dia, ou por Silpion, se fosse noite, e as sombras do mundo cessavam quase que abruptamente, e as ondas se riam. Mas uma fenda nas montanhas naquelas costas deixava escapar um vislumbre de Valinor, e lá se erguia a colina de Kôr, e a areia branca corre até a enseada para encontrá-la, mas seus sopés estão na verde água e, por trás, a areia d'ouro vai mais longe do que quaisquer olhos conseguem espreitar e, de fato, para além da Valinor da qual ninguém ouviu ou viu nada, salvo Ulmo, e, no entanto, por certo aqui se espalham as águas escuras dos Mares de Fora: elas não têm marés e são muito frescas, e tão ralas que nenhum barco consegue navegar em seu seio, e poucos peixes nadam em suas profundezas.

Mas ora, sobre a colina de Kôr há uma multidão apressada e jubilosa, e todo o povo dos Teleri e Noldoli saem portões afora e esperam para recepcionar a frota na praia. E agora esses navios deixam as sombras e são capturados na luz brilhante da baía interior e, então, atracam, e os Solosimpi dançam e flauteiam, e mesclam-se com o cantar dos Teleri e a música tênue dos Noldoli.

Muito atrás jazia Tol Eressëa em silêncio, e suas matas e praias estavam quietas, pois quase toda aquela hoste de aves marinhas seguira os Eldar e fazia barulho agora pelas praias de Eldamar: mas Ossë vivia abatido, e seus salões prateados em Valmar ficaram longamente vazios, pois por muito tempo não se aproximou deles além da orla de suas sombras, donde vinha o lamento longínquo de suas aves marinhas.

Ora, os Solosimpi não viviam muito em Kôr, mas tinham moradas estranhas entre as rochas costeiras, e Ulmo vinha e sentava-se entre eles como dantes em Tol Eressëa, e aquele era o seu momento de maior regozijo e ternura, e todo o seu saber e amor de música ele derramava, e eles bebiam com avidez. Músicas faziam e teciam tramas cativantes de som sussurradas pelas águas em cavernas ou pelas cristas das ondas varridas por ventos brandos; e estas eles mesclavam com o lamento das gaivotas e os ecos de suas próprias doces vozes nos lugares de sua habitação. Mas os Teleri e os Inwir ajuntaram a [?messe] de poesia e canção, e eram os que mais frequentemente estavam entre os Deuses, dançando nos salões celestes de Manwë para regozijo de Varda das Estrelas, ou enchendo as ruas e pátios de Valmar com o estranho encanto de seus cortejos e folguedos; para Oromë e Nessa eles dançavam em relvados virentes, e as clareiras de Valinor os reconheciam quando adejavam pelas árvores iluminadas de ouro, e Palúrien muito se alegrava ao vê-los. Amiúde os Noldoli estavam com eles e faziam muita música, pois a multidão de suas harpas e violas era dulcíssima, e Salmar os amava; mas seu maior deleite estava nos pátios de Aulë, ou em seus benquistos lares em Kôr, criando muitas belas cousas e tecendo muitas estórias. Com pinturas e tapeçarias bordadas, e entalhes de grande delicadeza eles encheram toda a sua cidade, e mesmo Valmar tornou-se mais bela sob suas mãos engenhosas.

Agora falo de como os Solosimpi velejavam amiúde pelos mares próximos em seus navios-cisne, quer puxadas pelas aves, quer remando eles mesmos com grandes remos que fizeram à semelhança das patas palmadas de cisne ou pato; e eles dragavam o fundo do mar e retiravam abundantes conchas finas daquelas águas mágicas e incontáveis pérolas de lustre puríssimo e estelar: e estas eram tanto sua glória quanto seu deleite, e a inveja dos outros Eldar, que as desejavam brilhando nos adornos da cidade de Kôr.

Mas aqueles Noldoli a quem Aulë ensinara mais profundamente labutavam incessantemente em segredo, e de Aulë receberam abundância de metais e de pedras e mármores e, com permissão dos Valar, também lhes foi concedido grande estoque da radiância de Kulullin e de Telimpë, guardada em receptáculos ocultos. Luz estelar obtiveram de Varda, e fios do mais azul *ilwë* Manwë lhes deu; água das mais límpidas lagunas naquela angra de Kôr, e gotas cristalinas de todas as fontes cintilantes dos pátios de Valmar. Orvalhos ajuntaram nas matas de Oromë, e pétalas de flores de todos os matizes e méis nos jardins de Yavanna, e saíam à caça dos raios de luz de Laurelin e Silpion em meio às folhas. Mas, quando toda essa riqueza de coisas belas e radiantes foi reunida, obtiveram dos Solosimpi muitas conchas, alvas e róseas, e a mais pura espuma e, por fim, umas poucas pérolas. Essas pérolas foram seu modelo, e o saber de Aulë e a magia dos Valar, suas ferramentas, e todas as coisas mais encantadoras da substância da Terra foram a matéria de seu ofício — e daí os Noldoli, com grande labor, inventaram e confeccionaram as primeiras gemas. Cristais fizeram das águas das fontes impregnadas das luzes de Silpion; âmbar, e crisoprásio, e topázio flamejavam sob suas mãos, e granates e rubis produziram, fazendo sua vítrea substância conforme Aulë ensinara, mas tingindo-as com os sumos de rosas e flores rubras e a cada uma deram um coração de fogo. Esmeraldas alguns fizeram da água da angra de Kôr, e centelhas das clareiras relvadas de Valinor, e safiras fizeram em grande profusão, [?tingindo] com os ares de Manwë; ametistas havia, e pedras da lua, berilos e ônix, ágatas de mármores mesclados, e muitas pedras menores, e seus corações estavam muito alegres, mas não se contentavam com pouco, fazendo joias em número imensurável até que todas as belas substâncias quase se exauriram, e grandes pilhas daquelas gemas não podiam ser ocultadas, mas fulguravam na luz como canteiros de flores brilhantes. Pegaram então aquelas pérolas que tinham, e algumas de quase todas as suas joias, e fizeram uma nova gema dum palor leitoso infundido de brilhos como se fossem os ecos de todas as outras pedras, e esta eles consideraram belíssima, e eram as opalas; mas alguns continuaram a laborar, e da luz das estrelas e das gotas d'água mais puras, e do orvalho de Silpion, e do ar mais ralo fizeram diamantes, e desafiavam qualquer um a fazer mais belo.

Então ergueu-se Fëanor dos Noldoli, e foi ter com os Solosimpi, e implorou por uma grande pérola, e obteve, ademais, um tonel repleto da mais brilhante luz fosfórea ajuntada da espuma em locais escuros, e voltou com isso para casa, e tomou todas as outras gemas, e reuniu seu brilho à luz de alvas lamparinas e velas argênteas, e tomou o reluzir de pérolas, e as semicores tênues de opalas, e as [?banhou] em fosforescência e no orvalho radiante de Silpion, e uma única gota ínfima da luz de Laurelin deixou cair ali e, dando a todas essas luzes mágicas um corpo para habitar, feito de vidro de tal perfeição que só ele conseguia fazer e que nem Aulë conseguia igualar, tamanha era a destreza delicada dos dedos de Fëanor, ele fez uma joia — e ela brilhava por sua própria radiância .... [10] em absoluta escuridão; e ele a depositou ali e sentou-se longamente, admirando sua beleza. Então, fez mais duas, e não tinha mais material: e foi buscar os outros para contemplar sua obra, e eles ficaram completamente atônitos, e essas joias ele chamou de Silmarilli, ou, como dizemos na fala dos Noldoli hoje, Silubrilthin.[11] Por isso, embora os Solosimpi sempre tenham defendido que nenhuma das gemas dos Noldoli, nem mesmo o rebrilhar majestoso de diamantes, superava suas ternas pérolas, todos os que alguma vez viram as Silmarils de Fëanor afirmavam que eram as joias mais belas que jamais brilharam ou [?chamejaram].

Kôr está agora iluminada com tal riqueza de gemas, e faísca maravilhosamente, e todo o povo dos Eldalië tiveram seu encanto enriquecido pela generosidade dos Noldoli, e o desejo dos Deuses pela beleza deles está completamente satisfeito. Safiras de grande [?maravilha] foram dadas a Manwë, e seus trajes estavam incrustados delas, e Oromë tinha um cinto de esmeraldas, mas Yavanna amava todas as gemas, e o deleite de Aulë estava nos diamantes e ametistas. Somente Melko não recebeu nenhuma, pois ainda não expiara todos os seus muitos crimes, e ele as cobiçava excessivamente, mas nada dizia, fingindo considerá-las de menor valor que os metais.

Mas agora todo o povo dos Eldalië encontrou sua maior ventura, e a majestade e glória dos Deuses e seus lares aumentou ao maior esplendor que o mundo já viu, e as Árvores brilhavam em Valinor, e Valinor devolvia sua luz num milhar de cintilações de cores estilhaçadas; mas as Grandes Terras estavam quietas e escuras e muito abandonadas, e Ossë se sentava do lado de fora das fronteiras e via o brilho lunar de Silpion cintilar nos seixos de diamantes e de cristais que os Gnomos lançaram com prodigalidade na orla dos mares, e os fragmentos vítreos que se estilhaçaram durante seu labor treme-luziam na face de Kôr voltada para o mar; mas as lagunas entre os rochedos escuros estavam repletas de joias, e os Solosimpi, cujas vestes eram costuradas com pérolas, dançavam à sua volta, e esta era a mais bela de todas as costas, e a música das águas naquelas praias argênteas superava o encanto de todos os sons.

Esses eram os rochedos de Eldamar, e eu os vi há muito tempo, pois Inwë era pai de meu avô;[12] e [?mesmo] ele era o mais velho dos Elfos, e viveria ainda em majestade, não tivesse ele perecido naquela marcha para o mundo, mas Ingil, seu filho, há muito voltou para Valinor e está com Manwë. E também sou parenta dos dançarinos das terras costeiras, e essas coisas de que te falo sei que são verdade; e a magia e maravilha da Baía de Feéria é tal que nenhum que a tenha visto como era então consegue falar dela sem que o fôlego falhe ou que a voz embargue."

Então Meril, a Rainha, cessou seu longo conto, mas Eriol nada disse, fitando a radiância distante do sol poente brilhar pelos troncos das macieiras e sonhando com Feéria. Por fim, disse Meril: "Vai agora para casa, pois a tarde se esvaiu, e o contar do conto pôs um peso de desejo em meu coração e no teu. Mas tem paciência e espera ainda antes de buscar sociedade com esse triste povo dos Elfos Ilhéus."

Mas Eriol falou: "Mesmo agora não sei, e meu coração não consegue adivinhar, como todo esse encanto veio a desbotar, ou como os Elfos puderam ser convencidos a partir de Eldamar."

Mas Meril falou: "Não, já alonguei demais meu conto por amor àqueles dias, e muitas coisas grandiosas jazem entre a feitura das gemas e a volta para Tol Eressëa: mas essas coisas muitos conhecem tão bem quanto eu, e Lindo, ou Rúmil de Mar Vanwa Tyaliéva as contariam mais habilmente do que eu." Então, ela e Eriol voltaram à casa das flores, e Eriol partiu antes que a face ocidental da torre de Ingil já estivesse cinzenta ao escurecer.

NOTAS

1 O manuscrito traz *Vairë*, mas isso só pode ser um deslize.
2 A ocorrência do nome *Telimpë* aqui e mais adiante neste conto, assim como no conto do *Sol e da Lua*, é curiosa; em *A Vinda dos Valar e a Construção de Valinor*, o nome foi alterado assim que apareceu, indo de *Telimpë* (*Silindrin*) para *Silindrin* e, nas ocorrências seguintes, *Silindrin* foi originalmente escrito (p. 101).
3 O manuscrito, aqui, possui *Linwë*, e novamente abaixo; ver o verbete *Tinwë Linto* nas "Alterações feitas a nomes" ao final destas notas.
4 Essa frase, a partir de "e, seduzido pela [...]" foi acrescentada posteriormente, ainda que não muito depois da escrita do texto, ao que parece.
5 Essa frase, a partir de "e um certo Ellu [...]" foi acrescentada ao mesmo tempo que a frase mencionada na nota 4.
6 A primeira ocorrência da forma *Uinen*, e assim escrita no momento da composição (isto é, não foi uma correção de *Ónen*).
7 *Arvalin*: assim escrito no momento da composição, e não uma emenda de *Habbanan* ou *Harmalin* como anteriormente.
8 Quando meu pai escreveu esses textos, ele o fez primeiro a lápis, e subsequentemente escreveu por cima a tinta, apagando o texto a lápis — do qual pedacinhos podem ser lidos aqui e ali, e a partir do qual se vê que ele alterou um tanto o original conforme prosseguia. Às palavras "resplandeciam maravilhosamente", contudo, ele interrompeu a escrita do texto a caneta e, a partir desse ponto, temos apenas o manuscrito original a lápis, o qual está, em alguns lugares, extremamente difícil de ler, sendo mais apressado, e também esmaecido e borrado pelo passar do tempo. Ao decifrar esse texto, fui derrotado em alguns lugares, e uso colchetes e interrogações para indicar trechos incertos, e fileiras de pontos para mostrar mais ou menos a extensão das palavras ilegíveis.

Deve-se enfatizar, portanto, que daqui em diante há apenas um *primeiro rascunho*, e escrito muito rapidamente, como que jogado na página.
9 *Arvalin*: aqui e subsequentemente emendado de *Habbanan*; ver nota 7. A explicação é, claramente, que o nome *Arvalin* surgiu no momento ou antes da reescrita a tinta sobre o texto a lápis; embora neste ponto da narrativa estejamos num estágio inicial da composição.
10 A palavra talvez possa ser lida como "feiticeira".
11 Outras formas (começando com *Sigm-*) precederam *Silubrilthin*, mas não podem ser interpretadas com certeza. Meril fala como se o nome gnômico fosse a forma usada em Tol Eressëa, mas não está claro o porquê.
12 "pai de meu avô": a escrita original era "meu avô".

Alterações feitas a nomes em
A Vinda dos Elfos e a Criação de Kôr

Tinwë Linto < *Linwë Tinto* (essa última é a forma do nome em uma passagem interpolada no conto anterior, ver pp. 134–35, nota 1). Em duas ocorrências subsequentes de *Linwë* (ver nota 3, p. 135), o nome não foi alterado, claramente por negligência; nas duas passagens acrescentadas em que o nome ocorre (ver notas 4 e 5, p. 135), a forma é *Tinwë* (*Linto*).

Inwithiel < *Gim-githil* (a mesma alteração em *O Chalé do Brincar Perdido*, ver p. 33).

Tinwelint < *Tintoglin*.

Wendelin < *Tindriel* (ver a passagem interpolada no conto anterior, pp. 134–35, nota 1).

Arvalin < *Habbanan*, ao longo do conto, exceto uma vez, no qual o nome *Arvalin* foi escrito originalmente; ver notas 7 e 9, p. 135.

Lindeloksë < *Lindelótë* (a mesma alteração em *A Vinda dos Valar e a Construção de Valinor*, ver p. 101).

Erumáni < *Harwalin*.

Comentário a
A Vinda dos Elfos e a Criação de Kôr

Anteriormente (pp. 139–40), falei sobre a grande diferença na estrutura da narrativa no começo deste conto, a saber, que os Elfos aqui despertaram *durante* o cativeiro de Melko em Valinor, ao passo que, na história posterior, foi justamente o Despertar que levou os Valar a fazerem guerra contra Melkor, culminando no seu aprisionamento em Mandos. Assim, o tema da captura dos Elfos em Cuiviénen por Melkor (*O Silmarillion*, p. 81), em última análise muito importante, está por necessidade completamente ausente. A libertação de Melko de Mandos, aqui, acontece muito mais cedo, antes da vinda dos "embaixadores" élficos a Valinor, e Melko tem um papel no debate a respeito da convocação.

Nota-se que a história de que Oromë encontrou os Elfos recém-despertos remonta ao início (embora aqui Yavanna Palúrien também estivesse presente, ao que parece, mas sua beleza e força singulares é diminuída pelo fato de que Manwë já sabia, de forma independente, da vinda deles, de modo que os grandes Valar não precisaram ser informados por Oromë. O nome *Eldar* já existia em

Valinor antes do Despertar, e a história de que foi dado por Oromë ("o Povo das Estrelas") não surgira — como se verá no Apêndice de Nomes, *Eldar* tinha uma etimologia bastante diferente nessa época. A distinção posterior entre os *Eldar*, que seguiram Oromë na jornada a oeste para o oceano, e os *Avari*, os Indesejosos, que não deram ouvidos à convocação dos Valar, não está presente e, de fato, neste conto não há indicação de que quaisquer Elfos que tenham ouvido a convocação a recusaram; havia, contudo, de acordo com outro conto (posterior), Elfos que nunca deixaram Palisor (pp. 278, 282).

Aqui, foi Nornorë, Arauto dos Deuses, e não Oromë, quem levou os três Elfos a Valinor e, depois, retornou com eles às Águas do Despertar (e é notável que, mesmo nessa primeira versão, mais afeita a "explicações" do que a versão posterior, não há sugestão de como eles passaram das regiões longínquas da Terra até Valinor, sendo que, posteriormente, a Grande Marcha só foi realizada com muita dificuldade). A história da inquirição dos três Elfos por Manwë acerca da natureza de sua vinda ao mundo e da perda de toda memória do que veio antes do despertar não sobreviveu aos *Contos Perdidos*. Outra mudança importante na estrutura é vista no ávido apoio de Ulmo ao grupo que era a favor da convocação dos Elfos até Valinor; em *O Silmarillion* (p. 84), Ulmo era o principal daqueles que "sustentavam que os Quendi deveriam ser livres para caminhar como quisessem na Terra-média".

Exponho aqui a história inicial dos nomes dos principais Eldar. *Elu Thingol* (quenya *Elwë Singollo*) começou como *Linwë Tinto* (ou, simplesmente, *Linwë*); isso foi alterado para *Tinwë Linto* (*Tinwë*). Seu nome gnômico era, inicialmente, *Tintoglin*, e depois *Tinwelint*. Era o líder dos Solosimpi (posteriores Teleri) na Grande Marcha, mas foi seduzido em Hisilómë pela "fata" (*Tindriel* >) *Wendelin* (posterior *Melian*), que veio dos jardins de Lórien em Valinor; ele se tornou senhor dos Elfos de Hisilómë, e a filha deles era *Tinúviel*. O líder dos Solosimpi em seu lugar foi, confusamente, *Ellu* (posteriormente *Olwë*, irmão de Elwë).

O senhor dos Noldoli era *Finwë Nólemë* (também *Nólemë Finwë* e, mais comumente, apenas *Nólemë*); o nome *Finwë* permaneceu por toda a história. Na fala gnômica, ele era *Golfinweg*. Seu filho era *Turondo*, ou *Turgon* em gnômico (mais tarde, Turgon virou neto de Finwë, sendo filho do filho de Finwë, Fingolfin).

O senhor dos Teleri (posteriores Vanyar) era (*Ing* >) *Inwë*, aqui chamado *Isil Inwë* e, em gnômico, (*Gim-githil* >) *Inwithiel*. Seu filho, que construiu a grande torre de Kortirion, era (*Ingilmo* >) *Ingil*. O "clã real" dos Teleri eram os Inwir. Portanto:

Contos Perdidos (formas posteriores dos nomes)		*O Silmarillion*
Isil Inwë (gnômico Inwithiel), senhor dos Teleri	………	Ingwë, senhor dos Vanyar
(seu filho Ingil)		
Finwë Nólemë (gnômico Golfinweg), senhor dos Noldoli	………	Finwë, senhor dos Noldor
(seu filho Turondo, gnômico Turgon)		(seu neto Turgon)
Tinwë Linto (gnômico Tinwelint), senhor dos Solosimpi, posteriormente senhor dos Elfos de Hisilómë		Elwë Singollo (sindarin Elu Thingol), senhor dos Teleri, posteriormente senhor dos Elfos-cinzentos de Beleriand
Wendelin	………	Melian
(sua filha Tinúviel)	………	(sua filha Lúthien Tinúviel)
Ellu, senhor dos Solosimpi depois da perda de Tinwë Linto	………	Olwë, senhor dos Teleri após a perda de seu irmão, Elwë Singollo

☙

Em *O Silmarillion* (p. 79), é descrita a segunda feitura das estrelas de Varda, antes e em preparação para a vinda dos Elfos:

Então Varda saiu do concílio, e olhou para longe das alturas de Taniquetil, e contemplou a escuridão da Terra-média debaixo das estrelas inumeráveis, tênues e distantes. Então ela principiou um grande trabalho, a maior de todas as obras dos Valar desde sua vinda a Arda. Tomou os orvalhos prateados dos tonéis de Telperion e com eles fez novas e mais brilhantes estrelas para a vinda dos Primogênitos […]

Na versão inicial, vemos a noção já presente de que as estrelas foram criadas em dois atos separados — que uma nova feitura de estrelas por Varda celebrou a vinda dos Elfos, mesmo que, aqui, os Elfos já estivessem despertos; e que as novas estrelas derivaram da luz líquida que caiu da Árvore-da-Lua, Silpion. O trecho de *O Silmarillion* citado acima prossegue dizendo que foi no momento da segunda feitura de estrelas que Varda, "alto no norte, como um desafio a Melkor, dispôs a girar a coroa de sete estrelas magnas, Valacirca, a Foice dos Valar e sinal de julgamento"; mas, aqui, isso é negado, e uma origem especial é atribuída à Ursa Maior, cujas estrelas não foram criação de Varda, mas centelhas que escaparam da forja de Aulë. No caderninho mencionado na pp. 34-5, repleto de rabiscos desconjuntados e projetos anotados com pressa, uma forma diferente desse mito aparece:

A Foice de Prata
As sete borboletas
Aulë estava fazendo uma foice de prata. Melko interrompeu seu trabalho, contando-lhe uma mentira a respeito da senhora Palúrien. Aulë furioso de tal forma que despedaça a foice com um golpe. Sete centelhas saltam e voam para o firmamento. Varda as pegou e deu-lhes um lugar nos céus como sinal da honra de Palúrien. Elas voam agora para sempre na forma de uma foice, girando ao redor do polo.

Não há dúvidas, penso, de que essa nota é anterior ao presente texto.
A estrela Morwinyon, "que arde sobre a borda do mundo a oeste", é Arcturo; veja o Apêndice de Nomes. Em nenhum lugar se explica por que Morwinyon-Arcturo é miticamente concebida como estando sempre a oeste.

Voltando-nos agora para a Grande Marcha e a travessia do oceano, a origem de Tol Eressëa na ilha sobre a qual Ossë levou os Deuses para as terras ocidentais à época da queda das Lamparinas (ver p. 91) necessariamente se perdeu depois com o desaparecimento dessa história, e Ossë deixou de ter qualquer direito de propriedade sobre ela. A ideia de que os Eldar vieram às praias das Grandes Terras em três companhias grandes e separadas (na ordem Teleri — Noldoli — Solosimpi, posteriormente Vanyar — Noldor — Teleri) remonta ao início; mas, aqui, o primeiro e o segundo povo cruzaram o oceano sozinhos e, posteriormente, atravessaram-no juntos.

Em *O Silmarillion* (p. 92), "muitos anos" se passaram até que Ulmo retornou para buscar o último dos três clãs, os Teleri, tanto tempo que eles haviam se enamorado das costas da Terra-média, e Ossë conseguiu persuadir alguns deles a ficar (Círdan, o Armador, e os Elfos da Falas, com seus portos em Brithombar e Eglarest). Não há vestígio disso no relato mais antigo, embora esteja presente o gérmen da ideia de que aqueles que chegaram por último esperaram longamente por Ulmo. Na versão publicada, a causa da ira de Ossë pelo transporte dos Eldar na ilha flutuante desapareceu, e seu motivo para ancorar a ilha no oceano é completamente distinto: de fato, ele o fez a pedido de Ulmo (*ibid.*, p. 93), que, de toda forma, se opunha à convocação dos Eldar a Valinor. Mas a ancoragem de Tol Eressëa como um ato de rebeldia de Ossë permaneceu por muito tempo como um elemento na história. Não se esclarece que outras "ilhas dispersas de seu domínio" (p. 151) Ossë ancorou ao fundo do mar; mas, visto que, no mapa do Mundo-Navio, a Ilha Solitária, as Ilhas Mágicas e as Ilhas do Crepúsculo são mostradas todas como "pináculos desde suas algosas profundezas" (ver pp. 108–10), foram provavelmente estas que Ossë agora fixou (embora Rúmil e Meril ainda falem das Ilhas do Crepúsculo como "flutuando" nos Mares Sombrios, pp. 89, 156).

Na história antiga, fica muito claro que Tol Eressëa foi ancorada longe, no meio do oceano, "e terra alguma pode ser vista navegando-se por muitas léguas desde suas falésias". De fato, essa é a razão para seu nome, que foi apoucado quando a Ilha Solitária passou a ser localizada na Baía de Eldamar. Mas as palavras ditas sobre Tol Eressëa no último capítulo de *O Silmarillion* (relativamente pouco retrabalhado ou revisto), "a Ilha Solitária, que se volta tanto para o oeste quanto para o leste", sem dúvida deriva da velha história; no conto de *Ælfwine da Inglaterra* se vê a origem dessa frase: "a Ilha Solitária, voltada para o Leste, ao Arquipélago Mágico, e às terras de Homens além dele, e para o Oeste, para as Sombras além das quais ao longe se vislumbra a Terra de Fora, o reino dos Deuses". A profunda separação da fala dos Solosimpi daquela dos outros clãs, mencionada neste conto (p. 151), foi preservada em *O Silmarillion*, mas a ideia surgiu nos dias quando Tol Eressëa estava muito mais distante de Valinor.

Como se observa frequentemente na evolução desses mitos, uma ideia inicial sobreviveu em um contexto completamente outro: aqui, o crescimento de árvores e plantas nas encostas ocidentais da ilha flutuante começou porque, por duas vezes, ela estacionou na Baía de Feéria e recebeu a luz das Árvores quando os Teleri e os Noldoli desembarcaram, e essa beleza e fertilidade permaneceram desde aqueles tempos após ela ser ancorada longe de Valinor, no meio do oceano; posteriormente, essa ideia sobreviveu no contexto da luz das Árvores que passava por Calacirya e recaía sobre Tol Eressëa, perto da Baía de Eldamar. De modo parecido, parece que o ensino da música e do saber do mar por parte de Ulmo aos Solosimpi, enquanto sentava-se num promontório de Tol Eressëa, depois de ela ter sido ancorada ao fundo do mar, foi transferida para a instrução de Ossë aos Teleri de "toda maneira de saber do mar e de música do mar", sentado numa rocha na costa da Terra-média (*O Silmarillion*, p. 92).

Muito notável é o relato incluído aqui sobre a fenda nas Montanhas de Valinor. Em *O Silmarillion* (pp. 93–4), os Valar abriram essa fenda, o Calacirya, ou Passo da Luz, apenas depois da vinda dos Eldar até Aman, pois "mesmo entre as flores radiantes dos jardins iluminados pelas Árvores de Valinor, eles [os Vanyar e Noldor] ainda ansiavam, às vezes, por ver as estrelas"; enquanto neste conto era uma característica "natural", associada a uma longa angra que adentrava do mar.

Do relato da vinda dos Elfos às costas das Grandes Terras, é possível ver (p. 148) que Hisilómë era uma região que fazia fronteira com o Grande Mar, em conformidade com sua identificação, no mapa mais antigo, com a região marcada com a letra *g* (ver pp. 105, 141); e, mais notável, vemos aqui a ideia de que Homens foram presos em Hisilómë por Melko, uma ideia que sobreviveu até a versão final, quando, após a Nirnaeth Arnoediad, os Homens Lestenses foram recompensados por sua contribuição traidora a Melkor sendo fechados em Hithlum (*O Silmarillion*, p. 265).

Na descrição da colina e cidade de Kôr, há muitas características que nunca se perderam em relatos posteriores de Tirion sobre Túna. Ver *O Silmarillion*, p. 94:

Sobre o cume de Túna a cidade dos Elfos foi construída, as muralhas alvas e os terraços de Tirion; e a mais alta das torres daquela cidade era a Torre de Ingwë, Mindon Eldaliéva, cuja luz prateada iluminava ao longe as brumas do mar.

A poeira de ouro e de "metais mágicos" que Aulë empilhou aos pés de Kôr empoaram os sapatos e a vestimenta de Eärendil quando ele subiu "as longas escadas brancas" de Tirion (*ibid.*, p. 330).

Não se diz aqui se as mudas de Laurelin e Silpion, dadas pelos Deuses a Inwë e Nólemë, que "floriam eternamente sem esmorecer", também proviam luz, mas mais adiante, nos *Contos Perdidos* (p. 213), após a Fuga dos Noldoli, as Árvores de Kôr são novamente mencionadas e, ali, as árvores dadas a Inwë "ainda brilhavam", enquanto as árvores dadas a Nólemë tinham sido desenraizadas e "levadas ninguém sabia para onde". Em *O Silmarillion* (p. 94), diz-se que Yavanna fez para os Vanyar e os Noldor "uma árvore semelhante a uma imagem menor de Telperion, salvo que ela não produzia luz de seu próprio ser"; ela foi "plantada nos pátios sob a Mindon e lá floresceu, e suas mudas eram muitas em Eldamar". Dela veio a Árvore de Tol Eressëa.

Em relação a essa descrição da cidade dos Elfos em Valinor, incluo aqui um poema chamado *Kôr*. Foi escrito em 30 de abril de 1915 (dois dias após *Pés de Gobelim* e *Tu e Eu*, ver pp. 40, 46), e dois textos dele sobrevivem: o primeiro, manuscrito, tem o subtítulo "Em uma Cidade Perdida e Morta". O segundo, datilografado, foi aparentemente intitulado, de início, *Kôr*, mas depois foi alterado para *A Cidade dos Deuses*, e o subtítulo, apagado; e com esse título o poema foi publicado em Leeds, em 1923.* Nenhuma alteração foi feita ao texto, exceto que a penúltima linha, "não há aves", foi alterada já no manuscrito para "não há voz". Parece possível, especialmente tendo em vista o subtítulo original, que o poema descrevia Kôr depois de os Elfos a terem deixado.

Kôr
Em uma Cidade Perdida e Morta

Colina enorme, negra e de altos muros,
Num mar de azul os seus olhos se espraiam
Sob azul céu, em cujo solo escuro
Qual perla em porfírico piso raiam
Marmóreos templos, rútilos salões;
E sombra parda à meia-luz se adensa
Nas belas barras sobre os paredões
Lançada pelas árvores imensas

---

* A publicação foi numa revista chamada *The Microcosm* [O Microcosmo], editada por Dorothy Ratcliffe, volume VIII, n. 1, primavera de 1923.

Qual pilares pétreos sob o domo alto
Com capitéis e fustes de basalto.
Morosos dias esquecidos colhem
Sombras quietas, contando ricas horas;
Não há voz; as alvas torres marmóreas
Quentes, mudas, ardem e se recolhem.[A]

ভ৩

A história da evolução das aves marinhas com Ossë, e de como os Solosimpi chegaram, afinal, em Valinor, em navios com formato de cisne puxados por gaivotas, para pesar de Ossë, é muito diferente do relato em *O Silmarillion* (p. 96):

> Por uma longa era [os Teleri] habitaram em Tol Eressëa; mas lentamente seus corações foram mudando, atraídos para a luz que manava através do mar para a Ilha Solitária. Estavam divididos entre o amor pela música das ondas sobre suas praias e seu desejo de ver de novo sua gente e contemplar o esplendor de Valinor; mas, no fim, o desejo pela luz foi o mais forte. Portanto, Ulmo, submetendo-se à vontade dos Valar, enviou-lhes Ossë, seu amigo, e ele, ainda que entristecido, ensinou-lhes a arte da construção de navios; e, quando seus navios estavam prontos, trouxe-lhes, como presente de despedida, muitos cisnes de asas fortes. Então os cisnes puxaram os navios brancos dos Teleri por sobre o mar sem ventos. E assim, por fim e por último, chegaram a Aman e às costas de Eldamar.
>
> Mas os cisnes permaneceram como presente de Ossë aos Elfos de Tol Eressëa, e os navios dos Teleri mantiveram a forma dos navios construídos por Aulë para os Solosimpi: eles "eram feitos à semelhança de cisnes, com bicos de ouro, e olhos de ouro e azeviche" (*ibid.*, p. 97).

O trecho com a descrição geográfica que se segue (pp. 155–56) é curioso, pois é extremamente parecido (e até mesmo, em algumas frases, idêntico) ao do conto *A Vinda dos Valar e a Construção de Valinor*, pp. 88–9. Uma explicação para essa repetição é sugerida abaixo. Essa segunda versão fornece, de fato, pouca informação nova, sendo que a principal diferença substancial é a menção a Tol Eressëa. Fica claro agora que os Mares Sombrios eram uma região do Grande Mar a oeste de Tol Eressëa. Em *O Silmarillion* (pp. 148-49), a concepção fora alterada, com a mudança na ancoragem de Tol Eressëa: quando da Ocultação de Valinor,

as Ilhas Encantadas foram dispostas, e todos os mares à volta delas ficaram cheios de sombras e desconcerto. E essas ilhas estendiam-se como uma rede nos Mares Sombrios, do norte ao sul, antes que Tol Eressëa, a Ilha Solitária, fosse alcançada por quem navegava para o oeste.

Há um outro elemento de repetição no relato da fenda nas Montanhas de Valinor e a colina de Kôr na ponta de uma angra (p. 158), que já foi descrita antes nesse mesmo conto (p. 152). A explicação para essa repetição pode ser encontrada, quase com certeza, nas duas camadas de composição desse conto (ver nota 8, p. 161); pois a primeira dessas passagens está na porção revisada e a segunda, no texto original, a lápis. Durante a revisão, penso que meu pai simplesmente incluiu a passagem anterior a respeito da fenda nas Montanhas, a colina e a angra, e, caso tivesse continuado a revisão do conto até o fim, a segunda passagem teria sido cortada. Essa explicação também pode ser sugerida para a repetição do trecho a respeito das ilhas no Grande Mar e a costa de Valinor do conto *A Vinda dos Valar e a Construção de Valinor*; mas, nesse caso, a implicação deve ser que a revisão a caneta sobre o manuscrito original, a lápis, foi feita quando esse último já tinha avançado muito na narrativa.

Em *O Silmarillion*, o relato inteiro da criação das gemas pelos Noldoli foi comprimido nessas palavras (pp. 94-5):

E veio a se passar que os pedreiros da casa de Finwë, escavando os montes em busca de rochas (pois se deleitavam na construção de altas torres), foram os primeiros a descobrir as gemas da terra, e eles as trouxeram à luz em miríades incontáveis; e criaram ferramentas para cortar gemas e lhes dar forma, e as entalharam de muitos feitios. Não as entesouravam, mas as davam livremente e, por seu labor, enriqueceram toda Valinor.

Assim, o relato rapsódico ao final deste conto, que trata da feitura das gemas a partir de materiais "mágicos" — luz das estrelas, e *ilwë*, orvalhos e pétalas, substâncias vítreas tingidas com o sumo de flores — foi abandonado, e os Noldor tornaram-se mineradores, de fato engenhosos, mas apenas minerando aquilo que podia ser encontrado nas rochas de Valinor. Por outro lado, em uma passagem anterior em *O Silmarillion* (p. 69), a ideia antiga permanece: "Os Noldor também foram os que primeiro chegaram a criar gemas preciosas." Desnecessário dizer que tudo seria suplantado pela parcimônia da escrita posterior; nesta narrativa inicial, as Silmarils não se destacam fortemente dentro do acúmulo de maravilhas que é o restante das gemas criadas pelos Noldoli.

Características que permaneceram são a generosidade dos Noldor ao dar suas gemas e espalhá-las nas praias (ver *O Silmarillion*, p. 96: "Muitas joias os Noldor lhes deram [aos Teleri], opalas e diamantes e cristais pálidos, que eles lançavam pela costa e espalhavam nas poças"); as pérolas que os Teleri ganharam no mar (*ibid.*); as safiras que os Noldor deram a Manwë ("e seu cetro é de safira, que os Noldor lhe fizeram", *ibid.*, p. 69); e, é claro, Fëanor como criador das Silmarils — embora, como se verá no conto seguinte, Fëanor ainda não era filho de Finwë (Nólemë).

༄

Concluo este comentário com outro poema antigo que trata da matéria deste conto. É dito (p. 148) que os Homens em Hisilómë temiam os Elfos Perdidos, chamando-os de Povo da Sombra, e que o seu nome para a terra era *Aryador*. O significado dele está dado na antiga lista de palavras gnômicas como "terra ou lugar de sombra" (cf. os significados de *Hisilómë* e *Dor Lómin*, p. 141).

O poema é chamado *Uma Canção de Aryador*, e sobrevive em duas cópias; de acordo com notas a eles, foi escrito em um acampamento do exército próximo a Lichfield, em 12 de setembro de 1915. Até onde sei, jamais foi publicado. A primeira cópia, um manuscrito, também tem o título em inglês antigo: *Án léop Éargedores*; a segunda cópia, datilografada, quase não tem diferenças no texto, mas pode-se notar que a primeira palavra da terceira estrofe, "Ela", é uma correção de "Ele" em ambas as cópias.

Uma Canção de Aryador

Nos vales de Aryador
Junto à praia do interior
Campos lacustres verdeais
Vão-se aos múrmuros juncais
Que tugem no ocaso em Aryador:

"Estás ouvindo as campanas
Dos bodes nas terras planas
Onde o vale desce desde os pinheirais?
E a mata azul a chorar
Vendo a Sol indo caçar
As sombras montesas nos pinheirais?

Ela nos montes sumiu
E o planalto se cobriu
Com o povo sombrio que nos feitais tuge;
E ainda há as campanas
E as vozes nas terras planas
E, no Leste, uma estrela ou outra surge.

Os homens acendem fachos
Nos montanhosos riachos
Onde moram, nos faiais perto do mar,
Mas as árvores, na altura,
Veem que a luz já mal fulgura
E ao vento coisas de antes vêm contar.

Quando o vale era insabido,
E da água era só o rugido,
E o povo sombrio dançava em noite escura,
Quando a Sol para longe ia
Por grandes matas bravias
E os bosques se enchiam de luz que fulgura.

Voz havia em terras planas,
Sons de fantasmais campanas
E a marcha do povo sombrio na altura.
Na serra de mar banhada
Da Aryador olvidada
A dança trincolejava
E o povo sombrio cantava
Cantos antigos de deidades passadas."[B]

6

O Roubo de Melko e o Obscurecer de Valinor

Novamente, esse título foi retirado da capa do caderno que contém o texto; a narrativa, ainda escrita rapidamente a lápis (ver nota 8 no capítulo anterior), com algumas correções contemporâneas ou posteriores, continua sem interrupção.

Agora Eriol voltou ao Chalé do Brincar Perdido, e seu amor por todas as coisas que via à sua volta, e seu desejo por compreendê-las todas, tornou-se mais profundo. Tinha sede incessante de saber ainda mais da história dos Eldar; e jamais deixou de estar entre aqueles que, a cada noite, iam à Sala do Fogo-do-Conto; e dessa forma, certa vez, quando já havia morado por um tempo como hóspede de Vairë e Lindo, aconteceu de Lindo, respondendo à sua súplica, falar assim de sua funda cadeira:

"Ouve então, ó Eriol, se tu quiseres [saber] como veio a ser que o encanto de Valinor foi abatido, ou como os Elfos puderam ser compelidos a deixar as costas de Eldamar. Pode bem ser que tu já saibas que Melko habitou em Valmar como serviçal na casa de Tulkas, naqueles dias de júbilo dos Eldalië; lá nutriu seu ódio pelos Deuses e sua inveja corrosiva dos Eldar, mas foi sua cobiça pela beleza das gemas, apesar de toda sua fingida indiferença, que acabou dominando sua paciência e o fez tramar profunda e maleficamente.

Ora, somente os Noldoli naqueles tempos conheciam a arte de fazer essas belas coisas e, apesar de seus ricos presentes a todos os que amavam, o tesouro que possuíam delas era, de longe, o maior, de sorte que Melko, sempre que pode, vai ter com eles, falando palavras ardilosas. Dessarte, longamente buscou implorar presentes de joias para si mesmo, e talvez também iludir os incautos para aprender algo de sua arte oculta, mas, vendo que nenhum desses artifícios deu resultado, procurou semear malignos desejos e desacordos entre os Gnomos, contando-lhes aquela mentira a respeito do Concílio quando os Eldar foram primeiro convidados a Valinor.[1] 'Escravos é o que sois,', dizia, 'ou crianças, se preferirdes, instados a divertir-vos com brinquedos e a não ir longe demais e a não saber demais. Aprazíveis dias os Valar talvez vos deem, como dizeis; mas tentai cruzar seus muros e haveis de conhecer a dureza de seus corações. Vede, eles usam vosso engenho, e à vossa beleza se agarram como ornamento de seus reinos. Isso não é amor, mas desejo egoísta — fazei o teste. Rogai pela herança que Ilúvatar vos designou — todo o vasto mundo para percorrer, com todos os seus mistérios para explorar, e todas as substâncias que se tornariam material de ofícios portentosos que não podem jamais se realizar nestes jardins estreitos cercados pelas montanhas, confinados pelo mar impassável.'

Ao escutar essas coisas, apesar do conhecimento verdadeiro que Nólemë possuía e espalhava, havia muitos que davam ouvidos a Melko com metade de seus corações, e a inquietude cresceu entre eles, e Melko punha óleo nos seus ardentes desejos. Dele aprenderam muitas coisas que não eram boas para ninguém saber, salvo os grandes Valar, pois, quando são meio compreendidas, essas coisas profundas e ocultas trucidam a felicidade; e, ademais, muitas das palavras de Melko eram mentiras ardilosas ou apenas meias verdades, e os Noldoli cessaram de cantar, e suas violas silenciaram sobre a colina de Kôr, pois seus corações ficaram um tanto mais velhos conforme seu saber se aprofundava e seus desejos se inchavam, e os livros de sua sabedoria se multiplicavam como folhas na floresta. Pois sabei que, naqueles dias, Aulë, auxiliado pelos Gnomos, inventou alfabetos e escritas, e nos muros de Kôr havia muitos contos sombrios escritos em símbolos pintados, e runas de grande beleza foram pintadas lá também, ou entalhadas em pedras, e Eärendel leu vários contos maravilhosos lá, há muito tempo, e talvez ainda haja ali muitos para se ler, se não tiverem se desfeito em poeira. Os outros Elfos não davam demasiada atenção a essas coisas e, por vezes, entristeciam-se e amedrontavam-se pela alegria apoucada de seus parentes. Isso dava a Melko grande contentamento, e ele tramava com paciência, aguardando o momento e, contudo, não chegava perto de seu objetivo, pois, apesar de todos os seus labores, a glória das Árvores e a beleza das gemas e a memória dos caminhos sombrios desde Palisor refreavam os Noldoli — e Nólemë falava sempre contra Melko, acalmando a inquietude e descontentamento deles.

Afinal, tão grande tornou-se sua aflição que se aconselhou com Fëanor, e mesmo com Inwë e Ellu Melemno (que então liderava os Solosimpi), e acolheu a recomendação deles de que o próprio Manwë deveria ser avisado dos expedientes sombrios de Melko.

E Melko, sabendo disso, ficou furioso com os Gnomos e, indo antes deles até Manwë, curvou-se profundamente, e falou como os Noldoli ousaram murmurar em seus ouvidos contra o senhorio de Manwë, afirmando que, em engenho e beleza, eles (a quem Ilúvatar destinara a posse de toda a terra) em muito superavam os Valar, para os quais precisavam laborar sem paga. Pesado ficou o coração de Manwë a essas palavras, pois há muito temia que a grande amizade dos Valar e Eldar pudesse, talvez, um dia se quebrar, sabendo que os Elfos eram filhos do mundo e deveriam, um dia, voltar para o seu seio. Ora, e se todos esses feitos, mesmo a maldade aparentemente desnecessária de Melko, fossem apenas uma porção desse destino d'outrora? E, no entanto, o Senhor dos Deuses se mostrou frio ao informante, e eis que mesmo enquanto ele o questionava mais profundamente, a embaixada de Nólemë achegou-se e, recebendo permissão, falou a verdade diante dele. Em virtude da presença de Melko, talvez, falaram um tanto menos habilmente em prol de sua causa do que poderiam, e talvez até mesmo o coração de Manwë Súlimo estivesse maculado pelo veneno das palavras de Melko, pois a peçonha da malícia de Melko é mesmo muito potente e sutil.

Seja como for, tanto Melko quanto os Noldoli foram repreendidos e dispensados. De fato, Melko foi obrigado a voltar a Mandos e ali habitar um tempo em penitência, sem se atrever a pisar em Valmar por muitas luas, até que o grande festival que ora se aproximava chegasse e passasse; mas Manwë, temeroso de que a poluição de seu descontentamento pudesse se espalhar entre os outros clãs, ordenou que Aulë encontrasse outros lugares e para lá levasse os Noldoli, e que lhes construísse uma nova cidade onde pudessem morar.

Grande foi o pesar sobre a colina de Kôr quando essas novas foram levadas para lá e, embora todos estivessem irados com a perfídia de Melko, ainda assim havia agora nova amargura contra os Deuses, e o murmurinho ficou mais alto do que antes.

Um riacho de nome *Híri* descia as colinas a norte da abertura para a costa onde Kôr foi construída, e ele meandrava desde lá, atravessando a planície ninguém sabia até onde. Talvez encontrasse os Mares de Fora, pois a norte das raízes de Silpion ele mergulhava na terra, e lá era um local acidentado e um vale cercado de rochas; e aí os Noldoli pretendiam morar ou, antes, aguardar que se amainasse a ira do coração de Manwë, pois, por ora, de modo algum aceitariam sequer pensar em deixar Kôr para sempre.

Cavernas fizeram nos paredões daquele vale, e para lá levaram sua riqueza de gemas, de ouro e prata e belas coisas; mas seus antigos lares em Kôr estavam esvaziados de suas vozes, cheios somente de suas pinturas e seus livros de saber, e as ruas de Kôr e todos os caminhos de Valmar brilhavam ainda com [?gemas] e mármores talhados contando dos dias da felicidade dos Gnomos que agora chegava ao declínio.

Ora, Melko vai para Mandos e, longe de Valinor, planeja rebelião e vingança contra Gnomos e Deuses. De fato, morando por quase três eras nas masmorras de Mandos, Melko amigara-se de certos espíritos lúgubres ali, e os perverteu ao mal, prometendo-lhes grandes propriedades e regiões da Terra para [?si mesmos] caso o ajudassem quando os convocasse na necessidade; e agora ele os reúne nas ravinas sombrias das montanhas em redor de Mandos. De lá, manda espiões invisíveis como sombras fugidias quando Silpion está em flor e descobre dos feitos dos Noldoli e de tudo o que se passa na planície. Ora, logo depois aconteceu, de fato, que os Valar e os Eldar fizeram um grande festival, o mesmo de que Manwë falara, ordenando que Melko livrasse Valmar de sua presença na ocasião; sabei, pois, que eles festejavam em um dia a cada sete anos para celebrar a vinda dos Eldar a Valinor e, a cada três anos, uma festa menor para comemorar a vinda da alva frota dos Solosimpi às praias de Eldamar; mas, a cada vinte e um anos, quando ambas essas festividades caíam juntas, faziam uma da maior magnificência, e ela durava sete dias e, em virtude disso, tais anos eram chamados de 'Anos de Duplo Júbilo';* e esses festivais todos os Koreldar, seja lá onde estejam agora no vasto mundo,

---

*Acrescentado na margem aqui: *Samírien.*

ainda celebram. Ora, aquele festival que se aproximava era um de Duplo Júbilo, e todas as hostes dos Deuses e Elfos preparavam-se para celebrá-lo gloriosissimamente. Cortejos havia e longas procissões dos Elfos, dançando e cantando, que serpenteavam desde Kôr até os portões de Valmar. Uma estrada fora construída para esse festival desde o portão oeste de Kôr até as torrelas do imponente arco que se abria nas muralhas de Valmar ao norte, na direção das Árvores. De branco mármore foi feita, e muitos regatos suaves correndo das montanhas distantes cruzavam seu curso. Nesses lugares ela se elevava em pontes esguias, maravilhosamente ladeadas com balaustradas delicadas que brilhavam como pérolas; elas mal se erguiam sobre a água, de sorte que lírios de grande beleza que cresciam no leito dos regatos, os quais seguiam gentilmente pela planície, esticavam suas grandes flores pelas beiradas, e íris marchavam pelos flancos; pois por habilidosa escavação canais de claríssima água fizeram fluir de arroio em arroio, margeando todo aquele longo caminho com o ruído fresco de água ondulante. Nuns lugares, grandes árvores cresciam de cada lado; noutros lugares, a estrada abria-se numa clareira e fontes jorravam por magia no ar, para refrigério de todos os que iam por aquele caminho.

Agora os Teleri chegaram, liderados pelo povo de brancos trajes dos Inwir, e o tanger de suas harpas congregadas agitam dulcíssimas o ar; e depois deles foram os Noldoli, misturando-se uma vez mais com seu próprio povo querido por clemência de Manwë, para que seu festival pudesse ser devidamente celebrado, mas a música que suas violas e instrumentos despertou era agora mais docemente triste do que jamais fora. E, por último, veio o povo das costas, e seu flautear mesclado de vozes trouxe para o interior da terra sobre a planície a sensação das marés e de vagalhões murmurantes e do grito lamurioso dos pássaros que amam as costas.

Então toda aquela hoste se reuniu diante do portão de Valmar e, ao mando e sinal de Inwë, como uma só voz, irromperam em uníssono na Canção de Luz. Lirillo[2] a havia escrito e lhes ensinado, e ela falava do anseio dos Elfos por luz, de sua terrível jornada pelo mundo sombrio levados pelo desejo das Duas Árvores, e cantava de sua alegria extrema contemplando o semblante dos Deuses e seu desejo renovado, uma vez mais, de entrar em Valmar e pisar nos pátios abençoados dos Valar. Então abriram-se os portões de Valmar, e Nornorë pediu que entrassem, e toda aquela fulgurante companhia atravessou. Varda os encontrou ali, em meio às companhias dos Mánir e Súruli, e todos os Deuses os recepcionaram e banquetes houve depois em todos os grandes salões.

Ora, o costume era, no terceiro dia, vestir-se todo de branco e azul e subir às alturas de Taniquetil, e lá Manwë lhes falava conforme achasse adequado da Música dos Ainur e da glória de Ilúvatar, e de coisas que seriam e que foram. E nesse dia Kôr e Valmar ficavam silenciosas e sossegadas, mas o teto do mundo e a encosta de Taniquetil brilhavam com a roupagem cintilante dos Deuses e Elfos, e todas as montanhas ecoavam com suas falas — mas, depois, no último dia de folguedo, os Deuses iam até Kôr e sentavam-se nas encostas de sua brilhante colina, olhando amorosamente aquela graciosa cidade, e depois, bendizendo-a em nome de Ilúvatar, partiam antes que Silpion florisse; e assim terminavam os dias de Duplo Júbilo.

Mas, nesse ano fatídico, Melko atreveu-se, por seu blasfemo coração, escolher justamente o dia do discurso de Manwë sobre Taniquetil para levar a cabo seus desígnios; pois nesse momento Kôr e Valmar e o vale cercado de rochas de Sirnúmen estariam desprotegidos: pois contra quem, de fato, precisariam Elfo ou Vala se proteger naqueles dias antigos?

Descendo então com seu povo sombrio no terceiro dia de Samírien, como era chamado aquele festival, ele passou pelos salões escuros da morada de Makar (pois mesmo aquele Vala feroz fora até Valmar honrar o momento e, de fato, todos os Deuses foram, salvo apenas Fui e Vefántur, e mesmo Ossë estava lá, ocultando por aqueles sete dias sua contenda e inveja de Ulmo). Aqui um pensamento acomete o coração de Melko, e ele secretamente arma a si mesmo e a seu bando com espadas mui afiadas e cruéis, e isso lhes serviu bem: pois agora todos adentram furtivamente o vale de Sirnúmen, onde os Noldoli agora têm sua morada, e vede, os Gnomos — em virtude das maquinações em seus corações causadas pelo próprio ensinamento de Melko — tornaram-se cautelosos e desconfiados além do comum para os Eldar daqueles dias. Junto aos tesouros foram postados guardas de certa força que não foram ao festival, ainda que isso fosse contrário aos costumes e ordenanças dos Deuses. De súbito, agora, irrompe uma guerra cruel no coração de Valinor, e esses guardas são mortos, ao mesmo tempo em que a paz e o regozijo sobre Taniquetil, ao longe, são grandiosos — em verdade, por causa disso ninguém ouviu seus gritos. Ora, Melko sabia que, de fato, seria guerra para sempre entre ele e toda a outra gente de Valinor, pois havia assassinado os Noldoli — convidados dos Valar — diante das portas de seus próprios lares. Com as próprias mãos, de fato, assassinou Bruithwir, pai de Fëanor,[3] e, forçando a entrada naquela rochosa casa que ele defendia, Melko pôs as mãos naquelas gloriosíssimas gemas, as Silmarils, encerradas numa arca de marfim. Ora, todo aquele grande tesouro de gemas ele saqueou e, carregando-se a si e a todos os seus companheiros ao máximo, pensa em como pode escapar.

Sabei, pois, que Oromë tinha grandes estábulos e uma caudelaria de bons cavalos não muito longe dali, onde uma terra de matas havia crescido. Para lá Melko vai furtivamente, e uma manada de negros cavalos ele captura, intimidando-os com o terror que conseguia infligir. Para longe então cavalga toda aquela companhia de ladrões, após destruir as coisas de menor valor que julgaram impossível levar dali. Percorrendo um amplo circuito e indo embora com a velocidade de furacões tal qual somente poderiam alcançar os cavalos divinos de Oromë montados pelos filhos dos Deuses, eles passam para o oeste de Valmar nas regiões inexploradas onde a luz das Árvores era rala. Muito antes de o povo ter descido de Taniquetil, e muito antes do final do banquete ou de os Noldoli terem voltado para encontrar seus lares despojados, Melko e seus [?ladrões] haviam cavalgado para o sul profundo e, encontrando ali uma baixada nas colinas, passaram para as planícies de Eruman. Bem poderiam Aulë e Tulkas lamentar sua negligência ao deixar tal baixada muito tempo antes, quando ergueram aqueles montes para barrar todo o mal da planície — pois aquele era o lugar por onde eles soíam entrar em Valinor após suas caçadas nos campos de Arvalin.[4] De fato, diz-se que essa cavalgada em meio-círculo, laboriosa e perigosa como era, não foi de início parte do desígnio de Melko, pois ele pretendia, antes, rumar norte pelos passos próximos a Mandos; mas isso advertiram-lhe que não poderia ser feito, pois Mandos e Fui jamais deixavam aqueles reinos, e todas as ravinas e abismos das montanhas ao norte estavam infestados de seu povo e, apesar de toda a sua tenebrosidade, Mandos não era rebelde a Manwë e nem aprovava feitos cruéis.

Muito ao norte, caso se consiga suportar o frio como Melko conseguia, conta-se em antigo saber que os Grandes Mares se estreitam até se tornarem coisa pouca e, sem auxílio de navios, Melko e sua companhia poderiam ter entrado em segurança no mundo; mas isso não foi feito, e o triste conto tomou seu curso estabelecido, do contrário as Duas Árvores talvez ainda pudessem brilhar e os Elfos, cantar em Valinor.

Enfim, aquele dia de festival termina e os Deuses voltam-se na direção de Valmar, caminhando pela branca estrada desde Kôr. As luzes cintilam na cidade dos Elfos e lá habita a paz, mas os Noldoli vão tristes pela planície para Sirnúmen. Silpion está rebrilhando naquela hora e, antes que se desvaneça, o primeiro lamento pelos mortos jamais ouvido em Valinor ergue-se daquele vale rochoso, pois Fëanor lamenta a morte de Bruithwir; e muitos dos Gnomos, ademais, descobrem que os espíritos de seus mortos adejaram rumo a Vê. Mensageiros então cavalgam apressados até Valmar trazendo notícias dos acontecimentos, e lá encontram Manwë, pois ele ainda não deixou a cidade rumo à sua morada sobre Taniquetil.

'Ai, ó Manwë Súlimo,' lamentam, 'o mal penetrou as Montanhas de Valinor e tombou sobre Sirnúmen da Planície. Lá jaz morto Bruithwir, pai de Fëanor,[5] além de muitos dos Noldoli, e todo o nosso tesouro de gemas e belas coisas, e o caro labor de nossas mãos e corações por muitos anos nos foi roubado. Aonde foram, ó Manwë, cujos olhos tudo veem? Quem causou este mal, pois os Noldoli clamam por vingança, ó mais [?justo]!'

Então disse-lhes Manwë: 'Vede, ó Filhos dos Noldoli, meu coração se entristece por vós, pois o veneno de Melko já vos alterou, e a cobiça achou lugar em vossos corações. Eis que, não tivésseis vós considerado vossas gemas e tecidos[6] como tendo mais valor que o festival do povo ou as ordenanças de Manwë, vosso senhor, isso não teria passado, e Bruithwir go-Maidros e aqueles outros desafortunados viveriam ainda, e vossas joias não estariam em maior perigo. Não, minha sabedoria me diz que, pela morte de Bruithwir e seus camaradas, os maiores males hão de sobrevir a Deuses e Elfos, e aos Homens vindouros. Sem os Deuses que vos trouxeram à luz e vos deram todos os materiais de vosso ofício, ensinando a vossa ignorância inicial, nenhuma dessas belas coisas que agora amais tanto teria existido; o que foi feito pode novamente ser feito, pois o poder dos Valar não muda; mas mais valiosas do que toda a glória de Valinor e toda a graça e beleza de Kôr são a paz e a felicidade e a sabedoria, e essas, uma vez perdidas, são difíceis de se recapturar. Cessai, pois, de murmurar e de falar contra os Valar, e de vos colocar, em vossos corações, como iguais à sua majestade; antes, parti agora em penitência, sabendo muito bem que Melko obrou esse mal contra vós, e que vossos tratos secretos com ele causaram toda essa perda e pesar. Não confieis nele novamente, portanto, nem em quaisquer outros que sussurrem palavras secretas de descontentamento entre vós, pois seu fruto é a humilhação e o desalento.'

E a embaixada ficou vexada e temerosa, e retornou a Sirnúmen completamente desanimada; ainda assim, o coração de Manwë estava mais pesado que o deles, pois as coisas tinham ido mal de fato e, no entanto, previu que coisa pior estava por vir; e assim os destinos dos Deuses se encaminharam, pois vede! aos Noldoli as palavras de Manwë pareciam frias e insensíveis, e eles não conheciam seu pesar e sua ternura; e Manwë os achou estranhamente mudados e voltados à cobiça, ansiando apenas por conforto, sendo como crianças que não conseguem parar de pensar na perda de suas belas coisas.

Agora Melko se encontra nos ermos de Arvalin, sem saber como pode escapar, pois a treva lá é muito grande, e não conhece essas regiões que se estendem de lá até o extremo sul. Portanto, mandou um mensageiro reclamando o inviolável direito de um arauto (ainda que esse fosse um serviçal renegado de Mandos a quem Melko pervertera) pelo passo de Valinor, e lá, diante dos portões de Valmar,[7] exigiu audiência com os Deuses; e foi-lhe perguntado donde vinha, e ele disse que fora do Ainu Melko, e Tulkas teria lançado nele pedras das muralhas e o assassinado, mas os outros, por ora, não permitiram que fosse maltratado, mas, apesar de sua raiva e desprezo, admitiram-no à grande praça d'ouro que ficava defronte dos pátios de Aulë. E, na mesma hora, cavaleiros foram enviados a Kôr e Sirnúmen convocando os Elfos, pois suspeitou-se que o assunto os tocava de perto. Quando tudo foi aprontado, o mensageiro postou-se ao lado do obelisco de ouro puro no qual Aulë escrevera a estória do acendimento da Árvore de ouro (nos pátios de Lórien, havia uma de prata com outro conto) e, de súbito, Manwë exclamou: 'Fala!' e sua voz era um golpe de trovão colérico, e os pátios ressoaram, mas o enviado, imperturbável, pronunciou sua mensagem, dizendo:

'Do Senhor Melko, governante do mundo desde o leste mais sombrio às mais extremas encostas das Montanhas de Valinor, aos seus parentes, os Ainur. Vede, em compensação por diversas afrontas atrozes e por longos períodos de injusto aprisionamento, em que pese sua nobre natureza e sangue, que sofreu por vossas mãos, ele agora tomou, como lhe é devido, alguns pequenos tesouros guardados pelos Noldoli, vossos escravos. É para ele grande pesar que, destes, matou alguns, pois causar-lhe-iam ferimentos pela maldade de seus corações; e, no entanto, sua intenção blasfema ele há de esquecer; e todas as injúrias passadas que vós, os Deuses, lhe causaram ele esquecerá por ora, apresentando-se uma vez mais nesse local chamado Valmar se vós ouvirdes suas condições e as cumprirdes. Sabei, pois, que os Noldoli hão de ser seus serviçais e ataviar uma casa para ele; ademais, por direito ele exige...', mas, nisso, quando o arauto ergueu ainda mais sua voz, inflando com suas palavras de insolência, tamanha tornou-se a ira dos Valar que Tulkas, e vários de sua casa, saltaram e, agarrando-o, calaram-lhe a boca, e o local do concílio estava em algazarra. De fato, Melko não tencionava ganhar qualquer coisa além de tempo e a confusão dos Valar com essa embaixada de insolência.

Manwë ordena-lhe então que solte o arauto, mas os Deuses ergueram-se, exclamando em uníssono: 'Este não é arauto, mas um rebelde, um ladrão, e um assassino.' 'Ele conspurcou a santidade de Valinor', vociferou Tulkas, 'e jogou sua insolência em nossas caras.' Ora, a mente de todos os Elfos, nesse assunto, era uma só. Esperança não tinham de recuperar as joias, salvo pela captura de Melko, o que estava agora além do alcance, mas não fariam qualquer negociação com Melko, e tratá-lo-iam como proscrito e a todo seu povo. (E foi isso o que Manwë quis dizer quando afirmou que a morte de Bruithwir seria a raiz do maior mal, pois foi esse assassinato que mais inflamou Deuses e Elfos.)[8]

Foi com esse intuito que falaram nos ouvidos de Varda e Aulë, e Varda defendeu sua causa perante Manwë, e Aulë ainda mais tenazmente, pois seu coração estava também dorido pelo roubo de tantas coisas de refinado ofício e arte; mas Tulkas Poldórëa não precisava de súplica alguma, estando inflamado de ira. Ora, esses grandes advogados comoveram o concílio com suas palavras, de modo que, por fim, é a sentença de Manwë que seja mandada resposta a Melko rejeitando-o e a suas palavras, e proscrevendo-o e a todos os seus seguidores de Valinor, para sempre. Essas palavras ele então comunicou ao enviado, ordenando-lhe que fosse com elas a seu mestre, mas o povo dos Vali e dos Elfos não aceitaram nada disso e, liderados por Tulkas, levaram aquele renegado ao pico mais alto de Taniquetil e lá, declarando-o falso arauto, e tomando por testemunhas disso a montanha e as estrelas, atiraram-no nas pedreiras de Arvalien, de sorte que foi morto, e Mandos o recebeu nas suas cavernas mais fundas.

Manwë, então, vendo nesta rebelião e no feito violento deles a semente de amargura, deitou seu cetro e chorou; mas os outros falaram a Sorontur, Rei das Águias em Taniquetil, e por ele as palavras de Manwë foram enviadas a Melko: 'Vai-te para sempre, ó maldito, e não ouses mais tratar com Deuses ou Elfos. Nem teus pés nem os de quaisquer que te sirvam hão de pisar o solo de Valinor novamente enquanto o mundo perdurar.' E Sorontur buscou Melko e falou conforme lhe foi pedido, e da morte de seu enviado ele contou [?também]. Melko teria, então, assassinado Sorontur, desvairado que estava de raiva à morte de seu mensageiro; e, em verdade, tal feito estava em desacordo com a justiça estrita dos Deuses, e, no entanto, a ira daqueles em Valmar fora gravemente tentada; mas Melko sempre usou isso contra os Deuses de maneira cruelíssima, distorcendo tudo num sombrio conto de injustiças; e entre aquele malévolo e Sorontur sempre houve, desde então, ódio e guerra, e ela se agravou quando Sorontur e seu povo foram para as Montanhas de Ferro e lá habitaram, observando tudo o que Melko fazia.

Agora Aulë vai ter com Manwë, e diz palavras encorajadoras, que Valmar ainda resiste, que as Montanhas são altas e um baluarte seguro contra o mal. 'Ora! Se Melko uma vez mais causar tumulto no mundo, assim como foi acorrentado antes pode sê-lo novamente: — mas vede, logo eu e Tulkas preencheremos aquele passo que leva até Erumáni e os mares, para que Melko jamais venha de novo até aqui por aquele caminho.'

Mas Manwë e Aulë planejam postar guardas por todas aquelas montanhas até o momento em que os feitos de Melko e os lugares de sua morada no exterior se tornem conhecidos.

Então Aulë fala com Manwë acerca dos Noldoli, e suplica muito por eles, dizendo que Manwë, tomado de ansiedade, tratou-os com aspereza, sendo que, em verdade, somente de Melko vem o mal, ao passo que os Eldar não são escravos e nem serviçais, mas seres de maravilhosa doçura e beleza — que eram para sempre convidados dos Deuses. Assim, Manwë pede agora que, se quiserem, voltem para Kôr e, se for do seu desejo, que se ocupem da feitura de novas gemas e tecidos, e todas as coisas de beleza e custo que porventura precisem em seu labor ser-lhes-ão dadas ainda mais prodigamente que antes.

Mas, ao ouvir isso, Fëanor disse: 'Sim, mas que nos há de restituir o coração jubiloso sem o qual as obras de encanto e magia não podem ser? — e Bruithwir está morto, e meu coração também.' Muitos, contudo, voltaram então a Kôr, e algum vestígio do antigo júbilo é restaurado, ainda que, pela felicidade diminuída de seus corações, os labores não produzem gemas do lustro e glória antigos. Mas Fëanor habitava pesaroso com alguns outros em Sirnúmen e, ainda que tentasse dia e noite, não conseguia de maneira alguma fazer outras joias como as Silmarils d'outrora, as quais Melko arrebatara; nem, de fato, houve qualquer artífice desde então que tenha feito. Por fim, ele abandona a tentativa, sentando-se, antes, junto ao túmulo de Bruithwir, chamado de Teso do Primeiro Pesar,* e é um bom nome, em virtude de toda a tribulação advinda da morte daquele que fora colocado ali. Fëanor lá remoía pensamentos amargos, até que seu cérebro se atordoou com os vapores negros de seu coração, e ergueu-se e foi até Kôr. Lá, falou aos Gnomos insistindo nas injustiças e tristezas e na riqueza e glória diminuídas — pedindo-lhes que deixassem essa prisão e se fizessem ao mundo. 'Covardes tornaram-se os Valar; mas os corações dos Eldar não são fracos, e encontraremos o que é nosso, e se não pudermos tomar pela furtividade, fá-lo-emos pela violência. Haverá guerra entre os Filhos de Ilúvatar e o Ainu Melko. E se perecermos em nossa demanda? Os salões sombrios de Vê são pouco piores do que esta prisão luminosa . . . .'[9] E assim ele convenceu alguns a se apresentarem diante de Manwë consigo, exigindo que os Noldoli recebessem permissão de deixar Valinor em paz e que fossem postos em segurança pelos Deuses nas costas do mundo de onde outrora foram atravessados.

Então Manwë se entristeceu com sua exigência e proibiu os Gnomos de pronunciar tais palavras em Kôr se desejassem ainda morar lá em meio aos outros Elfos; mas depois, deixando de lado

---

* Na margem estão escritos nomes gnômicos: "*Cûm a Gumlaith* ou *Cûm a Thegranaithos*".

a severidade, contou-lhes muitas coisas a respeito do mundo e de seus modos e os perigos que já estavam lá, e do pior que poderia vir a ser em razão do retorno de Melko. 'Meu coração sente, e minha sabedoria me diz', falou ele, 'que não transcorrerá muito tempo até que os outros Filhos de Ilúvatar, os pais dos pais de Homens, cheguem no mundo — e vede, está na inalterável Música dos Ainur que o mundo passe, no fim, longo período sob o domínio dos Homens; e, no entanto, se isso será para alegria ou tristeza, Ilúvatar não revelou, e eu não gostaria que contenda ou medo ou ódio jamais se interpusessem entre os diferentes Filhos de Ilúvatar, e contentar-me-ia deixar o mundo ainda por muitas eras destituído de seres que possam se empenhar contra os Homens recém-chegados e causar-lhes danos até que seus clãs estejam fortalecidos, enquanto as nações e povos da Terra ainda são infantes.'
A isso acrescentou muitas palavras a respeito dos Homens e sua natureza e as coisas que lhes sobreviriam, e os Noldoli ficaram atônitos, pois não haviam escutado os Valar falando dos Homens, salvo muito raramente, e nem deram muitos ouvidos então, julgando tais criaturas débeis e cegas e canhestras e atribuladas com a morte, e improváveis de se equipararem de qualquer modo à glória dos Eldalië. Embora Manwë tivesse aliviado seu coração, na esperança de que os Noldoli, vendo que ele não laborava sem propósito ou razão, tornar-se-iam mais calmos e confiantes de seu amor, eles se impressionaram, antes, ao descobrir que os Ainur faziam tão grande caso dos Homens, e as palavras de Manwë tiveram o efeito oposto ao desejado; pois Fëanor, em seu infortúnio, perverteu-as numa imagem de maldade e, postado novamente diante da multidão de Kôr, falou estas palavras:

'Eis que agora sabemos a razão de nosso transporte até aqui como cargas de belos escravos! Ao cabo nos contam por qual finalidade somos guardados aqui, despojados de nossa herança no mundo, sem o governo das vastas terras: para evitar que não as entreguemos, talvez, a uma raça não nascida. Em verdade, a esses — povo infeliz, atormentado por célere mortalidade, raça de escavadores nas sombras, canhestros de mão, desafinados para canções ou músicas, que hão de trabalhar o solo fastidiosamente com suas ferramentas rudes — a esses que ele insiste em dizer serem de Ilúvatar é que Manwë Súlimo, senhorzinho dos Ainur, gostaria de entregar o mundo e todas as maravilhas de sua terra, todas as suas substâncias ocultas — dar-lhes isto que é nossa herança. Ou, então, para que essa conversa sobre os perigos do mundo? Um ardil para nos enganar; uma máscara de palavras! Ó, vós todos, filhos dos Noldoli, os que não querem mais ser cativos domésticos dos Deuses, por mais que ternamente mantidos, erguei-vos, peço-vos, e saí de Valinor, pois agora é chegada a hora e o mundo aguarda.'

Em verdade, é matéria de grande espanto a astúcia sutil de Melko — pois quem haveria de dizer que, nessas palavras ásperas, não espreitava uma ponta da mais diminuta verdade, e quem não se surpreenderia ao ver as mesmas palavras de Melko saindo de Fëanor, seu inimigo, que não sabia e nem se lembrava qual era a fonte de tais pensamentos; e, no entanto, talvez a origem [?última] dessas coisas infelizes esteja antes do próprio Melko, e talvez essas coisas tenham que ser — e o mistério dos ciúmes de Elfos e Homens é um enigma não resolvido, um dos pesares nas raízes sombrias do mundo.

Sejam como forem essas coisas profundas, as feras palavras de Fëanor lhe renderam instantaneamente grande séquito, pois um véu parecia haver diante dos corações dos Gnomos — e, talvez, mesmo isso não estivesse fora do conhecimento de Ilúvatar. Ainda assim, Melko teria se regozijado ao ouvir isso, vendo seu mal frutificando além de suas expectativas. Agora, contudo, aquele malévolo vaga nas planícies escuras de Eruman e, mais ao sul do que qualquer um jamais havia entrado, encontrou uma região da mais profunda treva, e pareceu-lhe um bom lugar para esconder, por ora, seu tesouro roubado.

Procura, portanto, até encontrar uma caverna sombria nas colinas, e teias de escuridão jazem à volta, de forma que o ar negro podia ser sentido pesado e sufocante no rosto e nas mãos. Muito fundos e sinuosos eram aqueles caminhos, tendo uma saída subterrânea no mar, como dizem os livros antigos, e aqui, certa vez, foram Lua e Sol aprisionados posteriormente;[10] pois aí habitava o espírito primevo, Móru, que mesmo os Valar desconhecem de onde e quando veio, e as pessoas da Terra dão a ela muitos nomes. Talvez fosse cria das névoas e da escuridão nos confins dos Mares Sombrios, naquele escuro absoluto que pairou entre a derrubada das Lamparinas e o acendimento das Árvores, mas é mais provável que sempre tenha existido; e ela ama ainda morar naquele negro lugar tomando a forma duma aranha grotesca, fiando uma teia pegajosa de escuridão que captura em sua rede estrelas e luas e todas as coisas brilhosas que singram os ares. De fato, era em virtude de seus labores que tão pouco daquela luz transbordante das Duas Árvores fluía para o mundo, pois ela sugava a luz com voracidade, e a luz a alimentava, mas ela produzia somente aquela escuridão que é uma negação de toda luz. Ungwë Lianti, a grande aranha que enreda, os Eldar a chamavam, nomeando-a também Wirilómë ou Tecelã-de-Treva, ao que os Noldoli ainda se referem a ela como Ungoliont, a aranha, ou Gwerlum, a Negra.

Ora, entre Melko e Ungwë Lianti houve amizade desde o início, quando ela o encontrou e a seus camaradas vagando nas suas cavernas, mas a Tecelã-de-Treva esfomeou-se pelo brilho daquele tesouro de joias tão logo o viu.

Ora, Melko, tendo despojado os Noldoli e tendo levado pesar e confusão ao reino de Valinor, menos por causa desse tesouro do que por antigamente, concebeu agora um plano mais sombrio e profundo de engrandecimento; assim, vendo a cobiça nos olhos de Ungwë, oferece-lhe todo aquele tesouro, salvo apenas as três Silmarils, caso ela o ajude em seu novo desígnio. Isso ela aceita prontamente e, assim, todo aquele tesouro de formosíssimas gemas, mais belas do que quaisquer outras que o mundo já viu, foi parar na guarda imunda de Wirilómë, e foi enleado em teias de escuridão e escondido fundo nas cavernas das encostas orientais das grandes colinas que formam a fronteira sul de Eruman.

Julgando que agora era o momento de atacar, enquanto Valinor está ainda tumultuada e sem esperar que Aulë e Tulkas bloqueiem a passagem nas colinas, Melko e Wirilómë entraram furtivos em Valinor e esconderam-se num vale nos sopés dos montes até que Silpion estivesse em flor; mas, a todo o tempo, a Tecelã-de-Treva fiava suas tramas mais desluzidas e matizes mal-encantados. Estes ela deixou que descessem flutuando, de modo que, em vez da clara luz prateada de Silpion, por toda a planície ocidental de Valinor rasteja agora uma escuridão dúbia e luzes débeis bruxuleiam dentro dela. Então ela lança em torno de Melko e de si mesma um manto negro de invisibilidade, e eles cruzam furtivos a planície, e os Deuses estão atônitos e os Elfos em Kôr, temerosos; no entanto, eles não suspeitam ainda que isso tenha o dedo de Melko, pensando, antes, ser alguma obra de Ossë que ocasionalmente, com suas procelas, fazia grandes névoas e escuridão serem sopradas dos

Mares Sombrios, invadindo mesmo os brilhantes ares de Valinor; ainda que por isso ele enfrentasse a ira tanto de Ulmo quanto de Manwë. Então, Manwë mandou um doce sopro do oeste — como soía fazer naquelas circunstâncias, soprando todos os fluidos marinhos de volta ao leste pelas águas — mas esse suave aleno de nada serviu contra a noite tecida, pesada e pegajosa, que Wirilómë havia espalhado longe. Assim foi que, despercebidos, Melko e a Aranha da Noite alcançaram as raízes de Laurelin, e Melko, invocando toda sua força divina, enfiou uma espada em seu formoso tronco, e a radiância flamejante que vazou certamente o teria consumido como fez com sua espada se a Tecelá-de-Treva não houvesse se abaixado e a bebido, sedenta, colocando mesmo os lábios na ferida na casca da árvore e sugando sua vida e força.

Por má fortuna, esse feito não foi notado imediatamente, pois era o momento do mais profundo repouso habitual de Laurelin; e eis que agora ela nunca mais acordaria para a glória, espalhando beleza e júbilo nos semblantes dos Deuses. Devido àquele grande sorvo de luz, subitamente a soberba surgiu no coração de Gwerlum, e ela não deu ouvidos às advertências de Melko, saciando-se agora próximo às raízes de Silpion, e vomitava fumos de noite malignos que fluíam como rios de negrume mesmo até os portões de Valmar. Agora Melko toma a arma que lhe resta, uma faca, e fere o tronco de Silpion tanto quanto o tempo lhe permite; mas um Gnomo chamado Daurin (Tórin), vindo desde Sirnúmen com mau presságio, vê-o e vai na sua direção, gritando alto. Tamanha foi a investida daquele impetuoso Gnomo que, antes de Melko perceber, ele feriu Wirilómë, que, à semelhança duma aranha, cai estatelada ao solo. Ora, a esguia lâmina que Daurin empunhava vinha da forja de Aulë, e fora banhada em *miruvor*, do contrário jamais teria ferido aquele [?ser] secreto, mas agora ele decepa uma de suas grandes pernas, e sua lâmina se mancha de seu sangue negro, um veneno a todas as [?coisas] cuja vida é luz. Wirilómë, então, contorcendo-se, lança uma teia sobre ele, e ele não consegue se libertar, e Melko o apunhala impiedosamente. Depois, usurpando aquela fina lâmina brilhante de suas mãos moribundas, ele a enfia fundo no tronco de Silpion, e o veneno negro de Gwerlum que estava nela secou a própria seiva e a essência da árvore, e sua luz morreu subitamente num brilho funesto que se perdeu no ocaso impenetrável.

Então, Melko e Wirilómë viram-se para fugir, e foi bem a tempo, pois alguns que estavam atrás de Daurin, vendo seu fado, fugiram aterrorizados tanto para Kôr quanto para Valmar, tropeçando alucinados na escuridão, mas, de fato, os Valar já estão cavalgando pela planície, tão céleres quanto possível, e, no entanto, tarde demais para defender as Árvores que sabem agora estarem em perigo.

Agora aqueles Noldoli confirmam seus temores, dizendo que é Melko, em verdade, o autor do malfeito, e eles têm apenas um desejo, que é colocar as mãos nele e em seus cúmplices antes que consigam escapar para além das montanhas.

Tulkas está na vanguarda daquela grande caçada, saltando com pés firmes no escuro, e Oromë não logra acompanhá-lo, pois mesmo seu corcel divino não consegue correr tão impetuosamente na noite que se avulta quanto Poldórëa no fogo de sua ira. De sua casa em Vai, Ulmo escuta a gritaria, e Ossë [?coloca] a cabeça para fora dos Mares Sombrios e, sem ver qualquer luz descendo do vale de Kôr, salta até a praia de Eldamar e corre apressado para se juntar aos Ainur na caçada. Agora o único lugar luminoso que resta em Valinor é o jardim onde a fonte dourada jorrava de Kulullin, e Vána e Nessa e Urwen e muitas donzelas e senhoras dos Valar estão aos prantos, mas Palúrien arma seu senhor que está impaciente, e Varda cavalga desde Taniquetil ao lado de seu senhor, portando uma estrela flamejante diante dele à guisa de tocha.

Telimektar, filho de Tulkas, está com esses nobres, e seu rosto e armas brilham como prata no escuro, mas agora todos os Deuses e todo o seu povo cavalgam por esta ou aquela trilha, e uns trazem tochas [?improvisadas] nas mãos, de sorte que a planície se enche de pálidas luzes bruxuleantes e de vozes clamando no ocaso.

Conforme Melko acelera para longe, a vanguarda da caçada passa rápido pelas Árvores, e quase os Vali desmaiam de aflição pela ruína que ali veem; mas agora Melko e alguns de seus camaradas, antigamente filhos de Mandos, separam-se de Ungwë, que, envolta em noite, passa para o sul e sobre as montanhas, rumo ao seu lar, e aquela caçada jamais se aproxima dela; mas os outros fogem para norte em grande velocidade, pois os camaradas de Melko conhecem as montanhas ali, e esperam poder atravessá-lo. Por fim, chegou um local em que os véus de sombra eram ralos, e eles foram vistos por um grupo desgarrado dos Vali, e Tulkas estava no meio, ele que, com grande rugido, salta agora na direção deles. De fato, poderia ter se dado batalha na planície entre Tulkas e Melko, não fosse a lonjura demasiada, de modo que, assim que Tulkas chegou à distância de uma lançada de Melko, um cinturão de névoa cobriu os fugitivos novamente, e a gargalhada zombeteira de Melko parece vir primeiro dum lado, depois doutro, ora quase ao seu cotovelo, ora de longe, e Tulkas vira-se alucinado à sua volta, e Melko some.

Então, Makar e Meássë cavalgaram a toda velocidade com seu povo, dando aviso a Mandos e ordenando a guarda das trilhas pelas montanhas, mas ou Makar atrasou-se demais, ou os ardis de Melko o derrotaram — e a mente de Makar não era muito sutil, pois nenhum vislumbre daquele Ainu eles viram, embora ele decerto tivesse escapado por aquele caminho, e obrou muita maldade no mundo, depois, mas ninguém que eu tenha ouvido jamais falou da maneira de sua perigosa fuga de volta aos reinos-de-gelo do Norte."

NOTAS

1. Ver p. 146–47.
2. *Lirillo* aparece na lista de nomes secundários dos Valar, mencionada na p. 119, como um nome de Salmar-Noldorin.
3. "pai de Fëanor" é a forma final após longa hesitação entre "filho de Fëanor" e "irmão de Fëanor".
4. Para a história da remoção de rocha e pedra de Arvalin (Eruman) para o erguimento das Montanhas de Valinor, ver p. 91.
5. "pai de Fëanor" é uma correção de "filho de Fëanor"; ver nota 3.
6. Após a palavra "tecidos", há a seguinte frase, que foi riscada: "que os Deuses poderiam, caso o desejassem, ter criado em uma hora" — uma frase notável por si só e também por sua exclusão.
7. A página manuscrita que começa com "diante dos portões de Valmar" e vai até "imperturbável, pronunciou sua mensagem, dizendo" está escrita ao redor do pequeno mapa do mundo reproduzido e descrito na p. 104 e seguintes.
8. Nesta parte do conto, o manuscrito consiste em trechos destacados, com indicações de um para outro; o local desta frase não está perfeitamente claro, mas parece ser aqui com maior probabilidade.
9. Os pontos constam no original.
10. "posteriormente" é uma correção de "outrora". Um ponto de interrogação foi colocado na margem, ao lado dessa frase.

Alterações feitas a nomes em
O Roubo de Melko e o Obscurecer de Valinor

Ellu Melemno < *Melemno* (no Capítulo 5 p. 150, numa frase acrescentada, o líder dos Solosimpi é *Ellu*).

Sirnúmen < *Numessir* (nas duas primeiras ocorrências; depois, *Sirnúmen* é a forma originalmente escrita).

Eruman < *Harmalin* (pp. 179, 187), < *Habbanan* (p. 186).
Arvalin < *Harvalien* < *Habbanan* (p. 179), < *Harvalien* < *Harmalin* (p. 181); *Arvalien*, assim escrito, na p. 183.
Bruithwir substitui um nome anterior, provavelmente *Maron*.
Bruithwir go-Maidros < *Bruithwir go-Fëanor*. *go-* é um patronímico, "filho de". Ver notas 3 e 5, p. 190.
Móru Esse nome bem pode ser lido, assim como em suas ocasionais ocorrências alhures, como *Morn* (ver o Apêndice de Nomes). Aqui, ele substitui outro nome, provavelmente *Mordi*.
Ungoliont < *Gungliont*.
Daurin (*Tôrin*) A escrita original, na primeira ocorrência, era *Fëanor*, alterado para (?)*Daurlas* . . . . *parente de Fëanor* e, então, para *um Gnomo chamado Daurin* (*Tôrin*). As ocorrências subsequentes de *Daurin* são correções a partir de *Fëanor*.

Comentário a
O Roubo de Melko e o Obscurecer de Valinor

A história da corrupção dos Noldoli por Melko foi, no final, contada de maneira bastante diferente; pois entrou aí a matéria da contenda entre os filhos de Finwë, Fëanor e Fingolfin (*O Silmarillion*, pp. 106–7), da qual não há vestígio neste conto, segundo o qual, de toda forma, Fëanor não é filho de Finwë Nólemë, mas de um certo Bruithwir. Na história posterior, o motivo principal do desejo de Melkor pelas Silmarils (*ibid.*, p. 104) é aqui representado apenas como uma cobiça pelas gemas dos Noldoli no geral: de fato, é uma característica notável da mitologia original que, embora as Silmarils estivessem presentes, tinham relativamente pouca importância. Há uma concordância essencial com a história posterior no fato de que foi aos Noldoli que Melko direcionou seu ataque, e há uma semelhança muito próxima, ainda que limitada, nos argumentos que ele usou: o confinamento dos Elfos em Valinor pelos Valar, e os vastos reinos no Leste que eram seus por direito — mas é notável que, nas palavras de Melko, não há qualquer referência à vinda dos Homens: no conto, esse elemento foi introduzido depois e de modo muito diferente, pelo próprio Manwë (p. 185). Ademais, a associação particular dos Noldoli com o Vala maléfico surge do desejo dele pelas gemas: em *O Silmarillion* (p. 104), os Noldor inclinaram-se a ele em busca da instrução que ele podia dar, enquanto os outros clãs mantiveram-se indiferentes.

A partir desse ponto, as narrativas divergem completamente; pois o mal secreto de Melkor, em *O Silmarillion*, foi exposto depois da inquirição que se fez acerca da contenda dos príncipes noldorin, enquanto aqui a revelação aconteceu de modo mais simples, devido à ansiedade de Finwë Nólemë quanto à inquietação de seu povo. A história posterior é, evidentemente, muito superior, porque Melkor foi procurado pelos Valar como um inimigo já conhecido assim que suas maquinações foram descobertas (ainda que ele tenha escapado), ao passo que, no conto, apesar de haver então farta evidência de que ele não havia se regenerado, simplesmente ordenaram que fosse a Mandos refletir sobre suas atitudes. O gérmen da história de *O Silmarillion* acerca do degredo de Fëanor em Formenos, para onde Finwë o acompanhou, está presente, ainda que, aqui, o povo inteiro dos Noldoli tenha recebido ordens de deixar Kôr, indo para o vale acidentado no norte, onde o riacho Híri afundava no subsolo, e a ordem para que o fizessem parece ter sido menos uma punição que Manwë lhes deu e mais uma precaução e salvaguarda.

A respeito do lugar para onde os Noldoli foram banidos, chamado aqui de *Sirnúmen* ("Riacho Ocidental"), pode-se mencionar que, em uma nota isolada no caderninho mencionado na pp. 34–5, está dito: "O rio da segunda morada rochosa dos Gnomos em Valinor era *kelusindi* e o olho d'água no seu começo, *kapalinda*".

Muito notável é o trecho (p. 175) em que se diz que Manwë sabia que "os Elfos eram filhos do mundo e deveriam, um dia, voltar para o seu seio". Como já notei anteriormente (p. 103), "o mundo" é frequentemente usado como equivalente das Grandes Terras, e tal uso ocorre repetidas vezes no presente conto, mas não está claro para mim se é esse o significado pretendido aqui. Inclino-me a pensar que o sentido da frase é que, no "Grande Fim", os Eldar, sendo ligados à Terra, não poderão retornar com os Valar e os espíritos de "antes do mundo" (p. 86) às regiões de onde vieram (ver a conclusão da *Música dos Ainur* original, p. 80).

Quanto ao relato do roubo das joias, a estrutura da narrativa é, ainda outra vez, radicalmente distinta da história posterior no fato de que, ali, o ataque de Melkor aos Noldor de Formenos, o roubo das Silmarils e o assassinato de Finwë foram levados a cabo *depois* de seu encontro com Ungoliant no Sul e da destruição das Duas Árvores; Ungoliant estava com ele em Formenos. Nem há, na versão inicial, qualquer menção à visita anterior de Melko a Formenos

(*O Silmarillion*, pp. 108-9), depois do que ele passou pelo Calacirya e rumou para o norte pela costa, retornando depois em segredo para Avathar (Arvalin, Eruman) para buscar Ungoliant.

Por outro lado, o grande festival já era a ocasião em que Melko roubou as Silmarils da morada dos Noldoli, embora o festival fosse completamente diferente por ter um propósito puramente comemorativo (ver *O Silmarillion*, pp. 113-4), e era um componente necessário desse propósito que os Solosimpi deveriam estar presentes (em *O Silmarillion*, "Só os Teleri, além das montanhas, ainda cantavam nas costas do mar; pois pouco cuidavam de estações ou tempos [...]").

Dos cúmplices sombrios de Melko, vindos de Mandos (de alguns dos quais se diz que foram "antigamente filhos de Mandos", p. 189), não há vestígio posterior, nem do roubo dos cavalos de Oromë; e, enquanto se diz aqui que Melko queria deixar Valinor por passagens nas montanhas setentrionais, mas que pensou melhor (levando à reflexão sobre qual teria sido o destino de Valinor se não o tivesse feito), na história posterior, seu movimento para o norte foi um ardil. Mas é interessante observar o gérmen de uma história na outra, a ideia subjacente, jamais abandonada, de um movimento para o norte e, depois, para o sul, ainda que ele aconteça num ponto diferente da narrativa e tenha uma motivação diferente.

Também é interessante o surgimento da ideia de que um parente próximo de Fëanor — fixado como pai apenas depois de muita hesitação entre irmão e filho — foi assassinado por Melko na morada dos Noldoli, Sirnúmen, precursora de Formenos; mas o pai ainda não era identificado como senhor dos Noldoli.

Nesse trecho há algumas pequenas indicações geográficas adicionais. As Duas Árvores ficavam ao norte da cidade de Valmar (p. 177), conforme mostradas no mapa (ver pp. 104-05); e, novamente de acordo com o mapa, as Grandes Terras e as Terras de Fora aproximam-se muito no longínquo Norte (pp. 179-80). Mais notável ainda, a fenda nas Montanhas de Valinor mostradas no mapa, a qual marquei com a letra *e*, recebe agora uma explicação: a "baixada nas colinas" pela qual Melko e seu séquito passaram de Valinor para Arvalin-Eruman, uma abertura deixada por Tulkas e Aulë na época do erguimento das montanhas para que eles próprios entrassem em Valinor (p. 179).

Quase nada sobreviveu da parte seguinte deste conto (pp. 180-83). O discurso de Manwë aos Noldoli desapareceu (mas algo do conteúdo está brevemente expresso em outro lugar da narrativa de *O Silmarillion*, p. 105: "Os Noldor começaram a murmurar contra [os Valar], e muitos se tornaram cheios de orgulho, esquecendo quanto do que eles tinham e sabiam viera a eles como dádiva dos Valar"). É notável que Manwë chame o pai de Fëanor, Bruithwir, pelo patronímico *go-Maidros*: embora o nome *Maidros* tenha se tornado subsequentemente o do filho mais velho de Fëanor, e não de seu avô, ele foi desde o início associado aos "Fëanorianos". Não há vestígio posterior da estranha história do servo renegado de Mandos, que trouxe a mensagem ultrajante de Melko aos Valar, e que foi lançado para a morte desde Taniquetil pelo incontrolável Tulkas em desobediência direta a Manwë; nem do envio de Sorontur a Melko como mensageiro dos Deuses (não se explica como Sorontur sabia onde encontrá-lo). Conta-se aqui que, posteriormente, "Sorontur e seu povo foram para as Montanhas de Ferro e lá habitaram, observando tudo o que Melko fazia". No comentário a *O Acorrentamento de Melko* (pp. 139–41), notei que as Montanhas de Ferro, que se diz estarem ao sul de Hisilómë (pp. 129, 148), correspondem ali às posteriores Montanhas de Sombra (*Ered Wethrin*). Por outro lado, no *Conto do Sol e da Lua* (p. 214), Melko, após escapar de Valinor, faz para si "novas habitações naquela região do Norte onde ficam as Montanhas de Ferro, mui altas e terríveis de se ver"; e, no *Conto de Turambar** original, conta-se que Angband ficava nas raízes das fortalezas mais setentrionais das Montanhas de Ferro, e que essas montanhas eram assim chamadas devido aos "Infernos de Ferro" embaixo delas. A afirmação no presente conto de que Sorontur observava "tudo o que Melko fazia" desde sua morada nas Montanhas de Ferro obviamente implica, de modo parecido, que Angband estava sob elas; e a história de que Sorontur (Thorondor) tinha seus ninhos em Thangorodrim antes de mudá-los para Gondolin sobreviveu por muito tempo na tradição do "Silmarillion" (ver *Contos Inacabados*, p. 69 e a correspondente nota 25). Há, portanto, um uso aparentemente contraditório da expressão "Montanhas de Ferro" dentro dos *Contos Perdidos*; a menos que se possa supor que essas montanhas tenham sido concebidas como uma cordilheira continua, de modo que a porção meridional (posteriormente as Montanhas de Sombra)

---

* O título real do conto é *O Conto de Turambar e o Foalókë*, sendo que *Foalókë* é o Dragão.

formava a borda sul de Hisilómë, enquanto os picos setentrionais, estando acima de Angband, emprestaram seu nome para a cordilheira. Mais adiante aparecerão evidências de que esse é o caso.

Na história original, os Noldoli de Sirnúmen ganharam permissão (pela intercessão de Aulë) de retornar a Kôr, mas Fëanor permaneceu lá, amargurado, com alguns outros; e, assim, a situação da narrativa posterior — os Noldor em Tirion, mas Fëanor em Formenos — foi alcançada, sem o elemento do desterro de Fëanor e o retorno ilícito à cidade dos Elfos. Uma diferença subjacente a se notar é que, em *O Silmarillion* (p. 97), os Vanyar há muito haviam partido de Tirion para morar em Taniquetil ou em Valinor: não há indicação disso no conto antigo; e, é claro, há a importante diferença estrutural entre a narrativa mais antiga e a mais recente: quando Fëanor ergue sua insígnia de rebelião, as Árvores ainda estão brilhando em Valinor.

No conto, um bom tempo parece se passar depois da perda dos tesouros dos Noldoli durante o qual eles se põem a trabalhar novamente, com alegria reduzida, e Fëanor buscou em vão replicar as Silmarils: esse elemento precisou, é claro, desaparecer na estrutura posterior, muito mais sucinta, na qual Fëanor (recusando-se a entregar as Silmarils aos Valar para curar as Árvores, sem saber ainda que Melkor as tinha roubado) tem ciência, sem sequer tentar, de que não poderia recriá-las, do mesmo modo que Yavanna não poderia recriar as Árvores.

A embaixada de Fëanor e outros Noldoli a Manwë, exigindo que os Deuses os transportem de volta para as Grandes Terras, foi eliminada e, com ela, o notável ensinamento de Manwë acerca da vinda dos Homens — e sua relutância expressa em permitir que os Eldar retornassem "ao mundo" enquanto os Homens ainda estivessem na sua infância. Em *O Silmarillion*, não está expressa qualquer ideia de que Manwë pensava nisso (e nem qualquer sugestão de que o conhecimento de Manwë era tamanho); e, de fato, se na história antiga foi justamente a descrição de Manwë dos Homens e o relato de seus planos para a eles que deu origem à retórica de Fëanor contra eles, e que deu cores fortes ao que disse sobre os reais motivos de os Valar terem levado os Eldar a Valinor, em *O Silmarillion* (p. 105), essas ideias fazem parte das mentiras de Melkor (eu comentei antes que não há referência à vinda dos Homens quando Melko persuade os Noldoli).

Um elemento anteriormente desconhecido na Música dos Ainur é revelado nas palavras de Manwë: que o mundo, no fim, passará grande período sobre o domínio dos Homens. Na versão original, há várias indicações, em apartes reflexivos, de que tudo estava predestinado: aqui, portanto, os "ciúmes de Elfos e Homens" são vistos como, talvez, parte necessária do desenrolar da história do mundo e, antes (p. 175), há o questionamento: "e se todos esses feitos, mesmo a maldade aparentemente desnecessária de Melko, fossem apenas uma porção desse destino d'outrora?"

Mas, apesar de todas as alterações radicais na narrativa, a nota característica da retórica de Fëanor permanece; seu discurso aos Noldoli de Kôr ergue-se nos mesmos ritmos do seu discurso aos Noldor de Tirion, à luz das tochas (*O Silmarillion*, pp. 122-3).

Na história de Melko e Ungoliont, percebe-se que elementos essenciais estavam presentes *ab initio*: a incerteza quanto à origem dela, sua morada nas regiões desoladas no sul das Terras de Fora, o fato de que sugava a luz para produzir teias de escuridão; sua aliança com Melko, a recompensa dele com gemas roubadas dos Noldoli (embora o tratamento posterior seja diferente), o golpe nas Árvores desferido por Melko, seguido de Ungoliont sugando a luz; e a grande caçada preparada pelos Valar, que perdeu o alvo por conta da escuridão e da cerração, permitindo que Melko escapasse de Valinor pelos caminhos setentrionais.

Dentro dessa estrutura, há, como acontece quase sempre, muitos pontos de divergência entre a primeira história e as versões posteriores. Em *O Silmarillion* (p. 111), Melkor foi até Avathar porque sabia que Ungoliant morava lá, ao passo que, no conto, ela o encontrou vagando por ali, à procura de um caminho para fugir. No conto, sua origem é desconhecida e, embora se possa dizer que esse elemento permaneceu em *O Silmarillion* ("Os Eldar não sabiam donde viera", *ibid.*), a verdade é que, por meio do artifício expresso em "alguns dizem que [...]", uma explicação é dada: ela era um ser de "antes do mundo", corrompida por Melkor, que fora seu senhor, embora ela o tivesse renegado. A ideia original do "espírito primevo, Móru" (p. 186) fica explícita num verbete da antiga lista de palavras da língua gnômica, onde o nome *Muru* é definido como "um nome da Noite Primeva, personificada como Gwerlum ou Gungliont".*

---

* No conto (ver p. 191), o nome *Gungliont* foi escrito inicialmente, mas emendado para *Ungoliont*.

A história antiga carece marcadamente da qualidade da descrição, em *O Silmarillion*, da descida de Melkor e Ungoliant do Monte Hyarmentir à planície de Valinor; e lá também o grande festival dos Valar e Eldar estava acontecendo naquele momento: aqui, já terminou há muito tempo. Em *O Silmarillion* (p. 113), o ataque às Árvores veio no momento da mescla das luzes, enquanto aqui Silpion estava em pleno florescimento; e os detalhes do relato da destruição das Árvores ficam muito diferentes pela presença do Gnomo Daurin, posteriormente abandonado sem deixar vestígios. Assim, na antiga história não se diz, de fato, que Ungoliont bebeu a luz de Silpion, mas apenas que a árvore morreu por seu veneno impregnado na lâmina de Daurin, com a qual Melko golpeou o tronco; e, em *O Silmarillion*, Ungoliant foi até os "Poços de Varda" e os secou também. É surpreendente que o Gnomo tenha sido chamado inicialmente de Fëanor, já que ele foi morto por Melko. Parece que meu pai, pelo menos momentaneamente, cogitou a ideia de que Fëanor não teria papel na história dos Noldoli nas Grandes Terras; mas, em rascunhos para um conto posterior (pp. 287–88), ele morreu em Mithrim. Nessa passagem temos a primeira aparição do *miruvor*, definido em uma antiga lista de palavras em qenya como "néctar, bebida dos Valar"; compare isso com a informação na p. 61 do livro *The Road Goes Ever On* [A Estrada Segue Sempre Avante], em que meu pai afirmou que era o nome dado aos Valar à bebida distribuída em seus festivais, e a comparou ao néctar dos Deuses olímpicos (na tradução do *Namárië*, ele traduziu *miruvórë* como "néctar", *ibid.*, p. 58).

A diferença mais importante no conto é o retorno imediato de Ungoliont ao seu covil no sul, de modo que toda a história da "Contenda dos Ladrões", do resgate de Melkor pelos Balrogs e da ida de Ungoliant a Nan Dungortheb está ausente na narrativa nos *Contos Perdidos*; nessa versão inicial, a entrega das gemas dos Noldoli a Ungoliont se dá no momento em que ela primeiro encontra Melko — em *O Silmarillion*, ele não estava de posse delas, pois o ataque a Formenos ainda não tinha acontecido.

7

A Fuga dos Noldoli

Não há quebra na narrativa de Lindo, que prossegue do mesmo modo apressado, escrita a lápis (e, perto desse ponto, passa para outro caderno semelhante, claramente sem que a composição fosse interrompida), mas achei conveniente introduzir um novo capítulo, ou novo "Conto", aqui, novamente tomando o título emprestado da capa do caderno.

"Ainda assim, os Deuses não perderam a esperança, e muitas vezes agruparam-se sob a arruinada árvore de Laurelin e de lá partiram para vasculhar e expurgar a terra de Valinor uma vez mais, incansáveis, desejando ferozmente vingar os danos causados a seu belo reino; e agora os Eldar, atendendo à convocação, ajudavam na caçada que tem lugar não só na planície, mas varre de alto a baixo as encostas das montanhas, pois não há escape de Valinor pelo oeste, onde jazem as águas frias dos Mares de Fora.

Mas Fëanor, postado na praça ao redor da casa de Inwë no topo de Kôr, não silencia, e brada que todos os Noldoli devem reunir-se à sua volta e atentar-se, e muitos milhares deles vêm ouvir suas palavras portando tochas esguias, de sorte que o lugar se enche duma luz flamejante tal qual jamais brilhou naqueles muros brancos. Ora, quando estão reunidos ali e Fëanor vê que a maior parte é da gente dos Noldor,[1] exorta-os a aproveitar a escuridão e a confusão e o cansaço dos Deuses para deitar fora o jugo — pois assim, transtornado, chamou os dias de ventura em Valinor — e partir levando consigo o que pudessem ou quisessem. 'Se todos os vossos corações forem fracalhões demais para seguir, vede, eu, Fëanor, parto sozinho agora ao vasto e mágico mundo para buscar as gemas que me pertencem e, quiçá, muitas aventuras grandes e raras hão de suceder, mais dignas dum filho de Ilúvatar que dum serviçal dos Deuses.'[2]

Então, há grande alvoroço daqueles que querem segui-lo de pronto e, embora o sábio Nólemë fale contra essa precipitação, eles não lhe dão ouvidos, e cada vez mais o tumulto se enfurece. Novamente Nólemë roga que ao menos mandem uma embaixada a Manwë para que se despeçam apropriadamente e talvez consigam dele boa vontade e conselho para a jornada, mas Fëanor os persuade a abandonar até mesmo esse juízo moderado, dizendo que fazê-lo seria provocar recusa, e que Manwë os proibiria e impediria: 'O que é Valinor para nós,' dizem, 'agora que a sua luz se apoucou — com grande prazer conquistaríamos o mundo sem limites.' Agora, portanto, armam-se o melhor que podem — pois nem Elfos e nem Deuses, naqueles dias, pensavam demasiado em armas — e estoque de joias levaram, e tecidos de vestes; mas todos os livros de seu saber eles deixaram para trás e, de fato, não havia muito lá que os sábios entre eles não soubessem de memória. Mas Nólemë, vendo que seu conselho não prevaleceu, não quis se separar de seu povo, e foi com eles, e ajudou-os em todos os seus preparativos. Então, desceram a colina de Kôr, iluminados pelas flamas das tochas e, partindo assim apressados pela angra e pelas costas daquele braço do Mar Sombrio que imbricava ali sobre as colinas, depararam-se com as moradas à beira-mar dos Solosimpi.

A diminuta seção seguinte do texto foi riscada posteriormente, com as palavras "Inserir a Batalha de Kópas Alqalunten" escritas atravessadas, e substituída por um adendo. O trecho rejeitado diz:

A maior parte daquele povo estava na caçada com os Deuses, mas alguns dos que haviam permanecido eles suadiram a que se juntassem ao grupo, como já haviam feito alguns dos Teleri, mas dos Inwir ninguém deu ouvidos às suas palavras. Tendo agora quase tantas donzelas e mulheres quanto homens e rapazes (ainda que muitos, especialmente das crianças mais novas, tivessem sido deixados em Kôr e Sirnúmen), estavam desorientados e, nesse desvario, aflitos que estavam com pesares e exaltados de mente, os Noldoli levaram a cabo os feitos que lamentaram mais amargamente depois — pois por meio deles recaiu pesadamente o desprazer por todo o seu povo, e mesmo os corações de seus clãs voltaram-se contra eles por um tempo.

Chegando a Cópas, onde havia um porto de grande quietude, amado pelos Solosimpi, eles tomaram todos os navios daquela gente e neles embarcaram as mulheres e crianças e alguns [?outros] dentre os quais estavam os Solosimpi que haviam se juntado a eles, pois estes tinham habilidade em navegação. Assim, marchando incessantemente pela praia que se tornava cada vez mais cruel e maléfica conforme corria para ao Norte, enquanto a frota costeava ao lado deles, não muito longe no mar, foi-me dito que os Noldoli partiram de Valinor; contudo, não conheço o assunto a fundo, e talvez haja contos desconhecidos de toda a gente dos Gnomos que relatam mais claramente os tristes eventos daquele tempo. Ademais, ouvi dizer

> O adendo que substitui essa passagem foi escrito com cuidado e de maneira muito legível, a tinta e em folhas separadas, mas não sou capaz de dizer o intervalo de tempo entre um texto e o outro.

O Fratricídio
(Batalha de Kópas Alqalunten)

A maior parte daquele povo estava na caçada com os Deuses, mas havia muitos reunidos pelas praias defronte de suas moradas, e desalento havia por toda parte em meio a eles, mas não poucos estavam afanosos próximo aos locais de seus navios, e o principal desses era aquele que fora chamado Kópas, ou, mais precisamente, Kópas Alqaluntë, o Porto dos Navios-Cisne.* Ora, Porto-cisne era como uma doca d'águas tranquilas, exceto que, na parte voltada para o leste e para os mares, o anel de rochas que a circundava afundava um tanto e, nesse ponto, o mar o perfurara, de sorte que havia lá um imenso arco de rocha viva. Tão grande era que, à exceção das maiores naus, duas conseguiam passar por ali, uma talvez saindo e outra procurando adentrar as serenas águas azuis do porto, e os topos dos mastros nem chegavam perto de tocar na rocha. Não muito da luz das Árvores chegava até lá antigamente em virtude do paredão e, portanto, estava sempre iluminado com um círculo de lamparinas de ouro, e lanternas havia também, de muitas cores, sinalizando os cais e desembarcadouros das diferentes casas; mas, atravessando o arco, as águas pálidas dos Mares

---

*Na margem está escrito *Ielfethýp*. Isso é inglês antigo, representando a interpretação do nome élfico feita por Eriol em sua própria língua: o primeiro elemento significa "cisne" (*ielfetu*), e o segundo (que originou a palavra "hithe") significa "porto, desembarcadouro".

Sombrios podiam ser vislumbradas ao longe, debilmente iluminadas pelo brilho das Árvores. Belíssimo de se olhar era aquele porto quando as alvas frotas vinham rebrilhando para casa, e águas agitadas refratavam o lume que caía das lamparinas em luzes ondulantes, tecendo padrões estranhos de muitos fios cintilantes. Mas agora todas aquelas embarcações estavam paradas, e uma sombra profunda cobria o lugar ao desvanecer das Árvores.

Dos Solosimpi, ninguém dera ouvidos às palavras ferozes dos Noldoli, salvo uns poucos que se podia contar nos dedos das duas mãos; e, assim, aquela gente vagou infeliz para o norte, margeando as costas de Eldamar, até chegar no cimo das falésias que davam para Porto-cisne, e lá os Solosimpi de outrora haviam esculpido na rocha escadarias sinuosas que desciam até a beira do porto. Ora, de lá para o norte, o caminho era muito acidentado e cruel, e os Noldoli tinham consigo quase tantas donzelas e mulheres quanto homens e rapazes (ainda que muitos, especialmente das crianças mais novas, tivessem sido deixados em Kôr e Sirnúmen, e muitas lágrimas foram derramadas por isso); portanto, estavam agora desorientados e, nesse desvario, aflitos que estavam com pesares e exaltados de mente, ali levaram a cabo os feitos de que se arrependeram mais amargamente depois — pois por meio deles, por um tempo, o desprazer dos Deuses recaiu pesadamente sobre todo o seu povo, e mesmo os corações dos Eldalië voltaram-se contra eles.

Vede, o conselho de Fëanor é de que por nenhum meio aquela hoste poderia esperar percorrer a costa rapidamente, salvo com o auxílio de navios; 'e estes,' disse ele, 'se os elfos-costeiros não quiseram nos dar, havemos de tomar'. Portanto, descendo até o porto, eles tentaram embarcar nos navios que lá estavam, mas os Solosimpi lhes disseram não e, no entanto, em virtude da grande hoste do povo-dos-Gnomos, no momento não ofereceram resistência; mas nova ira despertou entre Eldar e Eldar. Assim, os Noldoli embarcaram todas as suas mulheres e crianças e mais uma grande hoste naqueles navios e, soltando-lhes as amarras, remaram-nos com uma multidão de remos na direção dos mares. Então, grande cólera ardeu nos corações dos Flautistas das Terras Costeiras ao ver o roubo daquelas embarcações que seu engenho e seus longos labores haviam construído, e havia alguns que os próprios Deuses tinham feito outrora em Tol Eressëa, como foi contado, barcos mágicos e maravilhosos, os primeiros que jamais existiram. Assim, ergueu-se de súbito uma voz entre eles: 'Esses ladrões nunca hão de deixar o Porto em nossos navios', e todos os Solosimpi que lá estavam correram céleres pelo cimo da falésia até o arco pelo qual a frota deveria passar e, postando-se ali, gritaram aos Gnomos que retornassem; mas eles não lhes deram ouvidos nem interromperam seu curso, e os Solosimpi os ameaçaram com rochas e tangeram seus arcos élficos.

Vendo isso, e acreditando que a guerra já fora inflamada, chegaram então os Gnomos que não puderam embarcar nos navios, e cuja tarefa era marchar ao longo das costas, e eles apressaram-se por trás dos Solosimpi, até que, chegando subitamente próximo a eles na entrada do Porto, assassinaram-nos cruelmente ou jogaram-nos ao mar; e assim pereceram pela primeira vez os Eldar sob as armas de sua gente, e esse foi um feito pavoroso. Ora, o número dos Solosimpi que caíram era muito grande, e dos Gnomos, não poucos, pois precisaram lutar muito para voltar desde aqueles caminhos estreitos na escarpa, e muitos do povo costeiro, ouvindo aquela algazarra, reuniram-se na retaguarda.

Por fim, no entanto, tudo termina, e todos aqueles navios passaram aos vastos mares, e os Noldoli foram para longe, mas as pequenas lamparinas estão quebradas, e o Porto está escuro e muito quieto, exceto pelo débil som de choro. De semelhante natureza foram todas as obras de Melko neste mundo.

Ora, diz o conto que, conforme os Solosimpi choravam e os Deuses varriam toda a planície de Valinor ou sentavam-se abatidos próximo às árvores arruinadas, passou-se uma longa era, e ela foi de treva e, durante esse tempo, o povo-dos-Gnomos sofreu os maiores males e toda a maldade do mundo abateu-se sobre eles. Pois alguns marcharam incessantemente pela costa até que Eldamar estivesse escura e esquecida lá longe, e os caminhos ficavam cada vez mais cruéis e impassáveis rumo ao Norte, mas a frota costeava ao lado deles, não muito longe no mar, e os andarilhos na costa os podiam ver fracamente na escuridão, pois navegavam devagar naquelas ondas morosas.

No entanto, de todos os pesares que percorreram esses caminhos não sei o conto completo, e ninguém o contou, pois seria um conto terrível e, ainda que os Gnomos digam muitas coisas a respeito daqueles dias mais claramente do que eu consigo, de modo algum amam se estender no relato dos tristes acontecimentos daquele tempo, e de raro despertam sua memória. Contudo, ouvi dizer

O adendo inserido termina aqui e voltamos ao texto original, escrito descuidadamente a lápis:

que jamais teriam realizado a terrível travessia do Qerkaringa[3] caso já tivessem sido sujeitados ao cansaço, à enfermidade e às muitas fraquezas que depois acometeram sua gente morando longe de Valinor. Mas o alimento sagrado dos Deuses e sua bebida ainda eram ricos em suas veias, e eles eram semidivinos — mas não tinham ainda *limpë* para levar, pois ele não foi dado às fadas até muito depois, quando a Marcha da Libertação foi empreendida, e os males do mundo que Melkor envenenara com sua presença logo sobrevieram."

"Ora, se me perdoardes por interromper vosso conto," disse Eriol, "o que quereis dizer com a 'terrível travessia do Qerkaringa'?"

"Sabe, pois," disse Lindo, "que a direção das costas de Eldamar e das costas que continuam de lá ao norte, além do grande porto de Kópas, é sempre para o Leste, de modo que, após incontáveis milhas, mais ao norte até do que as Montanhas de Ferro e nos confins dos Reinos Gélidos, os Grandes Mares, juntamente com uma curva para oeste das praias das Grandes Terras, diminuem até formarem um estreito. Ora, a passagem por aquela água é de perigo intransponível, pois está repleta de correntes malignas e sorvedouros de força desesperadora, e ilhas de gelo flutuante nadam ali, pungindo e colapsando juntas com um barulho tremendo e destruindo tanto os grandes peixes quanto navios, caso algum venha a se arriscar ali. Naqueles dias, contudo, um braço estreito, que os Deuses mais tarde destruíram, corria desde a terra ocidental quase até as praias orientais, mas era de gelo e neve [?empilhados] que se fendiam em ravinas e despenhadeiros e era quase intransponível, e esse era o Helkaraksë, ou Presa-de-Gelo,[4] e era um remanescente dos antigos e terríveis gelos que se moviam por todas aquelas regiões antes de Melko ser acorrentado e de o Norte se tornar, por um tempo, clemente, e ele se mantinha ali por razão da estreiteza dos mares e do [?estorvamento] das ilhas-de-gelo que flutuavam desde o extremo Norte, para onde o inverno se havia retirado. Ora, aquela faixa d'água que ainda fluía entre o promontório da Presa-de-Gelo e as Grandes Terras era chamada de Qerkaringa, ou Golfo Gélido.[5]

Caso Melko de fato tivesse conhecimento da tentativa precipitada dos Gnomos de atravessá-lo, ele talvez os tivesse assaltado a todos naquele lugar maligno ou feito o que quer que desejasse, mas muitos meses se haviam passado desde que tinha fugido, talvez por aquele mesmo caminho, e agora ele estava muito longe. Não é verdade o que digo, Rúmil, a respeito dessas coisas?"

"Contaste a verdade," disse Rúmil, "mas não falaste de como, antes de chegar a Helkaraksë, a hoste passou por aquele local onde Mornië sói ficar ancorado, pois lá um caminho escarpado e acidentado desce serpenteando de Mandos e entra fundo nas montanhas, caminho que os espíritos que Fui envia até Arvalin precisam percorrer.[6] Lá, um serviçal de Vefántur os espreitava e, perguntando-lhes do que se tratava aquela viagem, pediu-lhes que retornassem, mas eles responderam com desprezo, ao que, postado numa rocha elevada, ele lhes falou alto, e sua voz chegou mesmo à frota sobre as ondas; e ele lhes predisse muitas das terríveis aventuras que posteriormente enfrentaram, advertindo-os contra Melko e falou, por fim: 'Grande é a queda de Gondolin', e ninguém ali compreendeu, pois Turondo, filho de Nólemë,[7] ainda não estava na Terra. Mas os sábios guardaram seus dizeres, pois Mandos e todo o seu povo têm poder de profecia, e essas palavras foram por muito tempo entesouradas entre eles como sendo as Profecias de Amnos, pois assim era chamado, naquela época, o lugar onde foram pronunciadas, e agora é Hanstovánen[8] ou o atracadouro de Mornië.

Depois disso, os Noldoli viajaram lentamente e, quando o terrível istmo de Helkaraksë estava diante deles, alguns foram a favor de atravessar toda a hoste, uma parte de cada vez, cruzando o mar, arriscando-se pelas águas perigosas em vez de buscar uma passagem pelos golfos e crevasses do istmo de gelo. Isso eles intentaram, e um grande navio se perdeu com tudo a bordo em virtude duma temível voragem que havia na baía, próximo de onde Helkaraksë projetava-se da porção ocidental do continente; e aquele sorvedouro vez ou outra gira como um vasto pião e grita com um ruído alto e lamurioso, terribilíssimo de se ouvir, e as coisas que se aproximam são sugadas às suas monstruosas profundas e destruídas ali em dentes de gelo e rocha; e o nome daquela voragem é Wiruin. Assim, os Noldoli estão muito angustiados e perplexos, pois mesmo que pudessem encontrar um caminho pelos terrores do Helkaraksë, eis que mesmo assim não conseguiriam alcançar o mundo interior, pois ainda há uma fenda na extremidade de lá e, conquanto estreita, o ruído das águas caindo velozes por ela pode ser ouvido assim de longe, e o estrondo do gelo se rompendo do

cabo chegou até eles, assim como o choque e o golpe das ilhas-de-
-gelo impelidas desde o Norte por aquele estreito pavoroso.

Ora, a existência daquelas ilhas flutuantes de gelo sem dúvida se devia à presença de Melko novamente no longínquo Norte, pois o inverno havia se recolhido para os extremos Norte e Sul, de sorte que quase não restou local para acomodá-lo no mundo nos dias de paz chamados de As Correntes de Melko; mas, ainda assim, foi precisamente essa atividade de Melko que afinal se provou a salvação dos Noldoli, pois eis que eles agora são obrigados a retirar dos navios todas as mulheres e nautas de suas hostes, e àquelas praias desoladoras eles os levam e montam um desventuroso acampamento.

As canções chamam aquela habitação[9] de Tendas do Murmurar, pois ergueu-se muita lamentação e arrependimento, e muitos culparam Fëanor com amargura, como era de fato justo, e, no entanto, poucos desertaram a hoste, pois suspeitavam que jamais haveria boas-vindas novamente para eles em Valinor — e realmente foi isso que descobriram uns poucos que decidiram retornar, mas isso não entra neste conto.

Agora, quando suas tribulações estão no momento mais sombrio, e quase ninguém espera que o júbilo retorne, eis que o inverno desfralda seus estandartes uma vez mais e marcha para o sul lentamente, vestido de gelo, com lanças de geada e flagelos de granizo. E tamanho é o frio que o gelo flutuante se acumula, e amontoa-se, e empilha-se como colinas entre o extremo de Helkaraksë[10] e a terra Oriental e, no fim, torna-se tão forte que a corrente não consegue movê-lo. Abandonando então seus navios roubados, eles deixam seu infeliz acampamento e esforçam-se para atravessar os terrores do Qerkaringa. Quem há de contar de seu infortúnio naquela marcha, ou dos que se perderam, caindo em grandes abismos de gelo nas profundezas dos quais fervia água oculta, ou dos que se desgarraram até que o frio os dominasse — e, por cruel que tenha sido, tantas coisas e tão desesperadoras sobrevieram depois nas Grandes Terras que isso foi reduzido, na mente deles, a coisa de menor valor e, em verdade, os contos que falavam da partida de Valinor nunca foram doces aos ouvidos dos Noldoli posteriormente, quer fossem cativos, quer fossem cidadãos de Gondolin. E, ainda assim, tais coisas não podem matar o povo-dos-Gnomos, e daqueles perdidos ainda se diz que alguns vagam tristemente em meio às colinas de gelo, ignorando todas as coisas que se deram com seu povo, e alguns tentaram voltar a Valinor, e Mandos os guarda, e alguns que seguiram depois reencontraram, após longos dias, sua gente infeliz. O que quer que seja, um grupo desconsolado e apoucado realmente alcançou, por fim, o solo rochoso das terras Orientais, e lá ficou a olhar para trás, por sobre o gelo de Helkaraksë e de Qerkaringa, e os picos das colinas além do mar, pois lá longe, nas névoas que se ajuntavam ao sul, erguiam-se as mais gloriosas alturas de Valinor, cercando-os para sempre de seu clã e de seus lares.

Assim chegaram os Noldoli ao mundo."

E, com essas palavras de Rúmil, a estória do obscurecer de Valinor chegou ao fim.

"Grande era o poder de Melko para o mal," diz Eriol, "se ele pôde mesmo destruir, com seus ardis, a felicidade e glória dos Deuses e dos Elfos, obscurecendo a luz de seus corações, não menos do que a de suas habitações, e reduzindo a nada todo o amor deles! Esse seguramente deve ser o pior feito que jamais cometeu."

"De fato nunca tamanho mal foi levado a cabo novamente em Valinor," disse Lindo, "mas a mão de Melko laborou em coisas piores no mundo, e as sementes do seu mal cresceram desde aqueles dias a um tamanho grande e terrível."

"Não," disse Eriol, "meu coração ainda não consegue pensar em outros infortúnios, pelo pesar da destruição das mais belas Árvores e a escuridão do mundo."

NOTAS

1   O manuscrito parece, certamente, conter a forma *Noldor* aqui. — Deve-se lembrar que, na antiga história, os Teleri (ou seja, os posteriores Vanyar) não haviam partido de Kôr; ver p. 195.

2   No alto da página manuscrita, e muito claramente referindo-se às palavras de Fëanor, meu pai escreveu: "Ampliar o elemento do desejo pelas Silmarils". Outra nota se refere à seção da narrativa que começa aqui, e diz que "precisa de muita revisão: a [?sede ?cobiça] por joias — especialmente pelas sagradas Silmarils — requer ênfase. E a muito importante batalha de Cópas Alqaluntë, na qual os Gnomos assassinaram os Solosimpi, precisa ser inserida". Essa nota foi então riscada e assinalada com "feito", mas somente a última orientação foi, de fato, seguida: trata-se do adendo sobre o Fratricídio incluído nas pp. 200–02.

3   Ao lado disso, meu pai escreveu na margem: "*Helkaraksë* Presa-de-Gelo *Qerkaringa* a água"; ver nota 5.

4   *Helkaraksë, ou Presa-de-Gelo*: escrito no lugar de *Qerkaringa*; ver nota 5.

5   Esse trecho, começando com "'Sabe, pois', disse Lindo [...]", substitui uma versão anterior que eu não incluo por não conter quase nada que não esteja na

substituição em si; e a última frase da substituição é ela mesma um acréscimo posterior. Deve-se notar, contudo, que na primeira versão o braço de terra é chamado de *Qerkaringa* (assim como no trecho de substituição, inicialmente, ver nota 4), com a observação de que "o nome também foi dado ao estreito mais além". Esta, portanto, foi a ideia inicial: *Qerkaringa* era o nome primariamente do braço de terra, mas estendia-se também para o estreito (presumivelmente, nesse estágio a palavra *qerka* não significava "golfo"). Meu pai, então, decidiu que *Qerkaringa* era o nome do estreito, e introduziu o nome *Helkaraksë* para o braço de terra; daí a anotação marginal da nota 3. Nesse ponto, ele acrescentou a última frase do trecho de substituição: "Ora, aquela faixa d'água que ainda fluía entre o promontório da Presa-de-Gelo e as Grandes Terras era chamada de Qerkaringa, ou Golfo Gélido", e emendou *Qerkaringa* no corpo do trecho (nota 4) para *Helkaraksë, ou Presa-de-Gelo*, mantendo essa alteração pelo resto do conto (na p. 206, *de Qerkaringa > de Helkaraksë e de Qerkaringa*).

6 Para o caminho que o negro navio Mornië percorre desde Mandos e sua jornada pela costa até Arvalin, ver pp. 99, 115 e seguintes.

7 Turondo, ou Turgon, filho de Nólemë, foi mencionado anteriormente na p. 145.

8 A leitura *Hanstovánen* é ligeiramente incerta, e outro nome — "ou . . . . . . *Mornien*" — o segue. Ver a seção "Alterações feitas a nomes", abaixo.

9 Após a palavra "habitação" há um espaço em branco para a inserção de um nome élfico.

10 O manuscrito traz *Qerkaringa* sem emenda, mas claramente a referência é ao promontório ocidental (a Presa-de-Gelo) e, portanto, coloquei *Helkaraksë* no texto (ver nota 5).

Alterações feitas a nomes em
A Fuga dos Noldoli

Helkaraksë < *Qerkaringa* (para os detalhes e a explicação dessa alteração, ver nota 5).

Arvalin < *Habbanan*.

Amnos < *Emnon* < *Morniento*.

Hanstovánen O nome do "atracadouro de Mornië" foi primeiro escrito *Mornielta* (as últimas letras são incertas) e, depois, *Vane* (ou *Vone*) *Hansto*; esse último não foi riscado, mas a forma no texto (que também pode ser lida como *Hanstavánen*) parece ser a final. Após *Hanstovánen* está escrito "ou . . . . . . *Mornien*".

Comentário a
A Fuga dos Noldoli

Neste "conto" (na verdade, a conclusão do longo conto "O Roubo de Melko e o Obscurecer de Valinor", narrado por Lindo e terminado por Rúmil) encontra-se o mais antigo relato da partida dos Gnomos de Valinor. Aqui, os Deuses continuam a caçada vã e buscam por muito tempo após Melko ter escapado, e, além disso, são auxiliados pelos Eldar (incluindo os Solosimpi, os quais, na figura dos Teleri retratados em *O Silmarillion*, dificilmente teriam deixado suas praias e seus navios). Percebe-se que o retorno de Fëanor a Kôr e seu discurso aos Noldoli (e, neste relato, a outros) à luz de tochas é uma característica original; mas seus filhos ainda não apareceram e, de fato, nenhum dos príncipes noldorin descendentes de Finwë, exceto Turondo (Turgon), de quem se afirma especificamente (p. 204) que "ainda não estava na Terra". Não há Juramento de Fëanor, e a história posterior dos aconselhamentos divergentes dos Noldor aparece apenas na tentativa de Nólemë (Finwë) de acalmar as pessoas — Nólemë, portanto, desempenha o posterior papel de Finarfin (*O Silmarillion*, p. 124). Em *O Silmarillion* (p. 130), após o Fratricídio em Alqualondë e a Profecia do Norte, Finarfin e muitos de seu povo retornaram a Valinor e foram perdoados pelos Valar; aqui, os poucos que retornaram descobriram que não havia boas-vindas, ou então "Mandos os guarda" (p. 206).

Na seção rejeitada (p. 199), que foi substituída pelo relato da batalha de Kópas Alqualunten, a referência aos "feitos que [os Noldoli] lamentaram mais amargamente depois" deve ser, simplesmente, ao roubo dos navios dos Solosimpi, já que não há indicação de feitos piores (na passagem substituta, quase as mesmas palavras são usadas para o Fratricídio). O real surgimento da ideia de que os Noldoli eram culpados de coisas piores do que o roubo em Kópas é visto numa nota em um caderninho (ver pp. 34–5) que meu pai usava para rabiscar ideias e sugestões — muitas das quais não passavam de frases simples ou meros nomes isolados que serviam como lembretes do trabalho a ser feito, das histórias a serem contadas, ou de alterações a serem feitas. Essa nota diz:

A ira dos Deuses e Elfos muito grande — fazer até mesmo com que alguns Noldoli matem alguns Solosimpi em Kópas — e deixar Ulmo advogar por eles (? se Ulmo é tão afeito aos Solosimpi).

Isso foi riscado e marcado como "feito", e a recomendação aqui de que Ulmo deveria defender os Noldoli é vista no conto *A Ocultação de Valinor* (p. 252).

Na descrição de Kópas, o "imenso arco de rocha viva" sobreviveu no "arco de rocha viva escavado pelo mar" da descrição muito mais concisa de Alqualondë em *O Silmarillion* (pp. 96-7); e vemos aqui a razão de o Porto ser "iluminado com muitas lamparinas" (*ibid.*): isso era porque pouca luz das Duas Árvores chegava até lá em virtude do paredão de pedra ao redor (embora a escuridão de Alqualondë esteja implícita em *O Silmarillion* na afirmação de que ela ficava "nos confins de Eldamar, ao norte do Calacirya, onde a luz das estrelas era brilhante e clara").

Os detalhes dos acontecimentos no Porto foram concebidos de maneira diferente da história posterior, mas ainda com bastantes semelhanças gerais; e, embora a tempestade causada por Uinen (*O Silmarillion*, p. 129) não esteja presente na versão original, a descrição dos Noldoli rumando norte, alguns pela costa e alguns nas embarcações, permaneceu.

Há indicações interessantes da geografia das regiões setentrionais. Não há sugestão da presença de um grande ermo (posteriormente Araman) entre as Montanhas de Valinor ao norte e o mar, uma conclusão já vista anteriormente (p. 106) e corroborada incidentalmente pelos relatos do caminho íngreme desde Mandos, nas montanhas, descendo ao ancoradouro do navio negro Mornië (pp. 99, 204). O nome *Helkaraksë*, "Presa-de-Gelo", que primeiro apareceu em emendas ao texto e atribuído inicialmente ao braço ou promontório que se projetava da terra ocidental, foi posteriormente realocado ao que é aqui chamado de *Qerkaringa*, o estreito repleto de ilhas de gelo "pungindo e colapsando juntas"; mas isso foi quando o *Helcaraxë*, "o Gelo Pungente", passou a ter uma importância geográfica bastante distinta no desenho do mundo muito mais sofisticado que meu pai desenvolveu durante a "fase" seguinte da mitologia.

Em *O Silmarillion* (p. 129), há uma sugestão de que o vate da Profecia do Norte era o próprio Mandos "e nenhum outro arauto menor de Manwë", e a gravidade dela, de fato sua própria centralidade na mitologia, é muito maior; aqui não há indício de uma "sentença" ou "maldição", mas apenas de uma predição. E essa predição incluía as sinistras palavras "Grande é a queda de Gondolin". No conto de *A Queda de Gondolin* (mas em uma frase interpolada, muito possivelmente posterior à do presente conto), Turgon, postado nas escadarias de seu palácio, em meio à destruição da cidade, pronunciou as mesmas palavras, "e os homens estremeceram, pois tais foram as palavras de Amnon, o profeta de outrora". Aqui *Amnon* (em vez de *Amnos*, como no presente texto, uma emenda de *Emnon*) não é um lugar, mas uma pessoa (seria o serviçal de Vefántur que fez a profecia?). No caderninho já mencionado, há a seguinte anotação:

Profecia de Amnon. Grande é a queda de Gondolin. Eis que Turgon não esvanecerá até que o lírio do vale esvaneça.

Em algumas outras notas para os *Contos Perdidos*, isso é expresso na seguinte forma:

Profecia de Amnon. "Grande é a queda de Gondolin" e "Quando o lírio do vale fenecer, então Turgon há de esvanecer".

Nessas notas, *Amnon* pode ser tanto o lugar quanto a pessoa. O "lírio do vale" é a própria Gondolin, um de cujos Sete Nomes era *Losengriol*, posteriormente *Lothengriol*, traduzido como "flor do vale ou lírio do vale".

Há uma afirmação interessante na história antiga (p. 203) de que os Noldoli jamais teriam atravessado o gelo caso já tivessem sido sujeitados "ao cansaço, à enfermidade e às muitas fraquezas que depois acometeram sua gente morando longe de Valinor", mas "o alimento sagrado dos Deuses e sua bebida ainda eram ricos em suas veias, e eles eram semidivinos". Isso é ecoado nas palavras de *O Silmarillion* (pp. 132–33) de que os Noldor eram "recém-chegados do Reino Abençoado e ainda não cansados com o cansaço da Terra". Por outro lado, está dito especificamente na Profecia do Norte (*ibid.*, p. 130) que "embora Eru tenha estipulado que não morrêsseis em Eä e *que nenhuma doença vos assaltasse*, podeis, porém, ser mortos e mortos haveis de ser", etc.

Da traição dos Fëanorianos, navegando nas embarcações e deixando a hoste de Fingolfin nas costas de Araman não há, evidentemente, vestígio na história antiga; mas a culpabilização de Fëanor já estava presente (as "Tendas do Murmurar", p. 205). É um aspecto notável da versão mais antiga da mitologia que, enquanto muito da estrutura narrativa era firme e haveria de perdurar, a estrutura "genealógica" posterior mal havia surgido. Turgon existia como filho de (Finwë) Nólemë, mas não há indicação de que Fëanor tinha parentesco próximo com o senhor dos Noldoli, e os outros príncipes — Fingolfin, Finarfin, Fingon e Felagund — não aparecem em absoluto, em nenhuma forma, com nenhum nome.

8

O Conto do Sol e da Lua*

O *Conto do Sol e da Lua* é introduzido por um "Interlúdio" (conforme é chamado no manuscrito), no qual surge um certo Gilfanon de Tavrobel como hóspede em Mar Vanwa Tyaliéva. Esse interlúdio existe também em uma versão anterior rejeitada.

O conto em si é majoritariamente um manuscrito a tinta sobre um original a lápis apagado, mas, mais para o final (ver nota 19), torna-se um manuscrito primariamente a tinta, com o rascunho remanescente a lápis em outro caderno.

O *Conto do Sol e da Lua* é muito longo, e eu o encurtei aqui e ali por meio de paráfrases breves, sem omitir quaisquer detalhes de interesse. (Uma nota de meu pai diz que esse conto "necessita de grande revisão, redução e [?reforma]".)

Gilfanon a·Davrobel

Ora, não se deve pensar que, conforme Eriol escutava os muitos contos que falavam de diversos pesares dos Elfos, a sede por *limpë* diminuiu dentro dele, pois não é assim, e sempre que o grupo se sentava junto ao Fogo-do-Conto, ele era um perguntador ávido, querendo aprender toda a história do povo até aqueles mesmos dias, quando o povo élfico morava novamente junto na ilha.

Portanto, agora que sabia algo do glorioso modo de seu antigo lar e do esplendor dos Deuses, ponderava amiúde sobre a chegada dos dias da luz do Sol e do brilho da Lua, e dos afazeres dos Elfos mundo afora, e das suas aventuras lá com os Homens antes que Melko planejasse sua desavença; assim, uma noite ele perguntou,

---

* No mundo ficcional de Tolkien, o Sol é considerado pelos elfos e hobbits uma entidade feminina, enquanto a lua é uma entidade masculina. [N. T.]

sentado diante do Fogo-do-Conto: "Donde vieram o Sol e a Lua, ó Lindo? Pois até agora ouvi falar apenas das Duas Árvores e seu triste desvanecer, mas da vinda dos Homens, ou das façanhas dos Elfos além de Valinor ninguém me contou."

Ora, aconteceu naquela noite de estar presente um convidado tanto à mesa quanto no contar de contos, e seu nome era Gilfanon, e todos o chamavam, ademais, de Gilfanon a·Davrobel,[1] pois ele vinha daquela região da ilha onde se erguia a Torre de Tavrobel ao lado dos rios,[2] e nas redondezas habitava a gente-dos-Gnomos como um só povo, dando nomes para os lugares em seu próprio idioma. Gilfanon soía dizer que aquela região era a mais bela de toda a ilha, e a gente-dos-Gnomos, seu melhor povo, se bem que, antes da chegada deles até ali, por muito tempo ele vivera longe dos Noldoli, viandando com Ilkorins em Hisilómë e Artanor,[3] e, além disso, tornou-se, como poucos Elfos, grande amigo e companheiro dos Filhos dos Homens daqueles dias. Às suas lendas e memórias ele acrescentou seu próprio conhecimento, pois fora profundamente versado em muitos saberes e idiomas certa vez, nos antigos dias de Kôr, e tinha vivência, ademais, em muitas façanhas antiquíssimas, sendo mesmo um dos mais velhos das fadas[4] e o mais idoso que agora habitava na ilha, ainda que Meril detivesse o título de Senhora da Ilha em virtude de seu sangue.

Agora, portanto, Lindo disse em resposta a Eriol: "Vê, Gilfanon pode contar-te muito de tais assuntos, e seria bom se tu fosses daqui com ele passar um tempo em Tavrobel. — Não, não olhes assim," riu-se, vendo o rosto de Eriol, "pois não te estamos banindo, ainda — mas, em verdade, seria sábio daquele que gostaria de beber do *limpë* que primeiro buscasse a hospitalidade de Gilfanon, em cuja casa anciã — a Casa das Cem Chaminés que fica próximo à ponte de Tavrobel[5] — muitas coisas podem ser ouvidas tanto do passado quanto daquilo que há de vir."

"Penso", disse Gilfanon a Eriol, "que Lindo quer se ver livre de dois hóspedes duma só vez; contudo, ainda não pode fazê--lo, pois pretendo permanecer em Kortirion ainda sete noites, e banquetear-me à sua boa mesa entrementes, e esticar-me junto ao Fogo-do-Conto também — depois, talvez, tu e eu vamos embora e tu hajas de ver toda a beleza da ilha das fadas — mas deixa agora que Lindo erga sua voz e nos conte ainda mais do esplendor dos Deuses e suas obras, um tema que nunca o cansa!"

Isso deixou Lindo satisfeito, pois de verdade amava contar tais contos e buscava amiúde motivo para relembrá-los, e falou: "Então contarei a estória do Sol e da Lua e das Estrelas, para que Eriol possa ouvir o que deseja", e Eriol ficou satisfeito, mas Gilfanon disse: "Conta, Lindo — mas não alonga o conto para sempre."

Então Lindo ergueu a voz,[6] e ela era a mais agradável de se ouvir dentre todos os contadores, e ele disse:*

"Uma estória eu conto daquele tempo da primeira fuga dos Gnomos, e eis que eles acabaram de fugir. Agora chega essa triste notícia aos Deuses e demais Elfos e, a princípio, ninguém acreditou. Mas as novas ainda assim lhes chegaram, e por muitos mensageiros diferentes. Alguns eram dos Teleri, que ouviram o discurso de Fëanor na praça de Kôr e viram os Noldoli partirem dali com todos os bens que podiam carregar; outros eram dos Solosimpi, e esses trouxeram as graves notícias do roubo dos navios-cisne e do terrível fratricídio do Porto, e do sangue que havia nas praias brancas de Alqaluntë.

Por fim vieram alguns desabalados de Mandos que haviam visto aquela multidão infeliz junto às praias de Amnor, e os Deuses souberam que os Gnomos estavam longe, e Varda e todos os Elfos choraram, pois parecia que a escuridão estava mesmo negra agora, e que mais do que a luz exterior das belas Árvores fora morta.

É estranho contar que, embora Aulë tivesse amado os Noldoli acima de todos os Elfos e os tivesse ensinado tudo o que sabiam, e tivesse lhes dado grandes estoques de riqueza, agora seu coração voltava-se muito contra eles, pois os cria ingratos por não lhe haverem dito adeus, e seus maus feitos entre os Solosimpi agravavam-lhe o coração. "Não faleis", disse, "o nome dos Noldoli nunca mais a mim," e, apesar de ainda estender seu amor àqueles poucos Gnomos fiéis que permaneceram em seus salões, ele os nomeou a partir de então de 'Eldar'.

Mas os Teleri e os Solosimpi, havendo chorado no início, quando o ataque no Porto se tornou conhecido de todos, secaram as lágrimas, e o horror e a angústia aferraram seus corações, e eles também passaram a raramente falar dos Noldoli, salvo com tristeza ou em sussurros a portas fechadas; e aqueles poucos dos Noldoli que ficaram para trás foram chamados de Aulenossë, ou a

---

* Escrito na margem: "Começo de O Sol e a Lua"

gente de Aulë, ou foram recebidos nos outros clãs, e à gente-dos-
-Gnomos não resta lugar ou nome agora em toda Valinor.

É preciso contar agora que, após muito tempo, pareceu a Manwë que a caçada dos Deuses de nada adiantava, e que Melko seguramente escapara de Valinor; portanto, enviou Sorontur ao mundo, e Sorontur não retornou por muito tempo, e Tulkas e muitos outros ainda percorriam a terra, mas Manwë estava ao lado das Árvores escurecidas e seu coração estava muito pesado enquanto ponderava profunda e lugubremente, mas, naquele momento, conseguia ver pouca luz de esperança. Súbito há um som de asas naquele local, pois Sorontur, Rei das Águias, está de volta, adejando forte pelo ocaso, e eis que, pousando nos galhos da escurecida Silpion, conta como Melko irrompeu no mundo e muitos espíritos malignos uniram-se a ele: 'contudo', falou, 'penso que Utumna jamais se abrirá novamente para ele, e ele já se ocupa de fazer para si novas habitações naquela região do Norte onde ficam as Montanhas de Ferro, mui altas e terríveis de se ver. Mas ó Manwë, Senhor do Ar, outras novas tenho ainda para vossos ouvidos, pois vede! conforme voava aqui para meu lar por sobre os negros mares e as terras hostis, uma visão eu tive da maior admiração e espanto: uma frota de brancas naus vazias à deriva nas procelas, e umas ardiam com fogo brilhante e, atônito, eis que vi grande multidão de gente nas costas das Grandes Terras, e todos olhavam para oeste, mas alguns ainda estavam vagando no gelo — pois, sabei, isso foi naquele lugar onde estão os despenhadeiros de Helkaraksë e onde as águas mortíferas de Qerkaringa fluíam outrora, elas que agora estão barradas pelo gelo. Baixando, pensei ter ouvido o som de lamúrias e tristes palavras ditas no idioma dos Eldar; e é esse o conto que trago para vosso ajuizamento.'

Mas, com isso, Manwë soube que os Noldoli se tinham ido para sempre, e seus navios estavam queimados ou abandonados, e que Melko também estava no mundo, e que a caçada de nada serviu; e quiçá seja à lembrança desses feitos que sempre foi um dito pelas bocas de Elfos e Homens que aqueles que afastam de si a esperança de mudarem de ideia ou de alvitre estão a 'queimar suas naus'. Agora, portanto, Manwë ergueu sua incomensurável voz chamando os Deuses, e todos aqueles pelas vastas terras de Valinor ouviram e retornaram.

Lá chegou primeiro Tulkas, exausto e coberto de terra, pois ninguém saltara pela planície como ele. Sete vezes ele percorrera toda sua amplidão e três vezes escalara a encosta montanhosa, e todas as desmesuradas escarpas e pastagens, pradarias e florestas ele atravessara, ardente com o desejo de punir o espoliador de Valinor. Lá chegou Lórien e apoiou-se no tronco ressequido de Silpion, e chorou os danos aos seus silenciosos jardins causados pelo tropel da caçada; lá também estava Meássë e, com ela, Makar, e sua mão estava vermelha, pois ele se deparara com dois dos camaradas de Melko que fugiam, e matou-os enquanto corriam, e somente ele tinha algum júbilo naqueles momentos malignos. Ossë estava lá, e sua barba verdeal estava retalhada e seus olhos, turvos, e ele arfava apoiado num cajado e estava muitíssimo sedento, pois, por poderoso que fosse pelos mares e incansável, aquela labuta no seio da Terra esgotou completamente seu vigor.

Salmar e Ómar estavam por lá, e seus instrumentos musicais não faziam som algum, e seu coração estava pesado, mas não estavam tão amargurados quanto Aulë, amante da terra e de todas as coisas feitas ou conquistadas dela por bom labor, pois, de todos os Deuses, era ele quem mais completamente amava Valmar e Kôr e todos os seus tesouros, e o sorriso das formosas planícies afora, e sua ruína lacerava-lhe o coração. Com ele estava Yavanna, Rainha-da-terra, e ela caçara com os Deuses e estava exausta; mas Vána e Nessa pranteavam qual donzelas ainda ao lado das fontes de ouro de Kulullin.

Somente Ulmo não foi até as Árvores, mas desceu à praia de Eldamar, e lá ficou a fitar a treva, longe ao mar, e clamava amiúde com sua voz mais potente, como se quisesse trazer de volta aqueles calaceiros ao regaço dos Deuses, e de quando em quando tocava profunda música de anseio em suas conchas mágicas, e somente para ele, a menos que[7] para Varda, senhora das estrelas, a partida dos Gnomos foi maior pesar até mesmo do que a ruína das Árvores. Dantes Ulmo amara muito os Solosimpi e, contudo, quando ouviu do seu assassinato pelos Gnomos, afligiu-se de fato, mas a cólera não lhe endureceu o coração, pois Ulmo era mais presciente do que todos os Deuses, mesmo o grande Manwë, e talvez tenha visto muitas das coisas que adviriam daquela fuga e das terríveis dores dos infelizes Noldoli no mundo, e a angústia pela qual expiariam o sangue de Kópas, e ele queria que não precisasse ser assim.

Agora, quando todos estavam assim reunidos, Manwë lhes falou e contou as novas de Sorontur, e de como a perseguição falhara, mas, naquela hora, os Deuses estavam desorientados na treva e tinham pouco conselho a dar, e cada um buscou seu lar e seus locais do antigo deleite agora morto, e lá sentaram-se no silêncio e na escuridão a ponderar. E, no entanto, uns saíam vez ou outra à planície e fitavam saudosos as Árvores desvanecidas como se aqueles ramos ressequidos fossem florescer com luz nova: mas isso não passou, e Valinor estava cheia de sombras e treva, e os Elfos choravam e não se reconfortavam, e os Noldoli enfrentavam amargo pesar nas terras setentrionais.

Depois, por grande tempo varou a aflição e o cansaço dos Deuses a ideia de que a luz se fora de Valinor para sempre, e que nunca mais aquelas Árvores darão flor novamente nos momentos estabelecidos. Somente a luz das estrelas permaneceu, com exceção dos locais onde um brilho folgava solitário junto à fonte de Kulullin, ou uma claridade pálida persistia próximo ao fundo Telimpë,[8] tonel de sonhos. Mas mesmo esses estavam turvados e baços, pois as Árvores já não davam orvalho para reabastecê-los.

Portanto, Vána se ergue e busca Lórien, e com eles vão Urwendi e Silmo[9] e muitos outros tanto dos Vali quanto dos Elfos; e eles ajuntam muita luz d'ouro e prata em grandes vasos e encaminham-se tristes até as Árvores arruinadas. Ali, Lórien canta mui melancólicas canções de magia e encantamento junto ao tronco de Silpion, e ordena que reguem suas raízes com a radiância de Telimpë; e isso foi feito prodigamente, ainda que pouco estoque dela restasse agora nas moradas dos Deuses. Coisa parecida faz Vána, e ela canta velhas canções douradas de dias mais felizes, e ordena que suas donzelas dancem suas brilhantes danças, as que soíam dançar no relvado dos roseirais perto de Kulullin e, conforme dançavam, ela embebia as raízes de Laurelin com rios dos seus jarrões dourados.

E, contudo, toda a sua cantoria e encantamento é de pouca serventia e, ainda que as raízes das Árvores pareçam sorver tudo o que eles venham a despejar, não conseguem ver sinal de vida renovada, nem a mais débil faísca de luz; nem folha ressequida brilha com seiva e nem flor ergue seu pedúnculo caído. Em verdade, no frenesi de sua aflição eles teriam despejado todos os últimos estoques restantes do brilho que os Deuses guardavam, se por boa fortuna não tivessem Manwë e Aulë chegado a eles naquela hora, levados até ali pela cantoria na escuridão, e os detido: 'Ó Vána e ó Lórien, por que essa pressa? E por que não vos aconselhastes primeiro com vossos irmãos? Pois não percebeis que isso que derramais desajuizadamente sobre a terra tornou-se mais precioso que todas as coisas contidas no mundo; e, uma vez acabado, talvez nem toda a sabedoria dos Deuses consiga prover mais.'

Então disse Vána: 'Perdão, ó Manwë Súlimo, que minha tristeza e minhas lágrimas sejam minha escusa; é que dantes esse sorvo nunca deixou de refrescar o coração de Laurelin, e ela retribuía com fruta de luz mais abundantemente do que nós dávamos; e pareceu-me que os Deuses se sentavam sombrios em seus salões e, pelo peso de sua aflição, não intentavam qualquer remédio para seus males. Mas vede, agora Lórien e eu operamos nossos encantamentos e de nada adiantam', e Vána chorou.

Ora, foi o pensamento de muitos que aqueles dois, Lórien e Vána, não conseguiram curar as feridas de Laurelin e Silpion porque nenhuma palavra da Senhora-da-terra, mãe de magias, estava misturada em seus encantamentos. Assim, muitos falaram: 'Que procuremos Palúrien, pois por sua magia talvez essas Árvores hajam de conhecer novamente uma porção de sua antiga glória — e, então, se a luz for renovada, Aulë e seus artífices podem reparar os danos de nosso belo reino, e a felicidade existirá de novo entre Erumáni e o Mar'[10] — mas do escuro e dos dias malignos que há muito existiam para além das colinas poucos cuidavam ou pensavam.

Agora, portanto, chamaram Yavanna, e ela veio e perguntou-lhes o que queriam e, ouvindo, chorou e falou diante deles: 'Sabei vós, ó Valar, e vós, filhos e filhas dos Eldar, Filhos de Ilúvatar, primeiros rebentos das florestas da Terra, que nunca essas Duas Árvores poderão florescer novamente, e outras iguais a elas podem não ser trazidas à vida por muitas, muitas eras do mundo. Muitas coisas hão de ser feitas e de passar, e os Deuses hão de envelhecer, e os Elfos chegarão a quase esvanecer antes de verdes o reflagrar destas Árvores ou o Sol Mágico reaceso", e os Deuses não souberam o que ela queria dizer, falando do Sol Mágico, e nem o souberam por muito tempo depois. Mas Tulkas, ouvindo, disse: 'Por que falas essas palavras, ó Kémi Palúrien, pois predição não é do teu feitio, e menos que tudo essa de mau agouro?' E outros havia lá que falaram: 'Sim, e nunca antes Kémi, a Senhora-da-terra, deu conselho duro ou faltou com um encantamento de profundíssima virtude', e imploraram que ela empenhasse seu poder. Mas Yavanna falou: 'Está no fado e na Música dos Ainur. Tais maravilhas como aquelas Árvores d'ouro e prata até mesmo os Deuses só podem fazer uma vez, e isso na juventude do mundo; e nem podem todos os meus encantamentos lograr o que vós agora pedis.'

Então falou Vána: 'O que dizes tu, Aulë, poderoso inventor a quem chamam de *i·Talka Marda* — Ferreiro do Mundo — pela grandeza de tuas obras, como havemos de obter a luz necessária para nosso júbilo? Pois que é Valinor sem luz, e o que és tu se perderes teu engenho como, parece-me, tua esposa perdeu neste momento?'

'Não', disse Aulë, 'luz não se pode criar em forja, ó Vána-Laisi, nem qualquer um mesmo dos Deuses pode criá-la se a seiva das Árvores de maravilha secar para sempre.' Mas Palúrien, também em resposta, falou: 'Ora, ó Tuivána, e vós outros dos Vali e dos Elfos, pensais apenas e sempre em Valinor, esquecendo o mundo lá fora? — pois meu coração me diz que já é tempo de os Deuses assumirem uma vez mais a batalha pelo mundo e expulsarem de lá os poderes de Melko antes que atinjam uma força dominadora.' Mas Vána não compreendia a mente de Palúrien, pensando somente na sua Árvore d'ouro, e aquiesceu a contragosto; mas Manwë e Varda, e com eles Aulë e Yavanna, retiraram-se dali e, em conclave secreto, tomaram um do outro aconselhamento profundo e minudente e, por fim, pensam num plano de esperança. Manwë, então, reúne uma vez mais todo o povo de Valinor; e aquela grande multidão se ajuntou no viridário de Vána em meio às suas rosas, onde ficavam as fontes de Kulullin, pois a planície jazia agora fria e escura. Para lá foram até mesmo os líderes dos Elfos, e sentaram-se aos pés dos Deuses, e isso não acontecera antes; mas, quando todos estavam reunidos, Aulë se ergueu e disse: 'Ouvi, todos vós. Um conselho tem Manwë Súlimo Valatúru* a declarar, e a mente da Senhora-da-terra e da Rainha das Estrelas está nele, e meu aconselhamento não está ausente.'

Então houve grande silêncio para que Manwë pudesse falar, e ele disse: 'Vede, ó meu povo, um tempo de escuridão se abateu sobre nós e, no entanto, tenho em mente que isso não é alheio ao desejo de Ilúvatar. Pois os Deuses quase se haviam esquecido do mundo que jaz lá fora, esperando por dias melhores, e dos Homens, os filhos mais novos de Ilúvatar que logo devem chegar. Agora estão as Árvores ressequidas, elas que tanto encheram nossa terra de beleza e nossos corações de alegria, de sorte que nenhum

---

* Na margem: "também *Valahíru*".

desejo mais amplo chegou a eles e, assim, eis que devemos voltar nossos pensamentos a novos artifícios pelos quais a luz possa brilhar tanto no mundo de fora quanto na Valinor de dentro.'

Então ele lhes falou daqueles estoques de radiância que ainda tinham; pois de luz prateada não tinham mais do que aquilo que ainda estava em Telimpë e uma pequena quantidade que Aulë guardava em bacias em sua forja. Um tanto, de fato, os Eldar haviam recolhido com amor em pequeninos vasos conforme ela fluiu e se perdeu nos solos à volta do tronco ferido, mas era bem pouco.

Ora, a pequenez de seu estoque de luz branca se devia a muitas causas, pois Varda usara copiosamente dela quando inflamou poderosas estrelas pelos céus, tanto à vinda dos Eldar quanto em outros momentos. Ademais, a Árvore Silpion dava orvalho de luz muito menos abundantemente do que Laurelin soía fazer e, no entanto, por ser menos quente e de fogo sutil, os Deuses e Elfos têm sempre necessidade dela em seus ofícios mágicos, e a misturaram em toda maneira de coisas que criaram, e nisso os Noldoli eram os principais.

Ora, luz dourada nem mesmo os Deuses conseguiam dominar muito para seus usos, e deixaram que se acumulasse no grande tonel Kulullin de modo que muito encheram-se suas fontes, ou em outras bacias brilhantes e amplos lagos junto aos seus pátios, pois a salubridade e glória de sua radiância era grandíssima. De fato, conta-se que aqueles primeiros artífices de joias, dos quais Fëanor tinha a maior fama, eram os únicos dos Eldar que conheciam o segredo de sutilmente domar a luz dourada para seus usos, e atreviam-se a usar seu conhecimento com muita parcimônia, e este agora pereceu com eles na Terra. Mas mesmo dessa radiância dourada não havia fonte perene, agora que Laurelin já não mais gotejava seu doce orvalho. Dessa necessidade Manwë formou seu plano, e ele foi influenciado justamente por aquela semeadura d'estrelas que Varda fizera outrora: pois a cada estrela ela dera um coração de flama prateada posta em vasos de cristais e vidro pálido e substâncias inimagináveis das cores mais tênues: e alguns desses vasos foram feitos semelhantes a barcos e, boiando em virtude de seus corações de luz, viajavam sempre por Ilwë e, no entanto, não podiam flutuar até o escuro e tênue reino de Vaitya, que está fora de tudo. Ora, espíritos alados da maior pureza e beleza — mesmo os mais etéreos daqueles brilhantes coros de Mánir e Súruli que voejam pelos salões de Manwë em Taniquetil ou varam todos os ares que se movem sobre o mundo — sentavam-se naqueles barcos estelares e os guiavam em cursos labirínticos muito acima da Terra, e Varda lhes deu nomes, mas poucos deles são conhecidos.

Outros havia cujos vasos eram como lamparinas translúcidas postas a tremular acima do mundo, em Ilwë ou nos próprios confins de Vilna e dos ares que respiramos, e eles faiscavam e minguavam pelo movimento dos ares superiores, mas permaneciam no lugar e não se moviam; e alguns desses eram muito grandes e belos, e os Deuses e Elfos os amavam em meio a todas as suas riquezas; e, em verdade, daí os joalheiros tiraram sua inspiração. Não menos amavam Morwinyon do oeste, cujo nome significa lampejo no ocaso, e de seu engaste nos céus muito foi dito; e de Nielluin também, que é a Abelha Azurina, Nielluin a quem todos os homens ainda podem ver no outono ou no inverno ardendo junto ao pé de Telimektar, filho de Tulkas, cujo conto ainda está para ser contado.

Mas vede! (falou Lindo) a beleza das estrelas levou-me para longe e, no entanto, não duvido que, naquele grande discurso, o mais pujante que Manwë jamais fizera diante dos Deuses, mencionou-as ainda mais amorosamente do que eu. Pois vede, ele desejava dessarte fazer o coração dos Deuses considerar seu desígnio e, tendo falado das estrelas, formou assim suas palavras finais: 'Vede,' disse Manwë, 'esta é agora a terceira tentativa dos Deuses para levar luz aos locais escuros, e Melko arruinou tanto as Lamparinas do Norte e do Sul quanto as Árvores da planície. Ora, no ar apenas Melko não tem poder para o mal, porquanto é meu conselho que construamos um grande vaso repleto de luz dourada e dos orvalhos acumulados de Laurelin, e que o coloquemos flutuando como um grande navio bem acima dos reinos escuros da Terra. Lá ele há de percorrer cursos longínquos pelos ares e derramar sua luz em todo o mundo entre Valinórë e as praias Orientais.'

Ora, Manwë concebeu o curso do navio de luz para que fosse de Leste a Oeste, pois Melko detinha o Norte e Ungweliant, o Sul, enquanto no Oeste estavam Valinor e os reinos abençoados e, no Leste, vastas regiões de terras sombrias que careciam de luz.

Ora, (diz Lindo) conta-se que, enquanto certos Deuses e seus seres divinos poderiam, se o desejassem, viajar com grande velocidade através de Vilna e dos ares inferiores, ainda assim nem mesmo um dos Valar, nem o próprio Melko e nem ninguém, salvo apenas Manwë e Varda e seu povo, conseguiam ir além: pois foi palavra de

Ilúvatar quando os mandou ao mundo por desejo deles que deveriam habitar para sempre dentro do mundo uma vez que entrassem nele, e não haveriam de deixá-lo até que chegasse seu Grande Fim, estando enredados nele, nas tramas do seu fado, e tornando-se parte dele. E mais, apenas a Manwë, sabendo da pureza e glória de seu coração, Ilúvatar outorgou o poder de visitar as alturas extremas; e, inspirando o Sereno vasto e claro que jaz tão acima do mundo que nem sua mais fina poeira, nem o mais tênue odor de suas vidas e nem o mais débil eco de sua canção ou aflição chega até lá; mas, muito abaixo, brilha palidamente sob as estrelas, e as sombras do Sol e da Lua indo de lá para cá desde Valinor fremem em sua face. Lá caminha Manwë Súlimo amiúde para muito além das estrelas, e observa-o com amor, e ele é muito próximo ao coração de Ilúvatar.

Mas isso sempre foi e ainda é a maior amargura de Melko, pois de modo algum poderia, por si só, abandonar o seio da Terra, e talvez ainda haveis de ouvir quão grandemente sua inveja cresceu quando os grandes vasos de radiância içaram velas; mas é preciso dizer agora que tão comoventes foram as palavras, e tão grande a sabedoria delas que[11] a maior parte dos Deuses achou seu propósito bom, e eles disseram: 'Que Aulë se ocupe, então, com todo o seu povo na feitura desse navio de luz', e poucos disseram o contrário, embora se conte que Lórien estava pouco contente, temendo que a sombra e a quietude e os locais secretos deixassem de existir, e decerto Vána pensava em pouca coisa mais, devido ao tamanho de seu vão desejo de ver o reflagrar das Árvores.

Então falou Aulë: 'A tarefa que vós me incumbis é de extrema dificuldade e, no entanto, farei tudo o que posso quanto a isso', e implorou pelo auxílio de Varda, a fazedora d'estrelas, e os dois partiram e se perderam na treva por muito tempo.

> A narrativa continua com um relato do fracasso de Aulë e Varda em criar qualquer substância que não fosse "pesada demais para nadar nos ares e nem frágil demais para suportar a radiância de Kulullin"; e, quando isso se tornou conhecido, Vána e Lórien pediram que, uma vez que o desígnio de Manwë tinha fracassado, ele ordenasse a Yavanna que tentasse curar as Árvores.

Afinal, portanto, Manwë ordenou que Yavanna empenhasse seu poder, e ela relutou, mas o clamor do povo a compeliu e ela suplicou por um pouco da radiância de branco e ouro; mas dessas

Manwë e Aulë dispensaram apenas dois pequenos frascos, dizendo que, se o sorvo d'outrora tivesse o poder de curar as Árvores, elas já estariam florindo, pois Vána e Lórien haviam-no derramado prodigamente sobre as raízes. Então, Yavanna postou-se pesarosa sobre a planície, e seu corpo tremia e seu rosto estava muito pálido pela imensidão do esforço que seu ser empenhava, lutando contra o fado. O frasco d'ouro ela segurava na mão direita, e o de prata, na esquerda, e de pé entre as Árvores ela os ergueu no alto, e flamas rubras e alvas irromperam de cada uma como fossem flores, e o chão tremeu, e a terra se fendeu, e uma porção de flores e plantas surdiu dali aos seus pés, brancas e azuis do lado esquerdo e rubras e douradas do lado direito, e os Deuses sentavam-se imóveis e atônitos. Caminhando, então, ela lançou cada frasco em sua respectiva Árvore e cantou as canções de crescimento imarcescível e uma canção de ressurreição após a morte e o ressecar; e, de súbito, não cantou mais. Postou-se no meio das Árvores e caiu um silêncio profundo, e então ouviu-se um grande barulho e ninguém sabia o que se passara, mas Palúrien jazia desfalecida na Terra; e muitos saltaram ao seu lado e a ergueram do solo, e ela tremia e estava temerosa.

'Vã, ó filhos dos Deuses', exclamou, 'é toda a minha força. Vede, ao vosso desejo despejei meu poder sobre a Terra como água, e como água a Terra a sugou de mim — foi-se e nada mais posso fazer.' E as Árvores continuavam emaciadas e rígidas, e toda a gente chorou fitando-a, mas Manwë disse: 'Não choreis, ó filhos dos Deuses, pelo dano irreparável, pois muitos belos feitos podem ainda ser realizados, e a beleza não pereceu na terra, e nem todos os conselhos dos Deuses reduziram-se a nada'; mas, ainda assim, o povo deixou o local pesaroso, salvo Vána apenas, e ela agarrou-se ao tronco de Laurelin e chorou.

Agora abatia-se em Valinor o momento da mais mirrada esperança e da escuridão mais profunda até então; e Vána continuava a chorar, e ela enredou seus dourados cabelos pelo tronco de Laurelin, e suas lágrimas caíam suaves nas raízes; e, conforme o orvalho de seu amor gentil tocava aquela árvore, eis que um súbito brilho pálido nasceu naqueles lugares escuros. Então Vána contemplou pasma e, mesmo onde suas primeiras lágrimas caíram, uma muda surgiu de Laurelin, e ela se abotoou, e os botões eram todos d'ouro, e deles veio luz como um raio de sol sob uma nuvem.

Então Vána afastou-se um pouco na planície, e ergueu sua doce voz com todo o poder e ela chegou fremindo débil aos portões de Valmar, e todos os Valar ouviram. Então disse Ómar: 'É a voz do lamento de Vána', mas Salmar falou: 'Não, ouve melhor, pois há júbilo nesse som', e todos os que estavam à volta atentaram-se, e as palavras que ouviram foram *I·kal' antúlien,* a Luz retornou.

Alto foi então o murmúrio pelas ruas de Valmar, e o tropel passou apressado pela planície e, quando contemplaram Vána sob a Árvore e a nova muda d'ouro, então súbito uma canção de poderosíssimo louvor e júbilo irrompeu de todas as bocas; e Tulkas disse: 'Vede, mais poderosos se provaram os feitiços de Yavanna do que ela predisse!' Mas Yavanna, fitando o rosto de Vána, falou: 'Ai, não é assim, pois nisto meus feitiços tiveram apenas uma pequena parte, e mais potente foi o amor gentil de Vána, e suas lágrimas cadentes foram um orvalho mais curativo e mais terno do que toda a radiância d'outrora: mas, quanto à minha predição, logo verás, ó Tulkas, se apenas observares.'

Então todo o povo contemplou Laurelin e eis que aqueles botões se abriram e lançaram folhas, e essas eram do mais fino ouro e diferentes daquelas de antes, e, conforme observavam, o galho produziu uma inflorescência dourada, e estava repleta de flores. Ora, tão logo as flores se abriram por completo, pareceu que um golpe de vento chegou de súbito e as sacudiu de seus esguios pedúnculos, soprando-os como se fossem borbotões de fogo pelas cabeças daqueles que observavam, e a gente achou que havia malignidade naquilo; mas muitos dos Eldar perseguiram longe aquelas pétalas brilhantes e as ajuntaram em cestos, mas, exceto aqueles que eram de fios de ouro ou outros metais, não puderam conter as flores ardentes e todos se consumiram e queimaram, de modo que as pétalas se perderam novamente.

Uma flor havia, contudo, maior que as outras, mais brilhante e mais ricamente dourada, e ela balouçou aos ventos, mas não caiu; e cresceu e, conforme crescia, frutificou por sua própria calidez radiante. Então, à medida que suas pétalas caíam e eram entesouradas, um fruto de grande beleza se revelou pendendo daquele ramo de Laurelin, mas as folhas do ramo secaram, definharam e não mais brilharam. Conforme caíam ao chão, o fruto cresceu maravilhosamente, pois toda a seiva e radiância da Árvore moribunda estavam ali, e os sumos daquele fruto eram como flamas frementes d'âmbar e vermelho, e suas sementes, como ouro brilhante, mas a casca era dum luzidio perfeito, liso como se fosse um vidro cuja natureza é permeada por ouro e, através dela, o movimento de seus sumos podia ser visto como os fogos pulsantes duma fornalha. Tamanhas tornaram-se a luz e a riqueza daquele rebento e o peso de sua frutuosidade que o ramo entortou sob ele, e ele pendeu como um globo de fogos diante de seus olhos.

Então falou Yavanna a Aulë: 'Vai até o ramo, meu senhor, para que não se quebre e o fruto de maravilha caia rudemente ao solo; e isso seria da maior tristeza, pois sabei vós todos que esta é a última chama de vida que Laurelin há de revelar.' Mas Aulë estivera como alguém perdido em pensamento repentino desde que primeiro aquele fruto amadureceu, e ele agora respondeu, dizendo: 'Por muito tempo Varda e eu buscamos pelos lares e jardins desolados os materiais para nosso ofício. Agora sei que Ilúvatar pôs o meu desejo nas minhas mãos.' Então, pedindo a Tulkas que o ajudasse, cortou a haste daquele fruto, e os que observavam arquejaram e pasmaram-se a essa perversidade.

Murmuraram alto, e uns exclamaram: 'Desgraça àquele que violentar novamente nossa Árvore', e Vána estava muito irada. E, no entanto, ninguém ousou aproximar-se, pois mesmo aqueles dois, Aulë e Tulkas, mal conseguiam erguer em seus ombros divinais aquele grande globo de flama e cambaleavam sob ele. Ouvindo sua cólera, de fato, Aulë parou, dizendo: 'Cessai, vós de pouca sabedoria, e tende paciência', mas àquelas palavras seu pé titubeou e ele tropeçou, e mesmo Tulkas não conseguiu segurar aquele fruto sozinho, de sorte que ele caiu e, atingindo o solo, fendeu-se. Imediatamente uma radiância cegante irrompeu, tal como nem mesmo a plena florada de Laurelin fazia outrora, e os olhos ensombrecidos dos Vali ofuscaram-se de tal forma que eles caíram para trás atordoados; mas um pilar de luz ergueu-se naquele lugar, golpeando os céus de modo que as estrelas palorejaram acima deles e a face de Taniquetil enrubesceu ao longe, e somente Aulë dentre eles não se dobrou ao pesar. Disse Aulë: 'Disto eu consigo fazer um navio de luz — superando até mesmo o desejo de Manwë', e agora Varda e muitos outros, até mesmo Vána, compreenderam seu propósito e se alegraram. Mas fizeram um cesto de ouro entrelaçado e, salpicando-o com pétalas ardentes de sua própria inflorescência, deitaram ali as metades do fruto do meio-dia e, erguendo-o com muitas mãos, levaram-no com bastante cantoria e grande esperança. Então, chegando aos pátios de Aulë, repousaram-no e lá começou a grande forja do Sol; e essa foi a mais destra de todas as obras de Aulë Talkamarda, cujas obras são incontáveis. Daquela casca perfeita um vaso ele fez, diáfano e reluzente, mas duma força temperada, pois com seus próprios feitiços ele venceu sua fragilidade, mas de nenhum modo sua delicadeza sutil foi diminuída.

Ora, a mais ardente radiância posta ali não se derramava e nem se turvava, e dela o vaso não recebia qualquer dano e, no entanto, singrava os ares mais leve do que um pássaro; e Aulë estava enlevado, e fez aquele vaso à semelhança duma grande nau com a boca larga, colocando uma metade da casca dentro da outra, para que sua força não fosse quebrada.

> Segue-se um relato de como Vána, arrependida de suas reclamações passadas, cortou seus cabelos dourados e os entregou aos Deuses, e de seus cabelos eles teceram velas e cordas "mais fortes do que qualquer marinheiro já viu, mas da finura de teia de aranha". Os mastros e vergas do navio eram todos de ouro.

Então, o Navio dos Céus pôde ser aprontado, por fim; as pétalas imarcescíveis da última flor de Laurelin foram reunidas como uma estrela à proa, e pendões e flâmulas de luz oblíqua foram postos nos baluartes, e o clarão de um relâmpago foi capturado em seu mastro para servir de galhardete; mas todo aquele vaso foi preenchido até a borda com a radiância abrasiva do dourado Kulullin, ali mesclada com gotas dos sumos do fruto do meio-dia, e essas eram quentíssimas e, depois disso, mal o seio da Terra podia contê-lo, e ele puxava as amarras como um pássaro cativo que anseia pelos ares.

Então os Deuses deram nome àquele navio, chamando-o Sári, que é o Sol, mas os Elfos chamaram-no de Ûr, que é fogo;[12] mas muitos outros nomes ele recebe em lenda e poesia. A Lamparina de Vána ele é chamado em meio aos Deuses, em memória das lágrimas de Vána e das doces tranças que ela cedeu; e os Gnomos o chamam de Galmir, abrilhantador d'ouro[13] e Glorvent, o navio de ouro, e Bráglorin, vaso ardente, e muitos outros nomes além; e seus nomes entre os Homens ninguém os enumerou.

Vede, é preciso contar agora como, enquanto aquele galeão estava sendo construído, perto de onde as Duas Árvores cresciam outrora outros fizeram um imenso receptáculo, e a gente laborou muito nele. Seu fundo era de ouro e suas laterais, de bronze polido, e uma arcada de pilares dourados, encimados com fogo, o circundavam, exceto no lado Leste; mas Yavanna colocou em torno dele um grande e inominável encantamento, de sorte que ali foi derramada a maior parte das águas do fruto do meio-dia, e ele se tornou um banho de fogo. E, de fato, não é ele chamado de Tanyasalpë, a malga de fogo, ou mesmo Faskalanúmen, o Banho do Sol Poente, pois aqui, quando Urwendi posteriormente retornava do Leste e o primeiro poente chegava a Valinor, o navio era puxado para baixo e sua radiância, renovada para novas viagens pela manhã, enquanto o Lua estava no Alto Firmamento.

Ora, a feitura desse lugar de fogo é mais maravilhosa do que parece, pois tão sutis eram aqueles brilhos que, postos no ar, não se derramavam e nem afundavam, não, mas alçavam-se e flutuavam bem acima de Vilna, sendo da maior flutuabilidade e leveza; e, no entanto, nada escapava a Faskalan, que ardia no meio da planície, e a luz vinha a Valinor dali, mas, em virtude da profundidade do receptáculo, ela não chegava muito longe e o anel de sombras ficava próximo.

Então falou Manwë, olhando a glória daquele navio que se esforçava para partir: 'Quem há de guiar para nós este barco e conduzir seu curso acima dos reinos da Terra, pois mesmo os corpos sagrados dos Valar, parece-me, não podem aguentar por longo tempo banhar-se nesta grande luz.'

Mas grandioso pensamento acometeu o coração de Urwendi, e ela disse que não tinha medo, e suplicou permissão para se tornar a donzela do Sol e aprontar-se para aquele ofício que Ilúvatar incutira em seu coração. Então, pediu a muitas de suas aias que a seguissem, aquelas mesmo que dantes regavam as raízes de Laurelin com luz e, deitando fora suas vestimentas, desceram àquela lagoa, Faskalan, como banhistas ao mar, e as espumas douradas cobriram-lhe os corpos, e os Deuses não as enxergavam e ficaram temerosos. Mas, após um tempo, vieram novamente à tona nas beiras alatoadas, mas já não eram como antes, pois seus corpos se haviam tornado luzentes e brilhavam como se tivessem por dentro um ardor, e luz lampejava de seus membros conforme se moviam, e nenhuma vestimenta poderia mais cobrir seus corpos gloriosos. Eram como ar, e caminhavam tão levemente quanto a luz solar na terra e, sem dizer palavra, subiram naquele navio, e aquele vaso forçou as amarras e todo o povo de Valinor mal conseguia contê-lo.

Ora, por fim, ao comando de Manwë, eles sobem as longas encostas de Taniquetil arrastando consigo i·Kalaventë, o Navio de Luz, e isso não é tão trabalhoso; e agora estão postados no amplo espaço diante das imensas portas de Manwë, e o navio está na encosta ocidental da montanha, fremindo e puxando as amarras, e já tão grande tornou-se sua glória que raios de sol derramam-se por sobre os ombros de Taniquetil, e uma nova luz há no céu, e as águas dos Mares Sombrios mais além são tocados com um fogo tamanho que jamais haviam visto. Naquela hora, conta-se que todas as criaturas que vagavam no mundo pararam e encheram-se de espanto, justo quando Manwë falou a Urwendi, dizendo: 'Vai agora, donzela maravilhosíssima lavada de fogo, e guia o navio de luz divina acima do mundo, para que o júbilo possa buscar as fendas mais estreitas e para que todas as coisas que dormem em seu seio possam despertar';[14] mas Urwendi não deu resposta, e apenas fitava ávida o Leste, e Manwë ordenou que soltassem as amarras que o prendiam e, de pronto, o Navio da Manhã se ergueu sobre Taniquetil e foi recebido no âmago do ar.

À medida que subia, ardia mais brilhante e mais puramente, até que toda Valinor estava repleta de radiância, e os vales de Erúmáni e os Mares Sombrios estavam banhados em luz, e luz solar se derramou na planície escura de Arvalin, salvo apenas onde as teias pegajosas e os fumos mais escuros de Ungweliantë ainda jaziam, grossos demais para que qualquer luz penetrasse.

Então, quando todos olharam para cima, viram que o céu era azul, e muito brilhante e belo, mas as estrelas fugiram conforme aquela grande aurora assomava no mundo; e suave aragem soprou das terras frias ao encontro da embarcação, e enfunou suas velas brilhantes, e vapores brancos subiram em sua direção vindos dos mares nevoentos, de sorte que sua proa parecia abrir caminho numa espuma branca e aerada. E, contudo, não vacilou, pois os Mánir que viajavam à volta conduziam-na por cordas douradas, e cada vez mais alto a grande galé do Sol se ergueu, até que mesmo à visão de Manwë não passava de um disco de fogo cingido de véus de esplendor que, lenta e majestosamente, afastava-se do Oeste.

Ora, conforme se afastava, seguindo seu curso, a luz em Valinor foi se suavizando, e as sombras das casas dos Deuses foram se alongando, inclinando-se na direção das águas dos Mares de Fora, mas Taniquetil projetou uma grande sombra para oeste que crescia e se aprofundava cada vez mais, e a tarde caíra em Valinor."

Então disse Gilfanon, rindo-se: "Ora, bom senhor, tu alongas muito o conto, pois parece-me que gostas de divagar sobre as obras e façanhas dos grandes Deuses, mas, se não colocares limite nas tuas palavras, nosso forasteiro aqui não viverá para ouvir das coisas que aconteceram no mundo quando, por fim, os Deuses lho deram a luz que eles por tanto tempo haviam detido — e tais contos, penso, seriam duma variedade boa de se ouvir."

Mas Eriol, em verdade, ouvia com grande avidez a doce voz de Lindo, e disse: "Somente há pouco tempo, um dia apenas talvez os Eldar o estimem, cheguei até aqui, mas já não me agrada a alcunha de forasteiro, e Lindo jamais alongaria o conto além do que eu gostaria, seja lá o que conte, e, vede, essa história é completamente ao gosto do meu coração."

Mas Lindo falou: "Ora, ora, tenho mais para contar, de fato; mas, ó Eriol, as coisas que Gilfanon tem nos lábios são muito boas de se ouvir — em verdade, nem eu e nem ninguém aqui jamais escutou um relato completo desses assuntos. Assim, tão logo seja possível, rematarei meu conto e darei cabo dele, mas daqui a três noites, que promovamos outro contar-de-contos, e será um de maior cerimônia, e músicas haverá, e todas as crianças da Casa do Brincar Perdido hão de estar reunidas aos pés de Gilfanon para ouvi-lo falar da labuta dos Noldoli e da vinda da gente dos Homens."

Ora, tais palavras muito agradaram Gilfanon e Eriol, e tantos outros além deles se contentaram, mas, agora, Lindo prosseguiu:

"Sabei, pois, que tamanhas foram as alturas que o Navio-do-Sol alcançou e, ao subir, ardia com cada vez mais calor e brilho que não se passou muito tempo até sua glória estar maior do que os Deuses haviam concebido quando aquela embarcação ainda estava aportada entre eles. Sua luz imensa penetrou por toda parte, e todos os vales e matas caliginosas, encostas desoladas e regatos rochosos se fizeram deslumbrantes sob ele, e os Deuses estavam embevecidos. Grande era a magia e maravilha do Sol naqueles dias da brilhante Urwendi, mas não tão terno ou delicadamente belo quanto a doce

Árvore Laurelin fora; e, assim, um murmúrio de novo descontentamento despertou em Valinor, e palavra corria entre os filhos dos Deuses, pois Mandos e Fui estavam irados, dizendo que Aulë e Varda sempre se imiscuíam na ordem devida do mundo, fazendo dele um lugar onde nenhuma sombra quieta e pacífica podia restar; mas Lórien sentava-se e chorava num arvoredo sob a sombra de Taniquetil, e lançava o olhar por seus jardins que se estendiam lá embaixo, ainda desordenados pela grande caçada dos Deuses, pois não tivera ânimo para ajeitá-los. Lá os rouxinóis estavam silenciosos, pois o calor dançava sobre as árvores, e suas papoulas estavam ressequidas, e suas flores noturnas prostravam-se sem exalar perfumes; e Silmo colocava-se tristemente junto a Telimpë, que brilhava fracamente, mais como água estagnada do que como o orvalho luminoso de Silpion, dominadora que era a grandiosa luz do dia. Então, Lórien ergueu-se e disse a Manwë: 'Convocai de volta teu navio cintilante, ó Senhor dos Céus, pois nossos olhos doem em virtude de suas flamas, e a beleza e o suave sono se foram para longe. Melhor a escuridão e nossas memórias do que isso, pois este não é o encanto de Laurelin de outrora, e Silpion já não existe.' E nenhum dos Deuses estava completamente satisfeito, sabendo, em seus corações, que haviam feito algo muito maior do que sabiam a princípio, e nunca mais Valinor veria eras como as que haviam passado; e Vána disse que a fonte de Kulullin estava entorpecida, e seu jardim, fatigado no calor, e suas roseiras haviam perdido seus matizes e fragrância, pois o Sol, naquela época, singrava mais perto da Terra do que o faz agora.

Manwë, então, repreendeu-os por sua volubilidade e descontentamento, mas eles não se aquietaram; e súbito falou Ulmo, vindo do Vai exterior: 'Senhor Manwë, não devemos desprezar nem os conselhos deles, e nem o teu. Não compreendestes, ó Valar, onde jaz muito da grande beleza das Árvores d'outrora? — Na mudança, na lenta alternância de belas coisas, naquilo que, passando, mescla-se docemente com o que há de vir.'

Mas Lórien falou de súbito: 'Ó Valatúru, o Senhor de Vai fala palavras mais sábias do que jamais falou, e elas me enchem de grande anseio', e ele os deixou ali e fez-se à planície, e já era então o terceiro dia, que é a duração de três floradas da antiga Laurelin, desde que o Navio da Manhã fora desancorado. Então, por mais quatro dias sentou-se Lórien ao lado do tronco de Silpion, e as sombras ajuntavam-se tímidas à sua volta, pois o Sol estava muito longe, no Leste, percorrendo os céus à vontade, já que Manwë ainda não havia designado seu curso, e disseram a Urwendi que fosse aonde lhe parecesse bom. Mas, mesmo assim, Lórien não se apaziguou — muito embora a escuridão das montanhas varasse a planície, e uma névoa soprasse do mar, e um ocaso indistinto e fremente se juntasse uma vez mais em Valinor — e longamente ficou sentado, ponderando por que os feitiços de Yavanna operaram apenas em Laurelin.

> Então Lórien cantou a Silpion, dizendo que os Valar estavam perdidos "numa vastidão de ouro e calor, ou, quando não isso, em sombras repletas de morte e trevas hostis" e tocou a ferida no tronco da Árvore.

Eis que, assim que tocou aquela ferida cruel, uma luz brilhou debilmente ali, como se seiva radiante ainda houvesse dentro, mas um galho baixo sobre a cabeça inclinada de Lórien deu broto súbito, e folhas dum verde muito escuro, longas e ovais, abotoaram-se e desdobraram-se, mas todo o restante da Árvore estava nu e morto, e permaneceu assim para sempre. Ora, àquele momento cumpriam-se sete vezes sete dias desde que o fruto do meio-dia nascera em Laurelin, e muitos dos Eldar e dos espíritos dos Deuses se aproximaram, ouvindo a canção de Lórien; mas ele não lhes deu atenção, fitando a Árvore.

Eis que suas folhas novas eram incrustadas com um sereno prateado, e o lado de baixo era branco e infundido de pálidos filamentos brilhantes. Botões de flores também havia no galho, e elas se abriram, mas uma névoa escura do mar ajuntou-se em redor da árvore, e o ar tornou-se dum frio lancinante como jamais fora antes em Valinor, e aquelas flores secaram e caíram e ninguém lhes deu atenção. Uma apenas havia na extremidade do galho que, ao se abrir, brilhou com sua própria luz e nem névoa nem frio causaram-lhe dano e, na verdade, ao crescer, parecia sorver os próprios vapores e transformá-los sutilmente na substância prateada de seu corpo; e cresceu na forma de uma flor muito pálida e de maravilhosa cintilação, e nem mesmo a mais pura neve sobre Taniquetil, faiscando à luz de Silpion, podia rivalizá-la, e seu coração era de chama branca e pulsava, crescendo e decrescendo maravilhosamente. Então Lórien falou, por júbilo de seu coração: 'Contemplai a Rosa de Silpion', e aquela rosa cresceu até que o tamanho do fruto de Laurelin fosse apenas pouca coisa maior, e dez mil pétalas de cristal havia naquela flor, e ela estava embebida num orvalho fragrante como mel, e esse orvalho era luz. Ora, Lórien não permitiu que ninguém se aproximasse, e por isso se arrependerá para sempre: pois o galho do qual pendia a Rosa deu toda sua seiva e secou, e nem mesmo nessa hora ele permitiu que a flor fosse colhida gentilmente e baixada, estando enamorado de sua beleza e desejando vê-la brilhar mais forte do que o fruto do meio-dia, mais gloriosa do que a Sol.

Então o galho ressequido estalou, e a Rosa de Silpion caiu, e algo de sua luz orvalhada se abalou com violência pela queda, e aqui e ali uma pétala foi amassada e maculada, e Lórien gritou alto e tentou levantá-la gentilmente, mas era grande demais. Assim, os Deuses mandaram gente aos salões de Aulë, pois havia lá uma grande travessa prateada, semelhante a uma mesa dos gigantes, e colocaram a última flor de Silpion sobre ela e, apesar dos seus danos, sua glória e fragrância e pálida magia eram mesmo enormes.

Ora, quando Lórien conteve seu pesar e aflição, falou o conselho que as palavras de Ulmo despertaram em seu coração: que os Deuses construíssem outro vaso para igualar a galé do Sol, 'e ele será feito da Rosa de Silpion', falou, 'e, em memória do crescer e decrescer das Árvores, por doze horas o Navio-do-Sol há de singrar os céus e deixar Valinor, e por doze a barca pálida de Silpion há de alçar-se aos céus, e haverá repouso para olhos cansados e corações fatigados.'

Esta foi, então, a maneira da formação da Lua, pois Aulë não se dispôs a desmantelar a beleza da Rosa de Prata e, em vez disso, chamou para si certos Eldar de sua casa que eram dos Noldoli de outrora[15] e que haviam se associado aos joalheiros. Ora, eles lhe revelaram grande estoque de cristais e vidros delicados que Fëanor e seus filhos[16] haviam disposto em locais secretos de Sirnúmen e, com o auxílio daqueles Elfos e de Varda das estrelas — que doou da luz daqueles frágeis barcos dela para que os afazeres deles tivessem claridade límpida —, ele criou uma substância fina como uma pétala de rosa, clara como o mais transparente vidro élfico, e muito lisa, mas, por seu engenho, Aulë conseguiu dobrá-la e moldá-la e, dando-lhe nome, chamou-a *vírin*. De *vírin* ele construiu um maravilhoso vaso, e amiúde falaram os homens do Navio da Lua e, contudo, mal se assemelha a qualquer barca que singrou mar ou ar. Era, antes, como uma ilha de vidro puro, ainda que não muito grande, e pequenas lagoas havia ali, orladas de níveas flores que brilhavam, pois a água daqueles remansos que lhes davam seiva era a radiância de Telimpë. Bem no centro daquela ilha bruxuleante foi confeccionado um cálice daquele material cristalino que Aulë fizera, e lá foi posta a Rosa mágica, e o corpo vítreo da embarcação faiscava maravilhosamente conforme ela chamejava ali. Havia hastes, e talvez fossem de gelo, e erguiam-se nela como mastros etéreos, e velas foram-lhes atreladas com fios esguios, e Uinen os fiou de névoas e espuma brancas, e algumas foram aspergidas com escamas cintilantes de peixes prateados, e algumas costuradas com minúsculas estrelas qual pontos de luz — centelhas capturadas na neve quando Nielluin brilhava.

Assim era o Navio da Lua, a ilha de cristal da Rosa, e os Deuses a chamaram de Rána, a Lua, mas as Fadas, de Sil, a Rosa,[17] e muitos outros doces nomes além desses. Ilsaluntë, ou chalupa de prata, foi chamada, e os Gnomos a nomearam Minethlos, ou a ilha argêntea, e Crithosceleg, o disco de vidro.

Ora, Silmo suplicou para velejar pelos oceanos do firmamento nela, mas ele não podia, pois não era um dos filhos do ar, e nem poderia achar maneira de limpar o ser de seu modo terreno como fizera Urwendi,[18] e de pouco serviria entrar em Faskalan, caso se atrevesse, pois aí Rána murcharia diante dele. Manwë, portanto, ordenou que Ilinsor, um espírito dos Súruli que amava as neves e a luz das estrelas, e auxiliava Varda em muitos de seus trabalhos, timoneasse esse barco de brilho estranho, e com ele foram muitos outros espíritos do ar, trajados em vestes de prata e branco, ou do mais pálido ouro; mas um Elfo idoso de cabelos brancos subiu na Lua despercebido e escondeu-se na Rosa, e habita ali desde então, cuidando daquela flor, e uma torrela alva ele construiu na Lua, onde amiúde sobe e olha os céus ou o mundo lá embaixo, e ele é Uolë Kúvion, que nunca dorme. Uns de fato o chamam de Homem da Lua, mas é Ilinsor, antes, quem caça as estrelas.

Agora é preciso dizer como o plano que Lórien devisara foi alterado, pois a branca radiância de Silpion não é de modo algum tão flutuante e etérea como é a chama de Laurelin, e nem o *vírin* tão leve quanto a casca do brilhante fruto do meio-dia; e quando os Deuses carregaram aquele alvo navio com luz e estavam para lançá-lo pelos céus, vede, ele não se ergueu sobre suas cabeças. Ademais, eis que aquela Rosa vivente continuava a exsudar um mel como uma luz que ressumbra pela ilha de vidro, e um orvalho de raios lunares brilha ali, mas isto fazia a embarcação mais pesar do que flutuar, que foi o que aconteceu com o incremento das flamas do Navio-do-Sol. É por isso que Ilinsor precisa retornar às vezes, e aquela radiância transbordante da Rosa é estocada em Valinor para dias sombrios — e é preciso dizer que tais dias chegam vez ou outra, pois então a branca flor da ilha mingua e mal brilha, e então ela precisa ser refrescada e regada com esse rocio de prata, tal como Silpion o era antigamente.

Daí que uma lagoa foi construída junto à sombria muralha meridional de Valmar, e de mármores prateados e brancos eram suas paredes, mas teixos escuros a enclausuravam, plantados num labirinto intrincadíssimo à sua volta. Lórien entesourava ali a palente luz orvalhada da bela Rosa, e ele a chamou de Lago Irtinsa.

Assim veio a ser que por quatorze noites os homens podem ver a barca de Rána flutuar nos ares, e por outros quatorze os céus não a veem; ao passo que mesmo naquelas belas noites em que Rána está a viajar, não mostra sempre o mesmo aspecto como Sári, o glorioso, pois enquanto aquela brilhante galé viaja sempre acima de Ilwë e além das estrelas, e abre um caminho deslumbrante, ofuscando os céus, mais alto que todas as coisas e cuidando pouco dos ventos ou movimentos dos ares, a barca de Ilinsor é mais pesada, e menos repleta de magia e poder, e nunca viaja acima dos céus, navegando nas dobras de Ilwë, caminhando por uma faixa branca em meio às estrelas. Por essa razão, os altos ventos a atribulam às vezes, forçando seus panos brumosos; e amiúde eles se rasgam e se espalham, e os Deuses os renovam. Às vezes também as pétalas da Rosa se agitam, e suas alvas flamas são sopradas aqui e ali como uma vela prateada fluindo no vento. Então Rána se alça e abaixa pelo ar, como amiúde vós podeis ver, e mostra a curva esguia de sua quilha brilhante, ora mergulhando a proa, ora a popa; e, por vezes, navega serena para o Oeste e, através da pura luminosidade de sua armação, a grande Rosa de Silpion é vista, e uns dizem que também a forma idosa de Uolë Kúvion.

E, de fato, o Navio da Lua é belíssimo de se olhar, e a Terra se enche de luzes delicadas e profundas sombras frementes, e sonhos radiantes voejam com frescas asas pelo mundo, mas Lórien sofre um pesar em meio ao seu contentamento, porque sua flor carrega ainda, e carregará para sempre, as tênues marcas de seus ferimentos e sua queda; e todos os homens as podem ver claramente.

Mas[19] vede", diz Lindo, "adianto-me, pois até agora contei apenas que o navio de prata é recém-construído, e Ilinsor embarcou pela primeira vez — e agora os Deuses arrastam aquela embarcação uma vez mais pelas encostas íngremes da velha Taniquetil, cantando, ao subirem, canções do povo de Lórien que há muito estava calado em Valinor. Mais moroso foi aquele trajeto do que o alçamento do Navio da Manhã, e todo o povo puxa vigorosamente as cordas, até que Oromë chega e atrela ali uma manada de brancos cavalos selvagens, e assim o vaso chega ao local mais alto.

Então, vede, o galeão do Sol é visto navegando longe, dourado no Leste, e os Valar se maravilham ao divisar os picos luminosos de muitas montanhas longínquas, e ilhas rebrilhando verdes em mares antes sombrios. Então Ossë gritou: 'Olha, ó Manwë, o mar é azul, quase tão azul quanto o Ilwë que tu amas!' e 'Não', disse Manwë, 'não invejamos Ilwë, pois o mar não é azul apenas, mas gris e verde e púrpura, e belissimamente florido com branca espuma. Nem jade, nem ametista e nem pórfiro incrustados com diamantes e pérolas superam as águas dos Grandes e pequenos mares quando a luz solar os encharca.'

Assim dizendo, Manwë enviou Fionwë, seu filho, mais célere que todos ao se mover pelos ares, e ordenou-lhe que comunicasse a Urwendi que a barca do Sol deveria voltar para Valinor por um tempo, pois os Deuses têm conselhos aos seus ouvidos; e Fionwë se foi de pronto, pois há muito nutria grande amor por aquela fulgurante donzela, e sua beleza agora, quando, banhada em fogo, ela se assentava como a radiante donzela do Sol, inflamara-o com a avidez dos Deuses. Assim foi que Urwendi trouxe seu navio a contragosto por sobre Valinor, e Oromë colocou-lhe um laço de ouro à volta, e ele foi arrastado lentamente pela Terra e, vede, os bosques sobre Taniquetil brilharam uma vez mais na luz mesclada de prata e de ouro, e todos se lembraram do antigo mesclar das Árvores; mas Ilsaluntë palejou diante do galeão do Sol até que pareceu não mais arder. Assim terminou o primeiro dia no mundo, e foi longuíssimo e cheio de muitas façanhas maravilhosas que Gilfanon pode contar; mas agora os Deuses contemplaram a noite aprofundando-se no mundo conforme o Navio-do-Sol era levado para baixo, e o brilho nas montanhas esmaeceu, e o faiscar dos mares se perdeu. Então a escuridão primeva irrompeu novamente de muitos covis secretos, mas Varda se contentou ao ver o brilho firme das estrelas. Sári foi levado para longe na planície e, quando se fora, Ilsaluntë foi posta sobre o pico mais alto, de sorte que sua luminescência branca se derramou de lá pelo vasto mundo, e a primeira noite chegou. Em verdade, nestes dias a escuridão não existe mais nos confins do mundo, mas apenas a noite, e a noite é outra coisa, e diferente, por causa da Rosa de Silpion.

Agora, contudo, Aulë preenche o transbordante vaso daquela flor com radiância branca, e muitos dos Súruli deslizam com alvas alas por debaixo dele e o carregam devagar para cima, e colocam-no na companhia das estrelas. Ali navega morosamente, coisa pálida e gloriosa, e Ilinsor e seus camaradas sentam-se nas beiradas e, com brilhantes remos, impelem-na intrépidos pelo céu; e Manwë soprou em suas velas bojudas até que flutuou para bem longe, e o bater dos remos nos ventos da noite fraquejou e se perdeu.

Dessa maneira se deu o primeiro erguer da Lua sobre Taniquetil, e Lórien se regozijou, mas Ilinsor tinha ciúmes da supremacia do Sol, e ordenava que os nautas estelares saíssem de sua frente, e que as lamparinas das constelações se apagassem, mas muitos não se dispunham a fazê-lo e amiúde ele navega perseguindo-os, e os pequenos navios de Varda fugiam diante do caçador do firmamento, mas não eram pegos: — e isso", falou Lindo, "é tudo, penso, que sei para contar da construção desses maravilhosos navios e de seu alçamento no ar."[20]

"Mas", disse Eriol, "não, decerto não é assim, pois no começo do conto pareceu-me que nos prometestes palavras a respeito dos presentes cursos do Sol e da Lua, e de seu nascer no Leste e, de minha parte, com permissão dos outros aqui presentes, não estou disposto a desobrigá-lo de sua promessa."

Então Lindo falou, rindo-se: "Não, não me lembro da promessa e, se a fiz, então foi realmente precipitada, pois as coisas que tu perguntas não são de modo algum fáceis de relatar, e muitos assuntos acerca dos feitos daqueles dias em Valinor estão ocultos a todos, salvo apenas aos Valar. Agora, contudo, prefiro escutar, e tu, Vairë, talvez assuma o fardo do conto."

A isso todos se regozijaram, e as crianças bateram palmas, pois muito amavam as vezes em que Vairë era a contadora do conto; e Vairë disse:

"Eis que contos eu conto dos dias profundos, e o primeiro é chamado de *A Ocultação de Valinor*."

NOTAS

1. O manuscrito traz, aqui, *Gilfan a·Davrobel*, mas, na versão anterior rejeitada dessa passagem, lê-se *Gilfanon a·Davrobel*, sugerindo que *Gilfan* não foi intencional.

2. Ver pp. 36–7 para a relação entre Tavrobel e o vilarejo de Great Haywood, em Staffordshire. Em Great Haywood, o rio Sow junta-se ao rio Trent.

3. Na versão rejeitada deste "interlúdio", a história de Gilfanon é contada de maneira diferente: "era, muito tempo antes, um Ilkorin e eras atrás habitara em Hisilómë"; "chegou a Tol Eressëa após a grande marcha [isto é, a "marcha para o mundo" de Inwë, a grande expedição desde Kôr, ver p. 39], pois adotara parentesco de sangue com os Noldoli." — essa é a primeira ocorrência do termo *Ilkorin*, que se refere aos Elfos que "não eram de Kôr" (cf. o termo posterior *Úmanyar*, Elfos que "não são de Aman"). *Artanor* é a precursora de Doriath.

4. Gilfanon, um Gnomo, é chamado aqui de mais velho das *fadas*; ver p. 69.

5. Não conheço nenhuma explicação sobre "a Casa das Cem Chaminés", perto da ponte de Tavrobel, mas nunca estive em Great Haywood, e pode ser que tenha existido (ou exista) uma casa que tenha dado origem a isso.

6. A versão rejeitada do "interlúdio" é bem diferente nessa última parte:

   Portanto, Lindo disse em resposta a Eriol: "Vê, Gilfanon pode contar-te muito de tais assuntos, mas primeiro deves ouvir dos feitos levados a cabo em Valinor quando Melko assassinou as Árvores e os Gnomos marcharam rumo à escuridão. É um conto comprido, mas digno de ser ouvido." Pois Lindo amava contar tais contos e buscava amiúde motivo para relembrá-los; mas Gilfanon disse: "Conta, Lindo, mas penso que o conto não será concluído esta noite, ou ainda por muitas noites, e eu já terei há muito voltado a Tavrobel." "Não," disse Lindo, "não vou esticar demais o conto, e o amanhã será todo seu." E, dizendo isso, Gilfanon suspirou, mas Lindo ergueu a voz [...]

7. "lest it be" [*lit*. "para que não seja"]: essa expressão curiosa está clara no manuscrito; o uso dela parece ser completamente inaudito, mas o significado pretendido deve ser "a menos que seja", isto é, "somente para ele, a menos que também para Varda [...]".

8. Acerca de *Telimpë* como nome do "Caldeirão-da-Lua", em vez de *Silindrin*, ver pp. 101 e 161, nota 2.

9. Ver pp. 94, 113. Em ocorrências anteriores, o nome é *Urwen*, não *Urwendi*.

10. "Entre Erumáni e o Mar": isto é, o Mar de Fora, Vai, fronteira ocidental de Valinor.

11 O trecho que começa com "Pois vede, ele desejava dessarte [...]", na p. 220, até este ponto, foi acrescentado numa folha solta, substituindo um trecho muito mais curto em que Manwë fala seu plano brevemente, e nada se diz dos poderes dos Valar. Mas não penso que o trecho substitutivo tenha sido composto significativamente depois do texto principal.

12 Lia-se anteriormente, neste ponto: "Então os Deuses deram nome àquele navio, chamando-o Ûr, que é o Sol [...]".

13 Lia-se anteriormente, neste ponto: "e os Gnomos o chamam de Aur, o Sol, e Galmir, abrilhantador d'ouro [...]".

14 Uma nota isolada refere-se ao surgimento de criaturas mais salubres quando o Sol se ergueu (isto é, sobre as Grandes Terras), e diz que "todos os pássaros cantaram na primeira aurora".

15 Aqueles da Aulenossë: ver p. 213.

16 Esta é a primeira aparição dos Filhos de Fëanor.

17 Anteriormente: "a rosa prateada".

18 *Urwendi*: no manuscrito, *Urwandi*, mas penso que isso foi, provavelmente, não intencional.

19 A partir deste ponto, o texto do *Conto do Sol e da Lua* deixa de ser escrito sobre um original apagado a lápis e, a partir do mesmo ponto, o texto original sobrevive em outro caderno. De fato, até o final do *Conto do Sol e da Lua* as diferenças são pequenas, não mais do que alterações redacionais; mas o texto original explica o fato de que, na primeira ocorrência do nome *Gilfanon*, na p. 228, o que estava escrito era *Ailios*. Poder-se-ia imaginar, de todo modo, que isso foi um deslize, uma reversão para algum nome anterior, e demonstra-se que isso é verdade pela primeira versão, que diz, no lugar de "muitas façanhas maravilhosas que Gilfanon pode contar" (p. 234), "muitas façanhas maravilhosas que Ailios há de contar".

20 Deste ponto em diante, a segunda versão diverge muito da primeira. A primeira diz o seguinte:

> E isso é tudo, penso", falou Lindo, "que sei para contar daquelas belíssimas obras dos Deuses"; mas Ailios disse: "Pouco te custa alongar o conto, quando ele trata de Valinor; já faz tempo que nos oferecestes um ..... conto a respeito do nascer do Sol e da Lua no Leste, e um rio de palavras jorrou de ti desde lá, e agora estás disposto a [?provocar], mas não ouvimos palavra daquela promessa." Em verdade, Ailios, por trás de sua aspereza, gostava das palavras de Lindo tanto quanto qualquer um, e estava ávido por saber mais daquele assunto.
> "Isso é facilmente contado", disse Lindo [...]
> O que se segue na versão original está relacionado ao assunto do capítulo seguinte (ver pp. 264–65, nota 2).

Ailios aqui afirma que uma promessa feita por Lindo não foi cumprida, assim como Eriol faz, mais polidamente, na segunda versão. O início do conto na primeira versão não sobreviveu, e talvez, da forma como foi escrito originalmente, Lindo tenha mesmo feito essa promessa; mas, na segunda versão, ele não fala nada disso (de fato, a pergunta de Eriol foi "Donde vieram o Sol e a Lua?") e, no final do conto, ele nega que o tenha prometido, quando Eriol faz a afirmação.

Alterações feitas a nomes em
O Conto do Sol e da Lua

Amnor < *Amnos* (*Amnos* é a forma em *A Fuga dos Noldoli*, < *Emnon*; a forma *Amnon* também ocorre, ver pp. 209–10).

Para alterações no trecho sobre os nomes do Sol, ver notas 12 e 13.

Gilfanon < *Ailios* (p. 228, apenas na primeira ocorrência, ver nota 19).

Minethlos < *Mainlos*.

Uolë Kúvion < *Uolë Mikúmi*, apenas na segunda ocorrência, na p. 232; na primeira ocorrência, *Uolë Mikúmi* foi deixado sem alteração, embora eu tenha colocado *Uolë Kúvion* no texto.

Navio da Manhã < *Kalaventë* (p. 229; *i-Kalaventë*, "o Navio de Luz", ocorre sem correção no texto na p. 227).

das flamas do Navio-do-Sol < *das flamas de Kalaventë* (p. 233).

Sári < *Kalavénë* (pp. 233, 235. *Kalavénë* é a forma na versão original, ver nota 19).

Comentário a
O Conto do Sol e da Lua

O efeito que a abertura deste conto causa é, sem dúvida, enfatizar ainda mais fortemente do que nos relatos posteriores o horror despertado pelos feitos dos Noldoli (é notável a amargura de Aulë em relação a eles, da qual nada se diz depois), e também o modo cabal e absoluto de sua exclusão de Valinor. Mas a ideia de que alguns Gnomos permaneceram em Valinor (ver Aulenossë, p. 213) sobreviveu; ver *O Silmarillion* p. 125:

E, de todos os Noldor em Valinor, que agora tinham crescido até se tornar um grande povo, apenas um décimo se recusou a tomar a estrada: alguns pelo amor que tinham aos Valar (e não menos a Aulë), outros por amor a Tirion e às muitas coisas que lá tinham feito; nenhum por medo do perigo no caminho.

A missão de Sorontur e as novas que trouxe de volta foram abandonadas. Muito impressionante é o relato que faz das naus vazias à deriva, dentre as quais "umas ardiam com fogo brilhante": a origem do incêndio causado por Fëanor aos navios dos Teleri em Losgar, em *O Silmarillion* (p. 132), onde, contudo, há uma razão mais evidente para que isso fosse feito. Está afirmado expressamente aqui que a segunda moradia de Melko nas Grandes Terras era distinta de Utumna, e também que ficava nas Montanhas de Ferro (ver pp. 183, 194); o nome *Angamandi*, "Infernos de Ferro", ocorreu uma vez nos *Contos Perdidos*, no estranhíssimo relato acerca do fado dos Homens após a morte (p. 99). Em relatos posteriores, Angband foi construída no local de Utumno mas, por fim, foram novamente separadas e, em *O Silmarillion* (p. 79), Angband havia existido desde dias antigos, mesmo antes do cativeiro de Melkor. Não se explica, no presente relato, por qual razão "Utumna jamais se abrirá novamente para ele" (p. 214), mas isso é, sem dúvida, devido ao fato de que Tulkas e Ulmo romperam os portões e empilharam montes de pedra sobre eles (p. 132).

Na parte seguinte do conto (p. 214 em diante), joga-se muita luz na concepção inicial de meu pai acerca dos poderes e limitações dos grandes Valar. Assim, vê-se que Yavanna e Manwë (que percebeu isso, talvez, por causa de Yavanna?) acreditam que os Valar fizeram mal, ou, no mínimo, fracassaram na tentativa de atingir os desígnios maiores de Ilúvatar ("tenho em mente que isso [esse tempo de escuridão] não é alheio ao desejo de Ilúvatar"): a ideia dos Deuses como "egoístas", recolhidos, é expressa claramente; Deuses contentes em cuidar de seus jardins e em levar seus desígnios a cabo detrás de suas montanhas, deixando que "o mundo" cuide de si mesmo sozinho como pode. E essa compreensão é um elemento essencial na criação do Sol e da Lua, que haveriam de ser corpos tamanhos a ponto de iluminar não apenas os "reinos abençoados" (uma expressão que aparece aqui pela primeira vez, p. 220), mas todo o resto da Terra sombria. Disso há apenas um vestígio em *O Silmarillion* (p. 144):

Essas coisas os Valar fizeram, recordando, em seu crepúsculo, a escuridão das terras de Arda; e resolveram então iluminar a Terra-média e, com luz, atrapalhar os feitos de Melkor.

Muito interessante também é a afirmação "teológica" na narrativa primitiva acerca da ligação dos Valar ao Mundo como sendo a condição para sua entrada nele (p. 220); ver *O Silmarillion* pp. 45-6:

Mas esta condição Ilúvatar impôs, ou é a necessidade do amor deles, que seu poder deveria dali por diante estar contido no

Mundo e a ele atado, para estar dentro dele para sempre, até que esteja completo, de modo que eles são a sua vida, e ele, a deles.

No conto, essa condição é uma limitação física explícita: nenhum dos Valar, exceto Manwë e Varda e seus espíritos subordinados, poderiam passar para os ares mais altos, acima de Vilna, embora pudessem se mover com grande velocidade no ar mais inferior.

Do trecho na p. 215 — onde se diz que Ulmo, apesar de seu amor pelos Solosimpi e pesar pelo Fratricídio, não estava tomado de cólera pelos Noldoli porque ele "era mais presciente do que todos os Deuses, mesmo o grande Manwë" — depreende-se que a preocupação peculiar de Ulmo com os Eldar exilados — que tem um papel importante, ainda que misterioso, no desenrolar da história — estava ali desde o início, assim como o pensamento de Yavanna, expresso em *O Silmarillion*, p. 117:

Até para aqueles que são os mais poderosos sob Ilúvatar há certas obras que podem realizar uma vez e uma vez apenas. A Luz das Árvores eu trouxe ao ser e dentro de Eä não poderei fazê-lo de novo nunca mais.

A referência de Yavanna ao Sol Mágico e seu Reacender (que aparece no brinde feito no Chalé do Brincar Perdido, pp. 27, 85) é, obviamente, propositalmente obscura neste estágio.

Não há referência posterior à história do desperdício de luz por Lórien e Vána, derramando-a inocuamente nas raízes das Árvores.

A respeito do relato de Lindo sobre as estrelas (pp. 219–20), *Morwinyon* já apareceu num conto anterior (p. 143), com a história de que Varda o "deixou cair enquanto voltava com grande pressa para Valinor", e que "arde sobre a borda do mundo a oeste"; no presente conto, Morwinyon (que, de acordo com os dicionários quenya e gnômico, corresponde a Arcturo) é de novo representado estranhamente como sendo uma lamparina sempre no céu ocidental. Diz-se aqui que, enquanto algumas das estrelas eram guiadas pelos Mánir e Súruli em "cursos labirínticos", outras, incluindo Morwinyon e Nielluin, "permaneciam no lugar e não se moviam". Seria porque, em antigos mitos élficos, houve um tempo em que o movimento regular de todos os corpos celestes do Leste para o Oeste ainda não havia começado? Não há explicação mítica em lugar nenhum para esse movimento na cosmologia de meu pai.

Nielluin ("Abelha Azul") é a estrela Sírio (chamada *Helluin* em *O Silmarillion*) e essa estrela tinha um lugar na lenda de Telimektar, filho de Tulkas, embora a história da transformação na constelação de Órion nunca tenha sido contada com clareza (ver *Telumehtar* "Órion", em *O Senhor dos Anéis*, Apêndice E, I). Nielluin era Ingil, filho de Inwë, que seguiu Telimektar "na forma de uma grande abelha carregando mel de flama" (ver o Apêndice de Nomes, nos verbetes *Ingil* e *Telimektar*).

O curso do Sol e da Lua de Leste a Oeste (e não em outra direção) recebe aqui um motivo, e a razão pela qual evitavam o Sul é a presença de Ungweliant ali. Isso parece dar a Ungweliant grande importância, e também uma vasta área sujeita ao seu poder de absorver a luz. Não fica claro, no conto do *Obscurecer de Valinor*, onde ficava sua morada. Lá se diz (p. 186) que Melko vagou pelas "planícies escuras de Eruman e, mais ao sul do que qualquer um jamais havia entrado, encontrou uma região da mais profunda treva" — a região onde achou a caverna de Ungweliant, que tinha "uma saída subterrânea no mar"; e, depois da destruição das Árvores, Ungweliant "passa para o sul e sobre as montanhas, rumo ao seu lar" (p. 189). É impossível dizer, a julgar pelas linhas vagas no pequeno mapa da p. 105, qual era, nesse momento, a configuração das terras e mares meridionais.

Em comparação com a última parte do conto — que trata do último fruto de Laurelin e da última flor de Silpion, da feitura do Sol e da Lua a partir deles, e do lançamento das suas embarcações (pp. 221–36) — o Capítulo 9 de *O Silmarillion* (constituído de duas versões posteriores não muito dessemelhantes entre si) é extremamente conciso. Apesar das muitas diferenças, as versões posteriores, em alguns lugares, parecem ser quase resumos da história inicial, mas é frequentemente difícil dizer se essa redução era fruto do sentimento de meu pai de que a descrição estava muito longa (sentimento que certamente existia, ver p. 211), de que ela estava ocupando um lugar muito grande na estrutura total, ou se era fruto de uma verdadeira rejeição a algumas ideias ali presentes e de um desejo de reduzir a extrema "concretude" das imagens. Há, decerto, uma extravagância de materiais com propriedades "mágicas", ouro, prata, cristal, vidro e, acima de tudo, de luz concebida como elemento líquido, ou como orvalho e mel, um elemento no qual é possível banhar-se e que se pode juntar em receptáculos, algo que praticamente desapareceu em *O Silmarillion* (embora, é claro, a ideia da luz como um líquido que goteja, derrama-se e acumula-se, sugado por Ungoliant, tenha permanecido fundamental à concepção das Árvores, essa noção no escrito posterior se torna menos palpável e as operações divinas recebem uma explicação e uma justificativa menos "físicas").

Como resultado dessa descrição completa e intensa, a origem do Sol e da Lua no último fruto e flor das Árvores tem menos mistério do que na sucinta e bela linguagem de *O Silmarillion*; mas também muito se fala aqui para enfatizar o grande tamanho do "Fruto do Meio-dia", e do aumento no calor e brilho do Navio-do-Sol depois do seu lançamento, de modo que demora muito mais para chegarmos à reflexão de que, se o Sol que ilumina fortemente a Terra inteira era um único fruto de Laurelin, então Valinor devia ter sido dolorosamente brilhante e quente nos dias das Árvores. Na história inicial, os últimos rebentos de vida das moribundas Árvores são completamente estranhos e "enormes", portentosos e até mesmo ominosos no caso de Laurelin; o Sol é impressionantemente brilhante e quente até mesmo para os Valar, que ficam atônitos e inquietos com o que foi feito (os Deuses tinham consciência "que haviam feito algo muito maior do que sabiam a princípio", p. 229); e a cólera e a aflição de certos Valar com a luz ardente do Sol reforça o sentimento de que, no último fruto de Laurelin, um poder terrível e imprevisto foi liberado. De fato, essa aflição sobrevive em *O Silmarillion* (p. 146), em que se mencionam os "rogos de Lórien e Estë, que diziam que o sono e o descanso tinham sido banidos da Terra e que as estrelas estavam escondidas"; mas, no conto, o poder abrasivo do novo Sol é comunicado de forma intensa nas imagens do calor que "dançava sobre as árvores" nos jardins de Lórien, dos rouxinóis calados, das papoulas ressequidas e das flores noturnas prostradas.

No antigo conto, há uma explicação mítica para as fases da Lua (mas não para os eclipses), e para as marcas na sua superfície, com a história do ramo ressequido de Silpion que se quebrou e da queda da Flor-da-Lua — uma história completamente distinta da explicação dada em *O Silmarillion* (pp. 146–7). No conto, o fruto de Laurelin também caiu ao solo, quando Aulë cambaleou e seu peso era grande demais para Tulkas suportar sozinho: a importância desse evento não fica perfeitamente clara, mas parece que, caso o Fruto do Meio-dia não se houvesse partido, Aulë não teria compreendido sua estrutura e não teria concebido aquela do Navio-do-Sol.

Seja lá até que ponto as grandes diferenças entre as versões nesta parte da Mitologia são resultado de compressão posterior, há ainda um bom número de contradições reais, das quais eu assinalo aqui apenas algumas das mais importantes, além dessa já mencionada que diz respeito às marcas na Lua. Assim, em *O Silmarillion* (p. 145), a Lua ergueu-se primeiro, e "se tornou a primogênita das novas luzes, assim como Telperion fora a das Árvores"; na antiga história, acontece o contrário tanto com as Árvores quanto com as novas luzes. Novamente, em *O Silmarillion* é Varda quem estabelece os seus movimentos, e ela altera o seu plano inicial a pedido de Lórien e Estë, ao passo que, aqui, é o grande incômodo de Lórien com a chegada da luz solar que leva à última florada de Silpion e à feitura da Lua. De fato, os Valar desempenham papéis distintos por toda a extensão do conto; aqui, uma importância muito maior é dada às ações de Vána e Lórien, cuja relação com o Sol e a Lua — assim como com as Árvores (ver p. 93) — é, a um só tempo, mais profunda e mais explícita do que se tornou depois; em *O Silmarillion* (p. 144), foi Nienna quem regou as Árvores com suas lágrimas. Em *O Silmarillion*, o Sol e a Lua movem-se mais perto de Arda do que "as antigas estrelas" (*ibid.*), mas movem-se aqui em níveis bem diferentes do firmamento.

Mas um elemento no qual se pode discernir com certeza uma compressão posterior é a elaborada descrição da Lua, no conto, como uma "ilha de vidro puro", uma "ilha bruxuleante" com lagoas de luz de Telimpë, orladas de flores brilhantes e um cálice cristalino no centro do qual foi posta a Flor-da-Lua; somente assim se explica a referência, em *O Silmarillion*, a Tilion conduzindo a "ilha da Lua". O Elfo idoso, Uolë Kúvion (a quem uns de fato "chamam de Homem da Lua") quase parece ter se desgarrado de outra concepção; de todo modo, sua presença traz dificuldade, já que aí acabamos de ver (p. 232) que Silmo não poderia navegar no Navio-da-Lua porque não era um dos filhos do ar, e não poderia "limpar o ser de seu modo terreno". Um título isolado, "Uolë e Erinti", no pequeno caderno usado entre outras coisas para sugestões de histórias a serem contadas (ver p. 208) sem dúvida implica que um conto estava sendo preparado a respeito de Uolë; ver o Conto de Qorinómi, a respeito de Urwendi e o irmão de Erinti, Fionwë (p. 260). Não há qualquer vestígio desses contos e, presumivelmente, eles jamais foram escritos. Outra nota no caderninho chama Uolë Mikúmi (o nome anterior de Uolë Kúvion, ver p. 238) de "Rei da Lua"; e uma terceira nota faz referência a um poema "O Homem da Lua", a ser cantado por Eriol, "que diz que lhes cantará uma canção de uma lenda que os Homens têm a respeito de Uolë Mikúmi". Meu pai escreveu um poema sobre o Homem da Lua em março de 1915, mas, se era esse que ele estava pensando em incluir, teria deixado a companhia em Mar Vanwa Tyaliéva estupefata — e ele teria de alterar as referências a lugares na Inglaterra, a qual ainda não existia. Embora seja provável que ele tivesse em mente algo muito diferente, penso que pode ser de interesse incluir esse poema em uma versão primitiva (ver p. 246).

Conforme a mitologia evoluiu e mudou, a Feitura do Sol e da Lua se tornou o elemento de maior dificuldade; e, no *Silmarillion* publicado, esse capítulo não parece se coadunar com grande parte do restante da obra, e não foi possível fazer isso. Mais para o fim da vida, meu pai estava disposto, de fato, a desmantelar muito do que havia construído numa tentativa de resolver o que ele sentia ser, sem dúvida, um problema fundamental.*

Nota sobre a ordem dos Contos

De fato, o desenvolvimento dos *Contos Perdidos* é, aqui, extremamente complexo. Após as palavras que concluem *A Fuga dos Noldoli*, "a estória do obscurecer de Valinor chegou ao fim" (p. 206), meu pai escreveu: "Ver a continuação em outros cadernos", mas, na verdade, ele acrescentou subsequentemente o pequeno diálogo entre Lindo e Eriol ("Grande era o poder de Melko para o mal [...]") que foi incluído ao fim de *A Fuga dos Noldoli*.

A paginação dos cadernos mostra que o próximo conto deveria ser o *Conto de Tinúviel*, que está escrito em outro caderno. Essa longa história (que estará na Parte II), a versão mais antiga que sobreviveu de "Beren e Lúthien", começa com uma longa passagem

---

* Ver também, a esse respeito, a "Introdução" de Carl F. Hostetter à Parte Três de *A Natureza da Terra-média*, p. 321, e capítulos relacionados. [N. T.]

de *Ligação*; e o curioso é que essa *Ligação* começa justamente com o diálogo entre Lindo e Eriol que acabei de mencionar, em palavras quase idênticas, e pode-se ver que era esse o seu lugar original, mas ele foi, aí, completamente riscado.

Mencionei anteriormente (p. 62) que, em uma carta escrita por meu pai em 1964, ele diz ter escrito *A Música dos Ainur* enquanto trabalhava em Oxford, na equipe do Dicionário, um cargo que assumiu em novembro de 1918 e deixou na primavera de 1920. Na mesma carta, ele diz que escreveu "'A Queda de Gondolin' durante uma licença médica do exército em 1917", e "a versão original do 'Conto de Lúthien Tinúviel e Beren' mais tarde no mesmo ano". Não há nada nos manuscritos que sugira que os contos seguintes à *Música dos Ainur*, até o ponto em que estamos agora, não tenham sido escritos consecutiva e continuamente a partir da *Música*, enquanto meu pai ainda estava em Oxford.

À primeira vista, portanto, há uma contradição incorrigível na evidência: pois a *Ligação* em questão se refere explicitamente ao Obscurecer de Valinor, um conto escrito *depois* de sua indicação ao cargo em Oxford, em fins de 1918, mas ela é uma ligação para o *Conto de Tinúviel*, que ele disse ter escrito em 1917. Mas o *Conto de Tinúviel* (e a *Ligação* que o precede) é, na verdade, um texto a tinta escrito por cima de um original apagado a lápis. Certamente, penso, essa *reescrita* de *Tinúviel* foi feita consideravelmente depois. Foi ligada à *Fuga dos Noldoli* pelas falas de Lindo e Eriol (o trecho de ligação é integral e contínuo ao *Conto de Tinúviel* que o segue, e não foi acrescentado em momento posterior). Nesse estágio, meu pai deve ter sentido que os *Contos* não precisavam, necessariamente, ser contados na sequência real da narrativa (pois *Tinúviel* pertence, é claro, a um tempo posterior à feitura do Sol e da Lua).

À versão reescrita de *Tinúviel* seguia-se, sem interrupção, uma primeira versão do "interlúdio" que introduz Gilfanon de Tavrobel como hóspede na casa, e isso levou ao *Conto do Sol e da Lua*. Mas, subsequentemente, meu pai mudou de ideia e, assim, excluiu o diálogo de Lindo e Eriol do início da *Ligação* com *Tinúviel*, que passaria a não mais seguir *A Fuga dos Noldoli*, e ele o reescreveu em outro caderno, no final daquele conto. Ao mesmo tempo, reescreveu o "interlúdio" de Gilfanon numa forma estendida, colocando-o no final de *A Fuga dos Noldoli*. Portanto:

Fuga dos Noldoli	Fuga dos Noldoli
Palavras de Lindo e Eriol	Palavras de Lindo e Eriol
Conto de Tinúviel	"Interlúdio" de Gilfanon (reescrito)
"Interlúdio" de Gilfanon	Conto do Sol e da Lua e a Ocultação de Valinor
Conto do Sol e da Lua e a Ocultação de Valinor	

Parece claro que a reescrita de *Tinúviel* foi um dos últimos elementos na composição dos *Contos Perdidos* pelo fato de que ele é seguido pela primeira versão do "interlúdio" de Gilfanon, escrito ao mesmo tempo: pois Gilfanon substituiu Ailios, e é Ailios, e não Gilfanon, o hóspede na casa nas versões antigas do *Conto do Sol e da Lua* e *A Ocultação de Valinor*, e ele é o contador do *Conto do Nauglafring*.

O poema sobre o Homem da Lua existe em muitos textos, e foi publicado em Leeds em 1923;* muito tempo depois, e muito alterado, foi incluído em *As Aventuras de Tom Bombadil* (1962). Eu o incluo aqui numa forma próxima da primeira versão publicada, mas com poucas (e majoritariamente pequenas) alterações feitas subsequentemente. A versão de 1923 sofreu apenas retoques a partir dos trabalhos mais antigos — cujo título é "Por que o Homem da Lua desceu cedo demais: uma fantasia da Ânglia Oriental"; no primeiro texto finalizado, o título é "Uma Feéria: Por que o Homem da Lua desceu cedo demais", juntamente com um título em inglês antigo: *Se Móncyning*.

Por que o Homem da Lua desceu cedo demais
  O Homem da Lua tinha a barba sua
    De prata, e sapatos de argento;
  Cinto d'ouro ralo e também um halo
    Na fronte, dourado a contento.

---

* "*A Northern Venture*: verses by members of the Leeds University English School Association" [Uma Aventura no Norte: poemas de membros da Associação da Escola de Inglês da Universidade de Leeds] (Leeds, at the Swan Press, 1923). Eu não tive acesso à publicação, e retiro os detalhes da *Biografia* escrita por Humphrey Carpenter, p. 363.

5   Com sedoso pálio em seu orbe pálido
        De marfim uma porta abriu:
    Tirou trinco em cristal em segredo total
        E passou pelo chão sombrio;

    Filigrana escada de teias trançada
10   Com pressa e fulgência desceu,
    E riu-se feliz, dono do seu nariz,
        E célere à terra correu.
    De perla e diamante já não era amante,
        Nem do minarete palente
15   Que treme a alvejar a altura lunar
        Num mundo de prata fulgente;

    Buscava intranquilo rubi e berilo,
        Safiras, além de esmeraldas,
    Lustrosas gemas em novos diademas
20   E ornar vestes descoradas.
    Solitário também, sem folguedo além
        De espiar o mundo dourado
    E escutar o zumbido de longe trazido
        Por ele ao passar animado;

25   E no plenilúnio, mas que infortúnio,
        Por Fogo ele há muito ansiava —
    Não a luz que emita um branco selenita,
        Mas piras terrenas, qual lava,
    Cor púrpura fogosa, o carmim e o rosa,
30   E línguas de flama laranja;
    Por mares de anil e por matiz febril
        Quando a nova aurora se arranja;

    Verdes vias no ocaso, qual crisoprásio
        Junto ao Yare e ao Nen sinuoso.
35   Queria a risada da Terra apinhada
        O rubro sangue caloroso;
    Cantigas queria, constante alegria,
        Assados quentes e vinho,
    Mas comia empada de neve e geada
40   E bebia luar ralinho.

Balançava os pés ao pensar em filés,
    No ponche, cozido e pimenta;
Resvalou na escada, sem notá-la inclinada,
    E qual meteoro em tormenta
45 Tombou com centelhas e chuvas vermelhas
    De um astro caindo insano
De trajeto estranho às espumas do banho
    De Almain no vasto Oceano;

Pensou num segundo, para não ir ao fundo,
50   O que deveria fazer,
Em Yarmouth, um navio que passava o acudiu
    E os nautas se espantam de o ver:
Na rede apanhado, cintila molhado,
    Com brilho fosforescente
55 Dum branco azulino e fulgor opalino
    E um fino verde luzente.

Com peixes foi posto — bem ao seu gosto —
    E a Norwich, em Norfolk, mandado,
Pra se escaldar com gin numa pousada, enfim,
60   E secar seu roupão molhado.
Em São Pedro,* o badalar fez acordar
    Os sinos nas torres da praça,
Dando a mensagem de lunática viagem
    Logo que a matina passa,

65 Sem ter fogo algum e nem desjejum,
    E gemas ninguém lhe vendia;
Cinzas no braseiro, seu desejo faceiro
    Por aguerrida cantoria
Findou-se em roncaria, pois Norfolk dormia,
70   E quase o seu cor se alquebrou.
O frio não melhora, é pior do que outrora,
    Seu manto de fada trocou

---

* A referência é à igreja de St. Peter Mancroft, em Norwich. Cf. John Garth, *The Worlds of J.R.R. Tolkien: The Places that Inspired Middle-earth*, Princeton University Press, 2020, p. 65. [N. T.]

          Com cuca ranzinza por um canto à cozinha;
             Seu cinto trocou por risada,
    75   Deu joia sem igual por prato de mingau
             Que, no fim, não lembrava em nada
          O rico mingau da Ânglia Oriental.
             Desceu muito cedo à rua,
          Estranho conviva em demanda festiva
    80   Vindo dos Montes da Lua.^A

Parece muito possível que o "minarete palente" reapareça na "torrela alva" que Uolë Kúvion construiu na Lua, "onde amiúde sobe e olha os céus ou o mundo lá embaixo". O minarete do Homem da Lua sobrevive na versão final.

O Oceano de Almain é o Mar do Norte (*Almain* ou *Almany* era um nome da Alemanha num inglês mais arcaico); o Yare é um rio de Norfolk que desagua no mar em Yarmouth, e o Nene (que também pode ser pronunciado com vogal curta, "Nen") desagua no estuário do Wash.

9

A Ocultação
de Valinor

A ligação para este conto, que é narrado por Vairë, foi inserida ao final do último (p. 236). O manuscrito continua como na última parte do *Conto do Sol e da Lua* (ver p. 237, nota 19), e um rascunho anterior também sobrevive, ao qual faço referências nas notas.

"Eis que contos eu conto dos dias profundos, e o primeiro é chamado de *A Ocultação de Valinor*.

Já ouvistes", ela disse, "do alçamento do Sol e da Lua em suas jornadas inconstantes, e muitas coisas há para contar a respeito do despertar da Terra sob sua luz; mas ouvi agora dos pensamentos e façanhas dos moradores de Valinor naqueles dias pujantes.

É preciso contar agora que tão vastas eram as viagens daqueles barcos de luz que os Deuses não acharam fácil governar todas as suas idas e vindas como pretendiam de início, e Ilinsor relutava em entregar os céus para Urwendi, e Urwendi amiúde içava velas antes do devido retorno de Ilinsor, sendo ávida e de temperamento inflamado. Porquanto ambos os vasos amiúde navegavam longe ao mesmo tempo, e a glória deles singrando muito próximos do próprio seio da Terra, como muitas vezes faziam àquele tempo, era grandíssima e terribilíssima de se ver.

Então, uma vaga inquietude começou a se agitar de novo em Valinor, e os corações dos Deuses estavam tribulados, e os Eldar falavam uns aos outros, e este era seu pensamento.

'Eis que o mundo ficou claro como os pátios dos Deuses, plano para se andar como as avenidas de Vansamírin ou os terraços de Kôr; e Valinor não é mais segura, pois Melko nos odeia incessantemente, e detém o mundo de fora e seus aliados são muitos e cruéis ali' — e, em seus corações, eles[1] incluíam na conta até mesmo os Noldoli, e em seu pensamento sem intenção tratavam-nos com injustiça, e não se esqueciam dos Homens, sobre quem Melko outrora mentira. De fato, no júbilo do último florescer das Árvores e no grande e ledo labor da criação dos navios, o temor a Melko fora posto de lado, e a amargura daqueles últimos dias malignos e da fuga do povo-dos-Gnomos se entorpecera — mas agora, quando Valinor tinha paz mais uma vez, e suas terras e jardins haviam sido reparados de suas feridas, a memória despertou novamente sua cólera e seu pesar.

Em verdade, se os Deuses não esqueciam a tolice dos Noldoli e endureceram seus corações, ainda mais irados estavam os Elfos, e os Solosimpi enchiam-se de amargura contra seus parentes, desejando nunca mais ver seus rostos nas veredas de seu lar. Desses, os principais eram aqueles cuja parentela perecera no Porto dos Cisnes, e o líder deles era um tal de Ainairos que escapara daquela contenda deixando seu irmão morto; e ele buscava incessantemente, com suas palavras, persuadi-los a maior amargura de coração.

Ora, isso foi um pesar para Manwë, mas ele percebia que seu desígnio ainda não estava completo, e que a sabedoria dos Valar deveria se voltar novamente para aperfeiçoar o governo do Sol e da Lua. Portanto, convocou os Deuses e os Elfos a um conclave, para que seus conselhos pudessem melhorar seu desígnio e, ademais, esperava que suaves palavras de saber acalmassem sua cólera e inquietação antes que dessas viesse o mal. Pois via claramente ali o veneno das mentiras de Melko, as quais vivem e se multiplicam, onde quer que ele as lance, mais fecundas que qualquer semente posta na Terra; e já lhe era reportado que o antigo murmurinho dos Elfos a respeito de sua liberdade recomeçara, e que a soberba enchera alguns de tolice, a ponto de não suportarem o pensamento da chegada dos Homens.

Agora, portanto, Manwë sentava-se agravado diante de Kulullin, e olhava penetrantemente para os Valar reunidos ali perto e para os Elfos aos seus joelhos, mas não revelou tudo o que pensava, dizendo-lhes apenas que os convocara em concílio uma vez mais para determinar os cursos do Sol e da Lua e planejar uma ordem e um critério para seus caminhos. Então, Ainairos falou de pronto diante dele, dizendo que outros assuntos estavam mais profundos em seus corações do que esse, e dispôs diante dos Deuses o que pensavam os Elfos acerca dos Noldoli e da nudez da terra de Valinor diante do mundo fora dela. Disso se levantou muito tumulto, e vários dos Valar e de seu povo o apoiaram ruidosamente, e alguns outros dos Eldar gritaram que Manwë e Varda haviam levado sua gente a habitar em Valinor prometendo a eles alegria infinda naquela terra — agora, que os Deuses cuidassem para que o contentamento deles não diminuísse até se tornar coisa pequena, vendo que Melko tomara o mundo e que eles não ousavam ir para os lugares de seu despertar mesmo que quisessem. A maioria dos Valar, além do mais, amava sua antiga quietude e queria apenas a paz, não desejando nem ouvir rumores de Melko e sua violência nem que o murmúrio dos Gnomos inquietos viesse jamais de novo entre eles a perturbar sua felicidade; e, por tais razões, também eles clamavam pelo encobrimento da terra. Não menores entre esses eram Vána e Nessa, ainda que a maioria, até mesmo entre os grandes Deuses, fosse da mesma opinião. Em vão Ulmo, por sua presciência, pleiteou diante deles piedade e perdão para os Noldoli, ou Manwë desvelou os segredos da Música dos Ainur e o propósito do mundo; e longo e cheio de alarido foi aquele conselho, e mais cheio de amargor e palavras renhidas do que quaisquer outros tinham sido, donde Manwë Súlimo partiu, afinal, do meio deles, dizendo que muro algum, nem baluarte, podia agora afastar o mal de Melko, o qual já vivia no meio deles e nublava as mentes de todos.

Assim foi que os inimigos dos Gnomos venceram no conselho dos Deuses, e o sangue de Kópas começava já sua obra cruel; pois então começou aquela que é chamada a Ocultação de Valinor, e Manwë e Varda e Ulmo dos Mares não tiveram parte nela, mas nenhum outro dos Valar ou dos Elfos disso se absteve, ainda que Yavanna e Oromë, seu filho, tivessem os corações desassossegados.

Ora, Lórien e Vána lideraram os Deuses, e Aulë emprestou seu engenho, e Tulkas, sua força, e os Valar não saíram naquela hora a derrotar Melko e o maior arrependimento aquilo foi para eles desde então, e ainda é, pois a grande glória dos Valar, por razão daquele erro, não chegou à sua plenitude em muitas eras da Terra, e ainda o mundo a aguarda.[2]

Naqueles dias, contudo, não tinham ciência dessas coisas, e entregaram-se a novos e poderosos labores tais como não tinham sido vistos entre eles desde os dias em que primeiro construíram Valinor. As montanhas circundantes eles tornaram ainda mais impassáveis do lado leste do que jamais haviam sido, e tamanhas foram as magias-da-terra que Kémi teceu por seus precipícios e picos inacessíveis que, de todos os lugares pavorosos e terríveis na pujante Terra, aquela muralha dos Deuses que olhava por sobre Eruman era a mais hedionda e perigosa, e nem Utumna nem os lugares de Melko nas Colinas de Ferro eram tão tomados de insuperável temor. Ademais, mesmo nas planícies sobre sua . . . oriental[3] foram lançadas aquelas tramas impenetráveis de escuridão pegajosa que Ungweliantë deitara fora em Valinor quando da destruição das Árvores. Ora, os Deuses as lançaram de sua brilhante terra para que enredassem completamente os passos daqueles que fossem por aquele caminho, e elas fluíam e espalhavam-se ao longe, jazendo até mesmo no seio dos Mares Sombrios até que a Baía de Feéria ficasse turva e nenhuma radiância de Valinor a alcançasse, e o cintilar das lamparinas de Kôr morria antes mesmo de atravessar as praias encastoadas de joias. De Norte a Sul marcharam os encantamentos e a magia inacessível dos Deuses, mas não ficaram eles contentes e disseram: Eis que faremos todos os caminhos que levam a Valinor, tanto conhecidos quanto secretos, desvanecerem de todo o mundo, ou vagarem traiçoeiramente rumo à confusão cega.

Isso então fizeram, e nenhum canal dos mares restou que não estivesse cercado por redemunhos perigosos ou com correntes de força avassaladora para a confusão de todos os navios. E espíritos de tempestades repentinas e ventos inesperados lá aguardavam por vontade de Ossë e outros de bruma inextricável. E não se esqueceram nem mesmo dos longos e tortuosos caminhos que os mensageiros dos Deuses conheciam e que seguiam pelos ermos sombrios desde o Norte ao mais profundo Sul; e, quando tudo fora feito a contento, Lórien disse: 'Agora Valinor está isolada, e temos paz', e Vána voltou a cantar pelo jardim na leveza de seu coração.

Dentre todos, somente os corações dos Solosimpi estavam apreensivos, e eles postavam-se às costas perto de seus antigos lares, e o riso não vinha fácil, e olhavam por sobre o Mar e, apesar do seu perigo e sua treva, temiam que ele ainda pudesse trazer o mal para a terra. Então alguns deles foram ter com Aulë e Tulkas, que estava próximo, dizendo: 'Ó grandes dos Valar, muito e maravilhosamente os Deuses laboraram, mas pensamos, em nossos corações, que ainda falta algo; pois não tivemos notícia de que o caminho da fuga dos Noldoli, aquela passagem pavorosa dos despenhadeiros de Helkaraksë, tenha sido destruído. E, no entanto, por onde andaram os filhos dos Eldar também podem os filhos de Melko retornar, a despeito de vossos encantamentos e artifícios; e nem temos paz de coração em virtude do mar sem defesas.'

A isso Tulkas riu-se, dizendo que nada poderia chegar agora a Valinor exceto pelos ares mais superiores, 'e neles Melko não tem poder; e nem vós, ó pequeninos da Terra'. E, contudo, a pedido de Aulë, foi com aquele Vala aos inóspitos lugares do pesar dos Gnomos, e Aulë, com o poderoso martelo de sua forja, golpeou aquele paredão de gelo denteado e, quando ele se fendeu nas gélidas águas, Tulkas o despedaçou com suas grandes mãos, e os mares rugiram pelas aberturas, e a terra dos Deuses foi completamente apartada dos reinos da Terra.[4]

Isso fizeram a pedido dos Elfos das Terras Costeiras, mas de modo algum os Deuses permitiriam que aquela baixada nas colinas sob Taniquetil, que dava para a Baía de Feéria, fosse empilhada com rochas, como queriam os Solosimpi, pois lá Oromë tinha bosques aprazíveis e locais de deleite, e os Teleri[5] não suportariam que Kôr fosse destruída ou pressionada muito de perto pelos paredões sombrios das montanhas.

Então os Solosimpi falaram a Ulmo, mas ele não lhes deu ouvidos, dizendo que não foi de sua música que haviam aprendido tal amargura de coração, mas, sim, que andaram escutando sussurros de Melko, o maldito. E, despedindo-se de Ulmo, uns sentiram-se vexados, mas outros foram em busca de Ossë, e ele os ajudou, a despeito de Ulmo; e do labor de Ossë naqueles dias vieram as Ilhas Mágicas; pois Ossë as dispôs num grande anel em volta dos limites ocidentais do pujante mar, de sorte que guardavam a Baía de Feéria e, apesar de naqueles dias as imensas trevas daquelas águas longínquas ultrapassarem todos os Mares Sombrios, estendendo-lhes línguas de escuridão, as ilhas em si eram extremamente belas de se olhar. E os navios que vão naquela direção necessariamente as divisam antes de alcançarem as últimas águas que banham as praias élficas, e eram tão atraentes que poucos tinham poder de passar por elas e, caso alguém o tentasse, então súbitas borrascas faziam-no impelir contra as praias cujos seixos brilhavam qual prata e ouro. E, no entanto, todos os que ali pisavam, dali jamais saíam, pois, enredados nas tramas dos cabelos de Oinen,[6] Senhora do Mar, e dominados pelo sono perpétuo que Lórien colocou ali, jaziam na orla das ondas como aqueles que, afogando-se, são espraiados novamente pelos movimentos do mar; e, no entanto, esses infelizes dormiam insondáveis e as águas sombrias lavavam-lhes os membros, mas seus navios apodreciam, enleados de algas, naquelas areias encantadas, e nunca mais singravam nos ventos do obscurecido Oeste.[7]

Ora, quando Manwë, fitando pesaroso desde a altaneira Taniquetil, viu todas essas coisas serem feitas, mandou mensagem a Lórien e Oromë, pensando-os menos irredutíveis de coração do que os outros, e, quando chegaram, falou-lhes com sinceridade; e, no entanto, não queria que o labor dos Deuses fosse desfeito, pois não o achava completamente ruim, mas convenceu aqueles dois a fazerem o que pedia quanto a algumas coisas. E destarte o fizeram; pois Lórien teceu uma trilha de magia delicada, e ela saía por sinuosos sendeiros secretíssimos das terras Orientais e de todos os grandes ermos do mundo até os muros de Kôr, e passava pelo Chalé das Crianças da Terra[8] e, de lá, descia a 'vereda dos olmos sussurrantes' até alcançar o mar.

Mas essa trilha ligava os lúgubres mares e todos os estreitos com delgadas pontes apoiadas no ar que brilhavam cinzentas como se fossem de névoas sedosas iluminadas por uma lua fina, ou de vapores perolados; e, contudo, além dos Valar e dos Elfos, os olhos de nenhum Homem a contemplou, salvo em doces sonos na juventude de seu coração. É a mais longa de todas as trilhas, e poucos jamais chegam ao fim, tantas são as terras e locais maravilhosos de encanto e beleza que ela cruza até chegar a Elfinesse, mas é macia aos pés e ninguém que caminhe por ela se cansa.

Tal", disse Vairë, então, "era e ainda é a maneira da Olórë Mallë, a Trilha dos Sonhos; mas doutro tipo muito distinto foi o trabalho de Oromë, que, ouvindo as palavras de Manwë, apressou-se a Vána, sua esposa, e implorou uma trança de seus longos cabelos dourados. Ora, os cabelos de Vána, a bela, haviam-se tornado ainda mais longos e radiantes desde os dias em que os ofereceu a Aulë, e ela deu a Oromë um tanto de suas mechas douradas. Então, ele as embebeu na radiância de Kulullín, mas Vána as teceu habilmente num laço incomensurável e, com ele, Oromë partiu célere ao encontro de Manwë na montanha.

Então, chamando alto para que Manwë e Varda e todo o seu povo se achegassem, segurou diante de seus olhos a tira de ouro, e eles não sabiam seu propósito; mas Oromë pediu-lhes que olhassem para a Colina chamada Kalormë, assomando imensa nas terras mais distantes de Valinor, e tida como a mais alta depois de Taniquetil, mas que, dali, parecia coisa indistinta sumindo na distância. Enquanto olhavam, Oromë deu um passo para trás e, empenhando todo seu engenho e sua força, ensaiou um vigoroso lançamento, e aquele cordão dourado correu fazendo uma curva pelo céu, até que o nó se atou ao mais alto pináculo de Kalormë. Então, pela magia de sua feitura e pela destreza da mão de Oromë, permaneceu como uma brilhante curva dourada que não baixava e nem vergava; mas Oromë prendeu a ponta de cá em um pilar nos pátios de Manwë e, virando-se para os que o fitavam, disse: 'Quem desejar vagar nas Grandes Terras, que me siga', e, a isso, pôs os pés na tira e apressou-se como o vento por sobre o golfo, chegando mesmo a Kalormë, enquanto todos em Taniquetil estavam emudecidos de espanto. Agora Oromë soltara a tira do pico de Kalormë e correu velozmente de volta, desenleando-a conforme retornava, até que uma vez mais estava diante de Manwë. Então disse: 'Eis, ó Súlimo, Senhor dos Ares, que criei um caminho por onde qualquer um dos Valar de bom coração pode ir ao local que desejar nas Grandes Terras; pois até onde quiserem, lançarei minha delgada ponte, e a ponta de cá tu guardarás em segurança.'

E dessa obra de Oromë veio a portentosa maravilha dos céus que todos os homens veem e se espantam, e uns temem muito, ponderando sobre o que ela pode pressagiar. E, no entanto, aquela ponte tem um aspecto diferente em momentos diferentes e regiões variadas da Terra, e de raro é visível para Homens e Elfos. Ora, como rebrilha maravilhosissimamente aos raios oblíquos do Sol, e como quando as chuvas do céu a molham ela fulgura de maneira muitíssimo mágica, e a luz dourada em suas cordas gotejantes se parte em muitos tons de púrpura, verde e vermelho, os homens, portanto, amiúde a chamam de Arco-da-Chuva, mas muitos outros nomes eles também criaram, e as fadas a chamam de Ilweran, a Ponte do Céu.

Ora, Homens viventes não podem andar nos fios balouçantes de Ilweran, e poucos dos Eldar têm coragem, mas não há outras trilhas para Elfos e Homens chegarem a Valinor desde aqueles dias, exceto uma, e ela é muito escura; mas é muito curta, a mais curta e rápida de todas as estradas, e muito áspera, pois Mandos a construiu e Fui a colocou no lugar. Qalvanda ela é chamada, a Estrada da Morte, e leva somente aos salões de Mandos e Fui. É bifurcada, e de um lado vão os Elfos e doutro, as almas dos Homens, e eles nunca se encontram.[9]

"Assim", disse Vairë, "a Ocultação de Valinor foi concluída, e os Valar deixaram escapar a chance de uma glória mais esplêndida e duradoura até mesmo do que a grandiosa glória que já era deles e ainda é. E, no entanto, ainda há muitas extraordinárias novas daqueles dias para se contar, das quais eu talvez possa relatar algumas agora; e uma delas chamarei de *O Porto do Sol*.

Vede, agora os corações de todos estão amainados pela trégua[10] de Manwë e os Valar e, enquanto os Deuses banqueteiam-se em Valmar e o céu está repleto da glória sem governo dos Navios de Luz, os Elfos voltam, afinal, para reconstruir a felicidade de Kôr; e lá buscam esquecer todos os pesares e todos os labores que se haviam passado em seu meio desde a Soltura de Melko. Agora Kôr se torna o mais formoso e mais delicadamente amável de todos os reinos de Valinor, pois, no pátio de Inwë aquelas duas árvores élficas ainda brilhavam ternas; e eram mudas das gloriosas Árvores, agora mortas, dadas pelos Deuses a Inwë nos primeiros dias da construção daquela cidade. Outras também haviam sido dadas a Nólemë, mas essas foram desenraizadas e levadas ninguém sabia para onde, e outras jamais existiram.[11]

No entanto, por mais que os Elfos confiassem nos Valar para escudar a terra e tecer proteção à sua volta, e por mais que os dias de pesar, caindo no passado, se turvassem, eles não conseguiam ainda extirpar completamente a memória de sua infelicidade; e não conseguiram até que o caminho mágico de Lórien estivesse pronto e que os filhos dos pais dos pais dos Homens ganhassem permissão pela primeira vez para chegar até lá em doce sono; então, novo júbilo ardeu muito brilhante em seus corações, mas essas coisas ainda não haviam passado, e os Homens ainda eram recém-chegados à Terra.

Mas Manwë e Ulmo, sabendo que a hora deles havia chegado, promoveram altos concílios para protegê-los. Muitos planos fizeram ali, e agravavam-se ao pensar em Melko e no vagar dos

Gnomos; e, contudo, os outros de Valinor ainda pouco se preocupavam com tais assuntos. Mas Manwë atreveu-se a falar mais uma vez aos Valar, ainda que sem dizer palavra dos Homens, e lembrou-lhes de que, em seus labores para a ocultação de sua terra, deixaram de pensar na inconstância do Sol e da Lua. Ora, Manwë temia que a Terra se tornasse insuportável em virtude da grande luz e calor daquelas coisas brilhantes, e nisso o coração de Yavanna estava de acordo com ele, mas a maioria dos Valar e dos Elfos viu seu desígnio como bom porque, alçando o Sol e a Lua a trilhas mais elevadas, pretendiam rematar todos os seus labores, levando esses luzeiros penetrantes para mais longe, de modo que todas as colinas e regiões de suas moradas não ficassem demasiadamente iluminadas e, assim, não fossem divisadas por ninguém a distância.

Portanto, alguns disseram: 'Que enviemos agora mensageiros para descobrir o modo do mundo no extremo Leste, além mesmo da visão de Manwë desde a Montanha do Mundo.' Então Oromë se ergueu: 'Isso eu vos posso dizer, pois o vi. No Leste, para além das terras soçobradas, há uma praia silente e um mar sombrio e vazio.' E os Deuses espantaram-se a essas novas, e nunca qualquer um deles, salvo Oromë, cuidara de ver ou ouvir tais coisas, nem mesmo Yavanna, a Senhora-da-terra. Nada digo de Ulmo Vailimo, Senhor de Vai, pois, em verdade, tais coisas ele sabia desde o princípio da Terra. Agora, portanto, aquele ancião concordou com Oromë, expondo aos Valar qual era a natureza secreta da Terra, e disse:

'Vede, há apenas um Oceano, e este é Vai, pois aqueles que Ossë toma por oceanos não são senão mares, águas que repousam nas fossas da rocha; mas Vai corre desde a Muralha das Coisas até a própria Muralha das Coisas, em qualquer direção que se vá. Ora, para o Norte é tão frio que mesmo suas pálidas águas se congelam a uma profundidade inimaginável e impenetrável e, para o Sul, tamanhas são a escuridão e as armadilhas em virtude de Ungoliont[12] que ninguém, salvo eu mesmo, consegue encontrar um caminho. Neste vasto corpo d'água flutua a ampla Terra, sustentada pelo verbo de Ilúvatar, pois coisa alguma, nem peixe e nem barca, pode nadar ali sem que eu lhes tenha declarado o grande verbo que Ilúvatar me falou e os atado com o feitiço; mas mesmo Valinor é parte da vasta Terra, e a substância da Terra é pedra e metal, e os mares são poças em suas gretas, e as ilhas, salvo umas poucas que nadam ainda livres, repousam agora como pináculos desde suas algosas profundezas. Sabei, pois, que um tanto mais perto fica Valinor da grande Muralha das Coisas, onde Ilúvatar nos encerrou, do que a mais Oriental das costas: e isso eu sei pois, mergulhando sob o mundo, amiúde visitei essas praias sem porto; pois vede, ó Valar, vós não conheceis todas as maravilhas, e muitas cousas secretas há por debaixo da quilha escura da Terra, lá onde estão meus grandes salões de Ulmonan, das quais nunca sonhastes.

Mas Manwë disse: 'Isso é verdade, ó Ulmo Vailimo; mas de que isso serve ao nosso presente propósito?' E Ulmo respondeu: 'Vede, levarei Aulë, o Ferreiro, comigo e conduzi-lo-ei segura e celeremente sob as águas de Vai em minha carruagem de mar-profundo até as costas Orientais, e lá ele e eu construiremos portos para os Navios, e do Leste, doravante, eles hão de se erguer e emanar sua luz e glória mais fortes aos Homens que carecem delas e aos infelizes Noldoli, um seguindo o outro pelo céu, e voltando para casa em Valinor. Aqui, quando seus corações se enfraquecerem em razão de suas jornadas, hão de descansar um tanto sobre os Mares de Fora, e Urwendi banhar-se-á em Faskalan, e Ilinsor beberá das águas quietas do Lago Irtinsa, antes de retornarem.'

Ora, esse discurso Manwë e Ulmo haviam preparado em conluio, e os Valar e Eldar deram ouvidos por razões diversas, como antes; ao que Aulë partiu com Ulmo, e construíram grandes portos no Leste, junto ao mar silente; e o porto do Sol era amplo e dourado, mas o porto da Lua foi colocado no mesmo ancoradouro, e era branco, com portões de prata e pérola que brilhavam esmaecidos assim que o Sol descia dos céus até Valinor; a essa hora os portões se abrem sozinhos diante do erguer da Lua, mas nenhum dos Eldar viu tais coisas, salvo Uolë Kúvion, e ele não contou conto algum.

Ora, a princípio, os Valar pretendiam puxar o Sol e a Lua por baixo da Terra — abençoando-os com o encantamento de Ulmo para que Vai não os ferisse —, cada um em sua hora designada; e, no entanto, por fim descobriram que Sári[13] não poderia, ainda assim, chegar em segurança por debaixo do mundo, pois era frágil e ágil demais; e muita radiância preciosa foi derramada em suas tentativas pelas águas mais profundas, a qual escapou e tornou-se como centelhas secretas em muitas cavernas oceânicas ignotas. Muitos mergulhadores élficos e mergulhadores das fatas procuraram por elas durante muito tempo para lá do extremo Leste, como se canta na canção do Adormecido na Torre de Pérola.[14]

De fato, por um tempo o infortúnio sobreveio mesmo à brilhante Urwendi, e ela vagou em grotões escuros e passagens intermináveis do reino de Ulmo até que Fionwë a encontrou e trouxe de volta a Valinor — mas o conto inteiro é chamado de Conto de Qorinómi e não pode ser contado aqui.[15]

Assim veio a passar que os Deuses se arriscaram numa grandiosa façanha, a mais pujante de todas as suas obras; pois, fazendo uma frota de balsas e barcos mágicos com a ajuda de Ulmo — e doutro modo nenhum deles suportaria velejar nas águas de Vai — chegaram à Muralha das Coisas, e lá construíram a Porta da Noite (Moritarnon ou Tarn Fui, como os Eldar a chamam em seus idiomas). Ela ainda está lá, completamente negra e imensa nas muralhas de azul-profundo. Seus pilares são do mais forte basalto, assim como seu lintel, mas grandes dragões de pedra preta estão esculpidos nela, e sombria fumaça derrama-se lentamente de suas mandíbulas. A porta tem folhas inquebráveis, e ninguém sabe como foram feitas ou colocadas, pois aos Eldar não foi permitido estar naquela construção pavorosa, e esse é o último segredo dos Deuses; e nem o ímpeto do mundo seria capaz de forçar aquela porta, que se abre a uma única palavra mística. Essa palavra somente Urwendi conhece, além de Manwë, que a contou para ela; pois para além da Porta da Noite fica a escuridão de fora, e quem passa por ela pode escapar do mundo e da morte, e ouvir coisas que ainda não são para os ouvidos dos habitantes da Terra, e isso não pode acontecer.

No Leste, contudo, doutro tipo foi a obra dos Deuses, pois lá um grande arco foi feito e, conta-se, é todo de ouro brilhante e barrado com portões prateados, mas poucos, mesmo dos Deuses, o contemplaram, pela abundância de vapores luminosos que amiúde os envolvem. Ora, os Portões da Manhã também se abrem apenas diante de Urwendi, e a palavra que profere é a mesma que diz à Porta da Noite, mas ao contrário.

E agora sempre acontece que, quando o Navio da Lua deixa seu porto no Leste e seus portões de pérola, Ulmo conduz o galeão do Sol para frente da Porta da Noite. Então, Urwendi pronuncia a palavra mística, e ela se abre para fora diante dela, e uma rajada de escuridão adentra, mas morre à sua luz abrasiva; e o galeão do Sol sai para a escuridão sem fronteiras e, dando a volta por trás do mundo, encontra o Leste novamente. Ali, Sári, cheio da claridade da manhã, atravessa os portões e Urwendi e suas aias fazem um som de trompas douradas, e a aurora se derrama sobre os olhos dos Homens.[16]

E, no entanto, muitas vezes um pequenino barco-estelar de Varda que tenha mergulhado nos Mares de Fora, como amiúde fazem, é sugado pela Porta da Noite, por detrás do Sol; e alguns perseguem sua galé pela vastidão sem estrelas de volta para a Muralha Oriental, e alguns se perdem para sempre, e uns cintilam atrás da Porta, até que o Navio-do-Sol irrompe novamente.[17] Esses então saltam de volta e avançam pelo céu outra vez ou aligeiram-se por seus espaços; e isso é coisa bela de se ver — as Fontes das Estrelas.

Vede, a Lua não ousa enfrentar a solidão extrema da escuridão de fora em virtude de sua luz e majestade menores, e viaja ainda sob o mundo, e muitos são os acasos desse caminho; por isso, ela é amiúde menos tempestiva do que o Sol e mais inconstante. Às vezes, nem chega a vir atrás de Sári e, outras vezes, atrasa-se e faz apenas uma viagem curta, ou mesmo se atreve nos céus enquanto Urwendi ainda está lá. Então os Deuses sorriem saudosos e dizem: 'É o mesclar das luzes novamente.'[18]

Por muito tempo essa foi, de fato, a maneira da condução dos navios, e muito tempo se passou desde aqueles dias até que os Deuses começaram a temer uma vez mais pelo Sol e pela Lua em razão de certas novas que chegaram àqueles dias, as quais podem, talvez, ser contadas depois; e, devido ao seu temor, uma coisa nova e estranha aconteceu. Ora, isso eu talvez possa contar antes de finalizar; e chama-se *A Urdidura dos Dias e Meses e dos Anos*.

Pois sabei que, enquanto os grandes Deuses sentavam-se em conclave, ponderando sobre como poderiam prender as lamparinas do céu sempre à mão, e guiar suas idas assim como um cocheiro guia seus cavalos galopantes, eis que surgiram três homens idosos diante deles, e saudaram Manwë.

Mas Manwë perguntou-lhes quem eram, 'pois bem sei', diz, 'que não sois do povo contente que mora em Valmar ou nos jardins dos Deuses', e os Valar espantaram-se, perguntando-se como teriam chegado à sua terra sem auxílio. Ora, esses homens eram de aspecto estranho, parecendo idosos sem conta, mas de força indômita. E o que estava à esquerda era muitíssimo miúdo e baixo, e outro, no meio, de estatura média, e o terceiro era esguio e alto; e o primeiro tinha madeixas curtas e uma barbicha, e as do outro não eram nem longas e nem curtas, mas a barba do terceiro roçava a terra diante dos pés conforme caminhava. Ora, passado um tempo, aquele que era baixo e miúdo falou, em resposta a Manwë, e disse: 'Irmãos nós somos; e homens de ofício muitíssimo sutil'; e o outro respondeu: 'Vede, chamamo-nos Danuin, Ranuin e Fanuin,* e eu sou Ranuin, e foi Danuin quem falou.' Então Fanuin disse: 'E, em vossa perplexidade, queremos oferecer-vos nosso engenho — mas quem nós somos, e donde viemos e aonde vamos, isso vos contaremos apenas se aceitardes nosso conselho e depois de termos feito conforme nosso desejo.'

Então, alguns dos Deuses disseram não, temendo uma trapaça (até mesmo de Melko, talvez), e outros queriam conceder-lhes seu desejo, e foi esse o conselho que prevaleceu ao fim, devido à grande indecisão do momento. Então aqueles três, Danuin e Ranuin e Fanuin, pediram que lhes fosse preparado um aposento à parte; e isso foi feito na casa de Aulë. Lá, fiaram e teceram em segredo e, transcorridas duas vezes doze horas, Danuin apareceu e falou a Manwë, dizendo: 'Contemplai minha obra!'; e ninguém soube qual era seu intento, pois suas mãos estavam vazias. Mas, quando o Navio do Sol retornou, então Danuin foi até a popa e, pousando a mão ali, pediu que Ulmo o conduzisse, como soía fazer, por sobre as águas até a Porta da Noite; e, quando Ulmo tinha ultrapassado um pouco a costa de Valinor, Danuin deu um passo para trás, e eis que Ulmo não conseguiu mais puxar o Navio-do-Sol, ainda que empregasse toda a sua força. Então Manwë e Ulmo e todos que observavam ficaram temerosos, mas, depois, Danuin soltou o Sol e partiu, e eles não conseguiram encontrá-lo; mas, após vinte e oito noites mais oito, chegou Ranuin e ele também disse: 'Contemplai minha obra!' e, contudo, não se via em suas mãos abertas mais do que se vira antes nas de Danuin. Ora, Ranuin esperou até que Ilinsor trouxesse a Rosa de Silpion a Valinor e, indo até ela, pousou as mãos numa saliência de vidro naquela ilha e, depois disso, ninguém conseguiu levar a barca de Ilinsor para longe de Ranuin contra sua vontade; mas, novamente, Ranuin não disse palavra e partiu; e Rána foi libertada, mas ninguém conseguiu encontrar Ranuin.

Ora, os Deuses ponderaram longamente sobre o que isso prenunciava, mas nada mais sucedeu até que Rána houvesse crescido e minguado treze vezes. Então, Fanuin achegou-se e pediu que os Deuses detivessem Ilinsor, para que, à chegada de Sári, ambos

---

* Na margem está escrito *Dōgor Mōnaþ 7 Missére*, palavras em inglês antigo para "Dia, Mês e Ano".

os navios pudessem estar sobre Valinor ao mesmo tempo. Mas, quando isso foi feito, suplicou o auxílio dos Deuses, 'pois', disse ele, 'criei algo de grande peso que gostaria muito de mostrar-lhes, mas não consigo içá-lo com minha força'. E sete dos mais robustos dos salões de Tulkas foram até o local do labor de Fanuin e nada conseguiam enxergar ali; mas ele lhes pediu que se abaixassem, e pareceu-lhes que tinham as mãos postas sobre uma pujante sirga, e cambalearam sob ela conforme a colocavam sobre os ombros, mas não conseguiam enxergá-la.

Então, indo até Sári e a Rána, um de cada vez, Fanuin moveu as mãos como se estivesse amarrando uma grande corda a cada um desses vasos; mas, quando tudo foi terminado, falou a Manwë: 'Eis, ó Súlimo, Senhor dos Deuses, a obra está feita, e os navios de luz estão atados nas inquebráveis amarras do tempo, as quais nem vós e nem eles podem jamais romper, e delas eles não podem escapar, ainda que essas amarras sejam invisíveis a todos os seres que Ilúvatar criou; pois, mesmo assim, elas são mais fortes que todas as coisas.'

Então, vede, subitamente Danuin e Ranuin estavam ao lado dele, e Danuin, indo até Manwë, pôs em sua mão um cordão delgado, mas Manwë não o via. 'Com isto', disse Danuin, 'ó Manwë Súlimo, podeis governar as idas e vindas do Sol, e ele jamais poderá ser levado além da direção de vossa mão, e tal é a virtude deste cordão que as partidas e retornos do Sol hão de ser tidos como as mais tempestivas e inevitáveis de todas as coisas na Terra.' Depois, Ranuin fez de modo semelhante e, vede, Manwë sentiu em sua palma uma invisível corda robusta. 'Com isto', disse Ranuin, 'vós haveis de conter e conduzir a inconstante Lua, tanto quanto possível, e tamanha é a virtude da "faixa de Ranuin" que mesmo a inconstante e intempestiva Lua há de ser uma medida de tempo para Elfos e Homens.' E, por último, Fanuin pediu que levassem a ponta de sua pujante sirga a Manwë, e Manwë a tocou e ela foi presa a uma grande rocha sobre Taniquetil (que é chamada, portanto, de Gonlath), e Fanuin disse: 'Agora a mais pujante sirga domina tanto o Sol quanto a Lua; e com ela podeis coordenar seus movimentos e entrelaçar seus fados; pois a corda de Fanuin é a Corda dos Anos, e Urwendi, irrompendo pela Porta da Noite, há de enleá-la nos finos laços do cordão do dia, em redor da Terra, até que venha o Grande Fim — e, assim, o mundo inteiro e seus habitantes, tanto Deuses quanto Elfos e Homens, e todas as criaturas que andam e as coisas que nela têm raízes, estarão atados nas amarras do Tempo.'

Então todos os Deuses ficaram temerosos, vendo o que se passara, e sabendo que, dali em diante, mesmo eles haveriam de estar, no tempo contado, sujeitos ao lento envelhecimento, e os seus luminosos dias, ao esvanecer, até que Ilúvatar, no Grande Fim, os chamasse de volta. Mas Fanuin disse: 'Ora, isso não é senão a Música dos Ainur: pois vede, quem somos nós — Danuin, Ranuin e Fanuin, Dia e Mês e Ano — senão os filhos de Aluin, do Tempo, que é o mais velho de todos os Ainur e está além, e sujeito a Ilúvatar; e dele viemos, e a ele nos vamos agora.' Então, aqueles três desapareceram de Valinor; mas assim se deu a feitura dos cursos imóveis do Sol e da Lua, e a sujeição de todas as coisas dentro do mundo ao tempo e à mudança.

Mas, quanto aos próprios Navios de Luz, vede! ó Gilfanon e todos vós que escutais, finalizarei o conto de Lindo e Vairë acerca da construção do Sol e da Lua com o grandioso presságio que foi dito entre os Deuses quando primeiro se abriu a Porta da Noite. Pois conta-se que, antes de chegado o Grande Fim, Melko há de maquinar dalguma maneira uma querela entre Lua e Sol, e Ilinsor há de querer perseguir Urwendi pelos Portões e, quando se tiverem ido, os Portões tanto do Leste quanto do Oeste serão destruídos, e Urwendi e Ilinsor perder-se-ão. Assim há de passar que Fionwë Úrion, filho de Manwë, por amor a Urwendi há de ser, no fim, a ruína de Melko, e há de destruir o mundo para destruir seu inimigo, e assim todas as coisas hão de chegar ao fim."[19]

E, assim, Vairë terminou, e o grande conto silenciou no aposento.

NOTAS

[1] "eles": o texto original dizia "os Solosimpi"
[2] O rascunho rejeitado é notavelmente breve até este ponto, e diz o seguinte (a partir das observações de Ailios incluídas na p. 237, nota 20):

"Isso é facilmente contado", disse Lindo; "pois os murmurinhos de que falei ficaram cada vez mais altos, e tornaram-se discurso no concílio que se convocou agora para ajustar os cursos do Sol e da Lua; e toda a antiga ferida que se havia inflamado outrora à incitação de Melko a respeito da liberdade dos Elfos — aquela briga mesmo que resultou no Exílio dos Noldoli — abriu-se novamente. E, no entanto, poucos agora tinham pena dos Gnomos, e tais dos Eldar a quem o mundo recém-iluminado atraía não ousavam partir de Valinor por causa do poder de Melko; porquanto, no fim, os inimigos dos Gnomos, apesar de tudo o que Ulmo dissesse ou suplicasse, e apesar da clemência de Manwë, prevaleceram sobre os conselhos dos Deuses — e assim veio a passar isso que as estórias chamam de [Fechamento >] Ocultação de Valinor. E os Deuses não saíram daquela vez para combater Melko, e deixaram passar sua maior oportunidade de conquistar a glória e a honra eterna, [justo como a Música de Ilúvatar predissera — e eles pouco a compreenderam —, e quem há de saber se a salvação do mundo e a libertação de Homens e Elfos algum dia há de vir deles novamente? Alguns sussurram que não é assim, e que a esperança vive apenas numa terra distante dos Homens, mas como isso há de se dar, eu não sei.]

A passagem conclusiva está assim, entre colchetes, no manuscrito, com um ponto de interrogação ao lado.

3 A palavra parece ser "leste". A palavra "oriental" foi acrescentada ao texto, e pode ser que meu pai pretendesse mudar "leste" para "borda oriental", ou algo similar.

4 Aqui, a palavra "Terra" está sendo usada claramente — ainda que estranhamente — do mesmo modo que "o mundo", referindo-se às Grandes Terras, em oposição às Terras de Fora do Oeste.

5 Os Teleri (isto é, os posteriores Vanyar) não haviam partido de Kôr na história antiga (ver p. 195).

6 Originalmente, *Ówen* e, depois, *Ónen*. O nome da esposa de Ossë já apareceu na forma final *Uinen* (pp. 152, 232), mas *Oinen* está escrito de maneira clara aqui, e é evidentemente intencional.

7 No rascunho, o relato da Ocultação de Valinor é muito breve, e chega logo à Trilha dos Sonhos. As tramas de escuridão colocadas nas encostas orientais das montanhas não eram aquelas que Ungweliantë "deitara fora em Valinor", mas meramente comparadas às "mais pegajosas que Ungweliantë jamais teceu". Helkaraksë e as Ilhas Mágicas são mencionadas apenas numa indicação marginal de que deveriam ser incluídos.

8 "Terra" está sendo usada, novamente, com o sentido de Grandes Terras (ver nota 4). O rascunho diz, aqui, "Crianças do Mundo".

9 Ainda que não haja diferenças substanciais no relato da Olórë Mallë entre os dois textos, o primeiro não faz menção à Trilha do Arco-da-Chuva [arco-íris] de Oromë. — Uma nota isolada, obviamente escrita antes do presente Conto, diz: "Quando os Deuses fecham Valinor [...] Lórien deixa uma trilha cruzando as montanhas, chamada Olórë Mallë, e Manwë, o Arco-da-Chuva, por onde anda para inspecionar o mundo. Só é visível após a chuva por estar, então, molhada."

10 "trégua": anteriormente, "transigência". É notável como Manwë é retratado como *primus inter pares* [primeiro entre iguais] em vez de governante dos outros Valar.

11 Sobre as Árvores de Kôr, ver pp. 153, 168.

12 Ver p. 242.

13 *Sári* é aqui (e subsequentemente) o nome conforme escrito, e não uma emenda de *Kalavénë*, o nome nos textos rascunhados de *O Sol e a Lua* e *A Ocultação de Valinor* (ver p. 238). Neste ponto, o rascunho diz "o Navio-do-Sol", que é, por sua vez, uma alteração de "os navios", pois meu pai escreveu primeiro que nenhum dos navios poderia ser puxado de forma segura sob a Terra.

[14] O Adormecido na Torre de Pérola é nomeado em *O Chalé do Brincar Perdido*, pp. 25–6. A canção do adormecido é, quase com certeza, o poema *The Happy Mariners* [Os Felizes Marinheiros], escrito originalmente em 1915 e publicado em 1923 (ver a *Biografia* escrita por Humphrey Carpenter, Apêndice C, p. 363); ele será incluído em duas versões, ligadas aos materiais do *Conto de Eärendel*, na segunda parte dos *Contos Perdidos*. O poema contém uma referência aos barcos que passavam pela Torre de Pérola, carregados "com chispas de rubente chama / Pegas por mergulhadores n'água do Sol".

[15] O rascunho original diz, aqui: "mas esse é o conto de Qorinómi, e não me atrevo a contá-lo aqui, pois o amigo Ailios me esta observando" (ver p. 237, notas 19 e 20).

[16] O rascunho dizia inicialmente, neste ponto: "e o galeão do Sol sai para a escuridão e, dando a volta por trás do mundo, encontra o Leste novamente, mas lá não há portão, e a Muralha das Coisas é mais baixa; e, cheio da claridade da manhã, Kalavéně atravessa acima dela e a aurora se derrama sobre as colinas Orientais e recai sobre os olhos dos Homens". Parte disso, a partir de "mas lá não há portão", foi posta entre colchetes, e o trecho sobre o grande arco no Leste e os Portões da Manhã foi introduzido. No parágrafo seguinte, o rascunho dizia "de volta por sobre a Muralha Oriental", o que foi alterado para a escrita do segundo texto "de volta para a Muralha Oriental". Sobre o nome *Kalavéně*, ver p. 238.

[17] Isto é, até o Navio-do-Sol irromper novamente pela Porta da Noite, para a escuridão de fora; conforme o Navio-do-Sol vai embora, as estrelas cadentes entram de novo no céu.

[18] A segunda versão desse trecho do conto de Vairë, 'O Porto do Sol', segue o rascunho original (corrigido) muito de perto, sem quaisquer diferenças substanciais; mas a parte do conto que agora se segue, "A Urdidura dos Dias e Meses e dos Anos", está completamente ausente no rascunho.

[19] Esse trecho conclusivo difere em vários pontos da versão original. Lá, Ailios aparece novamente, em vez de Gilfanon; o "grandioso presságio" foi proferido entre os Deuses "quando eles primeiro planejaram construir a Porta da Noite"; e quando Ilinsor tiver seguido Urwendi pelos Portões, "Melko destruirá os Portões e erguerá a Muralha Oriental para além dos [?céus] e Urwendi e Ilinsor perder-se-ão".

Alterações feitas a nomes em
A Ocultação de Valinor

Vansamírin < *a estrada de Samírien* (*Samírien* ocorre como nome do Festival do Duplo Júbilo, pp. 176–77).

Kôr < *Kortirion* (p. 250). Posteriormente, embora *Kôr* não tenha sido riscado, meu pai escreveu *Tûn* em cima, com um ponto de interrogação, e o mesmo acontece na ocorrência de *Kôr* na p. 253. Essa é a primeira aparição desse nome no texto dos *Contos Perdidos*, o qual originou, em última análise, *Túna* (o monte sobre o qual Tirion foi construída).

Ainaros < *Oivárin*.
Moritarnon, Tarn Fui O rascunho original do conto traz "*Móritar* ou *Tarna Fui*".
Sári O rascunho original traz *Kalavénë* (ver p. 238 e a nota 13, p. 265).
Na primeira ocorrência dos nomes dos três Filhos do Tempo, a sequência de versões era:
Danuin < *Danos* < uma forma ilegível, *Dan*..
Ranuin < *Ranos* < *Ranoth* < *Rôn*
Fanuin < *Lathos* < *Lathweg*
No restante do trecho: *Danuin* < *Dana*; *Ranuin* < *Ranoth*; *Fanuin* < *Lathweg*.
Aluin < *Lúmin*.

Comentário a
A Ocultação de Valinor

O relato do Concílio dos Valar e Eldar na abertura deste conto (muito desenvolvido a partir do rascunho preliminar incluído na nota 2) é notável e importante na história das ideias de meu pai a respeito dos Valar e suas motivações. Em *O Silmarillion* (p. 148), a Ocultação de Valinor se deu por causa do assalto de Melkor ao timoneiro da Lua:

Mas, vendo o ataque a Tilion, os Valar encheram-se de dúvida, temendo o que a maldade e a astúcia de Morgoth ainda poderiam tramar contra eles. Não estando dispostos a lhe fazer guerra na Terra-média, lembraram-se, mesmo assim, da ruína de Almaren; e resolveram que o mesmo não havia de acontecer a Valinor.

Um pouco antes, em *O Silmarillion* (pp. 144–5), são dadas razões para a relutância dos Valar em fazer guerra:

E conta-se, de fato, que assim como os Valar tinham feito guerra a Melkor por causa dos Quendi, também, naquele tempo, eles foram pacientes por causa dos Hildor, Os Que Vêm Depois, os Filhos mais novos de Ilúvatar. Pois tão profundas foram as feridas da Terra-média na guerra contra Utumno que os Valar temiam que coisa ainda pior pudesse acontecer; e os Hildor, além disso, haviam de ser mortais e mais fracos que os Quendi para aguentar medo e tumulto. Além do mais, não fora revelado a Manwë onde o princípio dos Homens deveria ser, se no norte, no sul ou no leste. Portanto, os Valar enviaram luz, mas fortificaram a terra de sua habitação.

Em *O Silmarillion*, não há vestígio do concílio tumultuado, nenhuma sugestão de desacordo entre os Valar, com Manwë, Varda e Ulmo desaprovando a obra energicamente e mantendo-se alheios a ela; igualmente, não há menção alguma a qualquer súplica de Ulmo pelos Noldor, e nem ao descontentamento de Manwë. Na história antiga, foi a hostilidade de alguns dos Eldar para com os Noldoli, liderados por um Elfo de Kópas (Alqualondë) — o qual também desapareceu completamente: no relato posterior: não se diz palavra sobre os sentimentos dos Elfos de Valinor em relação aos Noldor exilados —, que desencadeou a Ocultação de Valinor; e é curiosíssimo observar que a ação dos Valar, aqui, decorreu essencialmente da indolência misturada ao temor. Em nenhum outro lugar aparece tão claramente a concepção primitiva de meu pai acerca dos Deuses madraceiros. Ademais, ele deixou bastante explícito que o fracasso deles em fazer guerra a Melko ali, naquela hora, foi um grave erro que os diminuiu e era (ao que parece) irreparável. Nesse escrito posterior, a Ocultação de Valinor permaneceu, de fato, mas apenas como um grande fato da antiguidade mitológica; nada se diz sobre sua reprovação.

O bloqueio e completo isolamento de Valinor do mundo de fora é, talvez, enfatizado de maneira ainda mais contundente na narrativa antiga. As teias descartadas de Ungweliant e o uso que os Valar fizeram delas desapareceram na história posterior. Muito notável é a explicação diferente para o fato de que a fenda nas elevações circundantes (mais tarde chamada de Calacirya) não foi bloqueada. Em *O Silmarillion* (p. 148), conta-se que aquele passo não foi fechado

por causa dos Eldar que eram fiéis, e na cidade de Tirion, sobre a colina verdejante, Finarfin ainda governava os remanescentes dos Noldor na fenda profunda das montanhas. Pois todos aqueles de raça-élfica, até mesmo os Vanyar e Ingwë, seu senhor, precisam respirar por vezes o ar de fora e o vento que chega através do mar, vindo das terras de seu nascimento; e os Valar não queriam separar totalmente os Teleri de seus parentes.

O antigo motivo dos Solosimpi (> Teleri), desejosos de que isso fosse feito (muito estranho, pois será que os Flautistas das Terras Costeiras desejavam abandonar as costas?), desapareceu com a extirpação geral de seu amargo ressentimento contra os Noldoli, assim como a recusa de Ulmo em ajudá-los e a prontidão de Ossë em fazê-lo, a despeito de Ulmo. O trecho a respeito das Ilhas Mágicas, criadas por Ossë, é a origem da conclusão do Capítulo 9 de *O Silmarillion* (pp. 148–9):

E naquele tempo também, ao qual as canções chamam de *Nurtalë Valinóreva*, a Ocultação de Valinor, as Ilhas Encantadas foram dispostas, e todos os mares à volta delas ficaram cheios de sombras e desconcerto. E essas ilhas estendiam-se como uma rede nos Mares Sombrios, do norte ao sul, antes que Tol Eressëa, a Ilha Solitária, fosse alcançada por quem navegava para o oeste. Dificilmente podia alguma nau passar entre elas, pois, nas enseadas perigosas, as ondas suspiravam para sempre sobre rochas escuras veladas em névoa. E, no crepúsculo, um grande cansaço e uma aversão ao mar vinham sobre os marinheiros; mas todos os que alguma vez pisavam nas ilhas ficavam ali apanhados e dormiam até a Mudança do Mundo.

Fica claro por essa passagem no conto que as Ilhas Mágicas foram dispostas a leste dos Mares Sombrios, apesar de "as imensas trevas [...] [estenderem-lhes] línguas de escuridão"; ao passo que, num trecho anterior (p. 156), conta-se que, passando Tol Eressëa (a qual estava ela mesma além das Ilhas Mágicas), "está a muralha brumosa e as grandes trevas marítimas sob as quais jazem os Mares Sombrios". A concepção das posteriores "Ilhas Encantadas" certamente deve muito às Ilhas Mágicas, mas, no trecho que acabei de citar de *O Silmarillion*, elas foram dispostas nos Mares Sombrios e ficavam no crepúsculo. É possível portanto, que as Ilhas Encantadas também derivem das Ilhas do Crepúsculo (pp. 88, 155–56).

O relato das obras de Tulkas e Aulë nas regiões setentrionais (p. 254) não está perfeitamente de acordo com o que foi dito anteriormente, embora uma contradição real não seja provável. Na p. 203, é claramente afirmado que havia uma faixa de água (Qerkaringa, o Golfo Gélido) entre a ponta da "Presa-de-Gelo" (Helkaraksë) e as Grandes Terras, quando da travessia dos Noldoli.

No mesmo trecho, refere-se à Presa-de-Gelo como "um braço estreito, que os Deuses mais tarde destruíram". Os Noldoli conseguiram atravessar para as Grandes Terras apesar da "fenda na extremidade de lá" (p. 204), pois o estreito, devido ao grande frio, enchera-se de gelo estagnado. No entanto, o significado da presente passagem pode ser que, com a destruição da Presa-de-Gelo, uma fenda muito mais ampla se formou, de modo que não havia, agora, qualquer possibilidade de travessia por aquela rota.

Não há vestígio das três "estradas" feitas por Lórien, Oromë e Mandos no escrito posterior de meu pai. O Arco-da-Chuva [arco-íris] jamais é mencionado, e nem há qualquer indício de explicação de como Homens e Elfos passam para os salões de Mandos. Mas é difícil de interpretar esse conceito das "estradas" — de saber até que ponto havia um conteúdo puramente figurativo na ideia.

Acerca da estrada de Lórien, Olórë Mallë, a Trilha dos Sonhos, que é descrita por Vairë em *O Chalé do Brincar Perdido*, ver pp. 29, 40 e seguintes. Ali, Vairë disse que a Olórë Mallë vinha das terras dos Homens, que era "uma vereda de escarpas íngremes e grandes sebes proeminentes, além das quais havia muitas árvores altas onde parecia viver um sussurro perpétuo" e que, dessa vereda, um portão alto levava ao Chalé das Crianças, ou do Brincar do Sono. Ele não ficava longe de Kôr, e para lá iam os "filhos dos pais dos pais dos Homens"; os Eldar os guiavam para o chalé e seu jardim se pudessem, "a fim de que não se desviassem para Kôr e se enamorassem da glória de Valinor". Os relatos dos dois contos parecem concordar, de modo geral, embora seja difícil entender estas palavras no presente conto: "e passava pelo Chalé das Crianças da Terra e, *de lá*, descia a 'vereda dos olmos sussurrantes' *até alcançar* o mar". É muito notável que, ainda nesse estágio do desenvolvimento da mitologia, quando muitas outras coisas já haviam sido escritas desde a chegada de Eriol a Tol Eressëa, a noção de filhos dos Homens chegando no sono, por uma "estrada" misteriosa a um chalé em Valinor, não tivesse de modo algum sido abandonada.

No relato da confecção da Ponte do Arco-da-Chuva por Oromë, o nó que ele lançou atou-se ao pico da grande montanha Kalormë ("Colina-do-Sol-Nascente"), no extremo Leste. É possível ver essa montanha no desenho do "Navio do Mundo", p. 108.

A história chamada por Vairë de "O Porto do Sol" (p. 257 e seguintes) nos dá o retrato mais completo da estrutura do mundo que se encontra na fase mais antiga da mitologia. Os Valar, de fato, parecem estranhamente ignorantes sobre esse assunto — a natureza do mundo cuja existência dependeu tanto de sua própria criação — a ponto de precisarem que Ulmo os informasse de tais verdades fundamentais. Uma possível explicação para essa ignorância pode ser encontrada na diferença radical de tratamento entre a Criação do Mundo nas versões mais antigas e mais recentes de *A Música dos Ainur*. Eu observei anteriormente (p. 75) que originalmente a primeira visão que os Ainur tiveram do mundo foi em sua concretude, e Ilúvatar lhes disse "mesmo agora o mundo se desenrola e sua história começa"; ao passo que, na versão desenvolvida, era uma visão que lhes foi retirada, e que somente ganhou existência pelo verbo de Ilúvatar: *Eä!* Que essas coisas Sejam! Conta-se em *O Silmarillion* (p. 46) que

quando os Valar entraram em Eä ficaram, a princípio, espantados e em confusão, pois era como se nada estivesse ainda feito do que tinham observado em visão, e tudo estava como que a ponto de começar e ainda informe [...]

E segue-se (*ibid.*, p. 48) um relato da imensa labuta dos Valar na real "construção" do mundo:

Construíram terras, e Melkor as destruiu; vales cavaram, e Melkor os ergueu; montanhas esculpiram, e Melkor as derrubou; mares encheram, e Melkor os derramou [...]

Não há nada disso na versão anterior, e tem-se a impressão (embora nada seja explícito) de que os Valar chegaram a um mundo que já estava "feito" e lhes era desconhecido ("os Deuses espreitaram Norte e Sul, e conseguiram ver pouco; de fato, nas profundezas dessas regiões, encontraram grande frio e solidão [...]", p. 90). Embora essa concepção do mundo derivasse em grande medida de seu próprio tocar na Música, a realidade dele veio do ato criativo de Ilúvatar ("Gostaríamos de deter a guarda dessas belas coisas de nossos sonhos, que adquiriram realidade e extraordinária beleza por teu poder", p. 77); e o conhecimento que os Valar tinham das reais propriedades e dimensões de sua habitação era correspondentemente menor (como talvez possamos presumir) do que veio a ser depois.

Mas isso seria pressionar demais o assunto. Mais provavelmente, a ignorância dos Valar pode ser atribuída ao seu curioso isolamento coletivo e à sua indiferença quanto ao mundo além das suas montanhas, tão enfatizado nesse conto.

Seja o que for, nesse momento Ulmo informou aos Valar que o mundo inteiro é um Oceano, Vai, sobre o qual a Terra flutua, "sustentada pelo verbo de Ilúvatar"; e que todos os mares da Terra, mesmo aquele que divide Valinor das Grandes Terras, são fossas na superfície da Terra e, portanto, distintas de Vai, que é de outra natureza. Tudo isso nós já vimos (p. 108 e seguintes); e, num conto anterior, algo já foi dito (p. 89) da natureza das águas que servem de sustentação:

Para além de Valinor nunca vi nada nem ouvi, salvo que por certo há lá as águas escuras dos Mares de Fora, que não têm marés, e elas são muito frescas e ralas, pois que nenhum barco consegue navegar em seu seio nem peixe nadar em suas profundezas, salvo os peixes encantados de Ulmo e sua carruagem mágica.

Aqui, portanto, Ulmo diz que nem peixe e nem barco consegue nadar em suas águas "sem que eu lhes tenha declarado o grande verbo que Ilúvatar me falou e os atado com o feitiço".

Na borda exterior de Vai fica a Muralha das Coisas, descrita como sendo de "azul-profundo" (p. 260). Valinor está mais próxima da Muralha das Coisas do que a costa oriental das Grandes Terras, o que deve significar que Vai é mais estreito no Oeste do que no Leste. Na Muralha das Coisas, os Deuses, nesse momento, fizeram duas entradas: no Oeste, a Porta da Noite e, no Leste, os Portões da Manhã; e o que jaz além dessas entradas na Muralha é chamado de "vastidão sem estrelas" e "escuridão de fora". Não fica claro como o ar exterior ("o escuro e tênue reino de Vaitya, que está fora de tudo", p. 219) se relaciona à concepção da Muralha das Coisas ou à Escuridão de Fora. No texto preliminar rejeitado deste conto, meu pai escreveu primeiro (ver nota 16 acima) que, no Leste, "a Muralha das Coisas é mais baixa", de modo que, quando o Sol retorna da Escuridão de Fora, ela não entra no céu oriental por um portão, mas "atravessa acima" da Muralha. Isso foi, então, alterado, e a ideia do Portão na Muralha Oriental, os Portões da Manhã, foi introduzida; mas parece clara a implicação de que as Muralhas foram concebidas, originalmente, como se fossem muralhas de cidades terrenas, ou jardins — muros com um cimo, um "cinturão amuralhado". No ensaio cosmológico dos anos 1930, chamado *Ambarkanta*, as Muralhas são bem diferentes:

À volta de todo o mundo estão as *Ilurambar*, ou Muralhas do Mundo. São como gelo e vidro e aço, sendo além de toda a imaginação dos Filhos da Terra frias, transparentes e rígidas. Elas não podem ser vistas, nem podem ser atravessadas, salvo pela Porta da Noite.

Dentro dessas Muralhas, a Terra está englobada: acima, abaixo e por todos os lados está *Vaiya*, o Oceano Envolvedor. Mas esse é mais como mar debaixo da Terra e mais como ar acima da Terra.

Ver mais na p. 110.

O Conto de Qorinómi (p. 260) nunca foi, de fato, narrado — na primeira versão do presente conto (ver nota 15, p. 266) parece que Vairë gostaria de tê-lo contado, mas notou os olhos brilhantes do arguto Ailios observando-a. Na lista de palavras em qenya, *Qorinómi* está definido como "nome do Sol", literalmente, "Afogado no Mar", sendo que o nome deriva de uma raiz cujo significado é "asfixiar, sufocar, afogar", com a seguinte explicação: "O Sol, após fugir da Lua, mergulhou no mar e vagou pelas cavernas das Oaritsi." *Oaritsi* não aparece na lista de palavras, mas *oaris* = "sereia". Nada se diz, nos *Contos Perdidos*, sobre a Lua perseguir o Sol; eram as estrelas de Varda a quem Ilinsor, "caçador do firmamento", perseguia, e ele tinha "ciúmes da supremacia do Sol" (p. 235).

A conclusão do conto de Vairë, "A Urdidura dos Dias e Meses e dos Anos", mostra (ao que me parece) meu pai explorando um modo de imaginação mítica que, para ele, era um beco sem saída. No simbolismo formal e explícito, coloca-se muito à parte da direção geral de seu pensamento, e ele o removeu sem deixar vestígio. Além disso, levanta uma questão estranha. Em que sentido possível estariam os Valar "fora do Tempo" antes das urdiduras de Danuin, Ranuin e Fanuin? Em *A Música dos Ainur* (p. 75), Ilúvatar disse: "mesmo agora o mundo se desenrola *e sua história começa*"; na versão final (*O Silmarillion* p. 46), conta-se que

a Grande Música fora não mais que o crescimento e florescer do pensamento nos Salões Atemporais, e a Visão apenas um prenúncio; mas naquela hora eles tinham adentrado o princípio do Tempo [...]

(Também se diz em *O Silmarillion* (p. 68) que, quando as Duas Árvores de Valinor começaram a brilhar, aí começou a Contagem do Tempo; isso se refere ao início da medição do Tempo a partir do crescimento e decrescimento das Árvores).

No presente conto, está dito que as obras de Danuin, Ranuin e Fanuin são a causa da "sujeição de todas as coisas dentro do mundo ao tempo e à mudança". Mas a própria noção de uma história, uma narrativa consecutiva, obviamente implica tempo e mudança; então, como se pode dizer que somente agora Valinor submetera-se à necessidade de mudança, com a organização dos movimentos do Sol e da Lua, quando ela já passara por vastas mudanças no curso da história dos *Contos Perdidos*? Ademais, os Deuses agora sabem que "*dali em diante*, mesmo eles haveriam de estar, no tempo contado, sujeitos ao lento envelhecimento, e os seus luminosos dias, ao esvanecer". Contudo, a própria afirmação (por exemplo) de que Ómar-Amillo era "o mais jovem dos grandes Valar" que entraram no mundo (p. 87) é uma asseveração de que os outros Valar, mais velhos que ele, estavam "sujeitos ao envelhecimento". Para os seres mortais, o "envelhecimento" tem, é claro, dois aspectos, que se aproximam continuamente: o tempo passa e o corpo decai. Mas diz-se da imortalidade "natural" dos Eldar (p. 79): "nem a idade subjuga a força deles, a menos que seja após dez mil séculos". Portanto, eles "envelhecem" (e, portanto, Gilfanon é "o mais idoso que agora habitava na ilha" e é "um dos mais velhos das fadas", p. 212), mas não "envelhecem" (no sentido de que não ficam debilitados). Por que, então, os Deuses sabem que "dali em diante" eles estarão "sujeitos ao lento envelhecimento" — o qual só poderia significar um envelhecimento no segundo sentido? Pode ser que haja aí um pensamento mais profundo do que eu consigo sondar; mas certamente não consigo explicar.

Por fim, ao cabo de todos os escritos a respeito desse assunto, pode-se notar quão grande era o lugar, na concepção original de meu pai, ocupado pela criação do Sol e da Lua e o controle de seus movimentos: o mito astronômico é central para o todo. Posteriormente, ele foi diminuindo gradualmente, até que talvez, se chegasse ao fim, teria desaparecido por completo.

10

O Conto de Gilfanon: A Labuta dos Noldoli e a Vinda da Gente dos Homens

O rascunho rejeitado de *A Ocultação de Valinor* continua um pouco além do final do conto de Vairë da seguinte maneira:

Ora, após o relato desse conto, nada mais se disse naquela noite, mas Lindo rogou que Ailios anuísse com um contar-de-contos cerimonioso a se dar na noite seguinte, ou tão logo fosse possível; mas Ailios não concordou, alegando que precisava viajar a uma vila distante para se acomodar. Assim, antes que as velas do sono fossem acesas, o contar-de-contos foi estabelecido para sete noites a partir aquele momento — e aquele seria o dia de Turuhalmë,[1] ou o Trazer das Lenhas. "Será um dia conveniente", disse Lindo, "pois as brincadeiras matinais na neve, e o ajuntar da lenha dos bosques, e as canções e o beber do Turuhalmë deixar-nos-ão com a disposição propícia para ouvir velhos contos ao pé deste fogo."

Como observei anteriormente (p. 246), a versão original do *Conto do Sol e da Lua* e *A Ocultação de Valinor* fazia parte de uma fase anterior ao surgimento de Gilfanon de Tavrobel, que substituiu Ailios.

Imediatamente depois do rascunho rejeitado, na mesma página manuscrita, o texto a tinta do *Conto de Turambar* (Túrin) começa com essas palavras:

Quando, então, Ailios terminou sua parte, a hora de acender as velas chegou, e assim terminou o primeiro dia de Turuhalmë; mas, na segunda noite, Ailios não estava lá e, instado por Lindo, um certo Eltas começou um conto [...]

Qual teria sido o conto de Ailios? (pois penso que ele certamente nunca foi escrito). A resposta fica clara por um pequeno texto separado, escrito muito descuidadamente, que continua a partir da discussão no fim de A Ocultação de Valinor, incluída anteriormente. Ele diz que, afinal, o dia de Turuhalmë chegou, e a companhia de Mar Vanwa Tyaliéva saiu aos bosques nevados para buscar lenha em trenós. Jamais deixavam que o Fogo-do-Conto se apagasse ou se extinguisse em cinzas, mas, na véspera do Turuhalmë, seu fulgor sempre diminuía, até o próprio dia de Turuhalmë, quando grandes lenhas eram trazidas para a Sala do Fogo-do-Conto e, abençoadas por Lindo com magia anciã, rugiam e fulguravam novamente na lareira. Vairë abençoava a porta e o lintel do salão e entregava a chave a Rúmil, tornando-o novamente Guardião-das-Portas, e Coração-Pequeno recebia a baqueta de seu gongo. Então, Lindo dizia, como dizia todos os anos:

"Erguei vossas vozes, ó Flautistas da Costa, e vós, Elfos de Kôr, cantai alto; e todos vós, Noldoli e fadas ocultas do mundo, dançai e cantai, cantai e dançai, ó filhinhos dos Homens, que a Casa da Memória ressoe com vossas vozes [...]"

Então, entoava-se uma canção de dias antigos que os Eldar compuseram quando moravam sob as asas de Manwë e que cantavam na grande estrada desde Kôr à cidade dos Deuses (ver pp. 276–77).

Fazia agora seis meses desde que Eriol fora visitar Meril-i--Turinqi, buscando um gole de *limpë* (ver pp. 123–25), e aquele desejo amainara dentro de si por um tempo; mas, nessa noite, disse a Lindo: "Queria poder beber convosco!" A isso, Lindo respondeu que Eriol não deveria "pensar em cruzar as fronteiras que Ilúvatar dispôs", mas também que deveria considerar que "Meril ainda não negou teu desejo para sempre". E Eriol entristeceu-se, pois suspeitava, no fundo do coração, que "o sabor do *limpë* e a bem-aventurança dos Elfos ele talvez jamais alcançasse".

O texto termina com Ailios se preparando para contar um conto:

"Conto como posso as coisas que vi e conheci em dias antiquíssimos no mundo, quando o Sol se ergueu primeiro, e houve lida e muito pesar, pois Melko reinava desempeçado e o poder e força que saíam de Angamandi alcançavam quase os confins da grande Terra."

Fica claro que nada mais foi escrito. Caso tivesse sido completado, teria levado à abertura de *Turambar*, citada acima ("Quando, então, Ailios terminou sua parte [...]"); e seria central para a história das Grandes Terras, falando da vinda dos Noldoli desde Valinor, do Despertar dos Homens e da Batalha das Lágrimas Inumeráveis.

O texto recém-descrito, que liga *A Ocultação de Valinor* ao conto não contado de Ailios, não foi riscado, e meu pai, posteriormente, escreveu nele: "A ser colocado depois do Conto de Eärendel e antes de Eriol partir para Tavrobel — depois de Tavrobel, ele bebe do *limpë*". Isso é intrigante, visto que ele não pode ter pretendido que a história da Vinda dos Homens viesse depois da de Eärendel; mas pode ser que pretendia apenas usar a substância do texto curto, descrevendo as cerimônias de Turuhalmë, sem o final.

Seja como for, ele planejou uma nova moldura para a narração desses contos, embora não a tenha levado a cabo, e o relato revisado do arranjo do conto seguinte apareceu em *O Conto do Sol e da Lua*, no qual, após a interrupção de Gilfanon (p. 228), ficou acertado que, três noites após aquela em que *O Sol e a Lua* e *A Ocultação de Valinor* foram contados por Lindo e Vairë, haveria uma ocasião cerimonial, na qual Gilfanon falaria "da labuta dos Noldoli e da vinda da gente dos Homens".

O conto de Gilfanon segue, com numeração consecutiva de páginas, a partir da segunda versão do conto de Vairë da *Ocultação de Valinor*; mas Gilfanon, aqui, conta-o na noite seguinte, e não três dias depois. Infelizmente, Gilfanon não se saiu melhor do que Ailios antes dele, pois, se o conto de Ailios mal começou, o de Gilfanon é interrompido abruptamente após pouquíssimas páginas. O que existe de seu conto está escrito muito rápido a lápis, e fica bastante evidente que ele termina onde termina porque meu pai não escreveu mais nada. Foi neste ponto que meu pai abandonou os *Contos Perdidos* — ou, mais precisamente, abandonou aqueles que ainda aguardavam ser escritos; e os efeitos desse afastamento nunca deixaram de ser sentidos ao longo da história de "O Silmarillion". As principais histórias que se seguiriam à de Gilfanon — Beren e Tinúviel, Túrin Turambar, a Queda de Gondolin e o Colar dos Anãos — haviam sido escritas e (nos três primeiros casos) reescritas; e a última dessas histórias levaria ao "grande conto de Eärendel". Mas este não foi nem sequer começado. Assim, os *Contos Perdidos* não têm meio e não têm fim.

Incluo aqui o texto do Conto de Gilfanon até onde ele alcança.

Ora, quando Vairë terminou, Gilfanon disse: "Não reclameis se, amanhã, eu tecer um conto longo, pois as coisas de que falarei cobrem muitos anos, e esperei longamente para contá-las", e Lindo riu-se, dizendo-lhe que poderia contar tudo o que sabia até onde seu coração desejasse.

Mas, no dia seguinte, Gilfanon sentou-se na cadeira e começou destarte:

"Ora, muitas das coisas mais antigas da Terra estão esquecidas, pois se perderam na escuridão que existia antes do Sol, e nenhum saber as pode recuperar; mas, talvez, seja novidade aos ouvidos de muitos aqui que, quando os Teleri, os Noldoli e os Solosimpi partiram seguindo Oromë e depois encontraram Valinor, não foram todos os da raça dos Eldalië que marcharam desde Palisor, e os que ficaram para trás são aqueles a quem muitos chamam de Qendi, as fadas perdidas do mundo, mas que vós, Elfos de Kôr, chamam de Ilkorins, os Elfos que nunca viram a luz de Kôr. Desses, alguns se desgarraram no caminho, ou perderam-se nas trevas sem trilhas daqueles dias, confusos e recém-despertos na Terra, mas a maioria era daqueles que nem chegaram a deixar Palisor, e por muito tempo moraram nos pinheirais de Palisor, ou sentaram-se em silêncio, fitando as estrelas refletidas nas pálidas e mansas Águas do Despertar. Tantas longas eras se passaram que a chegada de Nornorë entre eles esvaneceu-se até se tornar uma lenda distante, e eles diziam uns aos outros que seus irmãos haviam partido para o oeste, para as Ilhas Reluzentes. Lá, diziam, moram os Deuses, e eles os chamavam de Grande Povo do Oeste, e pensavam que moravam em ilhas iluminadas por fogo no mar; mas muitos nem sequer haviam visto os vagalhões daquele pujante corpo d'água.

Ora, os Eldar, ou Qendi, receberam o dom da fala diretamente de Ilúvatar, e não foi senão a separação de seus fados que as modificou e as tornou distintas; e, no entanto, nenhuma mudou tão pouco quanto a fala dos Elfos Escuros de Palisor.[2]

Ora, o conto fala de um certo fata, e o chama de Tû, o mago, pois ele era mais habilidoso em magias do que qualquer um que jamais tenha vivido para lá da terra de Valinor; e, vagando pelo mundo, encontrou os Elfos . . .[3] e os trouxe para junto de si e ensinou-lhes muitas coisas profundas, e tornou-se como um rei poderoso entre eles, e os contos deles o chamam de Senhor do Ocaso, e todas as fadas de seu reino, de Hisildi, ou o povo do crepúsculo. Ora, os locais próximos a Koivië-néni, as Águas do Despertar, são acidentados e repletos de rochas imensas, e o riacho que alimenta aquele lago cai ali descendo uma fenda profunda.... um filamento pálido e delgado, mas o escape daquele lago escuro era debaixo da terra, em muitas cavernas sem fim que desciam cada vez mais profundas no seio do mundo. Lá era a morada de Tû, o mago, e imensuravelmente fundos são aqueles locais, mas seus portões foram selados há muito tempo e ninguém agora conhece a entrada.

Havia.... uma luz pálida de azul e prata sempre cintilando, e muitos espíritos estranhos iam e vinham junto às [?multidões] dos Elfos. Ora, entre aqueles Elfos havia um tal Nuin, e ele era sapientíssimo, e amava muito vagar longe, pois os olhos dos Hisildi tornaram-se muito aguçados, e eles conseguiam seguir por trilhas muito tênues naqueles dias escuros. Certa vez, Nuin vagou muito longe ao leste de Palisor, e poucos de seu povo foram com ele, e Tû não os mandava para aquelas regiões em suas incumbências, e havia relatos estranhos sobre elas; mas agora[4] a curiosidade dominou Nuin e, viajando para longe, chegou a um local estranho e maravilhoso, semelhante ao qual jamais vira. Um paredão montanhoso erguia-se diante dele, e por muito tempo procurou uma trilha por sobre ela, até que se deparou com uma passagem, e era muito escura e estreita, varando o grande despenhadeiro e descendo sempre sinuosa. Ora, com grande ousadia ele seguiu por essa vereda apertada até que, de súbito, os paredões terminaram de ambos os lados e ele se viu na beirada de uma imensa depressão cercada por um anel de colinas ininterruptas, cuja extensão ele não conseguia determinar no escuro.

Subitamente, à volta dele os mais doces olores da Terra começaram a exalar-se — e fragrâncias mais encantadoras não havia nos ares de Valinor, e ele ficou a beber os aromas com profundo deleite e, em meio à fragrância de flores [?noturnas], chegavam os pungentes olores que muitos pinheiros exalavam nos ares da meia-noite.

De repente, lá longe, nas matas escuras que jaziam no fundo do vale, um rouxinol cantou, e outros responderam tenuemente de longe, e Nuin quase desfaleceu ao encanto daquele lugar sonial, e sabia que havia cruzado a fronteira de Murmenalda, ou o "Vale do

Sono", onde é sempre o momento da primeira escuridão silente sob as estrelas jovens, e nenhum vento sopra.

Ora, Nuin desceu rumo ao vale, pisando macio em virtude dalguma maravilha ignota que se apoderara dele, e eis que, sob as árvores, viu o cálido poente repleto de formas dormentes, e umas estavam enlaçadas nos braços das outras, e umas jaziam dormindo gentilmente, solitárias, e Nuin ficou ali e maravilhou-se, mal respirando.

Então, tomado de repentino temor, virou-se e saiu furtivamente daquele local sagrado e, chegando de novo à passagem pela montanha, voltou rapidamente à morada de Tû; e, postando-se diante do mais velho dos magos, disse-lhe que recém chegara das Terras Orientais, e Tû não ficou contente com isso, e nem quando Nuin terminou seu relato, contando tudo que lá viu — "e pareceu-me", disse, "que todos os que dormiam ali eram crianças, mas sua estatura era como a do maior dos Elfos".

Então, Tû foi tomado de medo de Manwë, não, mesmo de Ilúvatar, o Senhor de Tudo, e disse a Nuin:

> O *Conto de Gilfanon* é interrompido aqui. O mago Tû e o Elfo Escuro Nuin desapareceram da mitologia e nunca reapareceram, juntamente com a prodigiosa história de Nuin deparando-se com as formas dos Pais dos Homens ainda adormecidos no Vale de Murmenalda — embora, dada a natureza do trabalho e os variados graus de atenção que meu pai posteriormente dispensou às suas diferentes partes, não é sempre possível distinguir entre elementos que foram abandonados definitivamente e elementos deixados em "suspensão indefinida". E, por mais infeliz que seja o abandono desse conto, não ficamos de modo algum inteiramente sem pistas sobre como a narrativa teria prosseguido.
>
> Anteriormente (p. 135, nota 3), mencionei a existência de dois "esquemas", ou esboços, delineando o plano para os *Contos Perdidos*; e afirmei que um desses é um resumo dos *Contos* da maneira que sobrevivem, enquanto o outro é divergente, sendo um projeto para uma revisão que jamais foi empreendida. Não há dúvidas de que o primeiro, que chamarei de "B" para o propósito deste capítulo, foi composto quando os *Contos Perdidos* haviam chegado ao último ponto de desenvolvimento, conforme representado pelos textos e arranjos finais incluídos neste livro. Ora, quando

esse esboço chega ao assunto do *Conto de Gilfanon*, ele imediatamente se torna muito mais completo, mas, então, contrai-se novamente na forma de referências apressadas aos contos de Tinúviel, Túrin, Tuor, o Colar dos Anãos e, uma vez mais, avoluma-se no conto de Eärendel. Fica claro, portanto, que B é a versão preliminar — em conformidade com o método que meu pai regularmente empregava naqueles dias — do *Conto de Gilfanon* e, de fato, a parte do conto que foi escrita como uma narrativa propriamente dita segue o esboço bem de perto, ao mesmo tempo em que o expande substancialmente.

Há também um esboço extremamente descuidado, embora completo, sobre o assunto do *Conto de Gilfanon* e, ainda que parecido com B, tem coisas que B não tem, e vice-versa; esse esboço é, quase com certeza, predecessor de B, e, neste capítulo, será chamado de "A".

O segundo esboço mencionado acima, um projeto não realizado para a revisão de toda a obra, introduz aspectos que não precisam ser discutidos aqui; basta dizer que o marinheiro era, agora, Ælfwine, e não Eriol, e que sua história pregressa foi alterada, mas o plano geral dos *Contos* em si permaneceu largamente intacto (com muitas notas afirmando que precisavam de cortes e reformulações). Esse esboço eu chamarei de "D". Não se pode dizer quanto tempo se passou entre B e D, mas penso que provavelmente não foi muito. Parece possível que esse novo esquema estava associado à interrupção repentina do *Conto de Gilfanon*. Assim como acontece com B, o esboço D subitamente se expande em um relato muito maior nesse ponto.

Por fim, um esboço muito mais breve e mais apressado — mas que acrescenta um ou dois pontos de interesse — também traz Ælfwine em vez de Eriol; ele sucedeu B e precedeu D, e é aqui chamado de "C".

Não incluirei todos esses esboços na íntegra, o que é desnecessário, tendo em vista a quantidade de sobreposições; por outro lado, combiná-los todos em um só seria a um tempo impreciso e confuso. Mas, já que A e B são muito parecidos, eles podem ser fundidos em um; e eu continuo tal relato com o texto de D, incluindo C quando ele acrescentar algo notável. E, já que na matéria do *Conto de Gilfanon* os esboços são claramente divididos em duas partes, o Despertar dos Homens e a história dos Gnomos nas

Grandes Terras, dou tratamento separado à narrativa em cada um dos casos nessas duas partes.

Não há necessidade de incluir o material dos esboços que dizem respeito ao que foi de fato escrito na abertura do *Conto de Gilfanon*, mas há que se notar alguns pontos divergentes entre os esboços e o conto.

Em A e B, o nome do mago-rei é Túvo, e não Tû; em C, ele não tem nome e, em D, ele é Tû, "o fata", como no conto. Associações malignas deste ser aparecem em A: "Melko se encontra com Túvo nos salões de Mandos durante seu acorrentamento. Ele ensina a Túvo muita magia negra". Isso foi riscado e nada mais é dito sobre o assunto; mas tanto A quanto B dizem que foi depois da fuga de Melko e da ruína das Árvores que Túvo entrou no mundo e "estabeleceu um reinado mágico nas terras do meio".

Em A, apenas, diz-se que os Elfos que ficaram para trás em Palisor eram do clã dos Teleri (posteriores Vanyar). Esse trecho do *Conto de Gilfanon* é o primeiro indício que temos da existência desse tipo de Elfos (ver pp. 162–63); e inclino-me a pensar que a concepção dos Elfos Escuros (os posteriores Avari), que nunca empreenderam a jornada desde as Águas do Despertar, surgiu apenas no curso da composição dos *Contos Perdidos*. Mas o nome *Qendi*, que aparece aqui pela primeira vez nas narrativas iniciais, é usado de maneira um tanto ambígua. No fragmento do conto escrito, as palavras "os que ficaram para trás são aqueles a quem muitos chamam de Qendi, as fadas perdidas do mundo,[5] mas que vós, Elfos de Kôr, chamam de Ilkorins" parece uma afirmação muito explícita de que Qendi = Elfos Escuros; mas, um pouco adiante, Gilfanon fala dos "Eldar, ou Qendi" e, no esboço B, diz-se que "muitos da gente original chamada de Qendi (sendo o nome Eldar dado pelos Deuses) ficaram em Palisor". Essas últimas afirmações parecem mostrar, de maneira igualmente clara, que *Qendi* pretendia-se um termo para todos os Elfos.

A contradição, contudo, é apenas aparente. *Qendi* de fato era o nome original de todos os Elfos, e *Eldar*, o nome dado pelos Deuses e adotado pelos Elfos de Valinor; os que ficaram para trás preservaram o nome antigo, *Qendi*. A antiga lista de palavras do idioma gnômico afirma explicitamente que o nome *Elda* foi dado às "fadas" pelos Valar e "amplamente adotado por eles; os Ilkorins ainda preservavam o nome antigo *Qendi*, e ele foi adotado como nome dos clãs unidos novamente em Tol Eressëa".[6]

Em A e B, acrescenta-se que "os Deuses não falavam entre si os idiomas dos Eldalië, mas podiam fazê-lo, e compreendiam todos os idiomas. Os mais sábios dos Elfos aprenderam a fala secreta dos Deuses e por muito tempo a entesouraram, mas, após a chegada em Tol Eressëa, ninguém a lembrava, salvo os Inwir, e agora esse saber morreu, exceto na casa de Meril". Compare isso com as observações de Rúmil a Eriol, p. 66: "Há, ademais, o idioma secreto no qual os Eldar escreveram muita poesia e livros de sabedoria e histórias de coisas antigas e primitivas, mas o qual não falam. Esse idioma apenas os Valar usam em seus altos conselhos, e não muitos dos Eldar destes dias o conseguem ler ou decifrar suas letras."

As palavras de Nuin para Tû acerca da estatura dos adormecidos no Vale de Murmenalda são curiosas. Em A, acrescenta-se: "De início os Homens eram quase da mesma estatura dos Elfos, sendo as fadas muito maiores e os Homens menores que agora. Conforme o poder dos Homens cresceu, as fadas diminuíram e os Homens cresceram um tanto". Outras afirmações antigas indicam que os Homens e os Elfos eram originalmente de altura bem semelhante, e que a diminuição na estatura dos Elfos estava intimamente ligada à chegada — e ao domínio — dos Homens. As palavras de Nuin são, assim, intrigantes, especialmente porque, em A, elas vêm imediatamente antes do comentário sobre similaridade original de tamanho; pois ele certamente só poderia estar querendo dizer que os adormecidos em Murmenalda eram muito grandes se comparados aos Elfos. Fica claro em D que os adormecidos eram de fato crianças, e não simplesmente parecidos com crianças de algum modo: "Nuin encontra o Vale Soporoso (Murmenalda) onde jazem incontáveis crianças dormindo."

Chegamos agora ao ponto em que a narrativa continua apenas nos esboços.

O Despertar dos Homens
de acordo com os esboços mais antigos

O mago Túvo contou a Nuin que os adormecidos que encontrara eram os novos Filhos de Ilúvatar, e que estavam esperando por luz. Proibiu qualquer um dos Elfos de despertá-los ou de visitar aqueles locais, temendo a ira de Ilúvatar; mas, apesar disso, Nuin foi até lá com frequência e observou, sentado numa rocha. Certa vez, tropeçou em um adormecido, que se mexeu, mas não acordou.

Por fim, dominado pela curiosidade, despertou dois deles, chamados Ermon e Elmir; estavam mudos e muito temerosos, mas ele lhes ensinou muito do idioma Ilkorin, e por essa razão é chamado de Nuin, Pai da Fala. Então chegou a Primeira Aurora; e somente Ermon e Elmir dentre os Homens viram o primeiro Sol nascer no Oeste e passar para o Porto Oriental. Agora os Homens saem de Murmenalda como "uma hoste de crianças sonolentas".

(No conto da *Ocultação de Valinor*, foi muito depois de o Navio-do-Sol se erguer de Valinor que o seu Porto no Leste foi construído; ver p. 259. É interessante que os primeiros Homens, Ermon e Elmir, tenham sido despertados por Nuin antes do primeiro nascer do Sol e, embora Túvo soubesse que os Homens estavam "esperando por luz", não se faz qualquer conexão entre o ato de Nuin e o nascer do Sol. Mas, é claro, não se pode julgar o teor da narrativa a partir de tais resumos. Também é notável que, enquanto o idioma dos Elfos, originalmente um só, era um dom direto de Ilúvatar (p. 232), os Homens nasceram no mundo sem uma língua, e a adquiriram por instrução de um Ilkorin. Ver *O Silmarillion*, p. 198: "Diz-se também que esses Homens [o povo de Bëor], havia muito, tratavam com os Elfos Escuros a leste das montanhas, e deles aprenderam muito de sua fala; e, já que todas as línguas dos Quendi eram de uma só origem, a língua de Bëor e de seu povo assemelhava-se à língua-élfica em muitas palavras e traços").

Nesse ponto da história, os agentes de Melko aparecem, os Úvanimor, "gerados na terra" por ele (Úvanimor, "que são os monstros, gigantes e ogros", já foram mencionados num conto anterior, p. 96); e Túvo protegeu Homens e Elfos deles e de "fatas malignos". O esboço A faz menção, além disso, a Orques.

Um serviçal de Melko chamado "Fúkil ou Fangli" entrou no mundo e, estando em meio aos Homens, perverteu-os, de modo que eles atacaram traiçoeiramente os Ilkorins; seguiu-se a Batalha de Palisor, na qual o povo de Ermon lutou ao lado de Nuin. De acordo com A, "os fatas e os Homens que os auxiliaram foram derrotados", mas B a chama de "batalha indecidida"; e os Homens corrompidos por Fangli fugiram e tornaram-se "tribos bravias e selvagens", venerando Fangli e Melko. Depois disso (apenas em A), Palisor foi tomada por "Fangli e suas hostes de Nauglath (ou Anãos)". (Nos escritos antigos, os Anãos são sempre retratados como um povo maligno).

Vê-se a partir desse esboço que a corrupção de certos Homens no começo de seus dias, por ação de Melko, era uma característica da fase mais antiga da mitologia; contudo, de toda a história aqui rascunhada, não há mais do que um indício, ou no máximo uma sugestão, em *O Silmarillion* (p. 199): "'Uma escuridão jaz detrás de nós', disse Bëor; 'e demos as costas a ela, e não desejamos retornar para lá, mesmo em pensamento'".[7]

O Despertar dos Homens
de acordo com o esboço mais recente

Aqui se diz, no início da narrativa, que os Úvanimor de Melko haviam escapado quando os Deuses romperam a Fortaleza do Norte, e que estavam vagando nas florestas; Fankil, serviçal de Melko, habitava livremente no mundo. (Fankil = Fangli / Fúkil de A e B. Em C, é chamado de "filho de Melko". Fankil foi mencionado num ponto anterior no esboço D, quando, no momento do Despertar dos Elfos, "Fankil e muitas outras formas sombrias escaparam para o mundo."; ver p. 135, nota 3.)

Nuin, "Pai da Fala", que voltou repetidas vezes a Murmenalda, a despeito das advertências de Tû (que não são especificadas aqui), despertou Ermon e Elmir, e ensinou-lhes a fala e muitas coisas mais. Somente Ermon e Elmir dentre os Homens viram o Sol se erguer no Oeste, e as sementes de Palúrien irromperem em folha e botão. As hostes de Homens saíram como crianças sonolentas, erguendo um clamor indistinto ao Sol; eles o seguiram para oeste quando retornou, e ficaram muitíssimo temerosos com a primeira Noite. Nuin, Ermon e Elmir ensinaram-lhes a fala.

Os Homens cresceram em estatura e acumularam conhecimento por meio dos Elfos Escuros,[8] mas Tû desvaneceu-se diante do Sol e escondeu-se nas cavernas sem fundo. Os Homens moravam no centro do mundo e dali espalharam-se para todas as direções; e uma longuíssima era se passou.

Fankil, com os Anãos e Gobelins, infiltraram-se em meio aos Homens e despertaram a desavença entre eles e os Elfos; e muitos Homens auxiliaram os Anãos. Somente o povo de Ermon ficou ao lado das fadas na primeira guerra de Gobelins e Elfos ("Gobelins", aqui, é uma emenda de "Anãos", que, por sua vez, é uma emenda de "Homens"), que é chamada de Guerra de Palisor. Nuin morreu nas mãos dos Gobelins pela traição dos Homens. Muitos clãs de

Homens foram impelidos aos desertos orientais e às florestas meridionais, donde vieram povos sombrios e selvagens.

As hostes de Tareg, o Ilkorin, marcharam para Noroeste, ouvindo um rumor dos Gnomos; e muitos dos clãs perdidos juntaram-se a ele.

A História dos Gnomos Exilados de acordo com os esboços mais antigos

Os Gnomos, após a travessia de Helkaraksë, espalharam-se por Hisilómë, onde tiveram "problemas" com o antigo Povo da Sombra daquela terra — chamado, em A, de "povo-fata" e, em B, de "fatas *Úvalear*". (Já encontramos antes o Povo da Sombra, no conto *A Vinda dos Elfos*, p. 148, mas, ali, esse é um nome dado pelos Homens, depois de serem presos em Hisilómë por Melko, aos Elfos Perdidos que lá permaneceram após se desgarrarem da marcha desde Palisor. Ver-se-á, nos esboços posteriores, que esse Povo da Sombra era um povo desconhecido, completamente diferente dos Elfos; e parece, portanto, que o nome foi preservado e, ao mesmo tempo, ganhou nova interpretação).

Os Gnomos encontraram as Águas de Asgon* e lá fizeram acampamento; deu-se então a Contagem do Povo, o nascimento do Turgon com "profecias", e a morte de Fëanor. A respeito desse último evento, os esboços são divergentes. Em A, foi Nólemë, também chamado Fingolma, quem morreu: "sua barca desaparece por um caminho oculto — dizem que foi o caminho pelo qual Tuor, mais tarde, escapou. Ele navegou para oferecer sacrifício na rocha ilhada em Asgon." (Para quem ele estava oferecendo sacrifício?) Em B, da maneira inicialmente escrita, também foi "Fingolma (Nólemë)" quem morreu, mas isso foi corrigido para Fëanor; "sua barca desapareceu por um [caminho] oculto — dizem que era a abertura que os Noldoli mais tarde ampliaram e fizeram como uma trilha, de modo que Tuor escapou por ali. Ele navegou até a Rocha Ilhada em Asgon porque viu algo muito cintilante ali, e buscava suas joias".

Deixando Asgon, os Gnomos passaram pelos Morros Amargos e travaram sua primeira batalha com Orques nos sopés das Montanhas de Ferro. (Para as Montanhas de Ferro como fronteira

---

* Posteriormente o Lago Mithrim.

meridional de Hisilómë, ver pp. 140–41, 194–95.) No *Conto de Tinúviel*, Beren veio de "além dos Morros Amargos" e "em meio aos terrores das Montanhas de Ferro"; portanto, parece claro que os Morros Amargos e as Montanhas de Ferro podem ser equalizados).

O acampamento seguinte dos Gnomos foi "junto ao Sirion" (que aparece pela primeira vez); e, aqui, os Gnomos encontraram os Ilkorins pela primeira vez — o esboço A acrescenta que esses Ilkorins eram originalmente dos Noldoli, e haviam se perdido na marcha desde Palisor. Os Gnomos souberam por eles da vinda dos Homens e da Batalha de Palisor; e eles contaram aos Ilkorins as notícias de Valinor, e de sua busca pelas joias.

Aparece agora, pela primeira vez, Maidros, filho de Fëanor (anteriormente, no conto do *Roubo de Melko*, o nome fora dado ao avô de Fëanor, pp. 180, 194). Maidros, guiado por Ilkorins, liderou uma hoste para os morros, ou "para buscar as joias" (A), ou "para fazer busca nas moradas de Melko" (B — provavelmente isso quer dizer "para buscar as moradas de Melko", como em C), mas foram rechaçados dos portões de Angamandi com matança; e o próprio Maidros foi levado vivo, torturado — pois não se dispôs a revelar as artes secretas dos Noldoli da feitura de joias — e mandado de volta para os Gnomos, mutilado. (Em A, no qual ainda era Nólemë e não Fëanor quem morria nas Águas de Asgon, foi o próprio Fëanor quem liderou a hoste contra Melko, e também ele quem foi capturado, torturado e mutilado).

Então, os Sete Filhos de Fëanor fizeram um juramento de inimizade perpétua contra todos que se apossassem das Silmarils. (Essa é a primeira aparição dos Sete Filhos e do Juramento, embora o fato de que Fëanor tinha filhos seja mencionado no *Conto do Sol e da Lua*, p. 231).

As hostes de Melko agora aproximaram-se do acampamento dos Gnomos junto ao Sirion e eles fugiram para o sul, e moraram, então, em Gorfalon, onde travaram contato com os Homens, tanto bons como maus, mas especialmente aqueles do povo de Ermon; e uma embaixada foi enviada a Túvo, a Tinwelint (isto é, Thingol, ver p. 164) e a Ermon.[9] Uma grande hoste foi arranjada, composta por Gnomos, Ilkorins e Homens, e Fingolma (Nólemë) a conduziu no Vale das Fontes, mais tarde chamado de Vale das Águas Plangentes. Mas o próprio Melko foi às tendas dos Homens e os iludiu, e alguns deles assaltaram a retaguarda dos Gnomos enquanto a hoste de Melko os atacava; e outros Melko persuadiu a abandonarem seus amigos, e esses, junto com outros que desencaminhou com névoas e feitiçarias, ele atraiu para a Terra das Sombras. (Compare isso com a referência, no conto da *Vinda dos Elfos*, ao aprisionamento dos Homens em Hisilómë por Melko, p. 148).

Então teve lugar "a terrível Batalha das Lágrimas Inumeráveis". Somente os Filhos de Úrin* ["Children of Úrin" aqui, mas "Sons of Úrin" no esboço A] lutaram até o último momento, e ninguém (salvo dois mensageiros) voltou da batalha; Turgon e um grande regimento, vendo que o dia estava perdido, deram meia-volta e foram embora, resgatando uma parte das mulheres e crianças. Turgon foi perseguido, e há uma referência ao "sacrifício de Mablon, o Ilkorin, para salvar a hoste"; Maidros e os outros filhos de Fëanor discutiram com Turgon — pois queriam tomar a liderança, em A — e partiram para o sul. O restante dos sobreviventes e fugitivos foi cercado, e eles juraram aliança a Melko; e ele se irou, porque não conseguiu descobrir para onde Turgon fugira.

Após uma referência às "Minas de Melko" e ao "Encanto do Pavor Insondável" (o feitiço que Melko lançou sobre seus escravos), a história termina com "a Construção de Gondolin" e "a desavença de Homens e Elfos em Hisilómë, devido à Batalha das Lágrimas Inumeráveis": Melko nutriu a desconfiança e os manteve espionando uns aos outros, de modo que não conspirassem contra ele; e criou as falsas-fadas, ou Kaukareldar, à sua semelhança, e essas enganavam e traíam os Homens.[10]

Visto que os esboços, neste ponto, voltam a ser simplesmente títulos para os contos de Tinúviel, Túrin etc., fica claro que o *Conto de Gilfanon* teria terminado aqui.

A História dos Gnomos Exilados
de acordo com o esboço mais recente

Os Gnomos permaneceram na Terra das Sombras (isto é, Hisilómë), e tinham tratos com o Povo da Sombra. Esses eram fatas (C); ninguém sabe donde vieram: não são dos Valar, e nem de Melko, mas pensa-se que vieram do vazio de fora e da escuridão primeva, quando o mundo foi feito inicialmente. Os Gnomos encontraram

---

* Posteriormente Húrin.

"as Águas de Mithrim (Asgon)", e aqui Fëanor morreu, afogado nas Águas de Mithrim. Os Gnomos fizeram armas pela primeira vez, e extraíram pedras dos morros escuros. (Isso é curioso, pois foi dito no relato do Fratricídio em Alqaluntë que "assim pereceram pela primeira vez os Eldar sob as armas de sua gente", p. 202. O momento em que os Eldar primeiro obtiveram armas permaneceu um ponto de incerteza por muito tempo).

Os Gnomos agora lutaram pela primeira vez com os Orques e conquistaram o passo dos Morros Amargos; assim, escaparam da Terra das Sombras, para temor e espanto de Melko. Entraram na Floresta de Artanor (posteriormente Doriath) e na Região das Grandes Planícies (talvez precursora de Talath Dirnen, a Planície Protegida de Nargothrond); e a hoste de Nólemë aumentou a vastas dimensões. Praticavam muitas artes, mas não habitavam mais em moradias fixas. O principal acampamento de Nólemë era próximo às águas do Sirion; e os Gnomos expulsaram os Orques para os sopés das Montanhas de Ferro. Melko reuniu seu poder em secreta ira.

Turgon nasceu, filho de Nólemë.

Maidros, "principal filho de Fëanor", liderou uma hoste contra Angband, mas ela foi rechaçada dos portões com fogo, e ele foi levado vivo e torturado — de acordo com C, repetindo a história do esboço anterior, porque não se dispôs a revelar as artes secretas da feitura de joias. (Não se diz aqui que Maidros foi libertado e que retornou, mas isso fica implícito no Juramento dos Sete Filhos que se segue).

Os Sete Filhos de Fëanor fazem seu terrível juramento de ódio perpetuamente contra todos — Deuses, Elfos ou Homens — que se apossassem das Silmarils; e os Filhos de Fëanor deixaram a hoste de Nólemë e voltaram a Dor Lómin, onde se tornaram uma raça pujante e feroz.

As hostes de Tareg, o Ilkorin (ver p. 294), encontraram os Gnomos na Festa do Reencontro; e os Homens de Ermon viram os Gnomos pela primeira vez. Então, a hoste de Nólemë, incrementada pela de Tareg e pelos filhos de Ermon, preparou-se para a batalha; e mensageiros foram enviados a Norte, Sul, Leste e Oeste. Somente Tinwelint recusou a convocação, e disse: "Não vades para as colinas." Úrin e Egnor* marcharam com incontáveis batalhões.

---

* Pai de Beren.

Melko recuou todas as suas forças e Nólemë acreditou que ele estava temeroso. As hostes de Elfinesse recuaram para as Terras Soçobradas e acamparam no Vale das Fontes (Gorfalong) ou, como foi posteriormente chamado, o Vale das Águas Plangentes.

(O esboço D difere no relato dos eventos anteriores à Batalha das Lágrimas Inumeráveis em relação aos que o precedem, incluindo C. No anterior, os Gnomos fugiram do acampamento junto ao Sirion quando as hostes de Melko se aproximaram, e retiraram-se para Gorfalon, onde estava reunida a grande hoste de Gnomos, Ilkorins e Homens, e agruparam-se no Vale das Fontes. Em D, não há menção a qualquer retirada das hostes de Nólemë: em vez disso, parece que eles avançaram do acampamento no Sirion para o Vale das Fontes (Gorfalong). Mas, devido à natureza desses esboços, não se pode pressioná-los demais. O esboço C termina aqui e diz que, quando os Gnomos encontraram os Homens pela primeira vez em Gorfalon, ensinaram-lhes ofícios — e isso, sem dúvida, foi um dos princípios dos posteriores Amigos-dos--Elfos de Beleriand).

Certos Homens, subornados por Melko, infiltraram-se no acampamento como menestréis e atraiçoaram-no. Melko os atacou na aurora, sob uma chuva cinzenta, e seguiu-se a terrível Batalha das Lágrimas Inumeráveis, da qual não se tem nenhum conto completo, pois Gnomo algum jamais se dispõe a falar dela. (Na margem, aqui, meu pai escreveu: "O próprio Melko estava lá?" No esboço anterior, o próprio Melko entrou no acampamento dos seus inimigos).

Na batalha, Nólemë foi isolado e assassinado, e os Orques arrancaram-lhe o coração; mas Turgon resgatou o corpo e o coração, o qual se tornou seu emblema.[11] Quase metade de todos os Gnomos e Homens que lutaram foram assassinados.

Os Homens fugiram, e somente os filhos de Úrin ficaram firmes, até serem mortos; mas Úrin foi levado. Turgon estava terrível em sua ira, e seu grande batalhão escapou da contenda abrindo caminho à força com pura valentia.

Melko mandou sua hoste de Balrogs atrás deles, e Mablon, o Ilkorin, morreu para salvá-los na perseguição. Turgon fugiu para o sul, margeando o Sirion, reunindo mulheres e crianças dos acampamentos e, auxiliado pela magia do rio, escapou para um local secreto e Melko o perdeu.

Os Filhos de Fëanor chegaram tarde demais e encontraram um campo arrasado: mataram os saqueadores remanescentes e, enterrando Nólemë, erigiram o maior teso de pedras do mundo sobre ele e os [?Gnomos]. Ele foi chamado de Monte da Morte.

Seguiu-se então a Servidão dos Noldoli. Os Gnomos encheram-se de amargura à traição dos Homens e à facilidade com que Melko os iludiu. O esboço termina com referências às "Minas de Melko" e ao "Feitiço do Horror Sem Fundo", e com a afirmação de que todos os Homens do Norte foram aprisionados em Hisilómë.

O esboço D, então, volta-se para a história de Beren e Tinúviel, com uma ligação natural a partir do conto recém-rascunhado: "Beren, filho de Egnor, vagou de Dor Lómin* para Artanor [...]". Essa era para ser a história seguinte contada junto ao Fogo-do-Conto (assim como no esboço B); em D, o assunto do *Conto do Gilfanon* estava previsto para durar quatro noites.

 ⁂

Se alguns aspectos desses esboços forem selecionados e colocados de tal forma que enfatizem concordância, mais do que discordância, a similaridade com a estrutura narrativa de *O Silmarillion* se torna aparente de imediato. Assim:

- Os Noldoli atravessam o Helkaraksë e espalham-se em Hisilómë, acampando junto ao Asgon (Mithrim);
- Eles encontram Elfos Ilkorin (= Úmanyar);
- Fëanor morre;
- Primeira batalha com Orques;
- Um exército gnômico vai até Angband;
- Maidros é capturado, torturado e mutilado;
- Os Filhos de Fëanor retiram-se da hoste dos Elfos (em D apenas);
- Uma grande batalha chamada de Batalha das Lágrimas Inumeráveis acontece entre Elfos e Homens e as hostes de Melko;
- Traição dos Homens nessa batalha, corrompidos por Melko;
- Mas o povo de Úrin (Húrin) mantém-se fiel, e não sobrevive a ela;
- O líder dos Gnomos é isolado e morto (em D apenas);

---

* Isto é, Hisilómë; ver p. 141.

- Turgon e sua hoste abrem caminho, saindo da batalha e indo para Gondolin;
- Melko fica irado por não conseguir descobrir para onde foi Turgon;
- Os Fëanorianos chegam tarde demais para a batalha (em D apenas);
- Um grande teso de pedras é construído (em D apenas).

Essas são características essenciais da história que haveriam de sobreviver. Mas as diferenças são grandes e numerosas. A mais notável de todas é que toda a história posterior dos longos anos do Cerco de Angband, culminando na Batalha da Chama Repentina (Dagor Bragollach), da travessia dos Homens pelas Montanhas, entrando em Beleriand, e de seus serviços junto aos Reis noldorin, ainda estava por surgir; de fato, esses esboços passam a impressão de que apenas um curto espaço de tempo se passou entre a vinda dos Noldoli desde Kôr e sua grande derrota. Essa impressão talvez se deva, até certo ponto, à natureza condensada dos esboços e, na verdade, a referência no último deles, D, à prática de muitas artes por parte dos Noldoli (p. 290) em certa medida neutraliza essa impressão — de toda forma, Turgon, nascido quando os Gnomos estavam em Hisilómë ou (de acordo com D) quando estavam acampados junto ao Sirion, já está crescido na Batalha das Lágrimas Inumeráveis.[12] Ainda assim, o retrato em *O Silmarillion*, em que séculos se passam enquanto Morgoth permanecia estreitamente confinado em Angband e "detrás da guarda de seus exércitos no norte, os Noldor construíram suas habitações e suas torres" está marcadamente ausente. Em "fases" posteriores da história, meu pai continuamente expandiu o período entre o nascer do Sol e da Lua e a Batalha das Lágrimas Inumeráveis. Além disso, é essencial para a concepção antiga que a vitória de Melko fosse assim completa e irreprimível: numerosos Noldoli tornaram-se seus escravos e, onde quer que fossem, viviam em escravidão por seu feitiço; somente em Gondolin eles eram livres — portanto, no antigo conto da *Queda de Gondolin*, diz-se que o povo de Gondolin "eram aquela gente dos Noldoli que sozinha escapou do poder de Melko quando, na Batalha das Lágrimas Inumeráveis, ele matou e escravizou o povo deles e teceu feitiços à sua volta e os fez habitar nos Infernos de Ferro, de lá saindo por sua vontade e ordem apenas". Ademais, Gondolin foi fundada somente *depois* da Batalha das Lágrimas Inumeráveis.[13]

Na concepção antiga, conseguimos discernir pouca coisa acerca da morte de Fëanor; mas, no mínimo, fica claro que ela não tinha relação com a história de sua morte em *O Silmarillion* (pp. 155–6). Nesses esboços, os Noldoli, ao deixarem Hisilómë, tiveram sua primeira contenda com os Orques nos sopés das Montanhas de Ferro, ou na passagem dos Morros Amargos, e essas elevações correspondem, com bastante clareza, às posteriores Montanhas de Sombra, Ered Wethrin (ver pp. 194, 288); mas, em *O Silmarillion* (pp. 154–5), o primeiro encontro dos Noldor com os Orques se deu em Mithrim.

O encontro de Gnomos e Ilkorins sobreviveu no encontro dos Noldor recém-chegados com os Elfos-cinzentos de Mithrim (*ibid.*, p. 156); mas os Noldor ouviram falar do poder do Rei Thingol de Doriath, e não da Batalha de Palisor.

Enquanto nesses esboços Maidros, filho de Fëanor, conduziu um ataque a Angband, que foi rechaçado com matança e terminou na sua própria captura, em *O Silmarillion* foi Fingolfin quem apareceu diante de Angband e, sem nada ouvir, recuou prudentemente para Mithrim (p. 158). Maidros (Maedhros) já fora levado numa reunião com uma embaixada de Morgoth que supostamente seria uma negociação, e ele ouviu o som das trombetas de Fingolfin desde o local de seu tormento em Thangorodrim — onde Morgoth o deixou preso, conforme disse, até que os Noldor abandonassem a guerra e partissem. Na história antiga não há, é claro, vestígio das hostes divididas dos Noldor; e o resgate de Maedhros por Fingon, que cortou sua mão para salvá-lo, não aparece de forma alguma: em vez disso, ele é libertado por Melko, ainda que mutilado, e nenhuma explicação é fornecida. Mas é muito característico que a mutilação de Maidros — um "momento" importante nas lendas — jamais tenha se perdido, embora a ela tenham sido dados cenário e modo completamente distintos.

O Juramento dos Filhos de Fëanor foi feito, aqui, após a vinda dos Gnomos de Valinor e depois da morte de seu pai; e, no esboço D, eles então deixaram a hoste de (Finwë) Nólemë, Senhor dos Noldoli, e voltaram a Dor Lómin (Hisilómë). Com essa e outras características que aparecem apenas em D, a história se move mais para perto de sua forma posterior. No retorno a Dor Lómin está o gérmen da partida dos Fëanorianos de Mithrim para as partes orientais de Beleriand (*O Silmarillion*, p. 162); na Festa do Reencontro, a semente de Mereth Aderthad, a Festa da Reunião, promovida por Fingolfin para os Elfos de Beleriand (*ibid.*, p. 163), embora os participantes sejam, necessariamente, muito distintos; no atraso dos Fëanorianos em chegar ao campo arrasado das Lágrimas Inumeráveis, vemos o gérmen da chegada tardia da hoste de Maedhros (*ibid.*, p. 261); na mutilação e morte de (Finwë) Nólemë em batalha, o assassinato de Fingon (*ibid.*, p. 263 — quando Finwë passou a ser pai de Fëanor, tomando assim o lugar de Bruithwir, morto por Melko em Valinor, sua posição como líder das hostes na Batalha das Lágrimas Inumeráveis foi assumida por Fingon); e, no grande teso de pedras chamado de Monte da Morte, erguido pelos Filhos de Fëanor, está a origem do Haudh-em-Ndengin, ou Monte dos Mortos, erigido por Orques em Anfauglith (*ibid.*, p. 267). Não está claro se a embaixada a Túvo, Tinwelint e Ermon (que se torna, em D, o envio de mensageiros) antecipa remotamente União de Maedhros (*ibid.*, pp. 256–7), embora a recusa de Tinwelint em unir forças com Nólemë tenha sobrevivido na rejeição de Thingol às abordagens de Maedhros (*ibid.*, p. 257). Não consigo explicar com certeza as palavras de Tinwelint, "Não vades para as colinas", mas suspeito que "as colinas" sejam as Montanhas de Ferro (chamadas de "Colinas de Ferro" em *A Ocultação de Valinor*, p. 253) acima de Angband, e que ele estava advertindo contra um ataque a Melko; no antigo *Conto de Turambar*, Tinwelint disse: "pela sabedoria de meu coração e o fado dos Valar, não fui com meu povo à Batalha das Lágrimas Inumeráveis".

Outros elementos na história da batalha que sobreviveram — a firmeza do povo de Úrin (Húrin), a escapada de Turgon — já existiam nesse momento em um conto que fora escrito (o de Túrin).

As indicações geográficas são escassas e não há mapa das Grandes Terras no período mais antigo das lendas; de toda forma, é melhor deixar essas questões de lado até chegarem os contos que se passam nessas terras. O Vale das Fontes, chamado posteriormente de Vale das Águas Plangentes, é identificado explicitamente, em D, com Gorfalong, escrito Gorfalon nos esboços anteriores, e parece ser distinto; mas, de todo modo, nenhum dos dois, e nem as "Terras Soçobradas", pode ser relacionado a quaisquer lugares ou nomes da geografia posterior — a menos que (especialmente porque, em D, diz-se que Turgon fugiu "para o sul, margeando o

Sirion") seja possível supor que algo como a posterior representação do Passo do Sirion já estivesse presente, e que o Vale das Fontes, ou das Águas Plangentes, fosse um nome para ele.

NOTAS

1. Acima de *Turuhalmë* está escrito *Duruchalm* (riscado) e *Halmadhurwion*.
2. Esse parágrafo está marcado com pontos de interrogação.
3. A palavra pode ser tanto "dim" [escuro] quanto "dun" [pardo].
4. O texto original dizia, aqui: "e poucos de seu povo foram com ele, e isso era uma proibição de Tû ao seu povo, temendo a ira de Ilúvatar e Manwë; e, no entanto," ("a curiosidade dominou Nuin [...]").
5. Anteriormente, nos *Contos*, "Elfos Perdidos" são aqueles que se desgarraram na grande jornada e vagavam em Hisilómë (ver p. 148).
6. No conto, as "fadas" do domínio de Tû (isto é, os Elfos Escuros) recebem o nome de *Hisildi*, o povo do crepúsculo; nos esboços A e B, além de *Hisildi*, outros nomes aparecem: *Humarni, Kaliondi, Lómëarni*.
7. Ver também as palavras de Sador a Túrin na sua infância (*Contos Inacabados*, p. 92): "Uma treva estende-se atrás de nós, e dela vieram poucos relatos. Os pais de nossos pais podem ter tido coisas para contar, mas não as contaram. Até seus nomes estão esquecidos. As Montanhas se erguem entre nós e a vida da qual vieram, fugindo de algo que ninguém mais conhece."
8. Ver *O Silmarillion*, p. 151: "Conta-se, porém, que logo encontraram Elfos Escuros em muitos lugares e com eles fizeram amizade; e os Homens se tornaram os companheiros e discípulos, em sua infância, desses povos antigos, andarilhos da raça-élfica que nunca seguiram os caminhos até Valinor e conheciam os Valar apenas como um rumor e um nome distante."
9. Acima de *Ermon* está escrito, ao que parece, a palavra em inglês antigo *Æsc* ("cinza"). É concebível que isso seja uma anglicização do nórdico antigo *Askr* ("cinza"), o nome do primeiro homem na mitologia nórdica, que, juntamente com a primeira mulher (*Embla*) foram feitos pelos Deuses a partir de duas árvores que encontraram na praia (Völuspá, estrofe 17; *Snorra Edda, Gylfaginning* §8).
10. O texto traz aqui a palavra "(Gongues)" entre parênteses. Poder-se-ia pensar que é um nome para os *Kaukareldar*, ou "falsas-fadas", mas, na lista de palavras gnômicas, *Gongue* está definido como "alguém de uma tribo dos Orques, um gobelim".
11. A ablação do coração de Nólemë pelos Orques e o resgate por Turgon, seu filho, são mencionados em uma nota antiga e isolada, que também diz que Turgon o recobriu de ouro; e o emblema da Casa do Rei em Gondolin, o Coração Escarlate, é mencionado no conto da *Queda de Gondolin*.
12. Ver p. 204: "Turondo, filho de Nólemë, ainda não estava na Terra". *Turgon* era o nome gnômico de *Turondo* (p. 145). Na história posterior, Turgon era um líder dos Noldor de Valinor.
13. Após a história ser alterada, e a fundação de Gondolin passar a se dar muito antes, a parte conclusiva de *O Silmarillion* nunca foi coadunada; e isso foi uma importante fonte de dificuldades na preparação da obra publicada.

Apêndice

Nomes em *Os Contos Perdidos 1*

Há dois pequenos cadernos, contemporâneos aos *Contos Perdidos*, que contêm os primeiros "léxicos" das línguas élficas; e ambos são documentos muito difíceis.

Um deles diz respeito à língua chamada, no caderno, de *qenya*, e refiro-me a esse caderno como "LQ" (Léxico Qenya). Boa parte dos verbetes na primeira metade do alfabeto foram feitos de uma vez, quando o trabalho começou; esses foram escritos muito cuidadosamente, ainda que o lápis esteja agora esmaecido. Em meio aos verbetes originais, há este grupo:

Lemin "cinco"
Lempe "dez"
Leminkainen "23"

A escolha de "23" sugere que essa era a idade de meu pai na época, e que o caderno foi iniciado, portanto, em 1915. Isso é corroborado por algumas afirmações feitas na primeira camada de verbetes acerca de certos personagens da mitologia, afirmações que divergem de tudo o que se diz em outros lugares, e que dão vislumbres de um estágio ainda anterior ao dos *Contos Perdidos*.

O caderno naturalmente continuou em uso, e muitos verbetes (praticamente todos na segunda parte do alfabeto) são posteriores à primeira camada, embora nada mais definitivo possa ser dito além do fato de que todos os verbetes pertencem ao período dos *Contos Perdidos* (ou não muito anteriores).

As palavras no LQ estão organizadas de acordo com "raízes", e uma nota no início afirma:

APÊNDICE

As raízes estão em maiúsculas, e não são, de modo algum, palavras em uso, mas servem de elucidação para as palavras agrupadas e de conexão entre elas.

Há considerável incerteza, expressa com pontos de interrogação, na formulação das raízes e na atribuição de palavras a uma raiz ou outra, conforme meu pai se movia entre ideias etimológicas distintas; e, em alguns casos, parece claro que a palavra estava "ali", por assim dizer, mas sua etimologia ainda precisava ser definida com certeza, e não o contrário. As raízes em si são, com frequência, difíceis de representar, já que certas consoantes levam diacríticos que não são definidos. As notas acerca dos nomes que se seguem inevitavelmente dão uma impressão um pouco mais positiva do que o caderno em si.

O outro caderno é um dicionário da língua gnômica, *goldogrin*, e refiro-me a ele como "LG" (Léxico Goldogrin, ou Gnômico). Ele não está organizado de maneira histórica, por raízes (embora essas sejam, ocasionalmente, incluídas), mas, sim, como um dicionário convencional, pelo menos no planejamento; e contém um número notável de palavras. O título do caderno é *i·Lam na·Ngoldathon* (ou seja, "o idioma dos Gnomos"): *Goldogrin*, com uma data: 1917. Escrito sob o título está *Eriol Sarothron* (isto é, "Eriol, o Viajante"), *que alhures é chamado Angol, mas, entre seu próprio povo, Ottor Wǽfre* (ver p. 35).*

Neste caso, a grande dificuldade é a intensidade com que meu pai utilizou esse diminuto caderno, corrigindo, rejeitando, acrescentando camada após camada, de modo que, em alguns lugares, ele se tornou dificílimo de interpretar. Ademais, alterações posteriores às formas de um verbete não foram necessariamente feitas a verbetes relacionados; assim, os estágios de uma concepção linguística que se expandia rapidamente estão representados de maneira muito confusa. Esses caderninhos eram materiais de rascunho, de maneira alguma a disposição de ideias finalizadas (de fato, fica muito claro que o LG em particular acompanhou de perto a verdadeira composição dos *Contos*). Além disso, as línguas mudavam até mesmo enquanto a primeira "camada" era inserida no LG; por

---

* A nota que diz respeito a *Angol* e *Eriollo*, mencionada na p. 36, está escrita dentro da capa do LG.

exemplo, a palavra *mô*, "ovelha", foi depois alterada para *moth*, mas mais adiante, no dicionário, *unimoth*, "ovelha das ondas" foi a forma escrita primeiro.

Fica imediatamente óbvio que uma estrutura histórica já extremamente sofisticada e foneticamente intrincada jaz por trás das línguas nesse estágio; mas parece que (infeliz e frustrantemente) pouquíssima coisa de fato, em termos de descrição fonológica ou gramatical, sobrevive agora daqueles dias. Por exemplo, não encontrei nada que descreva, do modo mais rudimentar que seja, as relações fonológicas entre as duas línguas. Certa descrição fonológica primitiva existe para o qenya, mas, devido a alterações e substituições posteriores, ela se tornou uma desordem tão perturbadora (e, de todo modo, o material é, por si só, intrinsecamente muito complexo) que fui incapaz de usá-la.

Tentar utilizar materiais posteriores para elucidar as ideias linguísticas do período mais antigo seria, neste livro, impraticável. Mas o exame desses dois vocabulários demonstra, da maneira mais clara possível, quão profundamente enredados eram os desenvolvimentos na mitologia e nas línguas, e seria gravemente enganoso publicar os *Contos Perdidos* sem ao menos uma tentativa de mostrar as conexões etimológicas dos nomes que aparecem neles. Portanto, incluo tanta informação desses cadernos quanto possível, mas sem qualquer especulação além disso. É evidente, por exemplo, que um elemento primordial nas construções etimológicas era uma pequena variação em "raízes" antigas (ocasionada especialmente por diferenças na formação de consoantes) que, no decorrer de eras, originou situações semânticas muito complexas; ou, ainda, que estava presente uma antiga "apofonia" (isto é, a variação, em quantidade ou qualidade, de vogais seriadas); mas achei melhor simplesmente tentar apresentar o conteúdo dos dicionários da maneira mais clara que consegui.

É notável que meu pai introduziu, aqui e ali, um tipo de "trocadilho histórico": assim, por exemplo, a raiz SAHA, "ser quente", origina (além de *saiwa*, "quente", ou *sára*, "fogoso") *Sahóra*, "o Sul"; e de NENE, "fluir", vêm *nen*, "rio", *nénu*, "lírio-d'água amarelo", e *nénuvar*, "lagoa de lírios-d'água" — compare com a palavra *nenuphar*, em francês moderno *nénufar*.* Há também diversas

---

* E, em português, *nenúfar*. [N. T.]

semelhanças com o inglês arcaico que obviamente não são fortuitas, como *hôr*, "velho", HERE, "governar", *rûm* "segredo (sussurro)".

Ver-se-á que muitos elementos nas línguas posteriores, quenya e sindarin, como são conhecidas pelas obras publicadas, datam do próprio início; as línguas, assim como as lendas, são fruto de uma evolução, expansão e refinamento contínuos. Mas o status histórico e a relação das duas línguas, conforme eram concebidas nesse momento, foram alterados de maneira radical posteriormente: ver pp. 69–70.

O arranjo do material se provou difícil e, de fato, sem um entendimento melhor das relações e de suas formulações cambiantes, mal pode ser feito de maneira satisfatória. O sistema que adotei foi fornecer grupos de palavras etimologicamente conectadas, tanto em qenya quanto gnômico, encabeçados por algum nome importante que contenha alguma delas, e direciono para esse verbete outras ocorrências de uma palavra do grupo (por exemplo: *glor-*, em *Glorvent*, *Bráglorin* é direcionado para o verbete *Laurelin*, onde estão incluídas as associações etimológicas do qenya *laurë*, "ouro").* Todos os nomes nos *Contos Perdidos* deste volume estão incluídos — isto é, caso quaisquer informações etimológicas contemporâneas e relacionadas a eles puderem ser encontradas: qualquer nome não encontrado na lista a seguir ou me é bastante obscuro, ou, no mínimo, não pode ser identificado com certeza. Nomes rejeitados também são incluídos, seguindo o mesmo critério, mas aparecem nos verbetes dos nomes que os substituíram (por exemplo, *Dor Uswen* estará no verbete *Dor Faidwen*).

A lista de nomes secundários dos Valar, escrita em folhas em branco opostas no conto da *Vinda dos Valar* (ver p. 119), é mencionada como "lista de nomes dos Valar". O sinal < é empregado apenas onde é utilizado no dicionário gnômico, como em *alfa* < *alchwa*, significando que uma forma é historicamente derivada da outra: não é usado neste Apêndice com referência a alterações feitas por meu pai nos dicionários em si.

---

* Formas posteriores do quenya e do sindarin são mencionadas apenas de maneira excepcional. Para tais palavras, veja os vocabulários incluídos em *An Introduction to Elvish* [Uma Introdução ao Élfico], ed. J. Allan, Bran's Head Books, 1978; e também o Apêndice em *O Silmarillion*.

Ainur Em meio aos verbetes originais no LQ estão *ainu* "um deus pagão" e *aini* "uma deusa pagã", juntamente com *áye* "ave!; salve!" e *Ainatar* "Ilúvatar, Deus". (É claro que ninguém *dentro* do contexto da mitologia pode chamar os Ainur de "pagãos"). O LG possui *Ain*: "também com formas distintas de masc. e fem. *Ainos* e *Ainil*, um Deus, isto é, um dos Grandes Valar".

Alalminórë Ver *Aldaron, Valinor*. No LQ, *Alalminórë* está glosado como "Terra dos Olmos, uma das províncias de Inwinórë na qual se situa Kortirion (Warwickshire)"; isto é, *Alalminórë* = Warwickshire (ver p. 37). Palavras gnômicas são *lalm* ou *larm*, também *lalmir* "olmo".

Aldaron No LQ há uma raiz ALA "espalhar", com os derivados *alda* "árvore", *aldëa* "sombreado por árvores", *aldëon* "alameda de árvores" e *alalmë* "olmo" (ver *Alalminórë*). No LG, esse nome de Oromë aparece como *Aldor* e *Ormaldor* (*Oromë* é *Orma* em gnômico); *ald* "madeira", posteriormente alterado para *âl*.

Alqaluntë LQ *alqa* "cisne"; LG *alcwi*, com a palavra correspondente em qenya dada aqui como *alqë*, *alcwi*, alterado depois para *alfa* < *alchwa*.

LQ *luntë* "navio", da raiz LUTU, com outros derivados *lúto* "inundação" e o verbo *lutta-, lutu-* "fluir, flutuar" (ver *Ilsaluntë*). O LG traz, como correspondência, *lunta* "navio", *lud-* "fluir, flutuar".

Aluin Ver *Lúmin*.

Amillo Aparece no LQ, mas sem indicação de significado; *amillion* é o mês de Amillo, fevereiro (um dos verbetes mais "primitivos").

Angaino Juntamente com *angayassë* "miséria, desgraça", *angaitya* "tormento", *Angaino* consta no LQ separado das palavras relacionadas a "ferro" (ver *Angamandi*) e foi inicialmente definida como "um gigante", emendado para "a grande corrente". No LG, Melko possui um nome *Angainos*, com uma nota: "Não confundir o gnômico *Angainos* com o qenya *Angaino* (gnômico *Gainu*), a grande corrente de *tilkal*". Em *Gainu*, há uma nota posterior: "popularmente relacionada a *ang* 'ferro', mas, na verdade = 'atormentador'".

Angamandi O LQ possui *anga* "ferro" (que corresponde ao *a* de *tilkal*, p. 127), *angaina* "de ferro", *Angaron(ti)* "Montanhas de Ferro" e *Angamandu* ou *Eremandu* "Infernos de Ferro" (acrescentado depois: "ou *Angamandi*, plural"). As formas gnômicas são *ang* "ferro" (como em *Angol*, ver *Eriol*), *angrin* "de ferro", *Angband* — que, estranhamente, diz-se no LG ser "a grande fortaleza de Melko após a batalha da Incontável Lamentação até a batalha da Lagoa do Crepúsculo" (quando Tulkas finalmente sobrepujou Melko). Ver *Mandos*.

Angol Ver *Eriol*.

Arvalin Ver *Eruman*.

Aryador Diz-se (p. 148) que era o nome de Hisilómë entre os Homens; mas, de acordo com o LG, era uma palavra de origem ilkorin, com o significado de "terra ou lugar de sombra"; LQ *Arëandor, Arëanor* "nome de um distrito montanhoso, a morada do Povo da Sombra" (ver p. 294). Ver *Eruman*.

Asgon O LG possui *Asgon* "nome de um lago em Dor Lómin (Hisilómë), qen. *Aksanda*"; o LQ possui *aksa* "queda d'água", do qual o equivalente gnômico é dado como *acha*, de mesmo significado. (Nos dicionários, nenhuma luz se joga no posterior nome *Mithrim*).

Aulë Uma palavra *aulë* "desgrenhado" aparece no LQ como derivada de uma raiz OWO (donde também *oa* "lã", *uë* "velocino"), mas sem qualquer indicação de que deveria ser relacionada ao nome do Vala. A forma gnômica de seu nome é *Óla*, alterado para *Óli*, sem informações adicionais. Na lista de nomes dos Valar, Aulë é também chamado de *Tamar* ou *Tamildo*. Esses aparecem no LQ sem tradução, sob a raiz TAMA "fundir, forjar", com *tambë* "cobre" (o *t* de *tilkal*, p. 127), *tambina* "de cobre", *tamin* "forja"; palavras gnômicas são *tam* "cobre", *tambin* "de cobre", *tambos* "caldeirão". Para outros nomes de Aulë, ver *Talka Marda*.

Aulenossë Para *nossë* "gente, povo", ver *Valinor*.

Aur Nome gnômico do Sol; ver *Ûr*.

Balrog O LG define *Balrog* como "um tipo de demônio-do-fogo; criaturas e serviçais de Melko". Com o artigo, a forma é *i'Malrog*, plural *i'Malraugin*. Verbetes separados incluem *bal* "angústia" (consoante inicial original *mb-*), *balc* "cruel" e *graug* "demônio". Formas em qenya são mencionadas: *araukë* e *Malkaraukë*. No LQ, *Malkaraukë* aparece com outras palavras como *malkanë* "tortura" sob uma raiz MALA (MBALA) "(esmagar), ferir, danificar", mas a relação disso com MALA "esmagar, apertar" (ver *Olórë Mallë*) aparentemente não foi decidida. Também há *Valkaraukë* e *valkanë* "tortura", mas, novamente, a relação permanece obscura.

Bráglorin Definido no texto (p. 225) como "o vaso ardente", mas traduzido no LG como "Carroça Dourada, um nome do Sol", com uma nota: "também na forma analítica *i·Vreda 'Loriol'*; *brada* "carroção, carroça". Para *-glorin*, ver *Laurelin*.

Bronweg O LG possui *Bronweg* "(o constante), nome de um Gnomo famoso", com palavras relacionadas como *brod*, *bronn* "resoluto", *bronweth* "constância". No LQ, *Voronwë* (ver p. 66) "o fiel" é derivado da raiz VORO, com *vor*, *voro* "sempre", *voronda* "fiel", *vorima* "perpétuo" etc. Ver *Vorotemnar*.

O sufixo comum -*weg* não é dado no LG, mas compare com *gweg* "homem", plural *gwaith*.

Cûm a Gumlaith "O Teso do Primeiro Pesar", túmulo de Bruithwir, p. 184. LG *cûm* "teso, especialmente um teso funerário" (também *cum-* "jazer", *cumli* "sofá"); *gumlaith* "exaustão de espírito, pesar" (*blaith* "espírito").

Cûm a Thegranaithos Ver o verbete anterior. LG *thegra* "primeiro, principal", *thegor* "chefe"; *naitha-* "lamentar, chorar, lamuriar-se por", *naithol* "infeliz, desgraçado".

Danuin O LG possui *dana* "dia (24 horas)" com referência ao qenya *sana* (que não consta no LQ). *Dana* era uma versão anterior de *Danuin* (p. 262). O mesmo elemento aparece em *Lomendánar* "Dias de Ocaso".

Dor Faidwen Gnômico *dôr* (< *ndor-*) "terra (habitada), país, povo da terra"; ver *Valinor*.

Dor Faidwen é traduzido no texto como "Terra da Libertação" (p. 23); o LG possui *faidwen* "liberdade" e muitas palavras relacionadas, como *fair* "livre", *faith* "liberdade" etc. No LQ, sob a raiz FAYA, aparecem *fairë* "livre", *fairië* "liberdade", *fainu-* "libertar".

Dor Faidwen era o nome gnômico final de Tol Eressëa depois de muitas alterações (p. 33), mas pouca luz se pode jogar nas formas mais antigas. *Gar*, em *Gar Eglos*, é um nome gnômico com o significado de "lugar, distrito". *Dor Us(g)wen*: o LG dá o radical *us-* "sair, partir" (também *uthwen* "saída"), e o LQ, na raiz USU "escapar", possui *uswë* "irrupção, escape" e *usin* "ele escapa".

Dor Lómin Ver *Valinor*, *Hisilómë*.

Eärendel Em uma lista anotada de nomes que acompanha *A Queda de Gondolin*, há uma sugestão, atribuída a Coração-Pequeno, filho de Voronwë, de que *Eärendel* tinha "algum parentesco ao élfico *ea* e *earen* 'águia' e 'ninho'", e, no LQ, essas palavras (ambas com o significado de "águia") estão colocadas junto de *Eärendel*, embora não explicitamente ligadas. No conto em si, diz-se que "há muitas interpretações tanto entre Elfos quanto entre Homens," do nome *Eärendel*, com uma indicação de que era uma palavra "de alguma língua secreta" falada pelo povo de Gondolin.

O LG possui um verbete: *Ioringli* "forma gnômica verdadeira do nome de Eärendel, embora a forma eldar também tenha sido adotada e seja vista frequentemente em estado transicional como *Iarendel*, *Iorendel*" (sobre a distinção entre "gnômico" e "eldar", ver pp. 68–9). Palavras gnômicas para "águia" são *ior*, *ioroth*.

No LQ há um verbete *Eärendilyon* "filho de Eärendel (usado para qualquer marinheiro)"; ver p. 23.

Eldamar Para o primeiro elemento, ver *Eldar*. — No LQ, as seguintes palavras são agrupadas: *mar* (*mas-*) "habitação dos homens, a Terra, -terra, -lândia", *mardo* "habitante", *masto* "vila" e *-mas* equivalente ao inglês *-ton*, *-by* em topônimos (ver *Mar Vanwa Tyaliéva*; *Koromas*; *i·Talka Marda* "Ferreiro do Mundo", Aulë). No LG há *bar* "lar" (< *mbar-*), e derivados como *baros* "aldeia", e também *-bar* como sufixo, "habitante", ou "lar, -ham".*

O equivalente gnômico de *Eldamar* era *Eglobar* (gnômico *Egla* = qenya *Elda*): "*Eglobar* 'Elfinesse' = qen. *Eldamar*, isto é, Lardelfos; a terra na beira de Valinor onde as fadas habitavam e construíram Côr. Também nas formas *Eglabar, Eglamar, Eglomar*". Num verbete muito antigo do LQ, diz-se que *Eldamar* era "uma praia rochosa na Inwinórë (Feéria) ocidental"; "sobre essa rocha foi construída a branca cidade chamada Kôr".

Eldar No LQ, *Elda* aparece separadamente, sem conexões etimológicas, e definido como "um fata-da-praia ou *Solosimpë* (flautista da costa)". Isso é um vislumbre de uma concepção anterior à encontrada nos *Contos Perdidos*: os *Eldar* eram originalmente Elfos-do-mar. O LG possui um verbete *Egla* "'um ser de fora', nome das fadas dado pelos Valar e amplamente adotado por eles, = qen. *Elda*" (ver p. 282); também *eg, êg* "longe, distante". A associação de *Eldar* com as estrelas não remonta ao início.

Erinti Ela aparece no LQ numa nota isolada e antiga (posteriormente riscada). Nada jamais se fala de Erinti nos *Contos Perdidos*, mas, nessa nota, ela é chamada de Vala do amor, da música e da beleza, também chamada de *Lotessë* e *Akairis* ("noiva"), irmã de Noldorin e Amillo. Somente esses três (isto é, dos Valar) deixaram Valinor e moravam em Inwenórë (Tol Eressëa); ela mora em Alalminórë, em um *korin* de olmos guardado pelas fadas. A segunda parte do mês de *avestalis* (janeiro) é chamado de *Erintion*.

Não há nenhum vestígio disso alhures; mas, claramente, quando Erinti se tornou filha de Manwë e Varda, Meril-i-Turinqi, a Senhora de Tol Eressëa, assumiu sua moradia em Alalminórë.

Na lista de nomes dos Valar, Erinti é também chamada de *Kalainis*; essa palavra aparece no LQ com o sentido de "maio", um dos muitos derivados da raiz KALA (ver *Galmir*).

Eriol Em *O Chalé do Brincar Perdido* (p. 24), *Eriol* está traduzido como "O que sonha só". No LQ, os elementos dessa interpretação são incluídos na raiz ERE "permanecer só" (ver *Tol Eressëa*) e LORO

---

* *-ton*, *-by* e *-ham* são terminações comuns em topônimos ingleses, e têm significados semelhantes, algo como "aldeia", "herdade", "propriedade". [N. T.]

"dormir" (ver *Lórien*). No LG aparece a nota citada na p. 36, de que o gnômico *Angol* e o qenya *Eriollo* eram nomes da região "entre os mares" de onde Eriol veio (= Angeln na península dinamarquesa); e, numa nota isolada em outro lugar, *Angol* é derivado de *ang* "ferro" e *ôl* "falésia", e diz-se que Eriol significa a mesma coisa — "sendo esse o nome das fadas para as partes [*sic*] de seu lar (falésias de ferro)". Meril faz referência às "costas escuras de teu lar" (p. 123). Nessa nota, diz-se que a interpretação "O que sonha só" é um trocadilho feito por Lindo.

Para *ang* "ferro", ver *Angamandi*. O LG possui *ol*, *óla* "falésia, precipício marítimo", com as formas em qenya *ollo*, *oldō*. *ere*(*n*) "ferro ou aço" consta no LQ, e esse elemento também aparece no nome alternativo de *Angamandu*, *Eremandu*, "Infernos de Ferro".

Eruman Os nomes dessa região são tão difíceis quanto a concepção original da região em si (ver p. 116 e seguintes). A forma *Erumáni* (que ocorre nos *Contos*, assim como *Eruman*) aparece no LQ sob a raiz ERE "fora" (ver *Neni Erúmëar*), sem qualquer informação adicional. O LG possui um longo verbete sob *Edhofon*, o qual = qen. *Erumáni*: é uma "uma terra sombria fora de Valinor e ao sul da Baía de Feéria que corria diretamente para as bases do lado ocidental das Montanhas de Valinor; seu ponto mais extremo ao norte tocava as raízes de Taniquetil, daí *Edhofon* < *Eðusmānī*-, ou seja, para além da morada dos Mánir. Donde também o título qen. *Afalinan* ou *Arvalion*, isto é, próximo a Valinor". A implicação disso parece ser que Taniquetil era a "morada dos Mánir", o que é compreensível, já que os Mánir eram particularmente associados a Manwë (as palavras gnômicas *móna*, *móni* são definidas como "espíritos do ar, filhos de Manwë") e, portanto, Eruman estava além (ao sul) de sua morada. Ver *Mánir*.

O LG também afirma que Edhofon era chamada de *Garioth*; e *Garioth* é "a forma gnômica verdadeira" do nome *Aryador* (uma palavra de origem ilkorin) "terra de sombra", embora aplicada não a Hisilómë, mas a Edhofon / Eruman.

De acordo com o LQ, *Harwalin* "próximo aos Valar" contém *har*(*e*) "próximo"; os verbetes no LG são confusos demais para citar, pois as formas *Harwalin* / *Arvalin* foram alteradas repetidas vezes. Um verbete tardio no LG traz um prefixo *ar-* "ao lado de, junto de". Para *Habbanan*, ver *Valar*.

Falassë Númëa Traduzido no texto (p. 155) como "Espuma Ocidental"; ver *Falman*, *Númë*.

Falman No LQ, a raiz FALA possui os derivados *falma* "espuma", *falmar* "a onda quando se quebra", *falas*(*s*) "costa, praia", *Falman* = Ossë; ver *Falassë Númëa*, *Falmaríni*. O LG possui *falm* "onda que se quebra, onda", *falos* "orla marítima, arrebentação", *Falmon* ou *Falathron* "nomes de Otha [Ossë], = qen. *Falman* e *Falassar*".

Falmaríni Ver *Falman*.

Fanturi No LQ, *fantur*, sem tradução, mas com alusão a Lórien e Mandos, aparece sob a raiz FANA, com vários derivados, todos com referência a visões, sonhos, adormecer. No LG (um verbete tardio) a forma é *Fanthor*, plural *i-Fanthaurin* "o nome de cada um dos dois irmãos, do sono, da morte".

Fanuin O LG possui *fann* "um ano". Para os nomes rejeitados *Lathos*, *Lathweg* (p. 267) ver *Gonlath*.

Faskala-númen, Faskalan Traduzido no texto (p. 285) como "Banho do Sol Poente". O LG possui *fas-* "banhar", *fasc* "limpo", *fasca-* "respingar, borrifar, chapinhar", *fôs* "banho". Para *-númen*, ver *Númë*.

Fëanor A única evidência para o significado desse nome está incluída em *Fionwë-Úrion*.

Fingolma Ver *Nólemë*.

Finwë Como nome próprio, não aparece nos dicionários, mas o LG inclui um substantivo comum *finweg* "artesão, homem de habilidade" (com *fim* "hábil; mão direita" e outras palavras relacionadas); para *-weg*, ver *Bronweg*. No LQ, derivados da raiz FINI são *finwa* "sagaz", *finië, findë* "destro, hábil". Ver *Nólemë*.

Fionwë-Úrion *Fion* "filho" aparece separadamente no LQ (um acréscimo posterior apressado), com a nota "especialmente Fion(wë), o Vala". Em gnômico, ele é "*Auros Fionweg*, ou *Fionaur Fionor*". Num verbete posterior no LG, "*Fionaur (Fionor)* = qen. *Fëanor* (forjador de cálice)" e, em meio aos verbetes originais, está *fion* "malga, cálice". Não há indicação de que isso se refira a Fëanor, o Gnomo.

Para o segundo elemento (*Úrion, Auros*), ver *Ûr*. Na lista de nomes dos Valar, Fionwë é chamado de *Kalmo*; ver *Galmir*.

Fui No LQ há *hui* "nevoeiro, escuridão, treva, noite" e *huiva* "escuro, nublado" e também "*Fui* (= *hui*) esposa de Vê". Em gnômico, ela é *Fuil* "Rainha do Escuro", e palavras relacionadas são *fui* "noite", *fuin* "secreto, sombrio".

fumellar As "flores do sono" (papoulas) nos jardins de Lórien (p. 96). O LQ, sob a raiz FUMU "dormir", possui *fúmë* "sono", *fúmella, fúmellot* "papoula".

Galmir Traduzido no texto (p. 285) como "o abrilhantador d'ouro" (um nome do Sol). É um derivado do gnômico *gal-* "brilhar" que, em qenya, é KALA "brilhar com cor dourada" e da qual muitos outros derivados aparecem no LQ, como *kala-* "brilhar", *kálë* "manhã", *kalma* "luz do dia", *Kalainis* "maio" (ver *Erinti*), *kalwa* "belo" etc. Ver *Kalormë, Kalaventë* e *i-kal'antúlien* "a Luz retornou" (p. 223).

Gar Lossion Traduzido no texto (p. 26) como "Sítio das Flores" (nome gnômico de Alalminórë). Para *Gar*, ver *Dor Faidwen*. O LG traz *lost* "flor" e *lôs* "flor", mas nota-se que provavelmente não têm relação e que *lôs* é, com maior probabilidade, relacionado a *lass* "folha", também usado com o sentido de "pétala". (O LQ possui *lassë* "folha", *lasselanta* "outono"). Ver *Lindelos*.

Glorvent Para o elemento *Glor-*, ver *Laurelin*. — O LG traz *Glorben(d)* "navio de ouro", alterado depois para *Glorvent* "barco de ouro"; *benn* "forma, corte, jeito", *benc, bent* "barco pequeno". O LQ possui a raiz VENE "formar, cortar, cavar", com os derivados *venië*, *venwë* "forma, corte" e *venë* "barco pequeno, vaso, escudela". Cf. o título do desenho "O Navio do Mundo", *I Vene Kemen* (ver p. 108), e o nome do Sol, *i·Kalaventë* (*Kalavénë*).

Golfinweg Ver *Nólemë*, *Finwë*.

Gondolin O LQ não inclui esse nome, mas *ondo* "pedra" aparece sob a raiz ONO "duro". No LG, diz-se que *Gondolin* = qenya *Ondolin* (alterado para *Ondolinda*) "pedra cantante". Há também um verbete *gond* "pedra grande, rocha"; mais tarde, isso foi alterado para *gonn*, e uma nota acrescentada dizendo que *Gondolin* = *Gonn Dolin*, juntamente com um verbete *dólin* "canção". Ver *Lindelos*.

Gongue(s) O LG não traz nenhuma outra afirmação além da citada na p. 295, nota 10, mas estabelece uma comparação com *sithagong* "libélula" (*sitha* "mosca", *Sithaloth* ou *Sithaloctha* ("aglomerado de moscas"), as Plêiades).

Gonlath Esse é o nome da grande rocha em Taniquetil à qual o cabo de Fanuin foi amarrado (p. 263); o segundo elemento deve ser, portanto, o gnômico *lath* "um ano", que aparece também nos nomes rejeitados de Fanuin, *Lathos* e *Lathweg* (p. 267). Para *Gon-*, ver *Gondolin*.

Gwerlum Incluído no LG com a tradução "Tecelá-de-Treva"; *gwer-* "torcer, virar, dobrar", mas também usado no sentido da raiz *gwidh-* "trançar, tecer". O LQ possui uma raiz GWERE "rodopiar, rodar, torcer", mas o nome *Wirilómë* da grande Aranha está alocado sob a raiz GWIÐI, donde também *windelë* "tear", *winda* "trama, tecido", *wistë* "trama". O nome da grande voragem *Wiruin* (p. 204), ausente nos dicionários, deve fazer parte desse grupo. Para o elemento *-lómë*, *-lum*, ver *Hisilómë*.

Haloisi Velikë (No desenho "O Navio do Mundo", p. 108). No LQ, *haloisi* "o mar (debaixo de tempestade)" aparece sob uma raiz HALA, com outros derivados, *haloitë* "saltitante", *halta-* "saltar".

Ao qenya *velikë* "grande" corresponde o gnômico *beleg* "pujante, grande" (como em Beleg, o Arqueiro, no conto de Túrin).

Helkar O LQ, sob a raiz HELE, possui *helkë* "gelo", *helka* "frio como gelo", *hilkin* "[isso] congela", *halkin* "congelado". O LG traz *helc*, *heleg* "gelo", *hel-* "congelar", *heloth* "geada" etc., e *helcor* "frio ártico, gelo extremo"; esse último foi alterado para *helchor* "frio antártico, o gelo extremo do Sul (o pilar da Lamparina do Sul). Qen. *Helkar*".

Helkaraksë Ver *Helkar*; *Helkaraksë* não está em nenhum dos dicionários, e o segundo elemento é obscuro, a menos que deva ser relacionado ao qen. *aksa* "queda d'água" (ver *Asgon*).

Heskil A raiz HESE "inverno" no LQ possui os derivados *Heskil* "A do Inverno", *Hesin* "inverno", *hessa* "morto, ressequido", *hesta-* "ressecar". No LG, há *Hess* "inverno, especialmente como nome de Fuil" e *hesc* "ressequido, morto; gélido". Para outro nome de Fui Nienna, ver *Vailimo*.

Hisildi Ver *Hisilómë*.

Hisilómë Sob a raiz HISI, o LQ traz *hísë*, *histë* "ocaso", *Hisinan* "Terra do Crepúsculo". Para a tradução de *Hisilómë* como "Crepúsculos Sombreados", ver p. 141.

A raiz LOMO possui muitos derivados, como *lómë* "ocaso, treva, escuridão", *lómëar* "filho do escuro" (ver *Lómëarni*), *lómin* "penumbra, sombra", *lomir* "eu escondo", *lomba* "segredo, secreto". Ver *Wirilómë*. Palavras gnômicas são *lôm* "treva, penumbra", *lómin* "sombreado, turvo" e o substantivo "treva": portanto *Dor Lómin*. O mesmo elemento ocorre em *Lomendánar* "Dias de Ocaso".

Ilinsor Um verbete tardio no LG traz *Glinthos* = qenya *Ilinsor*, Timoneiro da Lua. O primeiro elemento é provavelmente *glint* "cristal". *Ilinsor* não aparece no LQ.

Ilkorin Um prefixo de negação *il-* aparece em ambos os dicionários; no LG, diz-se que *il-* "denota o oposto, o reverso, ou seja, mais do que a mera negação". Ver *Kôr*.

Ilsaluntë (Nome da Lua). *Ilsa* aparece no LQ como "o nome místico da prata, assim como *laurë* é do ouro"; é o *i* de *tilkal*, p. 127. Para *luntë* "navio", ver *Alqaluntë*. O nome gnômico é *Gilthalont*; afirma-se que *giltha* "metal branco" é propriamente o mesmo que *celeb* "prata" (qen. *telpë*), mas incluindo agora *gais* "aço"; *ladog* "estanho" etc., em oposição a *culu* "ouro"; e diz-se que *culu* é uma palavra poética para "ouro", mas "também usada miticamente como hiperônimo de todos os metais vermelhos e amarelos, como *giltha* é para os brancos e cinzentos". Ver *Telimpë*.

Ilterendi No texto, as grilhetas são chamadas de *Ilterendi* "pois não se as podia limar ou fender" (p. 128); mas a raiz TERE no LQ possui derivados com o sentido de "perfuração" (*tereva* "perfurante", *teret* "broca, verruma").

Ilúvatar Não há dúvidas de que o significado original de *Ilúvatar* era "Pai-do-Céu" (no LQ encontra-se *atar* "pai"); ver *Ilwë*.

Ilverin Nome élfico de Coração-Pequeno, filho de Bronweg. O nome rejeitado, *Elwenildo* (p. 71), contém a palavra *elwen* "coração", que consta no LQ; o LG inclui a palavra *ilf* "coração (especialmente usado para sentimentos)", e vários nomes (*Ilfin*(*g*), *Ilfiniol*, *Ilfrith*), correspondendo ao qenya *Ilwerin*.

Ilwë No LQ, a palavra *ilu* está glosada como "éter, os ares tênues entre as estrelas", enquanto no LG afirma-se que o nome gnômico de Ilúvatar, *Ilon*, = qenya *Ilu*. No LQ, *ilwë* foi glosado inicialmente como "firmamento, céus", com um acréscimo posterior "o ar azul que circunda as estrelas, as camadas médias"; o correspondente gnômico é *ilwint* — a respeito do qual se explica, no LG, que a verdadeira forma *ilwi* ou *ilwin* foi corrompida em *ilwint* por associação com *gwint* "face", como se significasse "face de Deus". Outras palavras encontradas em gnômico são *Ilbar*, *Ilbaroth* "firmamento, a região extrema além do mundo"; *Ilador*, *Ilathon* = *Ilúvatar*; *ilbrant* "arco-íris" (ver *Ilweran*).

Ilweran O LQ possui *Ilweran*, *Ilweranta* "arco-íris" (outra palavra para o arco-íris em qenya é *Iluqinga*, na qual *qinga* significa "arco"; *qingi-* "tanger (de cordas, harpa)"). Em gnômico, as formas correspondentes são *Ilbrant* ou *Ilvrant*, das quais se diz no LG serem falsamente associadas a *brant* "arco (de atirar)"; o segundo elemento relaciona-se, antes, a *rantha* "arco, ponte", como mostra o qen. *Ilweran*(*ta*).

Ingil No LG, os nomes gnômicos do filho de Inwë são *Gilweth* e *Githilma*; *Gil* é a estrela Sírio, e diz-se que é o nome de Gilweth após ele se erguer aos céus e, "na forma de uma grande abelha carregando mel de flama, seguiu Daimord [Telimektar, Órion]"; ver os verbetes *Nielluin*, *Telimektar*. Não se dá nenhuma explicação para esses nomes, mas *Gil*(*weth*) é claramente relacionado a *gil-* "brilho", *gilm* "luar", *giltha* "metal branco" (ver *Ilsaluntë*). Para *Githilma*, ver *Isil*.

Inwë No LQ, este, que é o nome do "antigo rei das fadas que as liderou para o mundo", é um derivado de uma raiz INI "pequeno", donde também o adjetivo *inya* e os nomes *Inwilis*, *Inwinórë* "Feéria" e "Inglaterra" (esse último foi riscado). Diz-se que Tol Eressëa foi chamada de *Inwinórë* por conta de Inwë, mas isso foi alterado, e passou a se afirmar que foi chamada *Ingilnórë* por conta de seu filho, Ingil. Esses verbetes relacionam-se a uma concepção muito antiga (ver *Alalminórë*, *Eldamar*). Para outros nomes de Inwë, ver *Inwithiel*, *Isil*.

Inwir Ver *Inwë*. No LG, aqueles do "nobre clã dos Tilthin" (Teleri) são chamados de *Imrim*, singular *Im* (ver *Inwithiel*).

Inwithiel Nos textos, *Inwithiel*, nome gnômico do Rei Inwë, é uma emenda de (*Gim*)*Githil* (pp. 27, 145). No LG, esses nomes — *Inwithiel*, *Githil* — são dados como adicionais dos seus nomes próprios, *Inweg* ou *Im*. Ver *Isil*.

APÊNDICE

Isil No conto *A Vinda dos Elfos* (p. 145), Inwë é chamado de *Isil Inwë* e, no LG, a forma gnômica correspondente de *Isil* é *Githil* (ao nome de seu filho, *Githilma*, corresponde o qenya *Isilmo*). No LQ há uma raiz ISI (*iska* "pálido", *is* "neve suave"), cujo equivalente gnômico é dado como *ith-* ou *gith-*; o LG possui uma palavra *ith* "neve fina".

Kalaventë Ver *Galmir, Glorvent*.

Kalormë Aparece no LQ em meio aos derivados da raiz KALA (ver *Galmir*), com o sentido de "crista do monte sobre o qual o Sol se levanta". *Ormë* = "topo, crista", de uma raiz ORO, com um sentido básico, aparentemente, de "erguer": *or* "sobre", *oro* "colina", *oro-* "erguer(-se)", *orto-* "levantar", *oronta* "íngreme", *orosta* "ascensão" etc.; gnômico *or* "sobre, em cima de", *orod*, *ort* "montanha", *orm* "teso, cimo do monte", *oros, orost-* "subida, elevação". Ver *Oromë, Orossi, Tavrobel*.

Kapalinda (A nascente do rio no lugar para onde os Noldoli foram banidos em Valinor, p. 192). O LQ possui *kapalinda* "olho d'água" entre os derivados da raiz KAPA "saltitar, pular"; *linda* é obscuro.

Kaukareldar Sob a raiz KAWA "curvar-se, dobrar-se" no LQ, estão derivados *kauka* "torto, curvado", *kauko* "corcunda", *kawin* "eu me curvo", *kaurë* "medo", *kaurëa* "tímido".

Kelusindi (O rio no lugar para onde os Noldoli foram banidos em Valinor, p. 192; no texto chamado de *Sirnúmen*). No LQ, sob a raiz KELE, KELU "fluir, escoar, gotejar" são incluídos muitos derivados, entre eles *kelusindi* "um rio", também *kelu, kelumë* "riacho", *kektelë* "fonte" (também na forma *ektelë*) etc. Para *-sindi*, ver *Sirion*.

Kémi O LQ traz *kemi* "terra, solo" e *kemen* "solo", a partir da raiz KEME. O nome gnômico é *Címir*, = qen. *Kémi* "Mãe Terra". Há também uma palavra gnômica *grosgen* "solo", da qual se diz que *-gen* = qen. *kémi*.

Koivië-néni "Águas do Despertar". No LQ, sob a raiz KOYO "ter vida", estão os derivados *koi, koirë* "vida", *koitë* "ser vivo", *koina, koirëa* "vivo", *koiva* "desperto", *koivië* "despertar". No LG estão *cuil* "vida", *cuith* "vida, corpo vivo" etc.; *cwiv-* "estar desperto", *cwivra-* "despertar (verbo)", *cuivros* "despertar (substantivo)": *Nenin a Gwivros* "Águas do Despertar". Para *-néni, Nenin*, ver *Neni Erúmëar*.

Kópas O LQ traz *kópa* "ancoradouro, porto", a única palavra dada sob a raiz KOPO "manter, guardar". O LG possui *gobos* "porto", com uma referência ao qen. *kópa, kópas*; também *gob* "concha da mão", *gobli* "vale".

Kôr No LQ, esse nome aparece sob a raiz KORO "reverenciar?", com a nota "a antiga cidade construída acima das rochas de Eldamar, de onde as fadas marcharam para o mundo"; também colocado aí estão *korda* "templo", *kordon* "ídolo". A forma gnômica é aqui dada como *Côr*, mas no LG, *Côr* ("a colina das fadas e a cidade ali, perto das praias da Baía de Feéria") foi substituída por *Gwâr, Goros* "= qen. *Kôr*, a cidade no monte redondo". Essa interpretação do nome *Kôr* claramente substitui a do LQ, que pertence à mais antiga camada de verbetes. Ver *korin*, adiante.

korin Ver *Kôr*. No LQ, há uma segunda raiz KORO (distinta daquela que originou *Kôr*); essa tem o sentido de "ser redondo, rolar", e possui derivados tais como *korima* "redondo", *kornë* "filão", também *korin* "um local circular cercado, especialmente no cimo de uma colina". Ao mesmo tempo em que *Côr* foi substituído por *Gwâr, Goros* no LG, a palavra *gorin* (*gwarin*) "círculo de árvores = qen. *korin*" foi adicionada, e todas essas formas derivam da mesma raiz (*gwas-* ou *gor-* < *guor* = qen. *kor-*), que parece significar "rotundidade"; assim, no conto da *Vinda dos Elfos*, "os Deuses chamavam aquela colina de Kôr em virtude de sua rotundidade e lisura" (p. 152).

Koromas Um verbete separado e antigo no LQ define *Kormas* (a forma no texto antes da emenda para *Koromas*, p. 34) assim: "a nova capital das fadas após sua retirada do mundo hostil para Tol Eressëa, agora Inwinórë. Foi nomeada em memória de Kôr e, por causa de sua grande torre, também era chamada de *Kortirion*". Para -*mas*, ver *Eldamar*.

Kortirion A palavra *Tirion* "uma torre pujante, uma cidade num monte" é dada no LQ sob a raiz TIRI "sobressair", com *tinda* "espigão", *tirin* "torre alta", *tirios* "uma cidade com muros e torres". Há também outra raiz TIRI, que difere na natureza da consoante medial, com o significado de "vigiar, guardar, fitar, olhar, observar", donde *tiris* "guarda, vigia" etc. No LG há *tir-* "acautelar(-se), aguardar", *tirin* (forma poética *tirion*) "torre de vigia, torrela", *Tirimbrithla* "a Torre de Pérola" (ver *Silmarilli*).

Kosomot Filho de Melko (ver p. 119). Com um segundo elemento distinto, *Kosomoko* é o nome encontrado no LQ sob a raiz MOKO "odiar" (*mokir* "eu odeio"), e a forma gnômica correspondente é, ali, *Gothmog*. O primeiro elemento vem da raiz KOSO, "contender, lutar", em gnômico *goth* "guerra, contenda", com muitas palavras derivadas.

Kulullin O nome não está entre os derivados de KULU "ouro" no LQ, e não aparece com as palavras gnômicas (majoritariamente nomes do Sol) que contêm *culu* no LG. Para o significado de *culu* em gnômico, ver *Ilsaluntë*.

Laisi Ver *Tári-Laisi*.

Laurelin O LQ possui *laurë* "ouro (praticamente o mesmo que *kulu*)", *laurina* "dourado". *laurë* é o *l* final de *tilkal* (p. 127, onde se diz que é o nome "mágico" do ouro, assim como *ilsa* é da prata). As palavras gnômicas são *glôr* "ouro", *glôrin, glôriol* "dourado", mas o LG não inclui nomes da Árvore Dourada. Ver *Bráglorin, Glorvent*.

limpë *limpë* "bebida das fadas" aparece no LQ sob a raiz LIPI, com *lipte-* "gotejar", *liptë* "uma gotinha", *lipil* "copo pequeno". Formas correspondentes no LG são *limp* ou *limpelis* "a bebida das fadas", *lib-* "gotejar", *lib* "uma gota", *libli* "copo pequeno".

Lindeloksë Em uma ocorrência nos textos, é uma emenda de *Lindeloktë*, e ela mesma emendada para *Lindelos* (p. 34). Em outras ocorrências, uma emenda de *Lindelótë* que permaneceu (pp. 101, 162). Ver *Lindelos*.

Lindelos *Linde-* é um dos muitos derivados da raiz LIRI "cantar", como *lin* "melodia", *lindelë* "canção, música", *lindelëa* "melodioso", *lirit* "poema", *lirilla* "lai, canção" (ver o *tirípti lirilla* de Rúmil, p. 65), e o nome do Vala *Lirillo*. O LG traz *lir-* "cantar" e *glîr* "canção, poema". *Lindelos* não aparece no LQ, o qual inclui o nome rejeitado no texto, *Lindeloktë* (p. 34), aqui traduzido como "racimo cantante, laburno".

Loktë "inflorescência (de flores em pencas ou cachos)" é derivado de uma raiz LOHO, com *lokta-* "germinar, produzir folhas ou flores". Diz-se que é uma forma estendida da raiz OLO "ponta", donde *olë* "três", *olma* "nove", *ólemë* "cotovelo". Outra forma estendida dessa raiz é LO'O, da qual derivam *lótë* "uma flor" (e *-lot* "a forma comum em palavras compostas") e muitas outras palavras; ver *Lindelótë*, outro nome rejeitado da Árvore Dourada (pp. 101, 162), *Wingilot*. Para palavras gnômicas, ver *Gar Lossion*. Nenhum nome gnômico da Árvore Dourada se encontra no LG, mas era, na verdade, *Glingol* (que originalmente aparecia no texto, ver p. 34); o LG possui *glin* "som, voz, expressão" (também *lin* "som"), com a nota de que *-glin*, *-grin* é um sufixo nos nomes de idiomas, como *goldogrin* "gnômico".

Lirillo (Um nome de Salmar-Noldorin, p. 190). Ver *Lindelos*.

Lómëarni (Um nome dos Elfos Escuros, p. 295, nota 6). Ver *Hisilómë*.

Lomendánar "Dias de Ocaso" (p. 90). Ver *Hisilómë*, *Danuin*.

Lórien Um derivado da raiz LORO "dormir", com *lor-* "dormir", *lorda* "sonolento, soporoso"; também *olor*, *olórë* "sonho", *olórëa* "sonhador". (Para formulações de palavras muito posteriores a partir dessa raiz, incluindo *Olórin* (Gandalf), ver *Contos Inacabados*, pp. 524–5). No LG há *lûr* "sono", *Lúriel* alterado para *Lúrin* = qenya *Lórien*, e também *olm*, *oloth*, *olor* "sonho, aparição, visão", *oltha* "surgir na forma de uma aparição". Ver *Eriol*, *Olofantur*, *Olórë Mallë*.

Lúmin (Nome rejeitado de Aluin "Tempo", p. 267). O LG possui *lûm* "tempo", *luin* "ido, passado", *lu* "ocasião, tempo", *lûtha-* "passar (tempo), vir a passar". *Aluin* talvez faça parte desse grupo.

Luvier Traduzi essa palavra no desenho do "Navio do Mundo" como "Nuvens" (p. 109) baseando-me em palavras do LQ derivadas da raiz LUVU: *luvu-* "baixar, descer", *lumbo* "nuvem escura que desce", *lúrë* "tempo (clima) escuro", *lúrëa* "escuro, encoberto". O LG possui *lum* "nuvem", *lumbri* "tempo (clima) ruim", *lumbrin*, *lumba* "encoberto", *lur-* "suspender, baixar (nuvens)".

Makar Aparece no LQ ("Deus da batalha") sob a raiz MAKA, com *mak-* "assassinar", *makil* "espada". Seu nome gnômico é *Magron* ou *Magorn*, com palavras relacionadas *mactha-* "assassinar", *macha* "matança, batalha", *magli* "uma grande espada". Ver *Meássë*.

Na lista de nomes dos Valar, Makar é também chamado de *Ramandor*. Esse era o nome original do Rei das Águias em *A Queda de Gondolin*, substituído por *Sorontur*. No LQ, sob a raiz RAMA (*rama-* "gritar", *rambë* "um grito", *ran* "barulho"), *Ramandor* é traduzido como "o Gritador, = Makar".

Mandos Esse nome é definido no LQ como "os salões de Vê e Fui (inferno)", e uma comparação é feita com *-mandu* em *Angamandu* "Infernos de Ferro". No LG há o seguinte verbete: "*Bandoth* [posteriormente alterado para *Bannoth*] (ver *Angband*) = *Mandos* (1) a região de espera das almas dos mortos (2) o Deus que julgava os Elfos e Gnomos mortos (3) usado de maneira inapropriada exclusivamente para seu salão, corretamente chamado *Gwê* [alterado para *Gwî*] ou *Ingwi*". Para a distinção entre a região de *Mandos*, na qual moravam os deuses da morte, e seus salões *Vê* e *Fui*, ver pp. 104, 115.

Mánir Não consta no LQ; mas o LG possui "*móna* ou *móni*: os espíritos do ar, filhos de Manweg". Relações adicionais estão indicadas nos seguintes verbetes: "*manos* (plural *manossin*): um espírito que partiu para os Valar ou para Erumáni (Edhofon). Ver *móna*, qen. *mánë*". Ver *Eruman* e p. 116 e seguintes. Outras palavras são *mani* "bom (apenas para pessoas e caráter), sagrado" (LQ *manë* "bom (moral)"), *mandra* "nobre", e *Manweg* (qen. *Manwë*).

Manwë Ver *Mánir*. Os nomes gnômicos são *Man* e *Manweg* (para *-weg*, ver *Bronweg*).

Mar Vanwa Tyaliéva Para *Mar*, ver *Eldamar*, e para *Vanwa*, ver *Qalvanda*. *Tyalië* "brincadeira, jogo" é um verbete isolado no LQ sob a raiz TYALA.

Meássë Um verbete apressado e tardio no LQ acrescenta *Meássë* "irmã de Makar, Amazona com braços sangrentos" à raiz MEHE "escorrer?", donde *mear* "sangue coagulado". No LG, ela é *Mechos* e *Mechothli* (*mechor* "sangue coagulado"), e também chamada de *Magrintha* "a manirrubra" (*magru* = *macha* "matança, batalha", *magrusaig* "sedento de sangue"). Na lista de nomes dos Valar, é chamada *Rávë* ou *Ravenni*; no LQ, a raiz RAVA possui muitos derivados, como *rauta-* "caçar", *raust* "caçada, predação", *Raustar*, um nome de Oromë, *rau* (plural *rávi*) "leão", *ravennë* "leoa", *Rávi*, um nome de Meássë. Formas muito semelhantes são incluídas no LG: *rau* "leão", *rausta* "caçar", *raust* "caçada".

Melko O nome foi inserido no LQ, mas sem afinidade etimológica. No LG, o nome correspondente é *Belca*, alterado para *Belcha*, com uma nota direcionando para o qenya *velka* "chama". Na lista de nomes dos Valar, é chamado *Yelur* (raiz DYELE, donde o qenya *yelwa* "frio", *Yelin* "inverno"); a forma gnômica é *Geluim*, *Gieluim*, "nome de Belcha quando exerça suas funções antagônicas de extremo frio, qen. *Yeloimu*", ver *Gilim* "inverno". Melko é também chamado, na lista de nomes, de *Ulban(d)*, o que se encontra no LQ glosado como "monstro", sob um prefixo de negação UL-; seu filho Kosomot (Gothmog) era "de Ulbandi" (p. 119). Outros nomes para ele em gnômico são *Uduvrin* (ver *Utumna*) e *Angainos* (ver *Angaino*).

Meril-i-Turinqi *Meril* não consta no LQ, mas *turinqi* "rainha" aparece com muitos outros derivados da raiz TURU "ser forte", incluindo *Turambar* (*Turumarto*) e *tur* "rei". No LG há *tur-* "conseguir, ter o poder de", *tûr* "rei", *turwin* "rainha", *turm* "autoridade, governo; força". *turinthi* "princesa, especialmente como título de Guwidhil". Ver *Sorontur*, *Valatúru*. *Tuor*.

Há também acréscimos posteriores no LG: "*Gwidhil-i-Durinthi* = *Meril-i-Turinqi* Rainha das Flores"; *gwethra* "florir, florescer"; e o radical *gwedh-* é comparado aqui ao qenya *mer-*, que não consta no LQ.

Minethlos No LG *min* "um, único", *mindon* "torre, propriamente uma torrela ou pico isolado", *mineth* "ilha", *Minethlos* "Ilha Argêntea (Lua)" — a mesma tradução é dada no texto, p. 232. Sob a raiz MĪ, o LQ possui *mir* "um", *minqë* "onze"; e sob a raiz MINI, *mindon* "torrela". O segundo elemento de *Minethlos* deve ser, na verdade, *lôs* "flor" (ver *Gar Lossion*).

Miruvor LQ *miruvórë* "néctar, bebida dos Valar" (ver p. 197), com *miru* "vinho"; LG *mirofor* (ou *gurmir*) "bebida dos Deuses", *mîr*, *miros* "vinho".

Moritarnon "Porta da Noite" (ver *Mornië*). O LG inclui *tarn* "portão", *tarnon* "guarda-porta". Ver *Tarn Fui*.

Mornië Não consta no LQ, mas é um dos muitos derivados da raiz MORO, como *moru-* "esconder", *mori* "noite", *morna*, *morqa* "preto", *morion* "filho da escuridão". (Um item curioso é *Morwen* "filha da escuridão", Júpiter. No conto original de Túrin, sua mãe não se chamava Morwen). O nome gnômico do navio-da-morte é *Mornir*, um acréscimo posterior aos verbetes originais *morn* "escuro, preto", *morth* "escuridão", *mortha* "turvo", com a nota "o navio negro que navega entre Mandos e Erumáni, qen. *Mornië* (Negro Pesar)". O segundo elemento é, portanto, *nîr* "pesar" (< *niêr-*), do qual se diz que o qenya *nyérë* é o correspondente. Ver *Moritarnon*, *Móru*, *Morwinyon*.

Móru O LG, em um acréscimo posterior, inclui *Muru* "um nome da Noite Primeva, personificada como Gwerlum ou Gungliont", daí minha interpretação, no texto, como *Móru* e não *Morn* (p. 186). Em meio aos verbetes originais no LG está *múri* "escuridão, noite". Ver *Mornië*.

Morwinyon O nome da estrela Arcturo é traduzido no texto (p. 220) como "o lampejo no ocaso", e o LQ, colocando-a sob a raiz MORO (ver *Mornië*), a traduz como "lampejo no escuro". O LQ possui uma raiz GWINI com a palavra derivada *wintil* "um lampejo".

O nome gnômico é *Morwinthi*; presumivelmente relacionados são *gwim, gwinc* "centelha, lampejo", *gwimla* "piscadela, bruxuleio".

Murmenalda Traduzido no texto como "Vale do Sono", "o Vale Soporoso" (pp. 279–80, 283). O LQ, sob a raiz MURU, inclui *muru-* "dormir", *murmë* "sono", *murmëa* "sonolento, soporoso". O segundo elemento vem da raiz N|D|, da qual os derivados no LQ são *nal(lë)* "vale", e *nalda* "cavo", usado como adjetivo. Em gnômico ocorrem *nal* "vale", *nal* "abaixo, para baixo", *nalos* "afundamento, pôr, declive", *Nalosaura* "pôr do sol" etc. Ver *Murmuran*.

Murmuran Ver *Murmenalda*. O LG inclui a forma gnômica correspondente ao qenya *Murmuran* como *Mormaurien* "morada de Lúriel", mas essa parece ter etimologia distinta: ver *Malmaurien = Olórë Mallë*, a Trilha dos Sonhos, *maur* "sonho, visão".

Nandini Em um papel isolado que inclui uma lista dos diferentes clãs de "fatas", *Nandini* são "fatas dos vales". O LQ inclui uma raiz NARA com derivados *nan(d)* "bosque", *nandin* "dríade"; O LG possui *nandir* "fata do campo, qen. *nandin*", juntamente com *nand* "campo, campina" (plural *nandin* "os campos"), *nandor* "fazendeiro" etc.

Nauglath O LG inclui as seguintes palavras: *naug* e *naugli* "anão", *naugla* "dos anãos", *nauglafel* "com a natureza dos anãos, isto é, sovina, avarento" (ver p. 284). O LQ não possui nenhuma correspondência, mas, no LG, diz-se que o equivalente de *naug* é *nauka*.

Neni Erúmëar (No desenho do "Navio do Mundo", onde eu traduzi como "Águas Extremas", p. 109). O LQ, sob a raiz NENE "fluir", possui *nen* "rio, água", e a mesma forma ocorre em gnômico. *Erúmëa* "de fora, extremo" consta no LQ como derivado de ERE "fora", como em *Eruman*. Ver *Koivië-néni*.

Nermir Na lista de fatas mencionada em *Nandini*, *Nermir* são "fatas dos prados". O LQ possui um verbete isolado *Nermi* "um espírito do campo", e o LG possui *Nermil* "um fata que habita pradarias e margens de rios".

Nessa Esse nome não aparece nos dicionários. — Na lista de nomes dos Valar, é chamada *Helinyetillë* e *Melesta*. No LQ, em meio a verbetes muito antigos, *helin* é o nome da flor violeta ou amor-perfeito, e *Helinyetillë* está glosado como "Eyes of Heartsease" (que é um dos nomes em inglês do amor-perfeito);* compare com *yéta* "olhar para". Mas, no LQ, esse é um nome de Erinti. No começo houve, claramente, muitas alterações entre as deusas da Primavera, na atribuição de nomes e papéis (ver *Erinti*). *Melesta* é, sem dúvida, derivado da raiz MELE "amor" (*meles(së)* "amor", *melwa* "amável" etc.; gnômico *mel-*"amar", *meleth* "amor", *melon, meltha* "amado" etc.).

Nielíqui No LQ, esse nome (*Nieliqi*, também *Nielikki, Nyelikki*) é derivado da raiz NYEHE "chorar" (ver *Nienna*). Onde suas lágrimas caíam (*nieninqë*, literalmente "lágrima branca"), flocos de neve surgiam. Ver o poema *Nieninqë* em *The Monsters and the Critics and Other Essays* [Os Monstros e os Críticos e Outros Ensaios], de J.R.R. Tolkien, 1983, p. 215. Para *ninqë*, ver *Taniquetil*.

O segundo elemento de *Nielíqui* é, presumivelmente, derivado da raiz LIQI, donde *linqë* "água", *liqin* "molhado", *liqis* "transparência" etc. (ver *Ulmo*).

Nielluin Esse nome da estrela Sírio está traduzido no texto (p. 220) como "a Abelha Azurina" (ver *Ingil*). O primeiro elemento vem da raiz NEHE, donde *nektë* "mel", *nier* (< *neier* < *nexier*) "abelha-de-mel", *nierwes* "colmeia". O nome de Sírio é dado no LQ como *Niellúnë* ou *Nierninwa*; tanto *ninwa* quanto *lúnë* são palavras em qenya com o significado de "azul". Em gnômico, o nome da estrela é *Niothluimi* = qenya *Nielluin*: *nio, nios* "abelha" e muitas palavras relacionadas, *luim* "azul".

Nienna No LQ, *Nyenna*, a deusa, aparece sob a raiz NYE(NE) "balir", donde *nyéni* "cabra", *nyéna-* "lamentar" etc.; mas há uma nota "ou todos da raiz NYEHE". Essa raiz significa "chorar": *nië* "lágrima" (ver *Nielíqui*), *nyenyë* "choro". No LG, as formas do nome são *Nenni(r), Nenir, Ninir*, sem que sejam fornecidas conexões etimológicas, mas compare com *nîn* "lágrima".

Noldoli A raiz NOL "saber", no LQ, possui os derivados *Noldo* "Gnomo" e *Noldorinwa* como adjetivo, *Noldomar* "terra dos Gnomos" e *Noldorin* "que morou um tempo em Noldomar e trouxe os Gnomos de volta a Inwenórë". Parece que *Noldomar* é o nome para as Grandes Terras. Mas é muito curioso que nesses verbetes, que estão entre os mais antigos, "Gnomo" seja uma emenda de "Gobelim"; ver o poema *Pés de Gobelim* (1915) e o título em inglês antigo *Cumaþ Pá Nihtielfas* (p. 46).

Em gnômico, "Gnomo" é *Golda* ("isto é, sábio"); *Goldothrim* "o povo dos Gnomos", *goldogrin* é seu idioma, *Goldobar, Goldomar* "terra dos Gnomos". O equivalente de *Noldorin* no LG é *Goldriel*, forma que antecedeu *Golthadriel* no texto, até que ambas foram riscadas (p. 34). Ver *Nólemë*.

---

* Lit. "olhos da tranquilidade do coração". [N. T.]

Noldorin Ver *Noldoli*.

Nólemë Aparece no LQ como substantivo comum, "saber profundo, sabedoria" (ver *Noldoli*). O nome gnômico de Finwë Nólemë, *Golfinweg* (p. 145), contém o mesmo elemento, assim como *Fingolma* também deve conter, sendo esse o nome que lhe é dado nos esboços do *Conto de Gilfanon* (pp. 278–80).

I Nori Landar (No desenho do "Navio do Mundo", provavelmente significa "as Grandes Terras", pp. 107–09). Para *nori*, ver *Valinor*. Nada similar a *landar* aparece no LQ; o LG inclui uma palavra *land* (*lann*), "amplo, largo".

Nornorë No LQ, esse nome possui a forma *Nornoros* "arauto dos Deuses" e, juntamente com o verbo *nornoro-* "correr, correr suavemente", é derivado da raiz NORO "correr, galgar, rodar etc.". O LG possui palavras similares, *nor-* "correr, rolar", *norn* "roda", *nûr* "suave, deslizante". O nome correspondente ao qenya *Nornorë* é, aqui, *Drondor* "mensageiro dos Deuses" (*drond* "corrida, curso, trilha" e *drô* "rastro de roda, sulco"); *Drondor* foi, posteriormente, alterado para *Dronúrin* (< *Noronōr-*) e *drond* para *dronn*.

Númë (No desenho do "Navio do Mundo"). No LQ, *númë* "Oeste" deriva da raiz NUHU "curvar, dobrar, vergar, afundar"; outras palavras são *núta-* "dobrar, afundar", *númeta-, numenda-* "abaixar (do Sol)", *númëa* "no Oeste". Gnômico *num-* "afundar, descer", *númin* "no Oeste", *Auranúmin* "pôr do sol", *numbros* "inclinação, declive", *nunthi* "para baixo". Ver *Falassë Númëa, Faskala-númen, Sirnúmen*.

Núri Nome de Fui Nienna: "Núri, a que suspira", p. 87. Aparece sem tradução no LQ, sob a raiz NURU, com *núru-* "uivar (de cães), rosnar", *nur* "resmungo, reclamação". Em gnômico, ela é *Nurnil*, com palavras associadas *nur-* "resmungar, rosnar", *nurn* "lamento", *nurna-* "gemer, lamentar".

Ô (No desenho do "Navio do Mundo": "o Mar", pp. 108–09). Ver *Ónen*.

Oarni Ver *Ónen*.

Olofantur Ver *Lórien, Fanturi*.

Olórë Mallë Para *Olórë*, ver *Lórien*. *mallë* "rua" aparece no LQ sob a raiz MALA "esmagar" (ver *Balrog*); a forma gnômica é *mal* "caminho pavimentado, estrada", e o equivalente de *Olórë Mallë* é *Malmaurien* (ver *Murmuran*).

Ónen A raiz 'o'o possui, no LQ, os derivados *Ô*, uma palavra poética para "o mar", *oar* "filho do mar, criança-sereia", *oaris* (*-ts*), *oarwen* "sereia, donzela-do-mar" e *Ossë*; o nome *Ówen* (antecedente de *Ónen* no texto, pp. 81, 101) também aparece e evidentemente significa o mesmo que *oarwen* (para *-wen*, ver *Urwen*). A forma posterior *Uinen* nos Contos é, aparentemente, gnômica; LG *Únen* "Senhora do mar", alterado depois para *Uinen*. Uma forma *Oinen* também ocorre (p. 254).

Na lista de nomes dos Valar, Ónen é chamada também de *Solórë* (ver *Solosimpi*) e *Ui Oarista*. Esse último aparece no LQ, com a definição de "Rainha das Sereias", juntamente com *Uin* "a baleia primeva"; mas não está claro como esses nomes se relacionam a outros.

Orque LQ *ork* (*orq-*) "monstro, demônio". LG *orc* "gobelim", plural *orcin*, *orchoth* (*hoth* "gente, povo"), *hothri* "armada, exército", *hothron* "capitão").

Oromë No LQ, *Oromë* "filho de Aulë", está colocado sob uma raiz ORO, que é distinta (ao que parece pela natureza da consoante) de ORO (com o sentido de "inclinação, elevação") incluída em *Kalormë*; mas afirma-se que essas raízes são "muito confundidas". A segunda raiz origina *órë* "a aurora, o Nascente, Leste", *órëa* "da aurora, Oriental", *orontë*, *oronto* "Nascente (do Sol)", *osto* "os portões do Sol", e *Ostor* "o Leste, o Sol quando irrompe dos brancos portões". Nota-se que *Oromë* deveria, talvez, ser alocado sob a outra raiz, mas não há indicação de conexões com o nome. Em *A Ocultação de Valinor* (p. 258), Oromë tem um conhecimento particular do Leste do mundo. Seu nome gnômico é *Orma*; e, na lista de nomes dos Valar, também é chamado *Raustar*, para o qual, ver *Meássë*.

Oronto (No desenho do "Navio do Mundo", é o "Leste"). Ver *Oromë*.

Orossi Na lista de fatas mencionada em *Nandini*, *Orossi* são "fatas das montanhas" e esse nome é, portanto, derivado da raiz ORO vista em *Kalormë*.

Ossë Ver *Ónen*. Seu nome gnômico é *Otha* ou *Oth*.

Palisor Ver *Palúrien*.

Palúrien Um verbete antigo no LQ inclui *Palurin* "o vasto mundo" sob a raiz PALA, cujos derivados têm um sentido geral em comum de "achatamento, nivelamento", entre eles *palis* "relvado, gramado", donde sem dúvida vem *Palisor*. No LG, o nome correspondente é *Belaurin*, *B(a)laurin*; mas ela também é chamada de *Bladorwen* "a vasta terra, o mundo e suas plantas e frutos, Mãe Terra" (palavras relacionadas são *blant* "plano, aberto, expansivo, cândido", *blath* "chão", *bladwen* "uma planície"). Ver *Yavanna*.

Poldórëa Não consta no LQ, mas o LG inclui várias formas correspondentes: *Polodweg* = Tulcus (*polod* "poder, força, autoridade"); *polodrin* "pujante, também na forma poética *Poldurin* ou *Poldorin*, especialmente usada como epíteto de Tulcus; qen. *Poldórëa*".

Qalmë-Tári A raiz é QALA "morrer", donde *qalmë* "morte", *qalin* "morto" e outras palavras de mesmo sentido. *Tári* vem de TAHA: *tâ* "elevado",

tára "altaneiro", *tári* "rainha" etc.; gnômico *dâ* "elevado", *dara* "altaneiro", *daroth* "topo, pico". Ver *Taniquetil*.
Qalvanda "A Estrada da Morte" (p. 257). Ver *Qalmë-Tári*. O segundo elemento vem da raiz VAHA: donde *vâ*, tempo pretérito "foi", *vand-* "caminho, trilha", *vandl* "cajado", *vanwa* "que partiu na estrada, passado, acabado, perdido" (como em *Mar Vanwa Tyaliéva*). Ver *Vansamírin*.
Qerkaringa O primeiro elemento é obscuro; para *-ringa*, ver *Ringil*.
Qorinómi Ver p. 260. A raiz é QORO/QOSO, donde *qoro-* "asfixiar, sufocar", *qorin* "afogado, sufocado" etc.

Rána Não consta no LQ, mas o LG possui *Rân* "a Lua (qen. *Rána*)" e *ranoth* "mês" (*Ranoth* era um nome rejeitado antes de *Ranuin*, p. 277). No texto (p. 232), diz-se que foram os Deuses que deram o nome de *Rána* à Lua.
Ranuin Ver *Rána*.
Ringil O LQ inclui *ringa* "úmido, frio, gélido", *ringwë* "escarcha, geada", *rin* "orvalho"; LG *rî* "frio, gelado, uma brisa súbita ou aragem fria", e (um acréscimo posterior) *Ringli* "os frios árticos, o Polo Norte (ver o conto da Vinda dos Ainur)". Ver *Qerkaringa*.
Rúmil Esse nome não se encontra em nenhum dicionário, mas parece provável que esteja ligado a palavras incluídas no LG: *rû* e *rûm* "segredo, mistério", *ruim* "secreto, misterioso", *rui* "sussurro", *ruitha* "sussurrar".

Salmar O nome deve fazer parte dos derivados da raiz SALA: *salma* "lira", *salmë* "tocar de harpa" etc.
Samírien ("O Festival do Duplo Júbilo", pp. 176–77). Provavelmente deriva da raiz MIRI "sorrir"; *sa-* é descrito no LQ como um "prefixo de intensidade". Ver *Vansamírin*.
Sári Não consta em nenhum dicionário, mas no LQ a raiz SAHA/SAHYA origina *sâ* "fogo", *saiwa* "quente", *Sahóra* "o Sul"; o LG possui *sâ* "fogo" (forma poética *sai*), *sairin* "fogoso", *saiwen* "verão" e outras palavras.
Sil Sob a raiz SILI, o LQ inclui uma longa lista de palavras que começam com *Sil* "Lua" e todos têm significados de brancura ou luz branca, mas nem *Silpion* e nem *Silmaril* ocorrem ali. No LG, *Sil* "propriamente = 'Rosa de Silpion', ver Conto da Feitura do Sol e da Lua, mas com frequência usado poeticamente = Toda a Lua ou Rân". Nesse conto (p. 232), diz-se que as fadas chamaram a Lua de "Sil, a Rosa" (inicialmente, "a rosa prateada").
Silindrin O "Caldeirão-da-Lua" não aparece em nenhum dicionário; a forma mais parecida é *Silindo*, no LQ, um nome de Júpiter. Ver *Sil*.
Silmarilli Ver *Sil*. No LG, o equivalente do "qen. *Silmaril*" é *silubrill-* (*silum*(*b*)*aril-*), plural *silubrilthin* (que ocorre no texto, p. 159); um

acréscimo posterior compara *brithla* "pérola", qenya *marilla* (que não consta no LQ). A Torre de Pérola era chamada, em gnômico de *Tirimbrithla*.

Silmo Ver *Sil*. No LQ, *Silmo* é traduzido como "Lua" e, no LG, *Silma* é dado como o nome equivalente gnômico do qenya *Silmo*.

Silpion Ver *Sil*. Os nomes gnômicos são *Silpios* ou *Piosil*, mas nenhum significado é atribuído.

Silubrilthin Ver *Silmarilli*.

Sirion LQ raiz SIRI "fluir", com derivados *sindi* "rio" (ver *Kelusindi*), *sírë* "riacho", *sírima* "líquido, fluente". No LG são fornecidos *sîr* "rio", *siriol* "fluente", e *Sirion* (palavra poética) "rio, propriamente o nome do famoso rio mágico que fluía por Garlisgion e Nantathrin" (*Garlisgion* "o Sítio de Juncos" sobreviveu em *Lisgardh* "a terra dos juncos nas Fozes do Sirion", *Contos Inacabados*, p. 57). Ver *Sirnúmen* e o nome que ele substituiu, *Numessir*.

Sirnúmen Ver *Sirion, Númë*.

Solosimpi O LQ inclui *Solosimpë* "os Flautistas das Terras Costeiras", do qual o primeiro elemento vem da raiz SOLO: *solmë* "onda", *solor, solossë* "onda que se quebra, vaga" (ver *Solórë*, nome de Ónen), e o segundo elemento vem de SIPI "assoviar, flautear": *simpa, simpina* "flauta, flautim", *simpisë* "flauteio", *simpetar* "flautista". No LG, o nome gnômico dos Solosimpi é *Thlossibin* ou *Thlossibrim*, de *thloss* "onda que se quebra", com uma variante *Flossibrim*. Afirma-se que a palavra *floss* foi formada a partir de *thloss* por influência de *flass* "orla marítima, arrebentação; orla, margem, franja".

Sorontur Derivado de uma raiz SORO "águia": *sor, sornë* "águia", *sornion* "ninho", *Sorontur* "Rei das Águias". Para *-tur*, ver *Meril-i-Turinqi*. As formas gnômicas são *thorn* "águia", *thrond* "(ninho), pináculo", *Thorndor* e *Throndor* "Rei das Águias".

Súlimo No LQ, sob três formas-raiz SUHYU, SUHU, SUFU "arejar, respirar, exalar, soprar" estão *sû* "barulho de vento", *súlimë* "vento" e *Súlimi, -o* "Vali do Vento = Manwë e Varda". Isso provavelmente quer dizer que Manwë era *Súlimo* e Varda, *Súlimi*, já que Varda é chamada de *Súlimi* na lista de nomes dos Valar; mas, no LG, afirma-se que Manwë e Varda eram chamados em conjunto de *i·Súlimi*. O LG possui *sû* "barulho de vento", *súltha* "rajada (de vento)", mas o nome-de-vento de Manwë é *Saulmoth* (*saul* "um grande vento") que se afirma ser uma forma antiga do posterior *Solmoth*; e isso "= qen. *Súlimo*".

Em gnômico, ele também é chamado de *Gwanweg* (*gwâ* "vento", *gwam* "rajada de vento"), frequentemente combinado com *Man* (ver *Manwë*) como *Man 'Wanweg* = qen. *Manwë Súlimo*. A raiz GWĀ aparece no LQ: *wâ* "vento", *wanwa* "grande vendaval", *wanwavoitë* "ventoso"; e, na lista de nomes dos Valar, Manwë e Varda são chamados em conjunto de *Wanwavoisi*.

Súruli Ver *Súlimo*. *Súruli* não aparece no LQ, mas o LG possui *Sulus* (plurais *Sulussin* e *Suluthrim*) "um dos dois clãs de espíritos-do-ar de Manwë, qen. *Súru*, plural *Súruli*".

Talka Marda Esse título de Aulë, traduzido no texto (p. 218) como "Ferreiro do Mundo", não se encontra no LQ, mas o LG coloca "*Martaglos*, corretamente *Maltagros*, título de Óla, Ferreiro do Mundo" como equivalente do qenya *Talka Marwa*; também *tagros, taglos* "ferreiro". Ele é chamado, ademais, de *Óla Mar*; e na lista de nomes dos Valar, de *Aulë Mar*. (Muito tempo depois, esse título de Aulë reapareceu. Em uma nota muito tardia, ele recebe o nome de *mbartanō* "artífice-do-mundo" > quenya *Martamo*, sindarin *Barthan*).

Taniquetil Sob a raiz TAHA (ver *Qalmë-Tári*), *Taniquetil* aparece no LQ com o significado de "altaneiro topo nevado". O segundo elemento vem da raiz NIQI (*ninqë* "branco", *niqis* "neve", *niqetil* "topo nevado"; ver *nieninqë* "lágrima branca" (floco de neve) no verbete *Níeliqui*).

A forma gnômica é *Danigwethil* (*dâ* "elevado"), mas o segundo elemento parece ser diferente, já que o LG inclui uma palavra *nigweth* "tempestade (propriamente de neve, mas esse sentido desapareceu)".

Tanyasalpë Traduzido no texto como "a malga de fogo" (p. 285). *salpa* "malga, vasilha" aparece no LQ sob uma raiz S̨LP̨, com *sulp-* "lamber", *salpa* "tomar um gole de", *sulpa* "sopa". *Tanya* não consta no LQ; o LG possui *tan* "lenha para fogueira", *tantha-* "acender", *tang* "chama, clarão" e *Tanfa* "o mais inferior de todos os ares, o ar quente dos locais profundos".

Tári-Laisi Para *Tári*, ver *Qalmë-Tári*. No LQ, a raiz LAYA "estar vivo, florescer" possui os derivados *lairë* "pradaria", *laiqa* "verde", *laito* e *laisi*, ambos com o sentido de "juventude, vigor, vida nova". As palavras gnômicas são *laib* (também *glaib*) "verde", *laigos* "verdor = qen. *laiqassë*", *lair* (também *glair*) "pradaria". A seguinte nota é de grande interesse: "Note *Laigolas* = verde-folha [ver *Gar Lossion*], tornando-se arcaico porque a forma final virou *laib*, originando *Legolast*, isto é, olhar aguçado [*last* "olhar, olhadela", *leg, lêg* "agudo, penetrante"]. Mas talvez ambos fossem nomes seus, e os Gnomos deleitavam-se em dar dois nomes com sons semelhantes e significados dessemelhantes, como *Laigolas Legolast, Túrin Turambar* etc. *Legolas*, a forma comum, é uma confusão dos dois". (Legolas Verdefolha aparece no conto *A Queda de Gondolin*; era um Elfo de Gondolin e, dotado de visão noturna, liderou os fugitivos da cidade pela planície no escuro. Uma nota associada ao conto diz que "ainda vive em Tol Eressëa, lá chamado pelos Eldar de *Laiqalassë*").

Tarn Fui Ver *Moritarnon, Fui*.

Tavari Na lista de fatas mencionada em *Nandini, Tavari* são "fatas dos bosques". No LQ, *tavar* (*tavarni*) "espíritos-do-vale" deriva de uma raiz TAVA, donde também *tauno* "floresta", *taulë* "grande árvore", *tavas* "bosque". O LG possui *tavor* "um fata-do-bosque", *taur, tavros* "floresta" (*Tavros* é também um nome próprio, "fata-do-bosque chefe, o Espírito Azul dos Bosques". Posteriormente, *Tavros* tornou-se um nome de Oromë, e pela forma *Tauros* chegou a *Tauron* em *O Silmarillion*).

Tavrobel Aparece no LG com a tradução de "lar da floresta" (ver *Tavari*). Afirma-se que o elemento *pel* é "comum apenas em topônimos tais como *Tavrobel*" e significa "vilarejo, aldeia". Em uma nota separada, em outro lugar, um nome adicional gnômico é dado, *Tavrost*, e nomes em qenya *Tavaros(së), Taurossë*. *Tavrost* evidentemente contém *rost* "aclive, encosta, subida", com as palavras associadas *rosta* "subida" (*Rost'aura* "nascer do Sol"), *ront* "alto, íngreme" atribuído a um radical *rŏ-, oro-*. Essas são variantes etimológicas de palavras incluídas em *Kalormë*.

Telelli Esse termo, que ocorre apenas uma vez nos Contos (p. 30) é obscuro. Em verbetes antigos do LQ, um complexo de palavras é dado, todas significando "pequeno elfo": elas incluem *Teler* e *Telellë*, e os adjetivos *telerëa* e *telella*. Não há indicação de qualquer distinção entre elas. Uma nota isolada afirma que Elfos jovens de todos os clãs que moravam em Kôr para aperfeiçoar suas artes de canção e poesia eram chamados de *Telelli*; mas, em outro lugar, *telellin*, um dialeto, parece ser usado em lugar de *telerin*. Ver *Teleri*.

Teleri Ver *Telelli*. No LG aparece *Tilith* "um elfo, um membro da primeira das três tribos das fadas ou Eldar; plural *Tilthin*". O significado posterior de *Teleri*, quando se tornou o nome da Terceira Tribo, já estava potencialmente ali: o LQ fornece uma raiz TEL+U com derivados *telu-* "finalizar, terminar", *telu* (substantivo), *telwa* "último, tardio", com a indicação de que era, talvez, uma extensão da raiz TELE "cobrir, telhar" (ver *Telimektar*). No LG, esses significados "telhar — fechar — finalizar" são expressamente atribuídos à raiz TEL-: *telm* "telhado, céu", *teloth* "telhadura, dossel; abrigo", *telu-* "fechar, terminar, finalizar", *telu* "fim".

Telimektar No LQ, *Telimektar, Telimbektar* está glosado como "Órion, literalmente Espadachim do Firmamento", e aparece sob a raiz TELE "cobrir, telhar", juntamente com *tel* "telhado", *telda* "que tem um telhado", *telimbo* "dossel; céu" etc. *-mektar* provavelmente deriva da raiz MAKA, ver *Makar*. A forma gnômica é *Telumaithar*.

Na lista de nomes dos Valar, também é chamado de *Taimondo*. Há notas substanciais sobre esse nome em ambos os dicionários que parecem ter sido inseridas ao mesmo tempo. No LQ, *Taimondo* e *Taimordo*, nomes de Telimektar, juntamente com *Taimë*, *Taimië* "o céu", foram colocados sob a raiz TAHA (ver *Qalmë-Tári*). O equivalente gnômico é *Daimord* (*dai*, *daimoth* "céu, firmamento") que aparece também no LG, no verbete a respeito do filho de Inwë, Ingil (Gil, Sírio): ele se alçou aos céus à semelhança de uma grande abelha e "seguiu Daimord" (ver *Ingil*). Mas a palavra *mordo* "guerreiro, herói" em qenya era, na verdade, um empréstimo do gnômico *mord*, e o verdadeiro equivalente em qenya para *mord* era *mavar* "pastor" — sendo esse também o significado original da palavra gnômica, que desenvolveu os sentidos de "homem, guerreiro" pelo uso em poesia após ter se tornado obsoleta em prosa e na fala. Assim, *Daimord* significava, originalmente, "Pastor do Céu", assim como o nome qenya original *Taimavar*, alterado pela influência do nome gnômico para *Taimondo*, *Taimordo*.

Telimpë Não consta no LQ na raiz TELPE, que possui, contudo, *telempë* = *telpë* "prata". Palavras gnômicas são *celeb* "prata", *celebrin* "de prata", *Celebron*, *Celioth*, nomes da Lua. Ver *Ilsaluntë*.

Tevildo Aparece no LQ sob a raiz TEFE (com derivados *teve-* "odiar", *tevin*, *tevië* "ódio") e explicado como "Príncipe dos Gatos" (ver p. 65). A forma gnômica é *Tifil*, "Príncipe dos Gatos".

Tilkal Um nome criado com os sons iniciais de seis nomes de metais (ver p. 127 e nota de rodapé). Para *tambë* "cobre", ver *Aulë*, e para *ilsa* "prata", ver *Ilsaluntë*. *Latúken* "estanho" aparece em um verbete separado no LQ, com *latukenda* "de estanho"; a forma gnômica é *ladog*. *Kanu* "chumbo", *kanuva* "plúmbeo" constam sob uma raiz KANA no LQ. Para *anga* "ferro" ver *Angamandi* e para *laurë* "ouro" ver *Laurelin*.

Timpinen O nome aparece no LQ como único derivado de uma raiz TIFI, mas, na raiz TIPI constam *timpë* "chuva fina", *timpinë* "borrifo" etc. Ver *Tinfang*.

Tinfang O verbete no LG é: "*Tinfing* ou *Tinfang* o flautista (cognominado *Gwarbilin* ou Guardião-dos-pássaros), um fata; ver qen. *timpinen* um flautista (*Timpando*, *Varavilindo*)". Outras palavras gnômicas são *tif-* "assoviar", *timpa-* "badalar, tinir", *timpi* "sininho", *timp* "pio, nota de uma flauta", *tifin* "flautim". O primeiro elemento em *Gwarbilin* é visto também em *Amon Gwareth*, o "Monte de Vigia", que ocorre no conto da *Queda de Gondolin*. O segundo é *bilin*(*c*) "pardal, passarinho".

Tinwë Linto, Tinwelint O LG possui: "*Tinweg* (também *Lintinweg*) e, mais comumente, *Tinwelint* = qen. *Tinwë Linto*; originalmente, líder dos Solosimpi (posteriormente liderados por Ellu), mas tornou-se Rei dos Elfos Perdidos de Artanor". O primeiro elemento do nome vem de TIN-, com derivados tais como *tim* "centelha, brilho, (estrela)", *tintiltha-* "piscar, cintilar", *tinwithli* "aglomerado-d'estrelas, constelação". O segundo elemento é possivelmente o gnômico *lint* "ligeiro, ágil, leve" — mencionado por meu pai em seu ensaio "A Secret Vice" [Um Vício Secreto] (*The Monsters and the Critics and Other Essays* [Os Monstros e os Críticos e Outros Ensaios], 1983, p. 205) como uma palavra que ele lembrava de um estágio muito inicial de suas construções linguísticas. O nome não está no LQ nem na forma mais antiga (*Linwë Tinto*, p. 163) e nem na mais recente, mas sob a raiz TINI estão *tinwë* "estrela", *tint* "faísca (prateada)" etc., e também *lintitinwë* "com muitas estrelas", sendo que o primeiro elemento é um prefixo multiplicativo *li-*, *lin-*. Ver *Tinwetári*.

Tinwetári "Rainha das Estrelas". Para os elementos desse nome, ver *Tinwë Linto*, *Qalmë-Tári*. O nome gnômico correspondente é *Tinturwin*, com um segundo elemento diferente (ver *Meril-i-Turinqi*). Varda é também chamada de *Timbridhil*, *Timfiril*, com o mesmo elemento inicial (*Bridhil* é o nome gnômico de Varda) e *Gailbridh(n)ir*, que contém *gail* "estrela" (correspondente ao qenya *ílë* em *Ílivarda*, não encontrado no LQ).

Tol Eressëa Sob a raiz TOLO, o LQ possui os derivados *tol* "ilha; qualquer elevação isolada na água, numa planície relvada etc.", *tolmen* "bossa (de escudo), monte circular isolado etc.", *tolos* "protuberância, calombo", *tólë* "centro" e outras palavras. O LG inclui *tol* "uma ilha com costas íngremes e elevadas".

Eressëa aparece no LQ sob a raiz ERE (distinta da que se vê em *Eruman*) "permanecer só": *er* "apenas, só, ainda", *eressë* "unicamente, somente", *eressëa* "solitário", *erda* "sozinho, deserto", *erin* "remanescentes". Em gnômico, a Ilha Solitária é *Tol Erethrin* (*er* "um", *ereth* "solidão", *erethrin* "sozinho, solitário" etc.).

Tolli Kuruvar (No desenho do "Navio do Mundo", as "Ilhas Mágicas", pp. 107–09). Para *Tolli*, ver *Tol Eressëa*. O LQ possui um grupo *kuru* "magia, feitiçaria", *kuruvar* "mago", *kuruni* "bruxa", com uma nota: "de magia benévola". O LG possui *curu* "magia", *curug* "mago", *curus* "bruxa".

Tombo *Tombo* "gongo" deriva no LQ de uma raiz TUMU "inchar (com uma noção de concavidade)", junto com *tumbë* "trompa", *tumbo* "vale escuro", *tumna* "fundo, profundo, sombrio ou oculto" (ver *Utumna*). Palavras em gnômico são *tûm* "vale", *tum* "côncavo", *tumli* "vale", *tumbol* "como um vale, côncavo", *tumla-* "escavar".

Tuilérë LQ raiz TUYU: *tuilë* "Primavera, literalmente brotação — também coletivamente: botões, rebentos novos, verde fresco", *Tuilérë* "Primavera" e várias outras palavras como *tuilindo* "(cantor-da-primavera), andorinha". Formas gnômicas são *tuil*, *tuilir* "Primavera" (com a nota de que *Tuilir* = Vána); mas Vána também é chamada *Hairen* "Primavera", presumivelmente relacionado a *hair* "pontual, tempestivo", *hai* "pontualmente", *haidri* "manhã".

Tuivána Ver *Tuilérë, Vána*.

tulielto, etc. *Tulielto* está traduzido como "eles vieram" (p. 143) e *I·Eldar tulier* "os Eldar chegaram" (*ibid.*); *I·kal' antúlien* está traduzido como "a Luz retornou" (p. 223). O LQ, sob a raiz TULU "buscar, trazer, carregar; mover, vir, chegar" possui o verbo *tulu-* de mesmo significado, e também *tulwë* "pilar, estandarte, mastro", *tulma* "féretro". O LG possui *tul-* "trazer; chegar", *tultha-* "erguer, carregar".

Tulkas O LQ fornece o nome sob a raiz TULUK, com *tulunka* "estável, firme", *tulka-* "fixar, montar, estabelecer". A forma gnômica é *Tulcus* (*-os*), com palavras relacionadas *tulug* "estável, firme", *tulga-* "firmar, assentar, estabilizar, confortar".

Tulkastor O nome não aparece nos dicionários (e nem as formas precedentes *Tulkassë, Turenbor*, p. 34); ver *Tulkas, Meril-i-Turinqi*.

Tuor *Tuor* não aparece nos dicionários, mas provavelmente deriva (visto que o nome também é escrito *Tûr*) da raiz TURU "ser forte"; ver *Meril-i-Turinqi*.

Turgon Nem *Turondo* e nem o gnômico *Turgon* aparecem nos dicionários e, para além da probabilidade de que o primeiro elemento vem da raiz TURU (ver *Meril-i-Turinqi*), esses nomes não podem ser explicados.

Turuhalmë "O Trazer das Lenhas" (p. 275). Uma segunda raiz TURU (TUSO) "acender" no LQ (diferente, na consoante medial, da raiz TURU "ser forte") possui muitos derivados: *turu-*, *tunda-* "acender", *turu* "propriamente = lenha para fogo, mas usado para madeira de forma geral", *turúva* "amadeirado, de madeira", *tusturë* "mecha" [isto é, material para iniciar o fogo] etc. No LG há *duru* "madeira: mastro, viga, ou tronco", *durog* "amadeirado, de madeira".

O segundo elemento é o gnômico *halm* "arrasto (inclusive de peixes etc.)". O nome do festival é *Duruchalmo*(*s*) = *Halm 'na-dhuruthon* (*Duruchalm* está escrito no texto e riscado, p. 295), traduzido como "Iule"; isso foi posteriormente alterado para *Durufui* "(noite de) Iule, isto é, Noite-da-lenha"* (ver *Fui*).

---

*A palavra *Yule*, definida pelo *Oxford English Dictionary* diversamente como "dezembro ou janeiro" (acepção obsoleta) e "O Natal e as festividades ligadas a ele", aparece no calendário dos Hobbits como uma palavra para o último dia de um ano e o primeiro do ano seguinte. Na "Nomenclatura de *O Senhor dos Anéis*", Tolkien recomenda que, em tradução, apenas seja feita a adaptação da grafia (afinal, em uma era pré-Cristã não haveria Natal). Tolkien também faz menção à palavra "Yule-log", que é uma grande tora colocada para arder na lareira no Natal e associada às festividades do inverno. Ver *Nomenclature of "The Lord of the Rings"* em *The Lord of the Rings: A Reader's Companion*, de Wayne G. Hammond e Christina Scull, HarperCollins, 2008, p. 781. [N. T.]

APÊNDICE

Uin Ver *Ónen*. No LG, *uin* é um substantivo comum, "baleia", devido a *Uin* "a grande baleia de Gulma" (*Gulma* = *Ulmo*); mas, aparentemente (embora esse verbete seja bastante obscuro), o significado original de *uin*, preservado em poesia, era "onda". Outra palavra gnômica para "baleia" é *uimoth* "ovelha das ondas" (*moth* "ovelha", também "1000", provavelmente, na origem, "rebanho"; *mothweg* "pastor").

Uinen Ver *Ónen*.

Ulmo *Ulmo* aparece no LQ sob a raiz ULU "derramar, fluir rapidamente", juntamente com *ulu-* e *ulto-* "derramar", em sentidos transitivos e intransitivos. Seu nome em gnômico é *Gulma*, com os correspondentes verbos *gul-* e *gulta-*. No rascunho de *A Música dos Ainur*, também é chamado de *Linqil*: ver *Nielíqui*. Para outros nomes, ver *Vailimo*.

Ulmonan Ver *Ulmo*; o segundo elemento desse nome não é explicado.

Ungoliont Ver *Ungwë Lianti*.

Ungwë Lianti, Ungweliant(ë) Sob uma raiz GUNGU, marcada com interrogações, o LQ inclui *Ungwë* "aranha, especialmente *Ungwë*, a Tecelã-de-Treva, usualmente *Ungwelianti*". O segundo elemento vem da raiz LI+ya "entrelaçar", com os derivados *lia* "cordel", *liantë* "gavinha", *liantassë* "vinha". No LG, o nome originalmente inserido era *Gungliont*, o que também foi incialmente escrito no texto (p. 196); mais tarde, isso foi alterado para "*Ungweliont* ou *Ungoliont*". O segundo elemento é atribuído à raiz LĪ- (*lind* "cordel").

Uolë Kúvion *Kúvion* foi alterado a partir de *Mikúmi* (p. 238). O nome não consta no LQ sob a raiz KUVU "dobrar, curvar", que possui os derivados *kû* "Lua crescente", *kúnë* "crescente, arco". O LG inclui *cû* "arco, crescente; Lua crescente ou minguante", e também "*Cuvonweg: Ûl Cuvonweg* (= qen. *Ólë Kúmion*), o Rei-da-Lua". Sob *Ûl*, o equivalente qenya é, contudo, *Uolë*, e aqui se diz que o nome *Ûl* ocorre geralmente na expressão *Ûl·a·Rinthilios*; enquanto *Rinthilios* é glosado como "Lua redonda, nome do Elfo-da-Lua" (*rinc* "circular", substantivo "disco"; *rin-* "revolver, retornar").

Ûr A raiz URU/USU no LQ possui os derivados *uru* "fogo", *úrin* "tórrido, escaldante", *uruvoitë* "fogoso", *urúva* "como fogo", *urwa* "em chamas", *Ûr* "Sol" (com outras formas *Úri*, *Úrinki*, *Urwen*), *Úrion* "um nome de Fionwë", *urna* "forno", *usta-*, *urya-* "queimar" (transitivo e intransitivo). A forma gnômica é *Aur* (*aurost* "aurora"), e também uma palavra poética *Uril*. Ver *Fionwë-Úrion*, *Urwen*.

Urwen, Urwendi Nos contos antigos deste livro, a forma é *Urwen*, tornando-se *Urwendi* no *Conto do Sol e da Lua*. O verbete original no LG era "*Urwendi* e *Urwin* (qen. *Urwen*) a donzela do Navio-do-Sol", mas isso foi alterado posteriormente para "*Urwedhin* e *Urwin* (qen. *Urwendi*)". No LQ (ver *Ûr*) *Urwen* aparece como nome do Sol.

Na lista de nomes dos Valar, a donzela do Sol é também chamada de *Úrinki*, que também aparece no LQ como nome do Sol.

O elemento *-wen* é dado no LQ sob a raiz GWENE: *wen* e *wendi* "donzela, menina", *-wen* patronímico feminino, como o masculino *-ion*, *wendelë* "juventude (de mulheres)" (ver *Wendelin*). No LG, as formas foram muito alteradas e confundidas. As palavras têm radicais em *gwin-, gwen-, gweth-*, com sentidos tais como "mulher", "menina" etc.; a palavra parece ter sido alterada de *gweni-* para *gwedhe-* com referências ao qenya *meril* (ver *Meril-i-Turinqi*) e *wendi*.

Utumna No LQ, a raiz de *Utumna* ("regiões profundas de treva e escuridão no Norte, a primeira morada de Melko") não é fornecida, mas ver a palavra *tumna* "fundo, profundo, sombrio ou oculto" mencionada em *Tombo*. Em gnômico, as formas são *Udum* e *Uduvna*; Belcha (Melko) é chamado de *Uduvrin*.

Úvanimor Ver *Vána*.

Vai A raiz VAYA "envolver" no LQ origina *Vai* "o Oceano de Fora", *Vaimo* ou *Vailimo* "Ulmo como Governante de Vai", *vaima* "traje", *vainë* "bainha", *vainolë* "aljava", *vaita-* "envolver, enrolar", *Vaitya* "o ar mais exterior além do mundo" etc. Em gnômico, a forma é *Bai*, com palavras relacionadas *Baithon* "os ares de fora", *baith* "indumentária", *baidha* "vestir", *bain* "[adj.] vestido (qen. *vaina*)".

Vailimo Ver *Vai*. Em gnômico, a forma é *Belmoth* (< *Bailmoth*); há também um nome poético *Bairos*. Em gnômico, Ulmo é chamado também de *i Chorweg a·Vai*, isto é "o ancião de Vai" (*hôr* "velho, ancião (apenas para coisas que ainda existem)"), *hortha-* "envelhecer", *horoth* "velhice", *Hôs* "idoso", um nome de Fuil). Para *-weg*, ver *Bronweg*.

Vaitya Ver *Vai*.

Valahíru (Acréscimo na margem no texto, ao lado de *Valatúru*, p. 218). Não consta nos dicionários, mas provavelmente deve ser associado à raiz no LQ HERE, "governar, ter poder": *heru-* "governar", *heru* "senhor", *heri* "senhora", *hérë* "senhorio".

Valar No LQ, "*Valar* ou *Vali*" deriva da raiz VALA, com masc. singular *Valon* ou *Valmo* e fem. singular *Valis* ou *Valdë*; outras palavras são *valin, valimo* "feliz", *vald-* "bem-aventurança, felicidade".

As palavras gnômicas são complicadas e curiosas. Da forma em que foram inicialmente escritas, havia *Ban* "um deus, um dos grandes Valar", plural *Banin*, e "*Dor'Vanion = DorBanion = Gwalien* (ou *Valinor*)". Tudo isso foi riscado. Em outro lugar do LG aparece a raiz GWAL "fortuna, felicidade": *Gwala* "um dos deuses, incluindo seu povo divino e seus filhos e, assim, frequentemente usada para alguém do povo menor, em oposição a *Ban*": *Gwalon* e *Gwalthi* correspondem ao qenya *Valon*, *Valsi*; *gwalt* "boa sorte — qualquer acontecimento ou pensamento providencial: 'a sorte dos Valar', *i·walt ne Vanion* (qen. *valto*)"; e outras palavras abstratas, como *gwalweth* "fortuna, felicidade". Não há indício da interpretação posterior de *Valar*. Ver mais em *Vána*.

Valatúru Ver *Valar*, *Meril-i-Turinqi*.

Valinor No LQ duas formas aparecem, *Valinor* e *Valinórë* (a última também ocorre no texto, p. 220), ambas glosadas como "Asgard" (isto é, a Cidade dos Deuses na mitologia nórdica). Para os nomes gnômicos (*Gwalien* etc.) ver *Valar*.

nórë é encontrado no LQ sob a raiz NŌ "tornar-se, nascer", e está glosado como "terra nativa, nação, família, país", também *-nor* "a forma em palavras compostas". Outras palavras são *nosta-* "dar à luz", *nosta* "nascimento, dia do nascimento", *nostalë* "espécie, tipo", *nossë* "gente, povo" (como em *Aulenossë*). A forma gnômica é *dôr*: ver *Dor Faidwen*.

Valmar Ver *Valar*, *Eldamar*.

Vána Um derivado da raiz no LQ VANA, juntamente com *vanë* "belo", *vanessë* "beleza", *vanima* "apropriado, direito, belo", *úvanimo* "monstro" (*ú-* = "não") etc. Aqui também são incluídos *Vanar* e *Vani* = *Valar*, *Vali*, com a nota: "ver gnômico *Ban-*". Ver *Valar*.

O nome de Vána em gnômico era *Gwân* ou *Gwani* (alterado posteriormente para *Gwann* ou *Gwannuin*); *gwant*, *gwandra* "belo", *gwanthi* "beleza".

Vána-Laisi Ver *Vána*, *Tári-Laisi*.

Vansamírin Esse nome substituiu *estrada de Samírien* no texto (p. 267). Ver *Qalvanda*, *Samírien*.

Varda No LQ, o nome é incluído junto com *vard-* "comandar, governar", *vardar* "rei", *varni* "rainha". Em gnômico, *Varda* era chamada *Bridhil* (e *Timbridhil*, ver *Tinwetári*), cognato do qenya *vard-*.

Vê O LQ inclui *Vê* "nome de Fantur" sob a raiz VEHE, mas sem significado atribuído ou outros derivados. A forma no LG é *Gwê*, alterado para *Gwî*: "nome do salão de Bandoth, qen. *Vê*". Ver *Mandos*, *Vefántur*.

Vefántur No LG, o Vala em si é chamado de *Bandoth Gwê* (alterado para *Bannoth Gwî*), *Gwefantur* (alterado para *Gwifanthor*), e *Gwivannoth*.

Vene Kemen Ver *Glorvent*, *Kémi*.

Vilna No LQ, a raiz VILI (sem significado atribuído) possui os derivados *Vilna* (alterado depois para *Vilya*) "ar (inferior)", *Vilmar* "morada de Manwë — os ares superiores (mas não *ilu*)", *vilin* "arejado, ventoso", *vílë* "brisa, aragem". As palavras "mas não *ilu*" referem-se à definição de *ilu* no sentido de *ilwë*, o ar de permeio das estrelas (ver *ilwë*). A morada de Manwë, *Vilmar*, não é mencionada por nome em outros lugares.

Os nomes gnômicos para o ar mais baixo eram *Gwilfa* ou *Fâ*; afirma-se que a etimologia desse último é desconhecida. Os nomes correspondentes em qenya são dados no LG como *Fâ* e *Favilna*, e esses aparecem no LQ sob a raiz FAGA sem tradução, simplesmente como equivalentes de *Vilna*. Outras palavras gnômicas são *gwil-* "velejar, flutuar, voar", *gwilith* "brisa", *gwilbrin* "borboleta": esses correspondem a palavras no LQ sob uma raiz GWILI, *wili-* "velejar, flutuar, voar", *wilin* "pássaro", *wilwarin* "borboleta". Outro nome de Manweg como Senhor dos Ventos, *Famfir*, aparece no LG.

Voronwë Ver *Bronweg*.

Vorotemnar Para *voro* "sempre", ver *Bronweg*. *Temnar* deve vir da raiz TEME "atar", que não possui palavras derivadas na lista no LQ.

Wendelin Não consta no LQ, mas o LG inclui *Gwendeling* (posteriormente alterado para *Gwedhiling*) como nome gnômico correspondente do qenya *Wendelin* "Rainha dos Elfos das Matas, mãe de Tinúviel" (a única ocorrência do nome *Tinúviel* nos dicionários). O nome deve estar relacionado ao qenya *wen* "donzela, menina" e às formas gnômicas listadas em *Urwen*.

Wingildi Ver *Wingilot*.

Wingilot Sob a raiz GWINGI/GWIGI no LQ estão *wingë* "espuma, borrifo", *wingilot* "flor-de-espuma, o barco de Eärendel", e *wingild-* "ninfa" (ver *Wingildi*). Para o elemento *-lot*, ver *Lindelos*.

O LG possui o verbete: "*Gwingalos* ou *Gwingli* = *Lothwinga* ou Flor-de-espuma, o nome do barco de Eärendel (Ioringli)"; também *lothwing* "flor-de-espuma", *gwing* "crista da onda, espuma", e *gwingil* "donzela-da-espuma (sereia, uma das aias de Uinen)".

Wirilómë Ver *Gwerlum*.

Wiruin Ver *Gwerlum*.

Yavanna No LQ, esse nome aparece sob a raiz YAVA, junto com *yavin* "dá fruto", *yáva* "fruto", *yávan* "colheita, outono". A forma gnômica é *Ifon*, *Ivon* "especialmente nas combinações *Ivon Belaurin*, *Ivon Címir*, *Ivon i·Vladorwen*"; ver *Kémi*, *Palúrien*.

Pequeno Glossário de Palavras Obsoletas, Arcaicas e Raras

an se 84, 173, 184, 190, 201, 218, 220, 228, 237, 251

arrassed coberto de tapeçaria suntuosa, 28

astonied atônito, 127, 214

bason antigamente, uma grafia comum de *basin* [bacia], 200 etc.

bent lugar aberto e coberto de grama, 86

brakes matagal, 106

charger travessa grande, 191

clamant clamoroso, barulhento, 43

clomb pretérito antigo de *climb* [escalar, subir], 122

constellate agrupados em uma constelação, 195

cools frescores, 74

corbel cesto, 223

covetice cobiça, 147, 187

eld velhice, 59, 219, 228

fain [ficar] alegre, contente, 45, 150; [estar] disposto, desejoso, 195; **fain of** contente com, 117, 208

fane templo, 54, 59

fey 37. As acepções antigas eram "fadado, próximo à morte; que pressagia a morte". Parece muito improvável que o sentido posterior "que ou aquilo que possui ou demonstra qualidades mágicas, feéricas ou sobrenaturais" (Suplemento do OED)* tenha sido pretendido.

flittermice morcegos, 40

go mover, andar, na frase *all the creatures that go* [todas as criaturas que andam] 219

houseleek sempre-viva. Uma planta suculenta que cresce nos muros e telhados das casas, 122

inaureoled que tem um halo, 204 (a palavra só é registrada no OED em um poema de Francis Thompson, 1897).

jacinth azul, 49

lampads lamparina, 50. A palavra só é registada no OED (usada pela primeira vez por Coleridge) para falar das sete lâmpadas de fogo que ardem diante do trono de Deus no Livro do Apocalipse 4:5.

let upon abrir-se para, voltar-se para, 210

lief [na expressão "lief and liever"] com prazer, com vontade, 163; **liever** com mais vontade, preferir, 105

lustihead vigor, viço, 99

meed recompensa, retorno, 105

minished reduzido, diminuído, apoucado, 150, 208

or... or..., ou... ou... 127, 192, 214

or yet aparentemente significa "já", 166

ousel melro, 47 (atualmente grafado *ouzel*, em *Ring-ouzel* e outros nomes de pássaros).

pleasance "Um jardim, usualmente anexo a um solar; às vezes uma porção reservada de um jardim, mas, com maior frequência, um local cercado à parte, com caminhos sombreados, árvores e arbustos [...]" (OED). Essa acepção está presente em *pleasa(u)nces*

---

* Oxford English Dictionary. [N. T.]

74, 116, mas em *rest and pleasance* [repouso e deleite] 69, o sentido é "deleite, prazer"; em *nor did he have lack of pleasance* [não faltavam arboretos] 65, ambos os sentidos parecem possíveis, mas acho que mais provavelmente o primeiro.

pled pretérito antigo de *plead* [pedir, rogar], 167

plenilune plenilúnio, o momento da lua cheia, 205 (ver *Cartas*, carta n. 234).

pricks (esporeia o cavalo), cavalga rápido, 114. *Oromë esporeia o cavalo pela planície* ecoa o primeiro verso de *The Faerie Queene* [A Rainha das Fadas, de Edmund Spenser]: *A Gentle Knight was pricking on the plaine* [Um Gentil Cavaleiro esporeava pela planície].

recked importar-se com, cuidar de, 179

rede conselho, aconselhamento, 141, 182, 217; plano, 180; **redes** conselho, 117

rondured (em **golden-rondured**) 35. *Rondure* "círculo, forma redonda"; *rondured* não é atestado.

ruth razão de tristeza, calamidade, 185; aflição, pesar, 191; remorso 194; em *the greatest ruth was that to* [*the Valar*] *thereafter* 209 o sentido é incerto: "razão de pesar ou arrependimento" ou, possivelmente, "prejuízo, mal".

saps trincheiras, escavações profundas, 132

sate pretérito antigo de *sit* [sentar-se], 58, 105, 153, 181, 190, 194

seamews gaivotas, 157

selenites selenitas, habitantes da Lua, 205

shallop 232. Essa palavra aplicava-se especificamente a alguns tipos de barco, mas, aqui, aparentemente significa "barco aberto movido a remos e vela", "chalupa".

share 49. *share* = relha de um arado, mas usado aqui para a lâmina de uma foice.

sledge-blows golpes como o de um malho, isto é, um martelo grande e pesado, 78

sprent particípio passado do extinto verbo *sprenge* [aspergir, espalhar], 192

sprite(s) espírito(s), 71, 74, 95, 115, 191

suaded pretérito de *persuadir*, *suadir*, 69, 163

trillups 108, **trillaping** 109. Essa palavra não consta em nenhum dicionário a que tenho acesso.

umbraged (em **wide-umbraged**) 34, 38. *Umbraged* "na penumbra, ensombrecido", mas aqui com o sentido de algo que lança uma sombra.

web(s) tecido, 58, 73, 95 (também usado com o sentido de "patas palmadas" 158,

"teias" 77 etc.)

whickering 248 (*whickering sparks*). O verbo *whicker* significava "rir" ou "dar risinhos", ou, se for um cavalo, "relinchar", mas o OED cita um verso de John Masefield, *the wall-top grasses whickered in the breeze* [as gramíneas em cima do muro ringiam à brisa], e o Suplemento de 1920 do Dicionário inclui uma acepção "fazer um som rápido", com uma única citação em que a palavra é usada para um relâmpago *whickering* [ringindo] pelo céu. Na versão de 1962 de *O Homem da Lua*, a palavra *flickering* [cintilando] ocorre nesse verso.

whitethorn espinheiro, 98

wildered perplexo, desorientado, 163–4, 178, 231

wrack dano, devastação, ruína 198 (compare com *(w)rack and ruin*).

ÍNDICE

Esse índice fornece (em intenção) referências de páginas completas a todos os verbetes, com a exceção de *Eldar/Elfos*, *Deuses/Valar* e *Valinor*; os verbetes incluem as formas rejeitadas dos nomes incluídas nas Notas, mas o Apêndice de Nomes não é contemplado.

Ocasionalmente, as referências são a páginas em que uma pessoa ou lugar não são nomeados de fato, como "o guardião-das-portas" p. 63, em *Rúmil*. São dadas referências a menções dos Contos que aparecerão na Parte II, mas não às menções deles neste livro. As frases explicativas são brevíssimas, e os nomes definidos no Índice de *O Silmarillion* não são, como regra, explicados aqui.

Adormecido na Torre de Pérola Ver *Torre de Pérola*.
Ælfwine "Amigo-dos-Elfos", nome posterior de Eriol 36, 67, 135,281; o conto de Ælfwine da Inglaterra 36, 166
Æsc (inglês antigo) 295. Ver *Askr*.
Água Ocidental Ver *Grande Mar*.
Águas do Despertar 68, 109, 144, 163, 277-9, 282, 285. Ver *Cuiviénen*, *Koivië-néni*.
Ailios Nome antigo de Gilfanon. 237, 238, 246, 264, 266, 273, 275-277
Ainaros Elfo de Alqaluntë. 267. (Substituiu *Oivárin*).
Ainulindalë 67, 80-83. Ver *Música dos Ainur*.
Ainur (Singular *Ainu*; plural *Ainu* 71, 80-1). 71-76, 78-83, 87, 130, 133, 182, 85, 189, 264, 271; *Ainu Melko* 181, 184. Ver *Música dos Ainur*.

Alalminórë "Terra dos Olmos", região de Tol Eressëa. 26, 37, 48, 51, 52, 55, 56, 59, 121; *Alalminor* 56; a primeira parte do poema *As Árvores de Kortirion* 55. Ver *Gar Lossion*, *Terra dos Olmos*.
Aldaron Nome de Oromë, "rei das florestas". 87, 102; *senhor das florestas* 93
Almain, Oceano de O Mar do Norte. 248-9
Almaren 111, 139, 267
Alqaluntë Ver *Kópas Alqaluntë*.
Alqualondë 208-9, 268
Alto Firmamento 226
Altos Elfos 59; *alto-élfico* 60
Aluin Tempo, o mais velho dos Ainur. 264, 267. (Substituiu *Lúmin*).
Aman 34, 39, 119, 167, 169, 236. Ver *Reino Abençoado*.
Ambarkanta "A Forma do Mundo" (obra cosmológica). 110, 273

Amigos-dos-Elfos 290
Amillo O mais jovem dos grandes Valar, também chamado Ómar. 87, 97, 102, 114, 119, 274, 301, 304
Amnon Profecia de Amnon, Amnon o Profeta. 209-210, 238
Amnor Praias de Amnor. 213, 236. (Substituiu *Amnos*).
Amnos O ancoradouro do navio Mornië; as profecias de Amnos. 204, 207, 209, 238. (Substituiu *Emnon, Morniento*).
Anãos 236-7, 267. Ver *Nauglath*.
Anfauglith 294
Angaino "A Opressora", a grande corrente com a qual Melko foi preso. 128, 131, 144; forma posterior *Angainor* 140
Angamandi "Infernos de Ferro". 99, 118, 276, 287, 301. Ver *Infernos de Ferro*.
Angband 194-5, 239, 289-294; *Cerco de Angband* 292
Angeln 36
Anglo-Saxão(ões) 36. Ver *Inglês antigo* (referências à língua).
Angol "Falésias de Ferro", nome gnômico de Eriol e de sua terra natal. 36, 135
Anos de Duplo Júbilo Ver *Duplo Júbilo*.
Araman 106, 119, 209, 210
Aranha da Noite 188. Ver *Gwerlum, Móru, Ungoliant, Ungweliantë, Wirilómë*.
Aratar 82, 102
Arco-da-Chuva O Arco-íris. 256, 265, 270. Ver *Ilweran*.
Arcturo 165, 240. Ver *Morwinyon*.
Arda 103, 111, 139, 140, 164, 239, 243
Arien 113
Artanor Região posteriormente chamada de Doriath. 212, 236, 289-291
Arvalin Nome intercambiável com *Eruman*, q.v. 31, 33, 46, 89, 91, 96, 98-9, 101, 103-4, 106, 109, 112, 115-6, 119, 148, 152-3, 155-6, 161-2, 179, 181, 191, 193, 207; *Arvalien* 183, 191; *Baía de Arvalin* 148, 152-3, 155

Árvore Branca de Valinor 113. Ver *Silpion, Telperion*.
Árvores de Kôr Ver *Kôr*.
Árvores de Valinor Ver *Duas Árvores*.
Aryador "Terra de Sombra", nome de Hisilómë entre os Homens. 148, 171; poema *Uma Canção de Aryador* 171
Asgon Nome antigo do Lago Mithrim. 286-7, 291
Askr O primeiro Homem na mitologia escandinava. 295
Astaldo Nome de Tulkas. 102
Aulë 27, 66, 69, 75, 78, 80, 82, 86, 87, 88, 89, 90, 91, 92, 93, 95, 96, 98, 100, 102, 104, 115, 127-128, 129-132, 140, 142, 143, 146, 147, 151, 152, 155, 158, 159, 165, 167, 169, 175, 181, 182, 218, 221, 224. Ver *Talkamarda*.
Aulenossë "Gente de Aulë", nome dado aos Noldoli que permaneceram em Valinor. 213, 237-8; *a gente de Aulë* 27
Aur O Sol (gnômico). 237
Avari 163, 282
Avathar 104, 193, 196
Aventuras de Tom Bombadil, As 41, 47, 246

Baía de Feéria 89, 106, 149, 156, 160, 166, 253-4. Ver *Feéria*.
Balrogs 119, 197, 290
Batalha da Chama Repentina Ver *Dagor Bragollach*.
Batalha das Lágrimas Inumeráveis 277, 292-4. Ver *Nirnaeth Arnoediad*.
Batalha de Palisor Ver *Palisor*.
Batalha dos Poderes 140
Beleriand 70, 164, 290, 292, 294
Bëor 284
Beorn (1) Tio de Ottor Wǽfre (Eriol). 35. (2) O troca-peles em *O Hobbit*. 35
Beowulf 35
Beren 104, 116, 244, 245, 277, 287, 289, 291; também com referências ao

Conto original de (Beren e) Tinúviel, ver *Tinúviel*.
Bráglorin Nome do Sol (gnômico). 225
Brithombar 166
Bronweg Forma gnômica de Voronwë. 71
Bruithwir Pai de Fëanor. 179-180, 182, 184, 191, 194, 294, 303; *Bruithwir go-Fëanor* 191; *Bruithwir go-Maidros* 180, 191

Calacirya "Passo da Luz". 167, 193, 209, 268
Carpenter, Humphrey *J.R.R. Tolkien: Uma Biografia*. 46, 246, 266
Cartas de J.R.R. Tolkien, As 33, 60
Casa das Cem Chaminés A casa de Gilfanon em Tavrobel. 212, 236
Casa do Brincar Perdido 228; poema *A Casinha do Brincar Perdido* 41, 44-5
Casadelfos 54, 58, 137-8
Chalé do Brincar Perdido (não inclui referências ao Conto em si) e outros nomes (*Chalé das Crianças, das Crianças da Terra, do Brincar do Sono; Casa do Brincar Perdido; Casa da Memória*) 24, 31, 40-1, 46, 81 173, 228, 240, 266, 270, 304; poemas sobre o assunto 41-5. Ver *Mar Vanwa Tyaliéva*.
Cidade dos Deuses, A (poema, título anterior *Kôr*). 168
Círdan, o Armador 166
Colar dos Anãos, Conto do 277, 281; *Conto do Nauglafring* 246
Colinas de Ferro Ver *Montanhas de Ferro*.
Contos Inacabados 194, 295
Cópas Ver *Kópas Alqaluntë*.
Coração Escarlate Emblema da Casa do Rei em Gondolin. 295
Coração-Pequeno Filho de Bronweg, chamado de "o Guardião-do-Gongo" (de Mar Vanwa Tyaliéva). 23, 63, 66, 71, 122, 276. Ver *Ilverin*.
Corda dos Anos 263
Crithosceleg Um nome da Lua (gnômico). 232

Cuiviénen 109, 162. Ver *Koivië-néni*, Águas do Despertar.
Cûm a Gumlaith, Cûm a Thegranaithos "Teso do Primeiro Pesar", túmulo de Bruithwir, pai de Fëanor. 184
Cwén Esposa de Ottor Wǽfre (Eriol). 35

Dagor Bragollach "A Batalha da Chama Repentina". 292
Danuin "Dia", filho de Aluin "Tempo". 262-4, 267, 273; formas anteriores *Danos, Dana* 267
Daurin Um gnomo, assassinado por Melko no ataque às Árvores; também chamado *Tórin*. 188, 191, 197
Deuses olímpicos 197
Deuses Passim; sobre a natureza e o caráter dos Deuses (*Valar*, ver 63) e sua relação com Manwë, ver especialmente 130-2, 140, 183-4, 220, 228-9, 239-40, 252-3, 257, 264-5, 267-8, 271-2, 274; língua dos Deuses 65-6, 70-1, 282. Ver *Filhos dos Deuses*.
Dia de Todos os Santos 49, 53, 57
Dias de Ocaso Ver *Lomendánar*.
Dor Edloth, Dor Us(g)wen Nomes gnômicos antigos de Tol Eressëa. 33. (Substituídos por *Dor Faidwen*).
Dor Faidwen "Terra da Libertação", nome gnômico de Tol Eressëa. 23, 33, 69
Dor Lómin "Terra de Sombra", "Terra das Sombras". 141, 171, 289, 293. Ver *Hisilómë*.
Doriath 236, 289, 293. Ver *Artanor*.
Duas Árvores (incluindo referências a *as Árvores*) 104, 109 (*i aldas*), 112, 127, 133, 135, 139, 143, 144, 152-3, 177, 180, 187, 192-3, 209, 212, 217, 226, 257, 274, 295
Duplo Júbilo Grande festival em Valinor. 176-8, 266. Ver *Samírien*.
Duruchalm Nome rejeitado de Turuhalmë. 295

Eä O Universo. 210, 240, 271 (o verbo de Ilúvatar que o fez ser 82, 271).
Eärendel 23, 26, 29, 32, 35, 39, 174; o *Conto de Eärendel* 277, 281; forma posterior Eärendil 167
Ecthelion 119
Edain 55
Eglarest 166
Egnor Pai de Beren. 289, 291
Eldalië 69, 124, 144, 147, 159, 160, 173, 185, 201, 278, 283
Eldamar "Lardelfos". 30, 32, 85, 89, 99, 124, 156, 157, 160, 166-9, 173, 176, 189, 201, 202, 203, 209, 215 (em quase todas as ocorrências, a referência é às *praias, costas* ou *rochedos* de Eldamar); *Baía de Eldamar* 166-7. Ver *Elfinesse.*
Eldar (singular *Elda*). Referências selecionadas (incluindo tanto *Eldar* quanto *Elfos*): referência e significado dos termos *Eldar, Elfos* 69, 162-3, 282; idiomas dos, 65, 68-9, 214, 259, 278, 284; origem, natureza e destino 76, 79-81, 86, 98, 192, 115, 124, 175, 191-2, 257; estatura em relação aos Homens 46, 280, 282; relações com os Homens 46, 125, 185-6, 195, 212, 282; despertar 142-6; convocação a Valinor 144-7, 163; esvanecer 46, 217
Élfico Acerca dos idiomas dos Eldar 66, 69; como adjetivo de *Elfos* 31, 153, 200, 211, 231, 259, inélfico 126, 146
Elfinesse Tradução de Eldamar (ver Apêndice, p. 304). 34, 255, 290
Elfos das Terras Costeiras Ver *Flautistas das Terras Costeiras.*
Elfos Escuros 278, 282, 284, 285, 295. Ver *Hisildi, Humarni, Kaliondi.*
Elfos Ilhéus Elfos de Tol Eressëa. 65, 67-8, 160
Elfos Perdidos 88, 148, 171, 286, 295; *bandos perdidos* 65, 68; *fadas perdidas* 278, 282; *clãs perdidos* 286; *famílias perdidas da gente* 27, 38

Elfos Ver *Eldar*; também *Elfos Escuros, -profundos, -cinzentos, Altos, Ilhéus, da-luz, Perdidos, do-mar, das Terras Costeiras*
Elfos-cinzentos 70, 164, 293
Elfos-da-luz 59
Elfos-do-mar 59, 68
Elfos-profundos Gnomos. 59
Ellu Senhor dos Solosimpi, escolhido no lugar de Tinwë Linto (posteriormente Olwë; diferente de Elu Thingol). 150, 161-4, 175, 190 *Ellu Melemno* 175, 190, *Melemno* 190
Elmir Um dos dois primeiros Homens (com Ermon). 284-5
Eltas Narrador do *Conto de Turambar* 275
Elu Thingol 163. Ver *Thingol.*
Elwenildo Nome antigo de Ilverin (Coração-Pequeno). 71
Emnon Profecias de Emnon. 207, 210, 238. (Substituiu *Morniento*; substituído por *Amnos*).
Eoh Pai de Ottor Wǽfre (Eriol). 35-6
Eönwë Arauto de Manwë. 83, 119
Ered Wethrin As Montanhas de Sombra. 141, 194, 293
Erinti Filha de Manwë e Varda. 78, 83, 243-4
Eriol 24-9, 31, 33-40, 46, 62-69, 83-5, 101, 120-1, 123-5, 135, 141-2, 160-1, 173, 200, 203, 211-23, 228, 235-7, 244-6, 276-7, 281, 283, 298; *Eriollo* 36. Para seu nome e história, ver especialmente 35-6; e ver Ælfwine.
Ermon Um dos dois primeiros Homens (com Elmir). 284-5, 287, 289, 294-5; *povo, filhos de Ermon* 284-5, 289
Eru 210
Eruman Nome intercambiável com *Arvalin*, q.v.; (originalmente) a região a leste das Montanhas de Valinor e ao sul de Taniquetil (ver especialmente 104-6, 117-9). 89, 91, 101, 104-6, 112, 117-9, 179, 186-7, 190-1, 193, 241; *Erumáni* 70, 91, 101, 116, 156,

162, 183, 236. (Nomes anteriores da região: *Habbanan, Harwalin, Harvalien, Harmalin*).
Escuridão de Fora 272
Estë 8113, 242-3
Estrelas 78, 82, 84, 116, 117, 143, 157, 163, 213, 218, 261; *Fontes das Estrelas* 261. A feitura de estrelas por Varda 90, 142-3, 165, 219
Evromord Guardião-das-Portas de Mar Vanwa Tyaliéva (aparentemente pretendia-se que substituísse Rúmil). 135

Fadas 34, 47, 48, 50-1, 79, 138, 2-3, 212, 232, 236, 256, 274, 278-9, 283, 285, 288, 295; *fadas perdidas* 278, 282; *falsas-fadas*, ver *Kaukareldar; falar das fadas* 23, 69
Falas 166
Falassë Númëa "Espuma Ocidental", nas costas de Tol Eressëa. 155
Falman-Ossë Ver *Ossë.*
Falmaríni Espíritos da espuma do mar. 87
Fangli Nome antigo de Fankil. 284-5. Ver *Fúkil.*
Fankil Serviçal de Melko. 135, 285. (Substituiu *Fangli/Fúkil*).
Fantur (Plural *Fánturi*). Os valar Vefántur Mandos e Lórien Olofántur. 87, 115; forma posterior *Fëanturi* 102
Fanuin "Ano", filho de Aluin "Tempo". 262-4, 267, 273-4. (Substituiu *Lathos, Lathweg*).
Faskalanúmen "Banho do Sol Poente". 226; *Faskalan* 226, 232, 259. Ver *Tanyasalpë.*
Fata(s) 121, 136, 149, 163, 244, 259, 278, 282, 284, 286, 288
Fëanor 159, 171, 175, 179-80, 184-6, 190-9, 201, 205-6, 208, 210, 213, 219, 231, 237-8, 286-9, 291, 293-4; *Filhos de Fëanor* 237, 287, 289, 291, 293-4; Juramento de Fëanor ou de seus filhos 208

Fëanorianos 194, 210, 292, 294
Fëanturi Ver *Fantur.*
Feéria 160; *Feéricos Reinos* 48, 51, 52, 55. Ver *Baía de Feéria.*
Feitiço do Horror sem Fundo O feitiço lançado por Melko em seus escravos. 291
Felizes Marinheiros, Os (poema) 266
Festa do Reencontro 289, 294. *Festa da Reunião*, ver *Mereth Aderthad.*
Filhos de Fëanor Ver *Fëanor.*
Filhos de Ilúvatar 77, 83, 103, 124, 144, 145, 147, 184, 185, 217, 283; *filhos mais novos de Ilúvatar* 218; *Filhos da Terra* 273; *Filhos do Mundo* 61, 146, 175; *Crianças do Mundo, da Terra* 265
Filhos dos Deuses 179, 222, 229; *Filhos dos Valar* 83
Finarfin 61, 208, 210, 268
Fingolfin 112, 163, 191, 210, 293-4
Fingolma Nome de Finwë Nólemë. 286-7
Fingon 210, 293-4
Finrod Felagund 61. Ver *Inglor.*
Finwë Senhor dos Noldoli; chamado também de *Nólemë, Nólemë Finwë, Finwë Nólemë* (todas as referências estão coligidas aqui). 145, 149, 153, 163-4, 168, 171, 174-5, 191-2, 194, 199, 204, 207-8, 210, 257, 286-7, 289-91, 293-5, Ver *Fingolma, Golfinweg.*
Fionwë, Fionwë-Úrion Filho de Manwë e Varda 78, 83, 119, 128, 234, 244, 260, 264
Flautistas das Terras Costeiras Os Solosimpi (posteriormente chamados de Teleri). 27, 68, 153, 201, 269; *Flautistas da Costa* 276; *os Flautistas* 134; *dançarinos das terras costeiras* 160; *Elfos das Terras Costeiras*, povo costeiro 155, 254, *Elfos-costeiros* 201
Fogo Secreto 72-3, 75, 80
Fogo-do-Conto Em Mar Vanwa Tyaliéva. 63, 66, 85, 135, 173, 211-2, 276;

Sala do Fogo-do-Conto 173, 276; *Sala da Lareira* 25; *Sala das Lenhas* 28
Foice dos Valar Ver *Valacirca*; *a Foice de Prata* 165
Formenos 192-3, 195, 197
Fratricídio (*de Porto-cisne*) 200, 206, 208, 213, 240, 289
Fruto do Meio-dia 225-6, 230-2, 242-3
Fui Deusa-da-Morte, também chamada *Nienna, Fui Nienna* (todas as referências estão coligidas aqui). 21, 87, 98-9, 104, 115, 118, 146, 161, 178-9, 204, 229, 257, 260, 267, 294; *Fui* como nome de sua morada 99, 115. Ver *Heskil, Núri, Qalmë-Tári*.
Fúkil Nome antigo de Fankil. 284-5. Ver *Fangli*.
Fumellar Papoulas nos jardins de Lórien. 96

Galadriel 61
Galmir "Abrilhantador d'ouro", um nome do Sol (gnômico). 225, 237
Gar Eglos Nome gnômico original de Tol Eressëa (substituído por *Dor Edloth* etc.). 33
Gar Lossion "Sítio das Flores", nome gnômico de Alalminórë. 26, 33. (Substituiu *Losgar*).
Gelo Pungente Ver *Helcaraxë*.
Gente Mais Velha 58
Gilfanon (*Gilfanon a·Davrobel, Gilfanon de Tavrobel*) 69, 21-3, 228, 234, 236-8, 245-6, 264, 266, 274-8, 280-2, 291. (Substituiu *Ailios*).
Gim-Githil Nome gnômico de Inwë. 162, 164. (Substituiu *Githil*, substituído por *Inwithiel*).
Githil 33. Ver *Gim-Githil*.
Glingol Nome gnômico da Árvore Dourada de Valinor. 33
Glorvent "Navio de Ouro", um nome do Sol (gnômico). 225
Gnômico, fala-dos-Gnomos, idioma dos Gnomos 33, 36, 60, 69-70, 113, 116, 161, 163-4, 184, 240, 282, 291, 295, 298

Gnomos (incluindo *povo-dos-Gnomos, gente-dos-Gnomos*) 26-7, 32-3, 36, 39, 59-60, 66, 67-70, 82, 120, 160, 174-6, 180, 184, 186, 192, 200-3, 205-7, 212-5, 225, 232, 236-8, 251-2, 254, 258, 264, 281, 286-93, 298. Ver especialmente 59-60, 69-70, e ver *Noldoli*.
go-Fëanor, go-Maidros "filho de Fëanor, de Maidros". 191
Gobelins 65, 285
Goldriel Nome antigo de Golthadriel. 33
Golfinweg Nome gnômico de Nólemë Finwë. 145, 163-4
Golfo Gélido Ver *Qerkaringa*.
Golthadriel Nome gnômico de Salmar (Noldorin). 33. (Substituiu *Goldriel*).
Gondolin 37, 40, 62, 65, 71, 113, 119, 141, 194, 204-5, 209-210, 277, 288, 292; o conto de *Tuor e os Exilados de Gondolin* ("*A Queda de Gondolin*") 62, 65, 71, 113, 141, 204, 209, 210, 247, 277, 292, 295
Gongo das Crianças Em Mar Vanwa Tyaliéva. 25, 27, 39, 276. Ver *Tombo, Coração-Pequeno*.
Gongues Ver 295
Gonlath Uma grande rocha em Taniquetil. 263
Gorfalon, Gorfalong Local da Batalha das Lágrimas Inumeráveis. 287, 290, 294. Ver *Vale das Águas Plangentes, Vale das Fontes*.
Gothmog Senhor dos Balrogs. 119. Ver *Kosomot*.
Grã-Bretanha 35-36
Grande Fim 72, 79, 83, 99, 115, 116, 118, 123, 192, 221, 263, 264
Grande Marcha, Grande Jornada 60, 134, 163, 165, 236, 295; descrita 148-51
Grande Povo do Oeste Nome dos Deuses entre os Ilkorins. 278
Grande(s) Mar(es) 32-3, 51, 72, 84, 88, 90, 92, 103, 106-7, 109 (*Haloisi Velikë*), 134, 146-8, 155-6, 163, 165, 167, 169-70, 179, 203, 236; também

chamado de *o Mar, o pujante Mar* etc.; Água Ocidental 155

Grandes Planícies 289

Grandes Terras As terras a leste do Grande Mar. 25, 28-33, 36-40, 46, 65, 67-8, 70, 88, 103, 107 (*i Nori Landar*), 109, 121, 134, 140, 143, 148, 155-6, 160, 165, 167, 192-3, 195, 203, 205, 207, 214, 237, 239, 256, 265, 269-70, 272, 277

Great Haywood Vila em Staffordshire (Tavrobel). 37, 236

Gungliont Nome antigo de Ungoliont. 191, 196

Gwerlum "Tecelã-de-Treva", nome gnômico da grande Aranha. 187 (*Gwerlum, a Negra*), 188, 196. Ver *Wirilómë*.

Gylfaginning Uma parte da "Edda em Prosa" de Snorri Sturluson. 295

Habbanan Nome antigo da região de Eruman/Arvalin. 101, 104, 116-8, 161-2, 191, 207; poema *Habbanan sob as Estrelas* 116-7

Halmadhurwion Outro nome para Turuhalmë. 295

Hanstovánen O ancoradouro do navio Mornië. 204, 207; também *Vanë Hansto* 207

Harmalin Nome antigo da região de Eruman/Arvalin. 33, 101, 104, 109, 161, 191

Harvalien Forma antiga de Arvalin. 191

Harwalin Forma antiga de Arvalin. 33, 101, 104, 116, 162

Haudh-em-Ndengin O Monte dos Mortos no deserto de Anfauglith. 294

Heden Pai de Eoh, pai de Ottor Wǽfre (Eriol). 35

Helcar O Mar Interior. 112. Ver *Helkar*.

Helcaraxë O Gelo Pungente. Ver *Helkaraksë*.

Heligolândia 35-6

Helkar O pilar da Lamparina do Sul. 90-2, 112, 133, 148. Ver *Helcar*.

Helkaraksë "Presa-de-Gelo", promontório das Terras de Fora no longínquo Norte. 203-7, 209, 214, 254, 265, 169. Ver *Helcaraxë, Presa-de-Gelo*.

Helluin A estrela Sírio. 241. Ver *Nielluin*.

Hengest Invasor da Grã-Bretanha 35; filho de Ottor Wǽfre (Eriol) 36

Heskil "A do Inverno", nome de Fui Nienna. 87

Hildor Os Que Vêm Depois, Homens. 267

Híri Riacho em Valinor. 176, 192

Hisildi O povo do crepúsculo: Elfos Escuros. 279, 295

Hisilómë 129, 134-5, 140-1, 145, 148-9, 163-4, 167, 171, 194, 195, 212, 236, 286-8, 291-3; ver especialmente 140-1, 167, e ver *Aryador, Dor Lómin, Terra das Sombras*.

Hithlum 135, 140, 167

Hobbit, O 35, 46

Homem da Lua Ver *Lua, Uolë Kúvion*; poema 232, 243, 244, 246, 249

Homens 27-32, 38-40, 46, 63, 65, 67, 71-2, 75-84, 88-9, 103-4, 107, 114-8, 124-6, 133, 148-8, 156, 166-7, 171, 80, 185-6, 191, 195-6, 211-2, 214, 218, 225, 228, 239, 244, 251, 256-60, 263, 265, 268, 270, 275-7, 281, 283-92, 295. Sobre a natureza e destino dos Homens, ver especialmente 79-81, 99, 115-9, 184-6

Horsa Invasor da Grã-Bretanha 35; filho de Ottor Wǽfre (Eriol) 36

Hrívion Terceira parte do poema *As Árvores de Kortirion*. 58

Humarni Um nome dos Elfos Escuros. 295

Húrin 288, 291; *povo de*, 294. Ver *Úrin*.

Hyarmentir, Monte 197

Ielfethýþ "Porto-cisne" (*inglês antigo*). 200

Ilha Solitária 23, 25, 26, 34, 37-8, 109, 151, 155, 166, 169, 170, 269; *a Ilha*,

nossa ilha 124, 212; *a ilha das fadas* 212; poema *A Ilha Solitária* 34. Ver *Tol Eressëa*.
Ilhas do Crepúsculo Ilhas nos Mares Sombrios, a oeste de Tol Eressëa. 26, 89-90, 103, 109 (*Tolli Kimpelëar*), 150-1, 154, 156, 66, 269
Ilhas Encantadas 170, 269
Ilhas Mágicas 84, 88, 106, 109 (*I Tolli Kuruvar*), 151, 166, 254, 265, 269 (ver especialmente 254); *Arquipélago Mágico* 166
Ilhas Reluzentes A morada dos Deuses e dos Eldar de Valinor conforme imaginada pelos Ilkorins. 278
Ilinsor Espírito dos Súruli, timoneiro da Lua. 232-5, 250, 259, 262, 264, 266, 273; chamado de *o caçador do firmamento* 235
Ilkorin(s) Elfos que "não são de Kôr". 212, 236, 278, 282, 284, 287-91, 293; idioma ilkorin 284
Illuin a Lamparina do Norte. 112
Ilmarë Aia de Varda. 83
Ilsaluntë "Barco de Prata", um nome da Lua. 232, 234-5
Ilterendi As grilhetas postas em Melko. 128, 132
Ilu = Ilúvatar. 71, 80-1
Ilurambar As Muralhas do Mundo. 273
Ilúvatar 67, 71-7, 79-83, 88, 95, 103, 109, 116, 118, 123-4, 126, 142-7, 174, 175, 178, 184-6, 198, 217-8, 221, 224, 226, 239-40, 258-9, 263-5, 267, 271-3, 276, 278, 283-5, 295; *Senhor para Sempre* 67, *Senhor de Tudo* 280. Ver *Filhos de Ilúvatar*.
Ilverin Coração-Pequeno, filho de Bronweg. 63, 71. (Substituiu *Elwenildo*).
Ilwë O ar intermediário que flui em meio às estrelas. 86, 90, 107, 109, 142, 158, 170, 219-20, 233-4
Ilweran "Ponte do Céu", o arco-íris. 256. Ver *Arco-da-Chuva*.
Indis Mãe de Fingolfin e Finarfin. 61

Inferno 118
Infernos de Ferro 99, 118, 194, 239, 292. Ver *Angamandi*.
Ing Nome antigo de Inwë. 33, 164
Ingil Filho de Inwë. 27, 33, 37-9, 122, 160-1, 164, 241. (Substituiu *Ingilmo*).
Ingilmo Nome antigo de Ingil. 33, 164
Inglaterra, inglês 34-7, 39-40, 244. Ver *Inglês antigo*.
Inglês antigo 35-6, 41, 47, 116, 136, 171, 200, 246, 262, 295
Inglor Nome antigo de Finrod (Felagund). 61
Ingwë Senhor dos Vanyar. 39, 164, 167. Ver *Inwë*.
Inwë Rei dos Eldar de Kôr (posteriormente Ingwë) 27, 29, 33, 37-9, 67-8, 78, 103, 145-8, 153, 160, 164, 168, 175, 177, 198, 236, 241, 257; também chamado *Isil* 145, *Isil Inwë* 145, 164. (Substituiu *Ing*). Ver *Ingwë*, *Inwithiel*.
Inwir O clã real dos Teleri (= os posteriores Vanyar), gente de Inwë. 39, 65-8, 70, 145, 157, 164, 177, 199, 283
Inwithiel Nome gnômico de Inwë. 16, 22, 115, 131-2. (Substituiu *Githil*, *Gim-Githil*).
Irtinsa, Lago 233, 259
Isil, Isil Inwë Ver *Inwë*.

Kalaventë, Kalavénë "Navio de Luz", um nome do Sol. 227, 238
Kaliondi Um nome dos Elfos Escuros. 295
Kalormë Grande montanha no extremo Leste. (106), 256, 270
Kapalinda Nascente do riacho Kelusindi em Valinor. 192
Kaukareldar "Falsas-fadas". 288, 295
Kelusindi Riacho em Valinor 192
Kementári Nome de Yavanna. 102
Kémi Nome de Yavanna Palúrien. 92-3, 102, 127, 217, 253. Ver *Senhora-da-terra*.

Koivië-néni "Águas do Despertar". 144, 147, 279; Águas de Koivië 145. Ver *Cuiviénen*, Águas do Despertar.

Kópas Alqaluntë (*Alqalunten*) "Porto das Naus-Cisne". 200; *Kópas* 199, 200, 203, 208, 215, 252, 268; *Cópas*, Cópas Alqaluntë 199, 206; *Alqaluntë* 200, 206. Ver *Porto das Naus-Cisne*.

Kôr Cidade dos Elfos em Eldamar e a colina sobre a qual foi construída. 26-7, 28-31, 38-40, 45, 66-9, 78, 95, 1-06, 124, 142, 145, 152-3, 156-60, 162, 167-8, 170, 174-8, 180-1, 184-5, 187, 189, 192, 195-6, 198-9, 201, 206, 208, 2123, 215, 236, 250, 243-5, 257, 265-6, 270, 276, 278, 282, 292; ver especialmente 152-3. As Árvores de Kôr 153, 168, 265. Poema *Kôr* (renomeado *A Cidade dos Deuses*) 168. Ver *Tûn*.

Koreldar Elfos de Kôr. 69, 176

Korin Local fechado formado por olmeiros no qual morava Meril-i-Turinqi. 27, 121

Koromas A cidade de Kortirion. 26-7, 33, 37, 39; forma anterior *Kormas* 33

Kortirion Principal cidade de Alalminórë em Tol Eressëa. 26-7, 37-9, 46-8, 50-9, 67-8, 164, 212, 266. Poema *Kortirion entre as Árvores* 25, 32-9, 50, versão tardia *As Árvores de Kortirion* 37, 46, 47-59. Ver *Koromas*.

Kosomot Filho de Melko (= Gothmog, Senhor dos Balrogs). 119

Kulullin O caldeirão de luz dourada em Valinor. 792-4, 98, 113, 126, 158, 189, 215-6, 218-9, 221, 225, 229, 251

Lammas (festival da Colheita, 1 de agosto) 57

Lamparina de Vána O Sol. 225

Lamparinas, As 90, 111, 127, 139, 220, 235

Langon Serviçal de Melko. 129

Lathos, Lathweg Nomes antigos de Fanuin. 267

Laurelin. 93-5, 97, 112-4, 126, 145-7, 149, 156, 158-9, 168, 188, 198, 216-7, 219-20, 222-6, 229-32, 241-2. Ver *Glingol, Lindelos, Lindeloksë*.

Leeds 136, 168, 246

Limpë A bebida dos Eldar. 27, 101, 121, 123-5, 135, 142-3, 158, 161, 203, 211-2, 216, 219, 229, 232, 236, 243, 276-7

Lindeloksë Nome de Laurelin. 33, 93, 101, 113, 149, 162. (Substituiu *Lindelótë, Lindeloktë*).

Lindeloktë Nome de Laurelin. 33. (Substituído por *Lindeloksë*).

Lindelos Nome de Laurelin. 29, 33. (Substituiu *Lindeloksë* em um trecho).

Lindelótë Nome de Laurelin. 101, 162. (Substituído por *Lindeloksë*).

Lindo Elfo de Tol Eressëa, mestre de Mar Vanwa Tyaliéva. 25-8, 31, 33, 36, 38-9, 63, 83, 85, 101, 161, 173, 198, 203, 206-7, 212-3, 220, 228, 234-7, 240, 245-6, 2674, 275-8

Linqil Um nome de Ulmo. 81

Linwë Tinto, Linwë Nome antigo de Tinwë Linto. 134-5, 162-3

Lirillo Um nome de Salmar (Noldorin). 177, 190

Lómëarni Um nome dos Elfos Escuros. 295

Lomendánar "Os Dias de Ocaso" antes da feitura das Lamparinas 90, 101; *Lome Danar* 101

Lórien 40, 87, 92, 94, 96, 102, 113-4, 126-8, 133, 134, 140, 142, 143, 145-6, 163, 181, 215-7, 221-2, 229-35, 240, 242-3, 252-3, 255, 257, 265, 270. Ver *Fantur, Olofantur*.

Losengriol Nome antigo de Lothengriol. 210

Losgar (1) Nome antigo de Gar Lossion. 33. (2) O local do incêndio dos navios dos Teleri. 198

Lothengriol "Lírio do Vale", um dos Sete Nomes de Gondolin. 210. (Substituiu *Losengriol*).

Lua 57, 84, 107, 109, 113, 161, 165, 186, 194, 211-3, 221, 226, 231-3, 235-9, 241-6, 249-51, 258-61, 263-5, 267, 273-5, 277, 287, 292; *Navio da Lua* 232-3, 260; *Homem da Lua* 232, 244, 246, 249; *Rei da Lua* 244; *Harvest Moon* ["Lua da Colheita", isto é, a lua cheia mais próxima do equinócio de outono] 57. Ver *Porto da Lua*; para outros nomes da Lua, ver 232.

Lúmin Nome antigo de Aluin. 267

Lúthien, Lúthien Tinúviel 104, 116, 135, 164, 244-5. Ver *Tinúviel*.

Mablon, o Ilkorin 288, 290

Maedhros Filho mais velho de Fëanor. 293; *União de Maedhros* 294. Ver *Maidros*.

Maiar 83, 103

Maidros (1) Pai do pai de Fëanor, Bruithwir. 180, 191, 194, 287. (2) Filho mais velho de Fëanor (posteriormente Maedhros). 194, 287-9, 291-3

Mainlos Forma antiga de Minethlos. 238

Makar Vala guerreiro. 87-8, 96, 100-2, 104, 114, 125, 128, 130, 132-3, 146, 178, 190, 215

Mandos (Vala) 87-8, 94, 98, 102, 104, 114-5, 128, 133, 140, 142, 146, 179, 181, 183, 190, 194, 204, 208-9, 229, 257, 270, 282; *filhos de Mandos* 189, 193. Ver *Vefántur*. (Região de sua morada) 64, 98-100, 104, 115, 127-8, 133-4, 140, 162, 175-6, 179, 189-90, 204, 207, 209, 213. Ver *Vê*.

Mánir Espíritos do ar, subordinados a Manwë e Varda. 86, 116, 178, 219, 227, 240

Manwë 33, 39-40, 66, 71, 75-8, 80, 82-3, 86-92, 95-6, 102, 107, 113, 116, 118, 119, 127-33, 140, 142, 144-7, 152, 154, 157-60, 162-3, 171, 175-85, 188, 191-5, 199, 209, 214-22, 224, 226-7, 229-30, 232, 234-5, 239-40, 252-2, 255-65, 267-8, 276, 280, 295; chamado *Senhor do Ar* 214, *dos Céus* 229, *de Deuses e Elfos e Homens, dos Deuses, de Deuses e Elfos, de Elfos e Homens* 71, 78, 82-3, 114, 127, 131, 144, 175, 186, 214, 263. Ver *Súlimo, Valahíru, Valatúru; Valwë*.

Mar do Norte 35-6; *Oceano de Almain* 249

Mar Interior Ver *Helcar*.

Mar Vanwa Tyaliéva O Chalé do Brincar Perdido em Kortirion. 24, 33 (também *Taliéva*), 40-1, 44, 66, 124, 161, 211, 276; no título de poema 41, 44

Mar(es) de Fora 89, 91, 96, 104, 116, 144, 157, 176, 198, 228, 236, 259, 261, 272; *Mares Extremos* 88; Águas Extremas (*Neni Erúmëar*) 109; *Oceano de Fora* 77, 83, 107, 109-10; *o Mar* 236. Ver *Vai*.

Marcha da Libertação A grande expedição desde Kôr. 203; *marcha para o mundo* 39, 67, 160, 236

Mares Sombrios Região do Grande Mar a oeste de Tol Eressëa (ver especialmente 89, 156). 39, 88-9, 91, 96, 98, 106, 147-8, 150-1, 156, 166, 170, 186, 188, 227, 253-4, 269; *Mar Sombrio* 128, 199, *as Sombras* 166

Meássë Deusa guerreira. 87, 100, 102, 104, 114, 125, 133, 146, 190, 215

Melemno, Ellu Melemno Ver Ellu

Melian 135, 163-4. Ver *Tindriel, Wendelin*.

Melko 37, 39-40, 65, 67, 71-8, 80, 82-3, 86-92, 99-104, 111, 114, 116, 118-20, 124-35, 139-142, 144, 146-8, 150, 160, 162, 165, 167, 173-97, 202-8, 214-15, 218, 220-1, 236, 239, 241, 244, 250-4, 257, 262, 264-5, 267-8, 271, 276, 282, 284-94; *filho(s) de Melko* 254, 285; *Correntes de Melko* 125, 134-5,

205; *Minas de Melko* 288, 291. Ver *Melkor, Morgoth*.
Melkor 39, 102-3, 139, 141, 162, 165, 167, 191-2, 195-7, 203, 239, 267, 271
Mereth Aderthad A Festa da Reunião. 294
Meril-i-Turinqi A Senhora de Tol Eressëa; também *Meril, Turinqi*. 27, 31, 39, 66, 68, 121, 140-1; *Senhora da Ilha* 212.
Mettanyë A última parte do poema *As Árvores de Kortirion*. 59
Mindon Eldaliéva 167
Minethlos Um nome da Lua (gnômico). 232, 238. (Substituiu *Mainlos*).
Miruvor 188, 197; *miruvórë* 197
Mithrim (lago e região) 197, 286, 289, 291, 293. Ver *Asgon*.
Montanha do Mundo Ver *Taniquetil*.
Montanhas de Ferro 129, 141, 148, 194, 203, 214, 239, 286-7, 293-4; *Colinas de Ferro* 253, 294, *montanhas do Norte* 99, *Morros Amargos*, 287, 289, 293. Ver especialmente 141, 194-5.
Montanhas de Sombra Ered Wethrin. 141, 194, 293
Montanhas de Valinor 89, 91, 96, 98, 104, 106, 109, 112, 119, 127, 153, 156, 167, 182, 190, 193, 209
Monte da Morte O teso funerário erguido sobre Finwë Nólemë. 291, 294
Monte dos Mortos Ver *Haudh-en-Ndengin*.
Morgoth 39, 267, 292-3
Moritarnon "A Porta da Noite". 260, 267; *Móritar* 267. Ver *Porta da Noite, Tarn Fui*.
Mornië O navio negro que leva os mortos desde Mandos. 99, 115, 204, 207, 209
Morniento Nome antigo do ancoradouro do navio Mornië. 207. (Substituído por *Emnon, Amnos*). Ver *Hanstovánen*.
Morros Amargos Ver *Montanhas de Ferro*.
Móru A "Noite Primeva", personificada na grande Aranha. 186, 191, 196; *Muru* 196

Morwinyon A estrela Arcturo. 143, 165, 220, 240
Mundo, o Usado com o sentido de "Grandes Terras" 27, 74, 82, 87, 103, 110-1, 135, 166, 218, 239; *o mundo interior* 204, *mundo de fora* 219, 250, 268, *o mundo além* 272
Muralha das Coisas 258-60, 266, 272; *Muralha Oriental* 266, 272
Muralhas do Mundo Ver *Ilurambar*.
Murmenalda O vale no qual os Homens despertaram pela primeira vez. 279-80, 283-5; *Vale do Sono* 279-80, *Vale Soporoso* 283
Murmuran A morada de Lórien em Valinor. 96, 127
Muru Ver *Móru*.
Música dos Ainur (não inclui referências ao Conto em si) 62, 67, 71, 75, 80-4, 103, 107, 115, 118, 135, 178, 185, 192, 195, 217, 245, 252, 264, 271, 273; *a Música de Ilúvatar* 265, *a Grande Música* 273. Ver *Ainulindalë*.

Namárië (poema) 197
Nan Dungortheb 197
Nandini Fatas dos Vales. 86
Nargothrond 289
Narquelion Outono. 47; a segunda parte do poema *As Árvores de Kortirion* 56
Nauglath Anãos. 284
Navio da Lua Ver *Lua*
Navio do Mundo 111, 270
Navio dos Céus, Navio da Manhã Ver *Sol*.
Nen(e), Rio 247
Nermir Fatas dos prados. 86
Nessa 97, 102, 114, 126, 146, 157, 189, 215, 252
Nielíqui Filha de Oromë e Vána. 97, 114, 119
Nielluin A estrela Sírio. 220, 232, 240-1; *Abelha Azurina, Abelha Azul*, 220, 241. Ver *Helluin*.
Nienna Ver *Fui*.
Nirnaeth Arnoediad 167. Ver *Batalha das Lágrimas Inumeráveis*

Noldoli Os Gnomos, o segundo clã dos Elfos. 38-9, 59, 65-70, 78, 82, 120, 138, 145, 147, 149, 152-4, 158-9, 163-5, 167-8, 170-1, 173-87, 191-202, 204-210, 212-6, 219, 228, 231, 236, 238, 240, 244-6, 250-2, 254, 269-70, 275-8, 291-3. Ver *Gnomos, Noldor.*

Noldor 32, 36, 59, 60-1, 67-8, 70, 164-5, 167-8, 170-1, 191-2, 194-6, 198, 206, 208, 210, 238, 268, 292-3, 295; forma ocorre no texto original 198, 206. Adjetivo *noldorin* 59, 67-8, 82, 191, 208, 292

Noldorin Nome de Salmar. 27, 33, 39, 86, 97, 103, 114, 119, 190

Nólemë Ver *Finwë.*

Nórdico antigo 35, 295

Norfolk 248; *Norwich* 248

Nornorë Arauto dos Deuses. 99, 119, 128, 130, 144, 145, 147, 163, 177, 278

Nuin Elfo Escuro que encontrou os primeiros Homens, 279-80, 283-5, 295; chamado *Pai da Fala* 284-5

Numessir Nome antigo de Sirnúmen. 190

Núri Nome de Fui Nienna. 87

Nurtalë Valinoréva A Ocultação de Valinor. 269

Oaritsi Sereias (?). 273

Oarni Espíritos do mar. 87, 91, 95, 152-4

Oceano Atlântico 36

Ocultação de Valinor Ver *Valinor.*

Oinen Ver *Uinen.*

Oiolossë 113

Oivárin Nome antigo de Ainairos. 267

Olofantur "Fantur dos Sonhos", o Vala Lórien. 87. Ver *Fantur, Lórien.*

Olórë Mallë "Trilha dos Sonhos". 29, 40, 255, 265, 270; *o caminho mágico de Lórien* 257

Olwë 163-4. Ver *Ellu.*

Ómar O mais jovem dos grandes Valar, chamado também de Amillo. 65, 70, 87, 97, 102, 114, 119, 128, 152, 215, 223, 274

Ónen Nome antigo de Uinen. 78, 81, 83, 87-8, 95, 101-2, 107, 150, 161, 265. (Substituiu Ówen).

Órion 241. Ver *Telumehtar.*

Ormal A Lamparina do Sul. 112

Oromë Filho de Aulë e Palúrien (87). 40, 87, 97, 101-2, 114, 119, 126, 128, 129, 131-2, 134, 139-40, 143-4, 146-50, 155, 157-9, 162-3, 179, 189, 193, 234, 252, 254-6, 258, 265, 270, 278. Ver *Aldaron.*

Orossi Fatas das montanhas. 86

Orques 284, 286, 289, 290-1, 293-5

Ossë 78, 83, 87-8, 91-2, 95, 97, 102, 107, 109, 114, 128, 134, 146, 148-51, 153-5, 157, 160, 165-7, 169, 178, 187, 189, 215, 234, , 253-4, 258, 265, 269; *Falman-Ossë* 87, 128, 151, *Falman* 149

Ottor Wǽfre Nome original de Eriol. 35-6

Over Old Hills and Far Away [*Por Montes Antigos, Varando a Distância*] (poema) 136

Ówen Nome antigo de Uinen. 81, 101, 265. (Substituído por Ónen).

Oxford 35, 37, 40, 60, 62, 135-6, 245; *Oxford English Dictionary* 60

Palisor A "região mais central" (143) das Grandes Terras, onde os Elfos despertaram. 109, 134, 143-4, 146-7, 149, 163, 175, 278, 282, 284, 286-7, 293; *Batalha, Guerra de Palisor* 284-5, 287, 293

Palúrien Yavanna. 86-7, 89, 92-7, 102, 112-4, 121, 125-7, 133-4, 143-4, 146, 153-4, 157, 162, 165, 189, 217-8, 222, 285; *filhos de Palúrien* 121. Ver *Senhora-da-terra, Kémi, Yavanna.*

Paracelso 60

Paraíso 118

Partida Afora 27, 31, 38, 40, 123, 125

Península dinamarquesa 36

Pés de Gobelim (poema) 46, 168; sobre o significado de *Gobelim* aqui, ver o Apêndice, verbete *Noldoli*, p. 316.
Pictures of J.R.R. Tolkien 107
Planície Protegida de Nargothrond Ver *Talath Dirnen*.
Plêiades Ver *Sete-estrelo, Sete Estrelas*.
Poldórëa Nome de Tulkas. 87, 96, 102, 130-1, 182, 189
Ponte do Céu Ver *Ilweran*.
Porta da Noite 260-4, 266, 272, 273, 314. Ver *Moritarnon, Tarn Fui*.
Porto da Lua 259
Porto do Sol 257, 259, 266, 270
Porto dos Navios-Cisne 200; *Porto dos Cisnes* 251; *Porto-cisne* 200-1; *o Porto* 200-2, 209, 213. Ver *Ielfethýþ, Kópas Alqaluntë*.
Porto-cisne Ver *Porto das Naus-Cisne*.
Portões da Manhã 260, 266, 272; *Portões do Leste e do Oeste* (isto é, os Portões da Manhã e a Porta da Noite) 264
Povo da Sombra (1) Nome dado pelos Homens aos Elfos Perdidos de Hisilómë. 148, 171, 286, 288. (2) Fatas de origem desconhecida encontrados pelos Noldoli em Hisilómë. 286, 288
Presa-de-Gelo 203, 206, 207, 209, 269, 270. Ver *Helkaraksë*.
Profecia do Norte 208-10
Profecias de Amnos, Profecia de Amnon Ver *Amnos, Amnon*.
Purgatório 118

Qalmë-Tári "Senhora da Morte", nome de Fui Nienna. 87
Qalvanda "Estrada da Morte". 257
Qendi Elfos, mas usado para descrever os Ilkorins em oposição aos Eldar de Valinor. 278, 282. Ver *Quendi*.
Qenya (com referência aos verbetes no antigo dicionário qenya) 110, 118, 197, 273. Ver *Quenya*.
Qerkaringa O Golfo Gélido entre a Presa-de-Gelo (*Helkaraksë*) e as Grandes Terras. 203, 205-7, 209, 214

Qorinómi, Conto de 244, 260, 266, 273
Quendi 60, 163, 267, 284
Quenya 56, 70, 140, 240

Ramandur Nome antigo de Sorontur. 114
Rána Nome da Lua dado pelos Deuses. 232-3, 262-3
Ranuin "Mês", filho de Aluin "Tempo". 262-4, 267, 273-4. (Formas antigas *Ranos, Ranoth, Rôn* 267).
Reino Abençoado 210; *reinos abençoados* 220, 239. Ver *Aman*.
Reinos Gélidos 203
Ringil (1) O pilar da Lamparina do Norte. 90, 91, 104, 112, 129, 133, 148. (2) A espada de Fingolfin. 112
Road Goes Ever On, The [A Estrada Segue Sempre Avante] (livro) 197
Rosa de Silpion A Flor-da-Lua. 231, 233, 235, 262; *Rosa de Prata* 231. Ver *Sil*
Rúmil Guardião-das-Portas de Mar Vanwa Tyaliéva, chamado *o Sábio* (85). 65-71, 79, 84-6, 100-1, 120, 135, 161, 166, 204, 276, 283. Ver *Evromord*.

Sador Serviçal de Húrin. 295
Sala do Fogo-do-Conto Ver *Fogo-do-Conto*.
Salão do Brincar Recuperado Em Mar Vanwa Tyaliéva. 25
Salmar Companheiro de Ulmo, também chamado Noldorin, Lirillo e (gnômico) Golthadriel. 78, 83, 86, 97, 102-3, 114, 119, 128, 157, 190, 215, 223
Samírien Festival do Duplo Júbilo em Valinor. 176, 178, 266; *estrada de Samírien* 266 (ver *Vansamírin*).
Sári Nome do Sol dado pelos Deuses. 225, 233, 235, 238, 259-63, 265, 267
Sauron 71
Segundo Clã Os Gnomos ou Noldoli. 32
Senhor do Ocaso O mago Tû. 279
Senhor dos Anéis, O 56, 58, 59, 61

ÍNDICE

Senhora-da-terra Kémi (Yavanna Palúrien). 93, 102, 217, 218, 258; *Rainha-da-terra* 215

Sete-Estrelo, Sete Estrelas 50, 54 (talvez referindo-se às Plêiades); 143 (referindo-se à Ursa Maior); *Sete Borboletas* 165. Ver *Ursa Maior, Valacirca.*

Sil Nome da Lua. 109, 232

Silindrin O caldeirão de luz prateada em Valinor; nome em variação com *Telimpë* 92-4, 96, 101, 113, 161, 236

Silmarilli As Silmarils. 78, 159. Ver *Silubrilthin.*

Silmarillion, O 34, 39, 67-8, 70, 80-3, 102, -4, 107, 111-6, 118, 139, -41, 162-71, 191-7, 208-10, 238-44, 267-9, 271, 273-4, 277, 284-5, 291-5

Silmarils 159, 171, 179, 184, 187, 191-3, 195, 206, 287, 289

Silmo Guardião da árvore Silpion. 94, 96, 113, 145, 216, 229, 232, 243

Silpion A árvore prateada de Valinor. 94-6, 98, 112-4, 142, 145, 147, 152-3, 156, 158-60, 165, 168, 176, 178, 180, 187-8, 197, 214-7, 219, 229-33, 235, 241-3, 262. Ver *Rosa de Silpion.*

Silubrilthin Nome gnômico das Silmarils. 161

Sindarin 70, 164

Singollo Ver *Elwë.*

Sírio (estrela) 241. Ver *Helluin, Nielluin.*

Sirion 287, 289-90, 294; *Passo do Sirion* 295

Sirnúmen O vale em Valinor onde os Noldoli moraram após serem banidos de Kôr. (175-6), 178, 180 (*Sirnúmen da Planície*), 181, 184, 188, 190, 192-3, 195, 199, 231. (Substituiu *Numessir*).

Snorra Edda A "Edda em Prosa" de Snorri Sturluson. 295

Sol 27, 38, 50, 56, 84-85, 89, 107, 109, 113, 148, 161, 172, 186, 194, 211-3, 217, 221, 225-31, 233-46, 250-1, 256-66, 270, 272, 273-8, 284-5, 287, 292; em muitos trechos chamado de *o Navio-do-Sol*, também *galé, galeão, barca do Sol*; *Navio dos Céus* 225; *Navio da Manhã* 227, 229, 234, 238. Ver *Porto do Sol;* para outros nomes do Sol, ver 224-6, 237.

Sol Mágico 27, 38, 50, 85, 217, 240

Solosimpi O terceiro clã dos Elfos (posteriormente chamados de Teleri). 27, 30, 33, 65, 67-8, 78, 80-2, 120, 149-59, 160-7, 169, 175-6, 190, 193, 199-202, 206, 208, 213, 215, 240, 251, 253-4, 264, 269, 278; anteriormente *Solosimpë* 33, 81. Ver *Flautistas das Terras Costeiras, Teleri* (2).

Sorontur Rei das Águias. 95, 113, 114, 183, 194, 214-5, 238. (Substituiu *Ramandur*). Ver *Thorndor.*

Sós Companhias 48, 52; *Fiéis Companhias* 56

Sow Rio em Staffordshire. 236

Stafford, Staffordshire 37, 116, 136, 236

Súlimo Nome de Manwë. 71, 76-8, 82, 86, 102, 119, 127, 144, 147, 152, 175, 180, 185, 217-8, 221, 252, 256, 263; *Súlimo, Senhor dos Ares* 256

Súruli Espíritos dos ventos, subordinados a Manwë e Varda. 86, 178, 219, 232, 235, 240

Talath Dirnen A Planície Protegida de Nargothrond. 289

Talkamarda, i·Talka Marda "Ferreiro do Mundo", Aulë. 225

Taniquetil 32, 78, 82, 89, 91-2, 95, 99, 106-7, 109, 113, 116, 119, 127, 130, 132, 144, 156, 164, 178-80, 183, 189, 194-5, 220, 224, 227-30, 234-5, 254-6, 263; *Montanha do Mundo* 258

Tanyasalpë "Malga de Fogo". 226. Ver *Faskala-númen.*

Tareg, o Ilkorin 286, 289

Tári "Senhora", aplicado a Varda, Vána e Fui Nienna. 87. Ver *Qalmë-Tári*, *Tári-Laisi*, *Tinwetári*.

Tári-Laisi "Senhora da Via", Vána. 87

Tarn Fui "A Porta da Noite". 260, 267; *Tarna Fui* 267. Ver *Porta da Noite*, *Moritarnon*.

Tavari Fatas dos bosques. 86

Tavrobel Um lugar em Tol Eressëa. 37, 212, 236, 277; *Ponte de Tavrobel* 212, 236; *Torre de Tavrobel* 212; *Gilfanon a-Davrobel*, *Gilfanon de Tavrobel* 211, 245, 275

Tecelã-de-Treva Tradução de *Wirilómë*, *Gwerlum*, a grande Aranha. 187-8

Telelli Nome de certos Elfos (ver Apêndice, p. 322). 30, 33; anteriormente *Telellë* 32

Teleri (1) O primeiro clã dos Elfos (chamados posteriormente de Vanyar). 65-8, 70, 78, 82, 145, 148-9, 152-4, 157, 163-7, 169, 171, 177, 193, 199, 206, 208, 213, 254, 265, 268-9, 278, 282. (2) No sentido posterior = Solosimpi dos *Contos Perdidos*. 68, 82, 163-7, 193, 208, 238, 268

Telimektar Filho de Tulkas. 128, 189, 220, 241. Ver *Telumehtar*.

Telimpë O caldeirão de luz prateada em Valinor; nome em variação com *Silindrin*. 101, 143, 158, 161, 216, 219, 229, 232, 236, 243

Telperion 112, 113, 164, 168

Telumehtar Órion. 241. Ver *Telimektar*.

Tempo Ver especialmente 262-3, 273-4

Tendas do Murmurar Habitação dos Noldoli próximo a Helkaraksë. 205, 210

Terra de Sombra, das Sombras 148, 288, 289. Ver *Aryador*, *Dor Lómin*, *Hisilómë*.

Terra dos Olmos 26, 37, 122. Ver *Alalminórë*.

Terra-das-Fadas 138

Terra-média 34, 39, 103, 113, 119, 139-40, 163-4, 166, 244, 267

Terras de Fora (1) Originalmente usado para as Grandes Terras. 33, 103. (2) Valinor, Eruman/Arvalin, e as Ilhas do Crepúsculo (89). 33, 84, 88-9, 100, 103-4, 156, 193, 196, 265; *Terra de Fora* 134

Terras do meio 282

Terras Orientais 280; *praia(s) Oriental(is)*, *costa(s) Orienta(is)* 203, 272

Terras Soçobradas 290; com outro sentido 258

Teso do Primeiro Pesar Ver *Cûm a Gumlaith*.

Tevildo, Príncipe dos Gatos 65, 71

Thangorodrim 39, 194, 293

Thingol 135, 164, 294; *Elu Thingol* 163. Ver *Tinwë Linto*, *Tinwelint*.

Thompson, Francis 42

Thorndor Nome gnômico de Sorontur, Rei das Águias. 113; forma posterior *Thorondor* 194

Tilion Timoneiro da Lua. 113, 243, 267

Tilkal Metal criado por Aulë para acorrentar Melko. 127-899, 132, 140, 144

Timpinen Nome de Tinfang no idioma dos Eldar. 120-1, 135

Tindriel Nome antigo de Melian. 134-5, 162-3. (Substituído por *Wendelin*).

Tinfang Nome gnômico de Timpinen, o flautista; chamado de *Tinfang Trinado* (ver Apêndice, p. 323). 120-1, 135-8; poemas *Tinfang Trinado*, *Over Old Hills and Far Away* [Por Montes Antigos, Varando a Distância] 135-8

Tintoglin Nome antigo de Tinwelint. 162-3

Tinúviel Filha de Tinwelint (posteriormente Lúthien (Tinúviel) filha de Thingol). 40, 69, 71, 135, 163-4, 245-6; o *Conto de Tinúviel* 40, 69, 71, 244-6, 287. Ver *Lúthien*.

Tinwë Linto, Tinwë Senhor dos Solosimpi que se perdeu na Grande

Jornada e tornou-se Senhor dos Elfos de Hisilómë; posteriormente *Thingol*. 150, 161-4. (Substituiu *Linwë Tinto*).

Tinwelint Nome gnômico de Tinwë Linto (posteriormente Thingol). 145, 162-4, 287, 289, 294. (Substituiu *Tintoglin*).

Tinwetári "Rainha das Estrelas", nome de Varda. 127

Tirion 32, 37, 29, 47, 67, 167, 195, 196, 238

Tol Eressëa 19, 23, 33-40, 46, 65, 67-70, 106, 109, 115, 124, 135, 149, 151, 154-7, 161, 165-70, 201, 236, 269-70, 282-3. Ver *Ilha Solitária*.

Tombo O "Gongo das Crianças" em Mar Vanwa Tyaliéva. 25. Ver *Gongo das Crianças*, *Coração-Pequeno*.

Tórin Ver *Daurin*.

Torre de Pérola Torre em uma das Ilhas do Crepúsculo. 89, 156, 259; *o Adormecido na Torre de Pérola* 26, 39, 259, 266

Trent, Rio 236

Três Clãs 69

Trilha dos Sonhos Ver *Olórë Mallë*.

Tu e Eu e o Chalé do Brincar Perdido (poema) 41-43, 46, 168

Tû O mago ou fata que se tornou Rei dos Elfos Escuros. 278-80, 282-3, 285, 295; *Senhor do Ocaso* 279. (Substituiu *Túvo*).

Tuilérë Nome de Vána. 87

Tuivána Nome de Vána. 87, 126, 146-7, 218

Tulkas 87-8, 91, 95-7, 100, 102-3, 114, 128-33, 140, 144, 173, 179, 181-3, 187, 189-90, 193-4, 214, 217, 220, 223-4, 239, 241-2, 253-4, 263, 269. Ver *Astaldo*, *Poldórëa*.

Tulkassë Nome antigo de Tulkastor. 33. (Substituiu *Turenbor*).

Tulkastor Pai de Vairë, esposa de Lindo. 27, 33. (Substituiu *Tulkassë*).

Tûn Nome que substituiu Kôr (como nome da cidade). 266

Túna 39, 106, 167, 266

Tuor 62, 66, 71, 281, 286. Para o conto de *Tuor e os Exilados de Gondolin* ("*A Queda de Gondolin*") ver *Gondolin*.

Turambar Ver *Túrin*.

Turenbor Nome antigo de Tulkastor. 33. (Substituído por *Tulkassë*).

Turgon 145, 163-4, 207-10, 288-90, 292, 294-5. Ver *Turondo*

Túrin 294-5; o *Conto de Turambar* 40, 194, 275, 294

Turinqi Ver *Meril-i-Turinqi*.

Turondo Filho de Finwë Nólemë, chamado de Turgon em gnômico. 145, 163, 164, 204, 207-8, 295

Turuhalmë O "Trazer das Lenhas" para Mar Vanwa Tyaliéva. 275-7, 295. (Outras formas *Duruchalm* e *Halmadhurwion*).

Túvo Nome antigo de Tû. 282-4, 287, 294

Uin A grande baleia. 109, 148-50

Uinen 83, 102, 152, 161, 209, 232, 265; *Oinen* 254, 265; *a Senhora do Mar* 254-5. (Substituiu Ónen).

Ulbandi Mãe de Kosomot, o filho de Melko. 119

Ulmo 38, 75-8, 80-3, 86-9, 91-2, 95, 102-3, 107, 109-11, 114, 127, 129, 132, 134, 144, 146, 148-55, 157, 163, 165, 167, 169, 178, 188-9, 208, 215, 229, 239-40, 252, 254, 257-60, 262, 271-2; *Senhor de Vai* 229, 258. Ver *Linqil*, *Vailimo*.

Ulmonan Salões de Ulmo no Oceano de Fora. 81, 83, 88, 107, 109, 111, 259

Úmanyar Elfos que "não são de Aman". 236, 291

Ungoliant Forma do nome da grande Aranha em *O Silmarillion*. 192-3, 196-7, 242. Ungoliont, seu nome gnômico nos *Contos Perdidos* 187, 191, 196-7, 258. (Substituiu *Gungliont*).

Ungweliantë A grande Aranha. 227, 253, 265; ver *Ungwë Lianti* 187; *Ungwë* 187, 189; *Ungweliant* 220, 227, 241, 253, 265. Ver *Gwerlum, Móru, Wirilómë*.

Uolë Kúvion O Elfo conhecido como Homem da Lua. 232-3, 238, 243-4, 249, 259. (Substituiu *Uolë Mikúmi*).

Uolë Mikúmi Nome antigo de Uolë Kúvion. 238, 244

Ûr Nome do Sol. 109, 225, 237

Urdidura dos Dias e Meses e dos Anos 261, 266, 273

Úrin Forma de *Húrin* nos *Contos Perdidos*. 289-90; *Filhos, povo de Úrin* 288, 290-1, 294

Ursa Maior 165; *Ursa de Argento, Argêntea* 48, 50; *Grande Arado* 54, 59. Ver *Sete-Estrelo, Sete Estrelas; Valacirca*.

Urwen Nome antigo de Urwendi. 94, 98, 113, 189, 216, 226-8, 230, 232, 234, 236, 237, 244, 250, 259-61, 263-4, 266

Urwendi Guardiã de Laurelin e donzela do Sol. 216, 226-8, 230, 232, 234, 236-7, 244, 250, 259-61, 263-4, 266; *Urwandi* 237. (Substituiu *Urwen*).

Utumna A primeira fortaleza de Melko. 90, 104, 126, 129-32, 134, 140, 214, 239, 253; *Fortaleza do Norte* 285; forma posterior *Utumno* 104, 11, 139-41, 239, 267

Úvalear Nome do Povo da Sombra de Hisilómë. 286

Úvanimor "Monstros, gigantes e ogros" criados por Melko. 96, 284-5

Vai O Mar de Fora. 78, 81, 83, 107, 109-11, 160, 183, 189, 224, 227, 229, 236, 258-60, 272. Ver especialmente 109-10, e ver *Mar(es) de Fora*.

Vailimo Nome de Ulmo, Governante de Vai. 129, 144, 258-9

Vairë (1) Elfa de Tol Eressëa, esposa de Lindo. 25-9. (2) "A Tecelã", esposa de Mandos

Vaitya O mais exterior dos três ares. 86-7, 107, 109-10, 219, 272

Vaiya "O Oceano Envolvedor". 110, 273

Valacirca "A Foice dos Valar". 165; *a Foice de Prata* 165

Valahíru Título de Manwë, "Senhor dos Valar". 218

Valaquenta 102, 104

Valar Passim; ver *Deuses*. (Singular *Vala*; plural também *Vali* 77, 81, 86, 132, 135, 143-4, 146, 183, 189, 216, 218, 224, e *Valur e Valir* 80. Ver *Filhos dos Valar*.

Valatúru = *Valahíru*. 218, 229

Vale das Águas Plangentes 290, 294. Ver *Gorfalon(g)*.

Vale das Fontes 287, 290, 294-5. Ver *Gorfalon(g)*.

Vale do Sono Ver *Murmenalda*.

Vale Soporoso Ver *Murmenalda*.

Valinor "Terra dos Deuses" (91); *Valinórë* 220. *Passim*; "vale" ou "planície" de Valinor 93, 97, 133, 142, 153, 197, 202 (Valinor "sobre a planície") etc.; faiais 126; clareiras 157; areia dourada 152; Valinor mais próxima da Muralha das Coisas do que as costas do Leste 287; *Ocultação de Valinor* 40, 170, 208, 236, 246, 250, 252, 257, 265-9, 275-7, 284, 294; *Obscurecer de Valinor* 190-1, 207, 241. Ver *Montanhas de Valinor*.

Valmar 95-7, 99, 101, 104, 114, 127, 130, 132, 142-3, 145-6, 150, 153, 157-8, 173, 175-83, 188-90, 193, 215, 223, 233, 257, 261

Valwë Pai de Lindo. 27, 33, 39. (*Manwë* em lugar de *Valwë* 33).

Vána 87, 92-4, 97-8, 102, 113-4, 119, 132, 146, 189, 215-8, 221-5, 229, 240, 243, 252-3, 255; *a Lamparina de Vána*, o Sol, 225. Ver *Tári-Laisi, Tuilérë, Tuivána, Vána-Laisi*.

Vána-Laisi Nome de Vána. 218
Vanë Hansto Ver *Hanstovánen*.
Vansamírin Estrada da procissão cerimonial do Festival de Duplo Júbilo. 250, 266 (descrição da estrada 176-7). Ver *Samírien*.
Vanyar 39, 61, 68, 82, 164-5, 167-8, 195, 206, 265, 268, 282. Ver *Teleri* (1).
Varda 78, 82-3, 86, 90, 92, 95-6, 102, 113, 126-7, 140, 142-6, 157-8, 164-5, 178, 182, 189, 197, 213, 215, 218-21, 224, 229, 231-2, 235-6, 240, 243, 252, 256, 261, 268, 273; *Varda das Estrelas* 157, *Senhora das Estrelas* 215, *Rainha das Estrelas* 78, 82, 218, *a fazedora d'estrelas* 221; *os Poços de Varda* 197. Ver *Tinwetári*.
Vê Nome de Vefántur (Mandos) dado ao seu salão. 71, 79, 84, 98-9, 107, 1115, 124, 142, 146, 180, 184, 212, 236.
Vefántur "Fantur da Morte", o Vala Mandos. 87, 98, 104, 115, 134, 178, 204, 210. Ver *Fantur, Mandos*.
Vilna O mais interior dos três ares. 86-7, 107, 109-10, 220, 226, 240
Vinyamar A morada de Turgon em Nevrast. 71

Vírin Substância criada por Aulë para o vaso da Lua. 231-2
Völuspá Poema da *Edda* em nórdico antigo.
Voronwë = gnômico *Bronweg*. 66, 71
Vorotemnar As manilhas postas nos pulsos de Melko. 128, 132

Warwick 37, 39, 46-7; *Warwickshire* 37
Wendelin Nome antigo de Melian. 134-5, 145, 149, 162-4. (Substituiu *Tindriel*).
Wingildi Espíritos da espuma-do-mar. 87
Wingilot O navio de Eärendel. 26, 33; *Wingelot* 33
Wirilómë A grande Aranha, "Tecelã-de-Treva". 187-8. Ver *Gwerlum, Móru, Ungoliant, Ungweliantë*.
Wiruin Uma grande voragem perto de Helkaraksë. 204
Wóden 35

Yare, Rio 247, 249
Yarmouth 248-9
Yavanna 86, 102, 113, 125-7, 139-40, 146-7, 154, 158, 159, 162, 168, 195, 215, 217, 218, 221, 223, 224, 226, 230, 239-40, 252, 258. Ver *Senhora-da-terra, Kémi, Palúrien*.

Poemas originais

Prefácio

[A] p. 10:   *The world was fair, the mountains tall.*
In Elder Days before the fall
Of mighty kings in Nargothrond
And Gondolin, who now beyond
The Western Seas have passed away

1. O Chalé do Brincar Perdido

[A] pp. 41–43:   *You & Me*
and the Cottage of Lost Play

You and me — we know that land
And often have been there
In the long old days, old nursery days,
A dark child and a fair.
Was it down the paths of firelight dreams
In winter cold and white,
Or in the blue-spun twilit hours
Of little early tucked-up beds
In drowsy summer night,
That You and I got lost in Sleep
And met each other there —
Your dark hair on your white nightgown,
And mine was tangled fair?

We wandered shyly hand in hand,
Or rollicked in the fairy sand
And gathered pearls and shells in pails,
While all about the nightingales
Were singing in the trees.
We dug for silver with our spades
By little inland sparkling seas,
Then ran ashore through sleepy glades
And down a warm and winding lane
We never never found again
Between high whispering trees.

The air was neither night or day,
But faintly dark with softest light,

>   When first there glimmered into sight
>   The Cottage of Lost Play.
>   'Twas builded very very old
>   White, and thatched with straws of gold,
>   And pierced with peeping lattices
>   That looked toward the sea;
>   And our own children's garden-plots
>   Were there — our own forgetmenots,
>   Red daisies, cress and mustard,
>   And blue nemophile.
>   O! all the borders trimmed with box
>   Were full of favourite flowers — of phlox,
>   Of larkspur, pinks, and hollyhocks
>   Beneath a red may-tree:
>   And all the paths were full of shapes,
>   Of tumbling happy white-clad shapes,
>   And with them You and Me.
>   And some had silver watering-cans
>   And watered all their gowns,
>   Or sprayed each other; some laid plans
>   To build them houses, fairy towns,
>   Or dwellings in the trees;
>   And some were clambering on the roof;
>   Some crooning lonely and aloof;
>   And some were dancing fairy-rings
>   And weaving pearly daisy-strings,
>   Or chasing golden bees;
>   But here and there a little pair
>   With rosy cheeks and tangled hair
>   Debated quaint old childish things —
>   And we were one of these.
>   And why it was Tomorrow came
>   And with his grey hand led us back;
>   And why we never found the same
>   Old cottage, or the magic track
>   That leads between a silver sea
>   And those old shores and gardens fair
>   Where all things are, that ever were —
>   We know not, You and Me.

[B] p. 43:
>   But why it was there came a time
>   When we could take the road no more,
>   Though long we looked, and high would climb,
>   Or gaze from many a seaward shore
>   To find the path between sea and sky
>   To those old gardens of delight;
>   And how it goes now in that land,
>   If there the house and gardens stand,
>   Still filled with children clad in white —
>   We know not, You and I

[C] pp. 44–45:   *The Little House of Lost Play*
Mar Vanwa Tyalieva

We knew that land once, You and I,
    and once we wandered there
in the long days now long gone by,
    a dark child and a fair.
Was it on the paths of firelight thought
    in winter cold and white,
or in the blue-spun twilit hours
of little early tucked-up beds
    in drowsy summer night,
that you and I in Sleep went down
    meet each other there,
your dark hair on your white nightgown
    and mine was tangled fair?

We wandered shyly hand in hand,
small footprints in the golden sand,
and gathered pearls and shells in pails,
while all about the nightingales
    were singing in the trees.
We dug for silver with our spades,
and caught the sparkle of the seas,
then ran ashore to greenlit glades,
and found the warm and winding lane
that now we cannot find again,
    between tall whispering trees.

The air was neither night nor day,
an ever-eve of gloaming light,
when first there glimmered into sight
    the Little House of Play.
New-built it was, yet very old,
white, and thatched with straws of gold,
    and pierced with peeping lattices
        that looked toward the sea;
and our own children's garden-plots
were there: our own forgetmenots,
red daisies, cress and mustard,
    and radishes for tea.
There all the borders, trimmed with box,
were filled with favourite flowers, with phlox,
with lupins, pinks, and hollyhocks,
    beneath a red may-tree;
and all the gardens full of folk
that their own little language spoke,
    but not to You and Me.

For some had silver watering-cans
    and watered all their gowns,

or sprayed each other; some laid plans
to build their houses, little towns
    and dwellings in the trees.
And some were clambering on the roof;
some crooning lonely and aloof;
some dancing round the fairy-rings
all garlanded in daisy-strings,
    while some upon their knees
before a little white-robed king
crowned with marigold would sing
    their rhymes of long ago.
But side by side a little pair
with heads together, mingled hair,
    went walking to and fro
still hand in hand; and what they said,
ere Waking far apart them led,
    that only we now know.

[D] pp. 47–51:   *Kortirion among the Trees*

The First Verses

    O fading town upon a little hill,
        Old memory is waning in thine ancient gates,
The robe gone gray, thine old heart almost still;
    The castle only, frowning, ever waits
        And ponders how among the towering elms
The Gliding Water leaves these inland realms
And slips between long meadows to the western sea —
Still bearing downward over murmurous falls
    One year and then another to the sea;
And slowly thither have a many gone
Since first the fairies built Kortirion.

O spiry town upon a windy hill
    With sudden-winding alleys shady-walled
(Where even now the peacocks pace a stately drill,
    Majestic, sapphirine, and emerald),
Behold thy girdle of a wide champain
Sunlit, and watered with a silver rain,
        And richly wooded with a thousand whispering trees
That cast long shadows in many a bygone noon,
    And murmured many centuries in the breeze.
Thou art the city of the Land of Elms,
Alalmin6re in the Faery Realms.

    Sing of thy trees, old, old Kortirion!
    Thine oaks, and maples with their tassels on,
    Thy singing poplars; and the splendid yews
    That crown thine aged walls and muse
        Of sombre grandeur all the day —

Until the twinkle of the early stars
Is tangled palely in their sable bars;
Until the seven lampads of the Silver Bear
Swing slowly in their shrouded hair
   And diadem the fallen day.
O tower and citadel of the world!
When bannered summer is unfurled
Most full of music are thine elms —
A gathered sound that overwhelms
   The voices of all other trees.
Sing then of elms, belov'd Kortirion,
How summer crowds their full sails on,
Like clothed masts of verdurous ships,
A fleet of galleons that proudly slips
   Across long sunlit seas.

The Second Verses

   Thou art the inmost province of the fading isle
      Where linger yet the Lonely Companies.
   Still, undespairing, do they sometimes slowly file
      Along thy paths with plaintive harmonies:
   The holy fairies and immortal elves
   That dance among the trees and sing themselves
      A wistful song of things that were, and could be yet.
   They pass and vanish in a sudden breeze,
      A wave of bowing grass — and we forget
   Their tender voices like wind-shaken bells
   Of flowers, their gleaming hair like golden asphodels.

   Spring still hath joy: thy spring is ever fair
      Among the trees; but drowsy summer by thy streams
   Already stoops to hear the secret player
      Pipe out beyond the tangle of her forest dreams
   The long thin tune that still do sing
   The elvish harebells nodding in a jacinth ring
      Upon the castle walls;
   Already stoops to listen to the clear cold spell
      Come up her sunny aisles and perfumed halls:
   A sad and haunting magic note,
      A strand of silver glass remote.

   Then all thy trees, old town upon a windy bent,
   Do loose a long sad whisper and lament;
   For going are the rich-hued hours, th'enchanted nights
   When flitting ghost-moths dance like satellites
      Round tapers in the moveless air;
   And doomed already are the radiant dawns,
   The fingered sunlight dripping on long lawns;
   The odour and the slumbrous noise of meads,
   When all the sorrel, flowers, and plumed weeds

>   *Go down before the scyther's share.*
> *Strange sad October robes her dewy furze*
> *In netted sheen of gold-shot gossamers,*
> *And then the wide-umbraged elm begins to fail;*
> *Her mourning multitudes of leaves go pale*
> >   *Seeing afar the icy shears*
> >   *Of Winter, and his blue-tipped spears*
> *Marching unconquerable upon the sun*
> *Of bright All-Hallows. Then their hour is done,*
> *And wanly borne on wings of amber pale*
> *They beat the wide airs of the fading vale*
> >   *And fly like birds across the misty meres.*

The Third Verses

> *Yet is this season dearest to my heart,*
> >   *Most fitting to the little faded town*
> *With sense of splendid pomps that now depart*
> >   *In mellow sounds of sadness echoing down*
> *The paths of stranded mists. O! gentle time*
> *When the late mornings are bejewelled with rime,*
> >   *And the blue shadows gather on the distant woods.*
> *The fairies know thy early crystal dusk*
> >   *And put in secret on their twilit hoods*
> *Of grey and filmy purple, and long bands*
> *Of frosted starlight sewn by silver hands.*
>
> *They know the season of the brilliant night,*
> >   *When naked elms entwine in cloudy lace*
> *The Pleiades, and long-armed poplars bar the light*
> >   *Of golden-rondured moons with glorious face.*
> *O fading fairies and most lonely elves*
> *Thien sing ye, sing ye to yourselves*
> >   *A woven song of stars and gleaming leaves;*
> *Then whirl ye with the sapphire-winged winds;*
> >   *Then do ye pipe and call with heart that grieves*
> *To sombre men: 'Remember what is gone —*
> *The magic sun that lit Kortirion!'*
>
> >   *Now are thy trees, old, old Kortirion,*
> >   *Seen rising up through pallid mists and wan,*
> >   *Like vessels floating vague and long afar*
> >   *Down opal seas beyond the shadowy bar*
> > >   *Of cloudy ports forlorn:*
> >   *They leave behind for ever havens throng'd*
> >   *Wherein their crews a while held feasting long*
> >   *And gorgeous ease, who now like windy ghosts*
> >   *Are wafted by slow airs to empty coasts;*
> > >   *There are they sadly glimmering borne*
> > >   *Across the plumbless ocean of oblivion.*
> >   *Bare are thy trees become, Kortirion,*

> *And all their summer glory swiftly gone.*
> *The seven lampads of the Silver Bear*
> *Are waxen to a wondrous flare*
>   *That flames above the fallen year.*
> *Though cold thy windy squares and empty streets;*
> *Though elves dance seldom in thy pale retreats*
> *(Save on some rare and moonlit night,*
> *A flash, a whispering glint of white),*
>   *Yet would I never need depart from here.*

The Last Verse

> *I need not know the desert or red palaces*
>   *Where dwells the sun, the great seas or the magic isles,*
> *The pinewoods piled on mountain-terraces;*
>   *And calling faintly down the windy miles*
> *Touches my heart no distant bell that rings*
> *In populous cities of the Earthly Kings.*
>   *Here do I find a haunting ever-near content*
> *Set midmost of the Land of withered Elms*
> *(Aialminore of the Faery Realms);*
>   *Here circling slowly in a sweet lament*
> *Linger the holy fairies and immortal elves*
> *Singing a song of faded longing to themselves.*

[E] pp. 51–55: *Kortirion among the Trees*

> *I*
>
> *O fading town upon an inland hill,*
>   *Old shadows linger in thine ancient gate,*
> *Thy robe is grey, thine old heart now is still;*
>   *Thy towers silent in the mist await*
> *Their crumbling end, while through the storeyed elms*
> *The Gliding Water leaves these inland realms,*
>   *And slips between long meadows to the Sea,*
> *Still bearing downward over murmurous falls*
>   *One day and then another to the Sea;*
> *And slowly thither many years have gone,*
> *Since first the Elves here built Kortirion.*
>
> *O climbing town upon thy windy hill*
>   *With winding streets, and alleys shady-walled*
> *Where now untamed the peacocks pace in drill*
>   *Majestic, sapphirine, and emerald;*
> *Amid the girdle of this sleeping land,*
> *Where silver falls the rain and gleaming stand*
>   *The whispering host of old deep-rooted trees*
> *That cast long shadows in many a bygone noon,*
>   *And murmured many centuries in the breeze ;*
> *Thou art the city of the Land of Elms,*
> *Alalminore in the Faery Realms.*

Sing of thy trees, Kortirion, again:
The beech on hill, the willow in the fen,
The rainy poplars, and the frowning yews
Within thine aged courts that muse
    In sombre splendour all the day;
Until the twinkle of the early stars
Comes glinting through their sable bars,
And the white moon climbing up the sky
Looks down upon the ghosts of trees that die
    Slowly and silently from day to day.
O Lonely Isle, here was thy citadel,
Ere bannered summer from his fortress fell.
Then full of music were thine elms:
Green was their armour, green their helms,
    The Lords and Kings of all thy trees.
Sing, then, of elms, renowned Kortirion,
That under summer crowd their full sail on,
And shrouded stand like masts of verdurous ships,
A fleet of galleons that proudly slips
    Across long sunlit seas.

II

Thou art the inmost province of the fading isle,
    Where linger yet the Lonely Companies;
Still, undespairing, here they slowly file
    Along thy paths with solemn harmonies:
The holy people of an elder day,
Immortal Elves, that singing fair and fey
    Of vanished things that were, and could be yet,
Pass like a wind among the rustling trees,
    A wave of bowing grass, and we forget
Their tender voices like wind-shaken bells
Of flowers, their gleaming hair like golden asphodels.
Once Spring was here with joy, and all was fair
    Among the trees; but Summer drowsing by the stream
Heard trembling in her heart the secret player
    Pipe, out beyond the tangle of her forest dream,
The long-drawn tune that elvish voices made
Foreseeing Winter through the leafy glade;
    The late flowers nodding on the ruined walls
Then stooping heard afar that haunting flute
    Beyond the sunny aisles and tree-propped halls;
For thin and clear and cold the note,
As strand of silver glass remote.

Then all thy trees, Kortirion, were bent,
And shook with sudden whispering lament:
For passing were the days, and doomed the nights
When flitting ghost-moths danced as satellites
    Round tapers in the moveless air;

And doomed already were the radiant dawns,
The fingered sunlight drawn across the lawns;
The odour and the slumbrous noise of meads,
Where all the sorrel, flowers, and plumed weeds
  Go down before the scyther's share.
When cool October robed her dewy furze
In netted sheen of gold-shot gossamers,
Then the wide-umbraged elms began to fail;
Their mourning multitude of leaves grew pale,
  Seeing afar the icy spears
So Of Winter marching blue behind the sun
Of bright All-Hallows. Then their hour was done,
And wanly borne on wings of amber pale
They beat the wide airs of the fading vale,
And flew like birds across the misty meres.

III
This is the season dearest to the heart,
  And time most fitting to the ancient town,
With waning musics sweet that slow depart
  Winding with echoed sadness faintly down
The paths of stranded mist. O gentle time,
When the late mornings are begemmed with rime,
  And early shadows fold the distant woods!
The Elves go silent by, their shining hair
  They cloak in twilight under secret hoods
Of grey, and filmy purple, and long bands
Of frosted starlight sewn by silver hands.

And oft they dance beneath the roofless sky,
  When naked elms entwine in branching lace
The Seven Stars, and through the boughs the eye
  Stares golden-beaming in the round moon's face.
O holy Elves and fair immortal Folk,
You sing then ancient songs that once awoke
  Under primeval stars before the Dawn;
You whirl then dancing with the eddying wind,
  As once you danced upon the shimmering lawn
In Elvenhome, before we were, before
You crossed wide seas unto this mortal shore.
Now are thy trees, old grey Kortirion,
Through pallid mists seen rising tall and wan,
Like vessels floating vague, and drifting far
 Down opal seas beyond the shadowy bar
   Of cloudy ports forlorn;
Leaving behind for ever havens loud,
Wherein their crews a while held feasting proud
And lordly ease, they now like windy ghosts
Are wafted by slow airs to windy coasts,
  And glimmering sadly down the tide are borne.

Bare are thy trees become, Kortirion;
The rotted raiment from their bones is gone.
The seven candles of the Silver Wain,
 Like lighted tapers in a darkened fane,
  Now flare above the fallen year.
Though court and street now cold and empty lie,
And Elves dance seldom neath the barren sky,
Yet under the white moon there is a sound
 Of buried music still beneath the ground.
  When winter comes, I would meet winter here.
I would not seek the desert, or red palaces
 Where reigns the sun, nor sail to magic isles,
Nor climb the hoary mountains' stony terraces;
  And tolling faintly over windy miles
To my heart calls no distant bell that rings
 In crowded cities of the Earthly Kings.
  For here is heartsease still, and deep content,
Though sadness haunt the Land of withered Elms
(Alalmin6re in the Faery Realms);
  And making music still in sweet lament
The Elves here holy and immortal dwell,
And on the stones and trees there lies a spell.

[F] pp. 55–59:   *The Trees of Kortirion*

I

Alalminóre

O ancient city on a leaguered hill!
 Old shadows linger in your broken gate,
Your stones are grey, your old halls now are still,
 Your towers silent in the mist await
Their crumbling end, while through the storeyed elms
The River Gliding leaves these inland realms
 And slips between long meadows to the Sea,
Still bearing down by weir and murmuring fall
 One day and then another to the Sea;
And slowly thither many days have gone
Since first the Edain built Kortirion.

Kortirion! Upon your island hill
 With winding streets, and alleys shadow-walled
Where even now the peacocks pace in drill
 Majestic, sapphirine and emerald,
Once long ago amid this sleeping land
Of silver rain, where still year-laden stand
 In unforgetful earth the rooted trees
That cast long shadows in the bygone noon,
 And whispered in the swiftly passing breeze,
Once long ago, Queen of the Land of Elms,
High City were you of the Inland Realms.

Your trees in summer you remember still:
The willow by the spring, the beech on hill;
The rainy poplars, and the frowning yews
Within your aged courts that muse
    In sombre splendour all the day,
Until the firstling star comes glimmering,
And flittermice go by on silent wing;
Until the white moon slowly climbing sees
In shadow-fields the sleep-enchanted trees
    Night-mantled all in silver-grey.
Alalminor! Here was your citadel,
 bannered summer from his fortress fell ;
About you stood arrayed your host of elms:
Green was their armour, tall and green their helms,
    High lords and captains of the trees.
But summer wanes. Behold, Kortirion!
The elms their full sail now have crowded on
Ready to the winds, like masts amid the vale
Of mighty ships too soon, too soon, to sail
    To other days beyond these sunlit seas.

      II
    Narquelion
Alalminóre! Green heart of this Isle
    Where linger yet the Faithful Companies!
Still undespairing here they slowly file
    Down lonely paths with solemn harmonies:
The Fair, the first-born in an elder day,
Immortal Elves, who singing on their way
    Of bliss of old and grief, though men forget,
Pass like a wind among the rustling trees,
    A wave of bowing grass, and men forget
Their voices calling from a time we do not know,
Their gleaming hair like sunlight long ago.

A wind in the grass l The turning of the year.
    A shiver in the reeds beside the stream,
A whisper in the trees — afar they hear,
    Piercing the heart of summer's tangled dream,
Chill music that a herald piper plays
Foreseeing winter and the leafless days.
    The late flowers trembling on the ruined walls
Already stoop to hear that elven-flute.
    Through the wood's sunny aisles and tree-propped halls
Winding amid the green with clear cold note
Like a thin strand of silver glass remote.

The high-tide ebbs, the year will soon be spent;
And all your trees, Kortirion, lament.
At morn the whetstone rang upon the blade,

    At eve the grass and golden flowers were laid
        To wither, and the meadows bare.
Now dimmed already comes the tardier dawn,
Paler the sunlight fingers creep across the lawn.
The days are passing. Gone like moths the nights
When white wings fluttering danced like satellites
        Round tapers in the windless air.
Lammas is gone. The Harvest-moon has waned.
Summer is dying that so briefly reigned.
Now the proud elms at last begin to quail,
Their leaves uncounted tremble and grow pale,
        Seeing afar the icy spears
Of winter march to battle with the sun.
When bright All-Hallows fades, their day is done,
And borne on wings of amber wan they fly
In heedless winds beneath the sullen sky,
        And fall like dying birds upon the meres.

III
Hrivion

Alas! Kortirion, Queen of Elms, alas!
    This season best befits your ancient town
With echoing voices sad that slowly pass,
    Winding with waning music faintly down
The paths of stranded mist. O fading time,
        When morning rises late all hoar with rime,
    And early shadows veil the distant woods!
Unseen the Elves go by, their shining hair
    They cloak in twilight under secret hoods
Of grey, their dusk-blue mantles gird with bands
Of frosted starlight sewn by silver hands.

At night they dance beneath the roofless sky,
    When naked elms entwine in branching lace
The Seven Stars, and through the boughs the eye
    Stares down cold-gleaming in the high moon's face.
O Elder Kindred, fair immortal folk!
You sing now ancient songs that once awoke
    Under primeval stars before the Dawn;
You dance like shimmering shadows in the wind,
    As once you danced upon the shining lawn
Of Elvenhome, before we were, before
You crossed wide seas unto this mortal shore.

Now are your trees, old grey Kortirion,
Through pallid mists seen rising tall and wan,
Like vessels vague that slowly drift afar
Out, out to empty seas beyond the bar
    Of cloudy ports forlorn;
Leaving behind for ever havens loud,

> Wherein their crews a while held feasting proud
> In lordly ease, they now like windy ghosts
> Are wafted by cold airs to friendless coasts,
> > And silent down the tide are borne.
> Bare has your realm become, Kortirion,
> Stripped of its raiment, and its splendour gone.
> Like lighted tapers in a darkened fane
> The funeral candles of the Silver Wain
> > Now flare above the fallen year.
> Winter is come. Beneath the barren sky
> The Elves are silent. But they do not die!
> Here waiting they endure the winter fell
> And silence. Here I too will dwell;
> > Kortirion, I will meet the winter here.

> ### IV
> ### Mettanye
> I would not find the burning domes and sands
> > Where reigns the sun, nor dare the deadly snows,
> Nor seek in mountains dark the hidden lands
> > Of men long lost to whom no pathway goes;
> I heed no call of clamant bell that rings
> Iron-tongued in the towers of earthly kings.
> > Here on the stones and trees there lies a spell
> Of unforgotten loss, of memory more blest
> > Than mortal wealth. Here undefeated dwell
> The Folk Immortal under withered elms,
> Alalminórë once in ancient realms.

3. A Vinda dos Valar e a Construção de Valinor

[A] pp. 117–18:   *Habbanan beneath the Stars*

> In Habbanan beneath the skies
> Where all roads end however long
> There is a sound of faint guitars
> And distant echoes of a song,
> For there men gather into rings
> Round their red fires while one voice sings —
> And all about is night.

> > *

> Not night as ours, unhappy folk,
> Where nigh the Earth in hazy bars,
> A mist about the springing of the stars,
> There trails a thin and wandering smoke
> Obscuring with its veil half-seen
> The great abysmal still Serene.

> > *

A globe of dark glass faceted with light
Wherein the splendid winds have dusky flight;
Untrodden spaces of an odorous plain
That watches for the moon that long has lain
And caught the meteors' fiery rain —
Such there is night.

*

There on a sudden did my heart perceive
That they who sang about the Eve,
Who answered the bright-shining stars
With gleaming music of their strange guitars,
These were His wandering happy sons
Encamped upon those aery leas
Where God's unsullied garment runs
In glory down His mighty knees.

4. O Acorrentamento de Melko

[A] p. 136   *Tinfang Warble*

O the hoot! O the hoot!
How he trill ups on his flute!
O the hoot of Tinfang Warble!
Dancing all alone,
Hopping on a stone,
Flitting like a fawn,
In the twilight on the lawn,
And his name is Tinfang W arb!e !
The first star has shown
And its lamp is blown
to a flame of flickering blue.
He pipes not to me,
He pipes not to thee,
He whistles for none of you.
His music is his own,
The tunes of Tinfang Warble!

[B] pp. 137–38:   *Over Old Hills and Far Away*

It was early and still in the night of June,
And few were the stars, and far was the moon,
The drowsy trees drooping, and silently creeping
Shadows woke under them while they were sleeping.
I stole to the window with stealthy tread
Leaving my white and unpressed bed;
And something alluring, aloof and queer,
Like perfume of flowers from the shores of the mere
That in Elvenhome lies, and in starlit rains
    Twinkles and flashes, came up to the panes
Of my high lattice-window. Or was it a sound?

I listened and marvelled with eyes on the ground.
For there came from afar a filtered note
Enchanting sweet, now clear, now remote,
As clear as a star in a pool by the reeds,
As faint as the glimmer of dew on the weeds.
Then I left the window and followed the call
Down the creaking stairs and across the hall
Out through a door that swung tall and grey,
       And over the lawn, and away, away!
It was Tinfang Warble that was dancing there,
Fluting and tossing his old white hair,
Till it sparkled like frost in a winter moon;
And the stars were about him, and blinked to his tune
Shimmering blue like sparks in a haze,
As always they shimmer and shake when he plays.
My feet only made there the ghost of a sound
On the shining white pebbles that ringed him round,
Where hi- little feet flashed on a circle of sand,
And the fingers were white on his flickering hand.
In the wink of a star he had leapt in the air
With his fluttering cap and his glistening hair;
And had cast his long flute right over his back,
Where it hung by a ribbon of silver and black.
His slim little body went fine as a shade,
And he slipped through the reeds like a mist in the glade;
And he laughed like thin silver, and piped a thin note,
As he flapped in the shadows his shadowy coat.
the toes of his slippers were twisted and curled,
But he danced like a wind out into the world.
He is gone, and the valley is empty and bare
Where lonely I stand and lonely I stare.
Then suddenly out in the meadows beyond,
Then back in the reeds by the shimmering pond,
Then afar from a copse where the mosses are thick
A few little notes came trillaping quick.
I leapt o'er the stream and I sped from the glade,
For Tinfang Warble it was that played;
I must follow the hoot of his twilight flute
Over reed, over rush, under branch, over root,
And over dim fields, and through rustling grasses
That murmur and nod as the old elf passes,
Over old hills and far away
Where the harps of the Elv'enfolk softly play.

5. A Vinda dos Elfos e a Criação de Kôr

[A] pp. 168–69:   *Kôr*
              In a City Lost and Dead

A sable hill, gigantic, rampart-crowned
Stands gazing out across an azure sea

Under an azure sky, on whose dark ground
Impearled as 'gainst a floor of porphyry
Gleam marble temples white, and dazzling halls;
And tawny shadows fingered long are made
In fretted bars upon their ivory walls
By massy trees rock-rooted in the shade
Like stony chiselled pillars of the vault
With shaft and capital of black basalt.
There slow forgotten days for ever reap
The silent shadows counting out rich hours;
And no voice stirs; and all the marble towers
White, hot and soundless, ever burn and sleep.

[B] pp. 171–72:   *A Song of Aryador*

In the vales of Aryador
By the wooded inland shore
Green the lakeward bents and meads
Sloping down to murmurous reeds
That whisper in the dusk o'er Aryador:
'Do you hear the many bells
Of the goats upon the fells
Where the valley tumbles downward from the pines?
Do you hear the blue woods moan
When the Sun has gone alone
To hunt the mountain-shadows in the pines?
She is lost among the hills
And the upland slowly fills
With the shadow-folk that murmur in the fern;
And still there are the bells
And the voices on the fells
While Eastward a few stars begin to burn.
Men are kindling tiny gleams
Far below by mountain-streams
Where they dwell among the beechwoods near the shore,
But the great woods on the height
Watch the waning western light
And whisper to the wind of things of yore,
When the valley was unknown,
And the waters roared alone,
And the shadow-folk danced downward all the night,
When the Sun had fared abroad
Through great forests unexplored
And the woods were full of wandering beams of light.
Then were voices on the fells
And a sound of ghostly bells
And a march of shadow-people o'er the height.
In the mountains by the shore
In forgotten Aryador

There was dancing and was ringing;
There were shadow-people singing
Ancient songs of olden gods in Aryador.'

8. O Conto do Sol e da Lua

[A] pp. 246–49:   Why the Man in the Moon
came down too soon

The Man in the Moon had silver shoon
And his beard was of silver thread;
He was girt with pale gold and inaureoled
With gold about his head.
Clad in silken robe in his great white globe
He opened an ivory door
With a crystal key, and in secrecy
He stole o'er a shadowy floor;
Down a filigree stair of spidery hair
He slipped in gleaming haste,
And laughing with glee to be merry and free
He swiftly earthward raced.
He was tired of his pearls and diamond twirls;
Of his pallid minaret
Dizzy and white at its lunar height
In a world of silver set;
And adventured this peril for ruby and beryl
And emerald and sapphire,
And all lustrous gems for new diadems,
Or to blazon his pale attire.
He was lonely too with nothing to do
But to stare at the golden world,
Or strain for the hum that would distantly come
As it gaily past him whirled;
And at plenilune in his argent moon
He had wearily longed for Fire -
Not the limpid lights of wan selenites,
But a red terrestrial pyre
With impurpurate glows of crimson and rose
And leaping orange tongue;
For great seas of blues and the passionate hues
When a dancing dawn is young;
For the meadowy ways like chrysoprase
By winding Yare and Nen.
How he longed for the mirth of the populous Earth
And the sanguine blood of men;
And coveted song and laughter long
And viands hot and wine,
Eating pearly cakes of light snowflakes
And drinking thin moonshine.

He twinkled his feet as he thought of the meat,
Of the punch and the peppery brew,
Till he tripped unaware on his slanting stair,
And fell like meteors do;
As the whickering sparks in splashing arcs
Of stars blown down like rain
From his laddery path took a foaming bath
In the Ocean of Almain;
And began to think, lest he melt and stink,
What in the moon to do,
When a Yarmouth boat found him far afloat,
To the mazement of the crew
Caught in their net all shimmering wet
In a phosphorescent sheen
Of bluey whites and opal lights
And delicate liquid green.
With the morning fish — 'twas his regal wish —
They packed him to Norwich town,
To get warm on gin in a Norfolk inn,
And dry his watery gown.
Though Saint Peter's knell waked many a bell
In the city's ringing towers
To shout the news of his lunatic cruise
In the early morning hours,
No hearths were laid, not a breakfast made,
And no one would sell him gems;
He found ashes for fire, and his gay desire
For chorus and brave anthems
Met snores instead with all Norfolk abed,
And his round heart nearly broke,
More empty and cold than above of old,
Till he bartered his fairy cloak
With a half-waked cook for a kitchen nook,
And his belt of gold for a smile,
And a priceless jewel for a bowl of gruel,
A sample cold and vile
Of the proud plum-porridge of Anglian Norwich —
He arrived so much too soon
For unusual guests on adventurous quests
From the Mountains of the Moon.

62/8 "Now here" said Galdor "we must get as far hence toward the encircling mountains as may be ere dawn come upon us and has given us great pain & time albeit it is winter." Then at rose a dissension for a member said that it were better to make for Cristhorn or Thorn proposed. "The Sun" say they "will be up long ere we win thi foothills and we shall be o'ertaken in the plain: those snakes and those demons ~~have many a host beyond as we fare we need him way~~

~~That snake warned there yet were here for seeking for Bad Uswen the way of Escape now far less~~

Let us seek the Bad Uswen the Way of Escape for we are but half the journeying, and our weary and our wounded may here yet win so far & no further

63d But others, the Gnome Legolas Greenleaf of the house of the Tree who knew all that plain by day or by dark and was night-sighted made said for all their ~~great~~ weariness over the vale, and halted only after a great march. There was all the Earth spread with the grey light of that sad dawn when they came in view of Gondolin. But the plain was full of mists, and that was a marvel for the mists had come there ever before, and this perchance had to do with the doom of the fountain of the king. Again there rose and covered by the vapours and long past o dawn in safety, till they were already long in for any to descry them in hazy airs from the hill or from the ruined walls. Now the mountains were on that side seven leagues save a mile from Gondolin, and Cristhorn, the Cleft of Eagles another league & upward some from the beginning of the mountains proper, so they were now yet two leagues and part of a herd from the pass, and very weary to it. By now the Sun hung ~~over~~ well above a saddle in the Eastward hills, and she was very red and great; and the mists upon them were ~~lifted~~ but the sides of Gondolin were utterly hidden as in a cloud. Behold ~~then~~ at the chasmo of the cars they saw, but half a league away, a knot of men that fled on foot — and these were pursued by a Glamour cavalry, for on great wolves rode Orcs, & they brandishing spears. Then Tuor: "Lo! here is Earendel my son and my men of wing and he ore in sore strais — ". Forthwith he chose fifty of men that were least weary, and leaving the main company to follow, he